Les Éditions du Boréal
4447, rue Saint-Denis
Montréal (Québec) H2J 2L2
www.editionsboreal.qc.ca

DU SCRIBE AU SAVANT

DES MÊMES AUTEURS

YVES GINGRAS
Luc Chartrand, Raymond Duchesne, Yves Gingras : *Histoire des sciences au Québec,* Boréal, 1987.

Sciences et Médecine au Québec : perspectives sociohistoriques, sous la direction de M. Fournier, Y. Gingras, O. Keel, Institut québécois de recherche sur la culture, 1987.

Les Origines de la recherche scientifique au Canada, Boréal, 1991.

Physics and the Rise of Scientific Research in Canada, Presses universitaires McGill-Queen's, 1991.

Building Canadian Science : The Role of the National Research Council, sous la direction de Richard A. Jarrell et Yves Gingras, Scientia Press, 1992.

Pour l'avancement des sciences. Histoire de l'ACFAS 1923-1993, Boréal, 1994.

Science, Culture et Nation, textes de Marie-Victorin choisis et présentés par Yves Gingras, Boréal, 1996.

PETER KEATING
La Science du mal. L'institution de la psychiatrie au Québec, 1800-1914, Boréal, 1993.

Alberto Cambrosio, Peter Keating, *Exquisite Specificity. The Monoclonal Antibody Revolution,* Oxford University Press, 1995.

Santé et Société au Québec, XIXe-XXe siècle, sous la direction de Peter Keating et Othmar Keel, Boréal, 1995.

CAMILLE LIMOGES
La Sélection naturelle, Presses universitaires de France, 1970 (traduit en espagnol, Mexico, Siglo veintiuno editores, 1976).

L'Équilibre de la nature, textes de Carl Linné traduits du latin par Bernard Jasmin, avec une introduction et des notes de Camille Limoges, Vrin, 1972 (traduit en italien, Milan, Feltrinelli, 1982).

William Coleman et Camille Limoges (dir.), *Studies in History of Biology,* Baltimore, The Johns Hopkins University Press, 1977-1984, 7 volumes.

Michael Gibbons, Camille Limoges, Helga Nowotny, Simon Schwartzman, Peter Scott, Martin Trow, *The New Production of Knowledge,* Sage, 1994 (traduit en espagnol, Barcelone, Ediciones Pomares-Corredor, 1997).

Yves Gingras, Peter Keating
Camille Limoges

DU SCRIBE AU SAVANT

Les porteurs du savoir
de l'Antiquité à la révolution industrielle

Boréal

Les Éditions du Boréal remercient le Conseil des Arts du Canada ainsi que le ministère
du Patrimoine canadien et la SODEC pour leur soutien financier.

Illustration de la couverture : Averroès (1126-1198) conversant avec Porphyre (as. lat. 6823 ful. 2),
XIIIᵉ siècle, Paris, Bibliothèque nationale de France. © Giraudon

Diffusion au Canada : Dimedia

Données de catalogage avant publication (Canada)

Gingras, Yves, 1954-

  Du scribe au savant : Les porteurs du savoir de l'Antiquité à la révolution industrielle
  (Boréal compact ; 105)

  Comprend des réf. bibliogr. et un index

  ISBN 2-7646-0004-6

  1. Scientifiques – Histoire. 2. Savants – Histoire. 3. Sciences – Histoire. I. Keating, Peter, 1953- . II.
Limoges, Camille. III. Titre.

Q125.G56   1999   509'.2'2   C99-941489-5

À la mémoire de notre collègue et ami
Michel Grenon,
historien des Lumières,
passionné des sciences modernes

Introduction

La plupart des historiens conçoivent la science comme un ensemble de concepts rendant compte du monde environnant (et de sa genèse) par des causes naturelles. La science se réduit alors à la pensée rationnelle et trouve ses racines en Grèce antique. À cette définition restrictive et axée sur l'activité théorique s'oppose une conception plus large de la science qui englobe toutes les activités par lesquelles l'homme contrôle son environnement. De ce point de vue, la science est aussi vieille que l'humanité et lui est même antérieure, puisque certains animaux utilisent aussi des outils et cherchent à contrôler leur environnement.

Selon la définition que l'on adopte, le plan d'un ouvrage d'histoire des sciences et son extension temporelle différeront. Plutôt que de trancher entre diverses définitions de la science, il nous est apparu préférable — et surtout plus conforme à la pratique historienne — de concentrer notre attention sur les différents *modes d'appréhension de la nature* adoptés à diverses époques de l'histoire des civilisations, dans les domaines d'activités qui relèvent de ce que l'on appelle aujourd'hui les sciences. Ainsi, au lieu de se demander si les Égyptiens ou les Babyloniens font vraiment de la science ou ne font que de la « proto-science », il semble plus fécond de cerner leur façon particulière d'observer le ciel et de l'interpréter, de calculer, d'user de figures géométriques ou de soigner les malades.

En s'interrogeant ainsi sur les modes d'appréhension de la nature, on reconstruira les grands paradigmes qui, à différentes périodes, ont fixé les cadres de l'interprétation et de la transformation de la nature dans l'histoire du monde occidental, de l'Antiquité à la révolution industrielle. On verra par exemple que ce qui distingue le savoir grec des savoirs égyptien et babylonien, c'est moins leur caractère plus ou moins « scientifique » que leur mode d'organisation : axiomatique, géométrique et déductif pour le premier ; algorithmique et fondé sur des listes pour les seconds. On verra aussi que, après avoir atteint son apogée à l'époque hellénistique, le mode grec d'appréhension de la nature se diffusera d'abord dans le monde arabe et prendra ensuite une assise institutionnelle dans les universités, qui font leur apparition en Europe à compter du XIIe siècle. L'importance de cette conception du monde est telle que ce sera encore sur cette fondation que s'opérera la révolution scientifique du XVIIe siècle, la vision géométrique du monde ne cédant en effet la place à une conception analytique qu'à compter du début du XVIIIe siècle.

C'est d'ailleurs parce qu'ils participent d'une vision analytique du monde que les scientifiques d'aujourd'hui peuvent difficilement lire un livre essentiellement géométrique comme les *Principia* de Newton, qui est pourtant le livre fondateur de la dynamique classique. Le milieu du XVIIIe siècle fournit ainsi une coupure qui s'impose sur les plans tant conceptuel que social avec le déclenchement de la révolution industrielle et clora donc ce premier volume.

C'est en effet vers 1750 que se trouvent mis en place, du point de vue non seulement de la connaissance du monde physique, mais également de l'entreprise technique, les fondements du monde dans lequel nous vivons aujourd'hui. Aussi bien les principes de l'intelligibilité de ce monde que ceux de la technologie qui va le transformer davantage en deux siècles qu'au cours de toute l'histoire antérieure. En un sens, nous nous basons encore largement sur des principes établis par la science de la génération de Newton de même que sur leurs applications.

Après 1750, cette dernière va se déployer de façon accélérée et transformer la planète. D'ailleurs, on a acquis plus de connaissances et mis au point plus de technologies depuis cette date qu'au cours de tous les siècles précédents, le processus de progression exponentielle débutant à cette époque. La durée n'a rien à voir là-dedans : pour ce qui est tant de la connaissance du monde que de la substitution d'un environnement technologique à un environnement naturel, le plateau de la balance n'est pas moins lourd pour les 250 ans qui se sont écoulés depuis 1750 que pour toute la période antérieure. Il sera donc légitime de consacrer tout un volume à ce dernier quart de millénaire.

En plus de prêter attention aux différentes conceptions du monde qui se sont succédé depuis 5 000 ans, nous nous intéressons aux *porteurs du savoir,* c'est-à-dire à ceux qui, à différentes périodes de l'histoire, proposent des façons nouvelles de concevoir la nature et d'interagir avec elle. Nous mettons donc au centre de notre enquête les acteurs qui ont produit, conservé et disséminé le savoir, en insistant sur leur enracinement dans l'organisation sociale et les institutions de leur temps, sur leurs moyens de travail, intellectuels et matériels, et sur la nature et les buts des activités dans lesquelles ils étaient engagés. Une telle approche a l'avantage de bien faire ressortir la spécificité des savoirs et leur relation avec des formes institutionnelles particulières et datées. Elle nous permet aussi d'intégrer dans notre histoire les imprimeurs, les cartographes et les navigateurs, figures souvent périphériques dans les ouvrages d'histoire des sciences (chapitre 5).

Ainsi, le scribe est le premier type de porteur de savoir qui codifie les connaissances en usant d'une technique nouvelle : l'écriture (chapitre 1). Le philosophe qui fait son apparition dans les petites cités-États de la Grèce antique apporte une façon différente de conceptualiser l'univers, conceptualisation reprise et développée par la suite dans le monde occidental (chapitres 2 et 3). En effet, si l'on remonte le fil du temps, il est clair que les scientifiques d'aujourd'hui sont les héritiers de la tradition gréco-arabe, institutionnalisée dans les universités médiévales où émergea la figure du clerc (chapitre 4) ; cette tradition sera encore à l'œuvre dans les discours des humanistes (chapitre 6), des savants et des naturalistes regroupés autour des académies au tournant du XVIIe siècle. Ces savants vont progressivement rompre avec la tradition et récuser la conception de l'univers qui prédomine alors dans le monde occidental depuis près de deux millénaires (chapitres 7, 8 et 9).

On trouvera donc ici non pas une histoire « mondiale » de la science — montage généreux mais, par définition, artificiel de traditions qui, en plus d'être différentes, sont en bonne partie incommensurables —, mais plutôt celle des modes de pensée qui se sont succédé dans le monde occidental, écrite du point de vue de l'expérience occidentale et ce avant tout pour des raisons de cohérence historiographique. Par conséquent, nous ne nous attardons pas sur la science de l'Inde ancienne, de la Chine, des pays islamiques ou des sociétés précolombiennes en particulier, si ce n'est pour noter l'importance qu'à un moment ou l'autre ces sociétés ont eue dans l'évolution de la science en Occident. Le lecteur que ces civilisations intéressent pourra trouver pour certaines d'entre elles des synthèses encyclopédiques récentes[1].

On déplore, depuis un certain nombre d'années, l'absence d'ouvrages de synthèse en histoire des sciences. Cela est dû, entre autres, au fait qu'il est impossible de traiter l'ensemble des découvertes importantes faites dans les différentes sciences depuis plus de trois siècles dans les limites d'un seul volume de taille raisonnable. Il existe déjà de bonnes encyclopédies et d'excellentes histoires de la plupart des grandes disciplines scientifiques (chimie, physique, mathématiques, géologie, etc.) ; il n'est donc pas nécessaire de les résumer en un seul volume. Ce qui manque, c'est plutôt une vision globale des transformations de ces savoirs dans l'histoire des civilisations. En d'autres termes, si plusieurs histoires « verticales » tiennent compte des apports historiographiques récents, aucune histoire « horizontale » n'a tenté de brosser un tableau de l'évolution des sciences, des origines à la révolution industrielle. Par ailleurs, les auteurs hésitent à sortir du cadre disciplinaire du savoir. Or, essayer de décrire dans un même ouvrage le savoir produit par toutes les disciplines ne peut que résulter en une concaténation indigeste.

Pour mener à bien une entreprise de synthèse dans les limites d'un seul volume, il est nécessaire d'adopter une approche donnant la possibilité de faire un survol qui ne soit pas soumis aux rigidités disciplinaires, lesquelles ne se sont d'ailleurs vraiment installées qu'à compter du XIXe siècle. C'est ce que les notions de « mode d'appréhension de la nature » et de « porteur du savoir » que nous introduisons ici nous permettent de tenter. Le lecteur qui cherche une démonstration de la loi de la chute des corps de Galilée, ou du théorème de Pythagore devra donc consulter les ouvrages consacrés à l'histoire dite « interne » de ces disciplines. Bien qu'elle soit attentive aux formes institutionnelles dans lesquelles évoluent les porteurs du savoir, notre approche ne se limite pas à l'histoire dite « externe » des sciences, car elle s'attache aussi à décrire les transformations conceptuelles survenues au cours de l'histoire.

Bien sûr, une telle tentative de synthèse n'est possible que grâce aux nombreux travaux des spécialistes en histoire des sciences, discipline qui s'est considérablement renouvelée au cours des 30 dernières années et qui, après avoir été exclusivement centrée sur les grandes théories (Ptolémée, Copernic, Galilée, Newton), s'est tournée vers l'histoire sociale des sciences, c'est-à-dire une histoire qui s'intéresse non seulement aux résultats de l'activité scientifique (les concepts et les théories), mais avant tout aux transformations des exigences de cette activité elle-même dans différentes parties du monde à diverses époques. Si la mise en forme particulière que nous avons privilégiée peut prétendre à quelque originalité, elle n'en est pas moins tributaire de l'ensemble de ces travaux.

Dans cet ouvrage, nous portons essentiellement notre attention sur les domaines habituellement visés par le terme « science », à l'exception peut-être de la médecine qui occupe ici une place importante alors que, à l'instar de l'histoire des techniques, elle est souvent traitée de façon séparée. Quant aux savoir-faire techniques, ils interviennent dans notre étude avant tout comme éléments de contexte permettant de comprendre des transformations économiques, sociales ou institutionnelles et, à l'occasion, sous forme d'instruments (lunettes, microscopes, etc.), mobilisés pour la connaissance à laquelle ils donnent accès. Les savoirs scientifiques et les savoir-faire techniques étant portés par des agents différents qui ont peu de contact entre eux avant la Renaissance, il serait d'ailleurs artificiel de vouloir les traiter de concert. Rappelons en effet que les interactions soutenues entre science et technique constituent un phénomène relativement récent, qui ne prend de l'importance qu'au milieu du XIXe siècle dans des secteurs comme l'industrie chimique et celle de l'équipement électrique.

Les connaissances inscrites dans la généalogie de ce que l'on appelle maintenant la science sont celles qui étaient caractérisées par une volonté d'explication rationnelle, par un souci d'appuyer la validité de ce que l'on tenait pour vrai soit par la démonstration, soit par la mise à l'épreuve dans la discussion, dans la critique — ce qu'Aristote nommait la dialectique —, soit encore par l'expérience et, plus tard, par l'expérimentation. Les connaissances à caractère rationnel ont une histoire et, de ce fait, ne se sont pas développées dans un splendide isolement. Faire l'histoire des sciences, ce sera donc aussi faire l'histoire des relations d'emprunt, de contamination, d'exclusion, de conflit, etc., que n'ont cessé d'entretenir ces savoirs, soucieux qu'ils étaient de validation rationnelle avec d'autres formes de savoirs, de croyances, de convictions.

Cet ouvrage d'introduction s'adresse non seulement aux étudiants, mais à tout lecteur que l'histoire intéresse. Il vise aussi à montrer que l'histoire des sciences n'est pas une spécialité absconse réservée aux scientifiques de formation, mais qu'elle constitue une partie intégrante de la connaissance historique. À ce titre, il apportera un éclairage essentiel à quiconque se soucie de comprendre comment la société dans laquelle il vit aujourd'hui est imprégnée de science et de technologie. Nous avons pris le parti d'écrire un livre dont l'abord n'aura d'autres préalables que la curiosité et la volonté de comprendre.

REMERCIEMENTS

Il va de soi qu'une telle tentative de synthèse ne saurait être possible sans les conseils de collègues qui ont accepté de lire différentes versions des chapitres pour nous faire bénéficier de leurs connaissances et de leurs suggestions et nous éviter ainsi nombre d'erreurs. Nous tenons donc à remercier nos collègues Janick Auberger, Michel Guay, Michel Hébert et Lise Roy, de l'Université du Québec à Montréal, Alberto Cambrosio de l'Université McGill, Jean Eisenstaedt, de l'Université Pierre et Marie Curie, et Alexander Jones, de l'Université de Toronto, qui ont bien voulu faire une lecture attentive de divers chapitres. Michel Guay a aussi eu l'amabilité de préparer pour nous les figures 1.5 et 1.9. Merci aussi à notre collègue et ami Craig Fraser, de l'Université de Toronto, qui a bien voulu nous procurer, à la Fisher Rare Book Library, les photos des gravures tirées des ouvrages de Tartaglia. La plupart des autres illustrations proviennent de la collection Léo-Pariseau du Service des livres rares de l'Université de Montréal.

Un remerciement tout spécial s'adresse à Marc Couture, de la Télé-Université. Dans le cadre de notre collaboration à la conception du cours « SCI-1021 : Sciences, techniques et civilisations », offert par son établissement, il a lu l'ensemble des chapitres et fait de nombreuses suggestions. Il a également conçu les cartes et la majorité des figures. Nous sommes aussi redevables à notre assistante Lucie Comeau pour ses recherches et vérifications bibliographiques. Il faut toutefois rappeler que nous demeurons les seuls responsables des erreurs de fait ou d'interprétation qu'on ne manquera pas de trouver dans un tel ouvrage.

CHAPITRE 1

Les scribes : porteurs du savoir en Mésopotamie et en Égypte ancienne

L'histoire des sciences ne commence véritablement qu'avec l'écriture, qui seule permet d'enregistrer le savoir. Les civilisations mésopotamienne et égyptienne retiendront donc notre attention dans ce chapitre, car elles ont été les plus anciennes à user de l'écriture et à s'en servir pour effectuer des calculs (arithmétiques et géométriques) et pour consigner des observations astronomiques et médicales.

Comme nous allons le voir, les Mésopotamiens ont, de façon générale, développé ces pratiques davantage que les Égyptiens. Néanmoins, ces deux civilisations sont comparables à plusieurs égards. Toutes deux ont mis au point un système d'agriculture qui a permis un niveau relativement élevé d'urbanisation, et chacune a vu apparaître des scribes chargés de gérer les activités de leur société. Occupant des fonctions administratives, religieuses et médicales, ces derniers sont parvenus à une forme de savoir où la magie et la connaissance positive étaient inextricablement liées. Les scribes sont ainsi les premiers porteurs du savoir écrit dans l'histoire de l'humanité.

Notre connaissance des sciences et des techniques de la Mésopotamie est largement tributaire des nombreuses fouilles archéologiques menées principalement en Irak. Elle est relativement récente, les premières fouilles ne datant que du milieu du XIXe siècle. Parmi les découvertes les plus importantes pour l'histoire des sciences et des techniques, on trouve des tablettes et autres objets en argile qui portent les signes de la plus ancienne écriture connue. Bien que

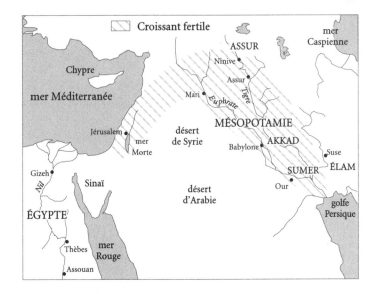

Figure 1.1. La Mésopotamie et l'Égypte antique.

les premiers exemples de cette écriture — disparue depuis le commencement de notre ère et dite « cunéiforme » en raison de ses signes en forme de coin — aient été connus depuis le début du XVIIIe siècle, leur déchiffrement a pris plus de 100 ans[1]. De fait, les premières traductions complètes en langues modernes du sumérien et de l'akkadien — les deux langues mésopotamiennes les plus importantes utilisant l'écriture cunéiforme —, n'apparaissent qu'à l'aube du XXe siècle[2].

On compte aujourd'hui au moins 500 000 tablettes en argile dans les musées de l'Occident et du Moyen-Orient, et on en découvre de nouvelles chaque année. Or, ce demi-million de tablettes représentent, selon certaines estimations, pas plus de 0,02 % de la production écrite de la Mésopotamie antique[3]. Néanmoins, nous disposons pour cette civilisation de 100 fois plus de documents que pour l'Égypte ancienne. Dans ce dernier cas, mis à part celles qu'on trouve sur les murs des temples et autres monuments, la plupart des inscriptions sont conservées sur des papyrus, malheureusement beaucoup moins durables que l'argile utilisée par les Mésopotamiens. Par contre, les tombes égyptiennes des diverses époques nous fournissent une riche documentation visuelle qui nous apprend beaucoup de choses sur les activités quotidiennes, telles que l'agriculture, l'artisanat, les constructions, le transport, etc.

LE PROCESSUS DE CIVILISATION ET L'INVENTION DE L'ÉCRITURE

Les découvertes archéologiques des dernières 150 années permettent de se faire une idée de la façon dont ont émergé les deux civilisations. Les premiers villages découverts au Proche-Orient ne remontent qu'au septième millénaire avant notre ère. L'existence d'habitations permanentes témoigne du passage d'une vie nomade à une vie sédentaire. Cette vie sédentaire repose sur la maîtrise de l'agriculture et notamment sur les techniques d'irrigation donnant la possibilité d'accroître le rendement agricole des terres alluviales et de produire un surplus agricole qui sera consommé dans les villes.

Les historiens font commencer la période proprement historique de la civilisation mésopotamienne vers l'an 3500 av. J.-C., date de l'apparition de l'écriture dans la zone sud de la Mésopotamie, constituée alors de petites communautés urbaines et agricoles telles que Sumer et Suse. La croissance subséquente des villes et de cités-États comme Our, qui vers 2600 av. J.-C. pouvait compter 24 000 habitants sur une superficie de 150 hectares, mena à l'établissement de véritables empires[4]. Le premier, fondé par les Sumériens vers 2325, s'étendit sur toute la Mésopotamie. Cet empire fut renversé peu de temps après (vers 2300) par les Akkadiens, qui habitaient un peu plus au nord et dont la principale ville était Akkad. Parlant une langue d'origine sémitique, les Akkadiens furent néanmoins profondément marqués par la culture sumérienne. Plus stable que le précédent, l'empire qu'ils érigèrent sur le territoire mésopotamien allait durer 150 ans. Il fut suivi d'une série de migrations et d'invasions par des voisins qui établirent des empires de durée variable, comme celui dont le centre était Babylone. L'un des tout derniers conquérants de l'Antiquité fut Alexandre le Grand qui détruisit l'Empire perse en 331 av. J.-C et incorpora la Mésopotamie à l'Empire hellénistique, dont la métropole était Alexandrie.

Pour l'Égypte, l'unification politique de l'ensemble de la vallée, de la Méditerranée jusqu'à Assouan, remonte à 3100 av. J.-C., date de la formation de la première dynastie. Protégée des grands mouvements de population qui se produisirent régulièrement dans le reste du Proche-Orient, le système pharaonique connut une grande stabilité tout au long de ses 3 000 ans d'histoire. Au milieu du second millénaire, l'État égyptien atteignit un sommet inégalé, étendant son contrôle sur l'ensemble du couloir syro-palestinien ainsi que vers le Sud africain, jusqu'au Soudan actuel. À compter du VIe siècle avant notre ère, toutefois, l'Égypte tomba sous la coupe des grands empires extérieurs, dont celui des Perses, des Grecs, puis des Romains.

Parmi les techniques qui rendirent possible la vie sédentaire, dans le monde tant mésopotamien qu'égyptien, la plus déterminante fut l'agriculture hydraulique, pratiquée dans des zones semi-arides dont l'irrigation exigeait un système de canaux. La vie sédentaire permit une importante accumulation de produits agricoles, ce qui entraîna une augmentation de la densité de la population habitant le territoire. Il est difficile de savoir avec certitude si l'amélioration du système d'agriculture précéda l'émergence d'un système urbain complexe ou si elle lui succéda. Selon toute vraisemblance, ces deux processus se développèrent en concomitance, l'urbanisation créant sans doute une demande accrue de produits agricoles, alors qu'un système d'agriculture amélioré par l'irrigation permit une urbanisation croissante. En tout état de cause, la production d'un surplus agricole géré à partir d'un temple ou d'un palais nécessite la mise en place d'un système de répartition de ce surplus et d'une armée destinée à le protéger contre l'incursion de nomades ou de peuples rivaux[5].

Deux outils furent très importants à la fois pour la gestion d'un tel régime et pour l'émergence de nouvelles formes de savoir : l'arithmétique et l'écriture. Dans ce qui suit, nous verrons comment l'origine des chiffres et de la première forme d'écriture est étroitement liée à ces problèmes de gestion.

L'écriture est une technique essentielle à la préservation et à la dissémination de savoirs complexes. L'écriture cunéiforme en constitue le premier exemple. Son origine a suscité de nombreuses spéculations. En effet, à partir du XVIIIe siècle et jusqu'aux années 1980, les historiens de la Mésopotamie croyaient que l'origine de l'écriture cunéiforme résidait dans des pratiques de représentation telles qu'exprimées par les pictogrammes, dessins qui figurent

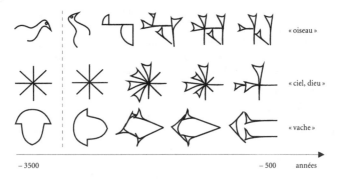

« oiseau »

« ciel, dieu »

« vache »

− 3500   − 500   années

Figure 1.2. Évolution de l'écriture cunéiforme.

des objets, des animaux ou des êtres humains *(fig. 1.2)*. Selon cette interprétation, les Sumériens auraient soudainement décidé, vers 3500 av. J.-C, moment où apparaissent les premiers pictogrammes, d'inventer l'écriture. Cependant, et contrairement à ce que l'on pourrait imaginer, l'étude des pratiques de comptabilité qui ont précédé l'apparition des pictogrammes montre que ces derniers ne dérivent pas de représentations pictographiques antérieures, mais que ce sont plutôt les besoins de la comptabilité et l'apparition des premiers systèmes de numération écrite qui furent le préalable à l'émergence de l'écriture pictographique.

En effet, des techniques comptables inusitées sont à la base du système d'écriture inventé par les habitants du Croissant fertile. Il s'agit de techniques reliées à l'économie et aux besoins nés de l'administration des biens (grains, huiles, animaux, etc.) et de leur répartition par l'administration centrale. La première technique, qui apparut dès le septième millénaire, consista à fabriquer des jetons. Petits objets en argile dénués de gravures, ces derniers pouvaient prendre de multiples formes : conique, cylindrique, triangulaire, etc. *(fig. 1.3)*. Les jetons représentaient à la fois la nature d'une marchandise (une jarre d'huile = un jeton de forme ovoïde) et la quantité (10 moutons = 1 jeton de forme lenticulaire). Afin de faciliter la conservation des jetons, de prévenir le vol et la fraude et, enfin, d'établir un système de comptabilité, une deuxième technique fut inventée vers 3700 av. J.-C. Les jetons étaient conservés dans des contenants d'argile (en forme de bulles ou d'enveloppes) scellés. Pour éviter de casser le contenant chaque fois qu'il fallait en vérifier le contenu, les Mésopotamiens prirent l'habitude d'inscrire dessus ce qu'il contenait. Ainsi, une

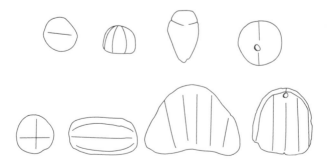

Figure 1.3. Des jetons de différentes formes permettaient de nommer et de compter les objets.

inscription de cinq ovoïdes indiquait que le contenant renfermait cinq jetons de forme ovoïde. Une fois acquise la pratique de l'inscription, l'étape suivante fut tout simplement d'éliminer les jetons et de les dessiner directement sur le contenant.

Les jetons avaient évidemment une fonction économique. Mais cette fonction n'était pas celle de l'échange; il n'y a pas de lien entre la mise au point du système des jetons et l'expansion du commerce[6]. Les jetons servaient plutôt à la comptabilité. Cette pratique est née des besoins des temples et des palais de gérer de grandes quantités de biens de toutes sortes et, surtout, de les redistribuer aux fidèles et aux dépendants. C'est donc moins dans un système de production et d'échange des marchandises que les jetons ont fait leur apparition que dans la reproduction de l'ordre social d'une société hiérarchisée où le partage convenu du surplus exigeait que l'on tienne des comptes pour pouvoir en rendre.

Ce procédé d'inscription allait par la suite mener à l'invention des chiffres en forme de coins et permettre de représenter séparément la quantité et la nature des objets comptabilisés. Ainsi, pour signifier cinq jarres d'huile, on pouvait inscrire le symbole représentant une jarre d'huile précédé de cinq coins.

En plus des inscriptions concernant la quantité et la nature des objets, les contenants portaient un sceau indiquant l'origine du bien et le nom de son propriétaire. Ces sceaux étaient de véritables dessins, ou pictogrammes. Ceux-ci pouvaient être à la fois concrets, en ce sens qu'ils renvoyaient directement aux objets en question, et abstraits, dans la mesure où, en voulant désigner une personne ou un lieu, ils créaient des noms propres. C'est dans ce sens que les symboles représentant les jetons, les personnes et les lieux servirent de prototype aux pictogrammes qui suivirent quelque 200 ans plus tard et qui furent à la base de l'écriture mésopotamienne[7].

Un pictogramme représente une chose et non pas un mot. En d'autres termes, nous pouvons comprendre un pictogramme sans comprendre la langue de la personne qui l'a dessiné. Nous ne pouvons pas dire que nous avons lu ce que nous avons vu, même si nous l'avons compris. Au mieux, un système de pictogrammes, aussi perfectionné soit-il, n'est qu'un aide-mémoire[8].

Vers le début du troisième millénaire cependant, on trouve des tablettes sumériennes où certains pictogrammes renvoient non plus aux objets de la vie quotidienne, mais aux sons des mots désignant ces objets en langue sumérienne[9]. Ce passage de la représentation des objets à celle des sons fut en partie simplifié par le fait que les mots sumériens étaient pour la plupart mono-

« la ville de Mari »

A   LAM   MA   RI

Figure 1.4. Combinaisons de signes dans l'écriture cunéiforme.

syllabiques. Ainsi, chaque objet représenté par un mot représentait aussi un son simple, de sorte que, pour les Sumériens, les pictogrammes constituaient, sans que leurs concepteurs l'aient voulu à l'origine, un système phonétique. La transposition des symboles des objets aux mots et des mots aux sons se faisait donc d'un seul mouvement, ce qui permettait d'écrire des phrases en juxtaposant les signes correspondant aux différentes syllabes de la phrase *(fig. 1.4)*.

Ce sont principalement les conquérants akkadiens qui, en adoptant le système d'écriture sumérien, sont à l'origine de l'épanouissement du système d'écriture cunéiforme. Cependant, leur langue sémitique, polysyllabique, était tout à fait différente de celle des Sumériens, et les Akkadiens conservèrent non pas les mots, mais les sons que les pictogrammes sumériens désignaient. Et, pour rendre la vie encore plus difficile aux futurs assyriologues, ils firent une utilisation multiple des signes cunéiformes en les laissant signifier parfois les syllabes des mots de leur propre langue et parfois les objets que les pictogrammes signifiaient à l'origine.

L'une des conséquences de ce passage au phonétisme, qui avait débuté avec les Sumériens, fut d'alléger considérablement l'écriture cunéiforme. De plus de 1 500 signes dérivés des pictogrammes originaux, on tomba à 500 ou 600 au cours du troisième millénaire[10]. Le système restait toutefois assez lourd et il n'était pas facilement accessible à tous, contrairement par exemple à notre alphabet qui ne comprend que 26 lettres. Ceux qui voulaient apprendre l'écriture cunéiforme devaient donc y consacrer de longues années, en particulier les Akkadiens car les signes provenaient d'une langue étrangère (le sumérien) qu'ils ne parlaient pas.

À l'instar de la Mésopotamie, l'Égypte était au troisième millénaire une civilisation complexe, caractérisée par un gouvernement relativement centralisé. L'administration et la gestion quotidienne auraient été impossibles sans l'écriture et le calcul. Comme leurs voisins, les Égyptiens inventèrent donc une écriture qui leur était propre et dont les premières représentations qui nous sont parvenues datent d'environ 3100 av. J.-C. Dès cette époque, ces pictogrammes étaient en partie phonétiques, les mots qui désignaient certains des objets représentés étant monosyllabiques ou dissyllabiques. Les besoins administratifs courants et le matériau utilisé pour écrire allaient transformer cette écriture pictographique en des formes cursives non figuratives, dites « hiératiques » (vers 2000 av. J.-C.) et « démotiques » (vers 500 av. J.-C.). Alors que les tablettes d'argile se prêtaient mal à l'écriture cursive et imposèrent plutôt l'adoption des caractères cunéiformes, le papyrus et le roseau trempé dans l'encre qu'utilisaient les scribes égyptiens permirent une évolution différente de leur écriture *(fig. 1.5)*. Les pictogrammes, beaucoup plus esthétiques et chargés de symboles, seraient réservés aux textes sacrés et aux inscriptions monumentales sur les temples et les tombeaux. Le terme « hiéroglyphe », utilisé par les Grecs pour caractériser l'écriture égyptienne, signifie d'ailleurs « écriture sacrée ». Les derniers textes écrits de cette manière datent de la fin du Ve siècle de notre ère. Cependant, leur déchiffrement au XIXe siècle a été plus facile que ne l'a été celui des caractères cunéiformes. En effet, l'égyptologue français Jean-François Champollion, qui avait d'abord trouvé la correspondance entre les signes hiéroglyphiques, hiératiques et démotiques, put se servir de la fameuse « pierre de Rosette », une stèle découverte en 1799 dont l'inscription était rédigée en deux langues et trois écritures (hiéroglyphes, démotique et grec), pour décrypter, en 1822, les hiéroglyphes.

Tout comme l'écriture mésopotamienne, l'écriture égyptienne est complexe (environ 700 signes vers 2000 av. J.-C.) et demande de longues années d'apprentissage ; elle était donc réservée à des professionnels, les scribes.

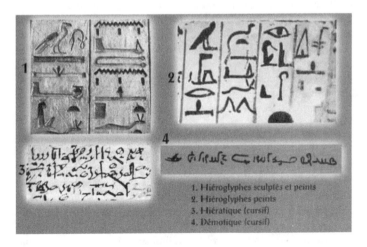

1. Hiéroglyphes sculptés et peints
2. Hiéroglyphes peints
3. Hiératique (cursif)
4. Démotique (cursif)

Figure 1.5. Les différents types de l'écriture hiéroglyphique égyptienne.

LES PORTEURS DU SAVOIR : LES SCRIBES

Dans les grandes villes de la Mésopotamie, le travail dépendait étroitement du palais dans la mesure où chaque métier (brasseur, boulanger, etc.) était surveillé par un représentant du roi. Le métier le plus prestigieux était celui de marchand ; le moins prisé, celui de musicien. L'écriture était d'usage courant pour le fonctionnaire (administrateur des temples), le médecin, l'exorciste, le devin, et le poète. Les postes d'exorciste et de devin semblent avoir été les plus prestigieux, car leurs titulaires étaient soumis à des examens sous le contrôle de l'État[11].

En Égypte, le système administratif du palais et des temples se caractérisait par un contrôle poussé de l'ensemble des activités économiques, culturelles et politiques. Dans ce contexte, l'écriture, comme instrument de gestion, était fortement intégrée à l'État politico-religieux. La liste des différents types de scribes qui travaillaient pour l'État était longue, allant du scribe du grenier royal au simple copiste.

L'accès à ce savoir était une affaire de privilège et de prestige. D'après les inscriptions tombales recensées en Égypte, nous savons, par exemple, que la plupart des officiers importants de l'État avaient occupé un poste de scribe à un moment de leur carrière. Vu les longues années d'études que cela nécessitait, il s'agissait d'un investissement familial important qui n'était possible que pour les fonctionnaires, les riches marchands ou les scribes eux-mêmes[12]. Il y avait, néanmoins, des exceptions. Ainsi, en Mésopotamie, on ne trouvait pas parmi les scribes seulement des individus riches. Selon Oppenheim, certains d'entre eux, moins éduqués, travaillaient aux grandes portes de la ville en tant que scribes publics[13]. C'était, d'ailleurs, une profession qui n'était pas réservée aux hommes, les femmes aussi y ayant accès dès l'ère d'Hammourabi (1800 av. J.-C.)[14].

Le scribe apprenait son métier soit dans les centres administratifs des palais et des temples, soit auprès d'un maître[15]. Jusqu'ici, cependant, aucune école n'a été retrouvée dans le cadre de fouilles archéologiques. Toutefois, en Mésopotamie, le travail des étudiants est facilement reconnaissable à la forme ronde de leurs tablettes[16]. Ces tablettes montrent que l'instruction se faisait essentiellement par imitation, l'étudiant copiant le modèle tracé par le maître. Mais après cette formation initiale, le cursus des écoles sumériennes comportait deux branches ; l'une vouée à un savoir à caractère technique, l'autre à des pratiques littéraires.

Dans le premier cas, l'objectif principal était l'apprentissage de la langue sumérienne. À cet effet, les instructeurs avaient classé celle-ci en groupes de

mots et de phrases. Avec le temps, ils ajoutèrent dans les manuels d'apprentissage des listes de noms de plantes, d'animaux, de villes et de minéraux[17].
Cette procédure s'étendit par la suite aux mathématiques, avec l'établissement
de listes des carrés et des cubes de nombres, de calculs de toutes sortes et de
problèmes arithmétiques divers. Ainsi, l'étudiant commençait avec les exer-
cices simples, apprenant les signes des syllabes et leur prononciation. Une fois
qu'il avait assimilé les signes simples, il passait à l'étude des signes composés
indiquant, par exemple, les parties du corps, les animaux domestiques, les
objets fabriqués, les noms des lieux et ainsi de suite. Le stade ultime était
la rédaction de contrats, ce qui demandait non seulement une maîtrise de la
langue et l'étude de contrats types, mais aussi une connaissance de l'arithmétique, du calcul des intérêts et de la géométrie (surfaces et volumes) appliquée
surtout à la construction d'édifices et d'ouvrages de fortification[18].

Dans la branche littéraire, la formation consistait à copier ou à imiter un
corpus d'hymnes, de poèmes et de mythes qui célébraient les exploits des dieux
et des rois du passé, cette littérature épique étant apparue vers 2500 av. J.-C.
Tout au long de son apprentissage — en copiant les textes du maître —,
chaque étudiant accumulait sa propre collection de tablettes, ce qui constituait
une sorte de bibliothèque privée, source importante de références. En Mésopotamie, par exemple, la seule bibliothèque « centrale » que l'archéologie a
mise à jour est celle du roi assyrien Assurbanipal (669-631), à Ninive, dont la
collection a été estimée à 900 tablettes. En Égypte, les institutions connues sous
le nom de « Maison de la vie », dont l'existence remonte à l'Ancien Empire
(vers 2600 av. J.-C.) comportaient elles aussi d'importantes collections de
papyrus mais avaient une fonction de conservation plutôt que de consultation.
Les scribes égyptiens possédaient aussi des bibliothèques personnelles dont
certains éléments se sont parfois retrouvés dans leur tombe et sont ainsi parvenus à notre connaissance.

Les fonctions sociales et politiques du scribe étaient multiples. Installé au
temple ou au palais[19], il participait non seulement aux prières et aux sacrifices, mais aussi à l'échange des marchandises, aux mariages et à la collecte des
impôts. Toutes ces activités sociales, politiques et religieuses étaient consignées
par les scribes. C'est, par ailleurs, dans les temples que l'on a standardisé les
poids et les mesures au milieu du troisième millénaire. Il s'agissait donc, en
plus de rédiger des contrats de mariage ou de commerce, de faire la comptabilité, d'administrer de grands domaines, d'écrire des lettres pour le roi et ses
émissaires, d'établir des calendriers, de surveiller les grands travaux publics,
de percevoir les impôts, d'enseigner leur métier aux futurs scribes, etc.

Les scribes formaient un groupe assez homogène et recevaient la même formation de base[20]. Il y avait néanmoins des spécialisations. Ainsi, en Mésopotamie, les scribes voués à l'établissement des calendriers et aux prévisions astrologiques n'avaient pas la même formation ni le même statut social que ceux qui étaient responsables des contrats de commerce. Comme nous l'avons indiqué plus haut, les palais, les temples et les maisons de commerce se reposaient sur les scribes-fonctionnaires pour assurer le contrôle de la circulation des biens, des animaux et des êtres humains desquels dépendait la vie de ces grandes organisations[21]. Aux côtés des scribes-fonctionnaires, œuvraient les scribes-poètes, qui, à travers les récits historiques, les inscriptions, les hymnes et les poèmes, façonnaient l'image du roi et des dieux et justifiaient leur puissance.

Quant aux médecins, exorcistes et devins, ils n'étaient pas spécifiquement concernés par l'administration du quotidien ou par la célébration du passé. Leur préoccupation principale était plutôt la gestion de l'avenir. Spécialistes en divination, pronostic et prévision, ils étaient consultés à la fois par les rois et les citoyens pour interpréter les événements célestes, terrestres et personnels soupçonnés d'être porteurs des signes du futur[22].

LES FORMES DU SAVOIR ET LEUR ORGANISATION

Le premier principe de l'organisation du savoir, en Mésopotamie comme en Égypte, est sa présentation en listes qui, à première vue, semblent être autant de recensements[23]. Il existe des tablettes comportant des listes de contribuables, de soldats, de plantes, d'animaux, de problèmes d'arithmétique, de noms, de pronostics médicaux, etc. Certains historiens voient derrière ces listes une tentative d'appréhender l'univers ; les listes d'animaux, par exemple, seraient une sorte de proto-zoologie[24]. Cependant, selon Oppenheim, il s'agit là d'une exagération. Le fait que le savoir soit agencé de cette façon représente plutôt le mode dominant d'enseignement de la langue qui était celui de la mémorisation[25]. Les listes constituent alors une première démarche en vue d'ordonner le langage, ce qui n'empêche pas cependant que cette organisation même ait suggéré ensuite le mode de regroupement et de classification d'objets associés.

Ces inventaires servaient aussi d'outils de comptabilité générale de la société. Par ailleurs, le catalogage rend possible un savoir qui dépasse la simple nomination des choses, des événements ou des calculs. Ceci représente un progrès considérable sur la conservation et la transmission du savoir par voie orale, dans la mesure où la liste écrite permet d'abord l'instauration d'un principe d'exhaustivité qu'un savoir oral ne fournit pas ; elle ouvre aussi la voie à la comparaison et à la classification. Finalement, quoique d'une manière implicite, elle suggère, par sa forme même, une sorte de généralisation[26]. Cependant, lorsqu'ils ne se réduisent pas à de simples énumérations, les textes anciens restent au stade primaire de la consignation de l'information ; sans même une amorce de discussion ou de polémique comme on en trouvera en quantité chez les philosophes grecs.

LES ACTIVITÉS MATHÉMATIQUES DES SCRIBES

Comme nous l'avons indiqué plus haut, les chiffres mésopotamiens étaient d'abord des unités de mesure. Ils évoluèrent, pour des raisons difficiles à cerner, vers une forme de numération dite « sexagésimale » ou « à base 60 » (*fig. 1.6*) normalisée au milieu du troisième millénaire, soit à l'époque même où, selon Høyrup, les scribes devinrent un groupe social bien organisé[27]. Dans ce système de mesure, un verger mésopotamien (approximativement 35 m²) se décompose en 60 unités nommées *gìn,* tandis que la mesure d'un volume de liquide ou de grains, le *sila* (approximativement 0,84 l) se divise, elle aussi, en 60 *gìn*[28]. Il en est de même pour les unités de poids : 60 sicles équivalent à

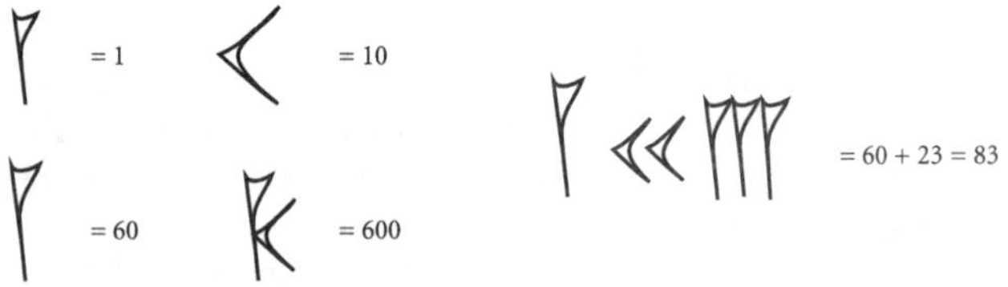

Figure 1.6. Chiffres de l'écriture cunéiforme.

une mine (approximativement 500 g) et 60 mines, à un talent. Nous conservons encore aujourd'hui une partie de ce système, notamment pour mesurer le temps (1 heure = 60 minutes) et les divisions du cercle (6 x 60° = 360°). Au début du second millénaire, on voit aussi l'introduction d'un système de numération de position qui permet de distinguer les unités des soixantaines par la position relative des signes, ce qui facilite la multiplication[29].

Avec ce système de numération, les Mésopotamiens ont pu mettre au point plusieurs méthodes de calcul numérique. Ces méthodes avaient principalement une orientation pratique ; elles étaient toujours calquées sur le problème à résoudre. Par exemple, les scribes mathématiciens ne semblent pas avoir connu de règles pour réduire des fractions à un dénominateur commun. Même s'ils procédaient à de telles réductions, le processus variait selon le problème traité[30]. De la même manière, d'après les textes mathématiques qui traitent simultanément de géométrie et d'algèbre, il est clair que les Mésopotamiens savaient construire des figures géométriques et calculer, de façon approximative parfois, les surfaces des polygones. Néanmoins, il n'y pas de termes pour les concepts géométriques tels que l'angle. Le sens des figures qui apparaissent sur les tablettes mathématiques n'est d'ailleurs pas toujours très clair. C'est ainsi que l'on qualifie souvent les mathématiques mésopotamiennes d'essentiellement arithmétiques et avant tout pratiques.

De façon générale, deux sortes de tablettes mathématiques étaient utilisées dans le travail quotidien du scribe. Les premières étaient des tables de résultats de calculs déjà faits, comme des tables de racines ou de multiplication. Les secondes étaient des tablettes de procédure qui montraient comment résoudre un problème donné en faisant référence aux tables de résultats[31]. Ces problèmes étaient classés selon les différents domaines concernés : construction civile (briques, canaux et irrigation), militaire (travaux de défense), commerce (calcul d'intérêts), héritages, poids et mesures, etc.[32]. Un problème typique consistait, par exemple, à calculer la quantité de terre à enlever pour construire un canal de forme trapézoïdale d'une largeur et d'une profondeur données, et le nombre d'ouvriers nécessaires pour entreprendre un tel travail[33]. Cependant, en dépit de la complexité des recettes employées, les mathématiciens mésopotamiens n'ont jamais généralisé les procédures utilisées et n'ont pas établi de lois mathématiques permettant l'application d'une seule formule à l'ensemble des cas possibles.

Alors que les tablettes mathématiques mésopotamiennes ont bien résisté au temps, il reste très peu de papyrus sur les mathématiques égyptiennes. Les quelques documents dont on dispose montrent que ces dernières étaient relativement rudimentaires, comparées à celles des Mésopotamiens. En algèbre,

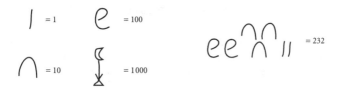

Figure 1.7. Symboles utilisés pour représenter les chiffres égyptiens.

par exemple, les Égyptiens semblent n'avoir résolu que des équations du deuxième degré de la forme la plus simple ($ax^2 = c$), alors que, chez les Mésopotamiens, on connaît des cas de résolution d'équations du quatrième et même du huitième degré, qui sont en fait des équations quadratiques déguisées[34]. Les scribes babyloniens étaient ainsi entraînés à reconnaître les problèmes de forme quadratique et à les ramener à des formes standard pour faciliter leur solution. À la différence de celui des Mésopotamiens, le système de numération égyptien fonctionnait à base 10. Malgré cette simplification, l'arithmétique et l'algèbre égyptiennes restaient des outils assez difficiles à manier. D'abord, les Égyptiens n'ont pas inventé de numération de position et utilisaient plutôt des symboles différents pour les dizaines, les centaines, etc. Les nombres étaient construits par juxtaposition des symboles et répétés au besoin *(fig. 1.7)*. Pour écrire 9 000, par exemple, on répétait 9 fois le symbole de 1 000. On trouvera le même principe chez les Romains pour qui 300 s'écrit « CCC ». Cette manière de procéder ne fut employée que dans l'écriture hiéroglyphique. Les écritures hiératique et démotique sur papyrus utilisaient des notations plus pratiques et moins encombrantes.

Le système de poids et mesures des Égyptiens est moins uniforme que celui des Mésopotamiens. Ainsi, les mesures de surface n'étaient pas directement convertibles en mesures de longueur. Par ailleurs, les multiples d'une mesure pouvaient exiger différentes numérations : 1 verge = 100 coudées, cependant que 1 coudée = 6 palmes.

Les problèmes que devaient résoudre les scribes égyptiens étaient essentiellement les mêmes que ceux de leurs homologues mésopotamiens : calculer le nombre de travailleurs nécessaires pour produire une certaine quantité de briques ; évaluer la quantité de nourriture requise pour un ensemble de travailleurs de différentes qualifications ; mesurer l'angle d'inclinaison d'une pyramide ; calculer la surface d'un terrain ; et ainsi de suite. Notons encore l'insistance mise sur les problèmes de répartition (par exemple comment partager 100 pains entre 8 hommes). Ici, le problème qui se posait était, comme chez les Mésopotamiens, celui des fractions. À l'exception de celles ayant

1 comme numérateur (1/2, 1/3, etc.), les fractions étaient d'une manipulation extrêmement difficile et nécessitaient le recours constant à des tables. Plusieurs d'entre elles devaient être calculées par approximation, à partir des valeurs consignées.

On a parfois reproché aux Mésopotamiens et aux Égyptiens de ne pas être arrivés à adopter une démarche véritablement scientifique parce qu'ils étaient trop préoccupés par des considérations pratiques. Bien que l'essentiel de leurs calculs concerne effectivement des questions d'ordre technique et économique, des exemples de calculs non utilitaires existaient chez les scribes. Une tablette d'enseignement mésopotamienne contient un problème qui consiste à trouver les côtés d'un rectangle donné à partir du produit de sa sur- face et de la longueur d'un côté[35]. C'est de toute évidence un exercice scolaire qui n'a pas d'application dans la vie quotidienne, mais qui pouvait servir comme moyen de s'entraîner à faire des manipulations arithmétiques. D'autres exemples illustrent l'utilisation de très grands nombres ou de frac- tions peu usitées, dont la fonction est clairement de développer les capacités des scribes. De même, la solution d'équations quadratiques et de certains pro- blèmes géométriques complexes visaient à affiner leur virtuosité un peu à la manière des « olympiades mathématiques » de nos jours. En somme, l'abs- traction elle-même acquiert une fonction pratique pour la formation, et c'est ce cadre scolaire qui, en se dissociant de sa fonction pratique et en devenant une fin en soi, un jeu, jette les bases d'un début de mathématique « pure », c'est-à-dire désintéressée. Et, bien que leurs techniques de calcul n'engendrent pas de théorèmes, il serait téméraire d'affirmer que les Babyloniens n'étaient parvenus à aucune généralisation mathématique. L'exhaustivité des procé- dures qu'ils ont décrites témoigne en effet d'une volonté de généraliser.

Choisir un métier en Égypte (vers 2100 av. J.-C.)

Vois-tu, il n'y a pas de métier qui soit exempt d'un chef, sauf celui de scribe, car c'est le scribe qui est son propre chef. Si tu connais les livres, tout ira très bien pour toi ; il ne doit pas y avoir d'autres métiers à tes yeux. Vois, quant à moi, je suis un homme de petite naissance ; mais on ne dira pas d'un tel homme que c'est un paysan. Alors, fais bien attention. Vois-tu, ce que je fais pour toi en descendant le fleuve vers la Rési- dence, je le fais par amour pour toi. Un seul jour dans l'école te sera profitable, mais son travail [comme] les montagnes dure l'éternité...

Textes sacrés et profanes de l'ancienne Égypte, t. I, traduit et commenté par Claire Lalouette, Paris, Gallimard, 1984, p. 196.

COSMOS ET RELIGION

Si, de nos jours, les questions portant sur l'origine et la structure de l'univers relèvent largement de la physique, chez les Mésopotamiens les problèmes cosmologiques étaient étroitement reliés aux pratiques et croyances religieuses. La cosmologie était une enquête sur les dieux créateurs de l'univers; celui-ci était structuré en fonction d'eux et les éléments fondamentaux du monde naturel tels que le vent, l'eau et le feu étaient identifiés à ces dieux. Ainsi, selon une conception sumérienne du cosmos, pour laquelle on ne possède cependant aucune représentation graphique, l'univers était constitué de trois domaines physico-politiques, appartenant à trois dieux : Anu, Ea et Enlil. Le premier domaine, le Ciel, appartenait à Anu; le deuxième, l'Eau, relevait d'Ea; et, le troisième, l'espace entre la Terre et le Ciel, soit le Vent ou l'Atmosphère, était le territoire d'Enlil. Ce dernier était à l'origine de la séparation de la Terre et du Ciel, tout comme on attribue au dieu biblique la création de la terre. Selon les descriptions qui nous sont parvenues, la Terre était conçue comme un disque flottant sur une vaste mer au-dessus de laquelle se trouvait un ciel étoilé *(fig. 1.8)*, résidence des dieux de moindre envergure (on en compte jusqu'à 600)[36].

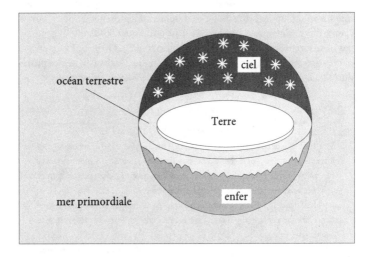

Figure 1.8. Représentation de la conception sumérienne du monde, d'après S. Kramer.

Il n'y avait pas, toutefois, de système théologique ou cosmologique unique pour l'ensemble du territoire. Étant donné que la religion en Mésopotamie était fondamentalement polythéiste, chaque région avait tendance à privilégier un dieu ou un groupe de dieux. Tandis que les Sumériens reconnaissaient trois dieux principaux[37], les Akkadiens vénéraient Marduk, dieu créateur de l'univers. Ce choix n'était d'ailleurs pas innocent. Puisque l'origine de l'univers expliquait sa structure et légitimait l'ordre social, le fait que ce soit Marduk qui fût à l'origine de l'univers justifiait l'hégémonie babylonienne sur les Sumériens. Les dieux servaient ainsi de justification aux systèmes politiques fondés sur l'idée d'un roi héréditaire dont l'autorité et le pouvoir relevaient du droit divin.

Les remarques précédentes sur la fonction sociale et les diverses formes de la religion en Mésopotamie valent également pour l'Égypte. On note d'ailleurs plusieurs similarités entre les cosmologies mésopotamienne et égyptienne. Ainsi, selon les mythes portant sur l'origine du monde, il n'y eut pas de création *ex nihilo*; plutôt un chaos primordial préexistant à partir duquel émergea un monde structuré en éléments divins (air, humidité, terre). Avant de créer le monde, les dieux se créaient eux-mêmes. Nous rencontrons également l'idée selon laquelle, physiquement, les cieux sont composés des eaux d'en haut. Pourtant, à la différence des Mésopotamiens, les Égyptiens accordaient souvent une place très importante au dieu du Soleil, ce que reflétait probablement la quasi-omniprésence de cet astre dans la vie quotidienne des Égyptiens[38]. Ils nous ont d'ailleurs laissé plusieurs figurations artistiques de leur conception du monde *(fig. 1.9)*.

En Mésopotamie comme en Égypte, la gestion des pratiques agricoles et religieuses demandait un contrôle rigoureux du calendrier par les prêtres. Le ciel prenait ainsi une double importance : comme maison des dieux et comme lieu des signes divins préfigurant les changements tant sociaux que météorologiques. En Mésopotamie, le fruit de ce travail fut un calendrier de 12 mois lunaires de 29 ou 30 jours[39]. Ne comportant que 354 jours, il était en retard de plus de 11 jours sur l'année solaire (365,25 jours), et faisait l'objet d'un rajustement périodique par l'ajout d'un mois supplémentaire. Ainsi, une tablette datant du XVIIIe siècle avant notre ère enregistre un tel événement :

Hammourabi, à son sous-ministre Sin-Idibnnam, dit ceci : l'année est hors de place. Fais enregistrer le mois prochain avec le nom de Ulûlu II. Le paiement des impôts à Babylone, au lieu de se terminer le 25 Tashritu, devra se terminer le 25 Ulûlu II[40].

Figure 1.9. Représentation égyptienne du monde, d'après le papyrus d'Any (XIIIᵉ siècle avant notre ère). Geb (dieu de la Terre) tente désespérément de rejoindre son épouse Nout (déesse du Ciel), mais en est empêché par les dieux Shou (Air) et Tefnout (Humidité). Des efforts de Geb naissent les tremblements de terre.

Les Babyloniens établirent aussi des tables indiquant diverses positions (dont le lever et le coucher à l'horizon) des principales planètes visibles (Mercure, Vénus, Mars, Jupiter et Saturne). Ils enregistraient aussi les mouvements du Soleil et de la Lune par rapport au fond étoilé de même que les dates des éclipses[41]. L'intérêt pour ces phénomènes était avant tout religieux, politique et agricole, seule la connaissance du ciel permettant d'anticiper les événements futurs. Les plus anciennes observations connues datent d'environ 2000 av. J.-C., mais il faut attendre le VIIIᵉ siècle avant notre ère pour voir émerger des séries continues d'observations des principaux astres et planètes. Leur accumulation, jointe aux connaissances mathématiques des scribes babyloniens, mènerait à la mise au point, 100 ans plus tard, de techniques d'extrapolation permettant de prédire la position des principaux astres, de même que l'occurrence ou non d'éclipses de Lune et de Soleil. Au cours des trois derniers siècles avant notre ère, ces méthodes d'astronomie mathématique se développèrent énormément et combinèrent jusqu'à quatre composantes périodiques pour prévoir le mouvement des astres. Cela est d'autant plus remarquable que toute cette modélisation arithmétique s'est faite sans l'aide de modèles géométriques visant à représenter la structure de l'univers ou le mouvement des planètes, modèles géométriques fondés sur la sphère qui, on le verra au prochain chapitre, caractériseront toute la cosmologie grecque.

Tout comme les Mésopotamiens, les Égyptiens ont su distinguer les étoiles fixes des planètes, reconnaître certaines constellations et utiliser l'apparition d'une étoile fixe comme un indicateur des saisons. Leur calendrier de 365 jours comprenait trois saisons de quatre mois et des journées de 24 heures (12 le jour, 12 la nuit). La date d'apparition de l'étoile Sirius, par exemple, coïncidait assez bien avec la crue annuelle du Nil qui entraînait l'inondation de la vallée. Quand les astronomes observaient la montée de l'étoile, ils faisaient rapport au roi qui organisait une cérémonie durant laquelle il donnait l'ordre au Nil d'entrer en crue. Comme récompense, les prêtres-astronomes étaient exemptés d'impôts. Le calendrier fixait également les jours de fêtes religieuses. Nous avons cependant relativement peu de documents sur les connaissances égyptiennes en astronomie. Ceux qui nous sont parvenus sont, comme les documents mathématiques, bien inférieurs aux tablettes mésopotamiennes.

Les instruments de visée nécessaires pour effectuer des observations astronomiques et tenir le calendrier étaient assez simples. Chez les Égyptiens il s'agit du *merkhet,* une tige de roseau fendue à une extrémité et graduée sur sa longueur. Le gnomon, simple bâton planté verticalement, permet la mesure des heures grâce à l'ombre projetée. Dirigé vers l'étoile Polaire, il devient un véritable cadran solaire. Les Mésopotamiens usaient aussi du *polos,* une cavité hémisphérique creusée dans une pierre et munie au centre d'un bâton qui projette une ombre et reproduit ainsi le mouvement du Soleil sur la voûte céleste. Pour mesurer le temps, ils utilisaient une horloge à eau, la clepsydre, aussi connue des Égyptiens. Graduée à l'intérieur, elle indique l'heure à mesure que l'eau s'écoule.

Observations astronomiques mésopotamiennes (VIIe-VIe siècles avant notre ère)
Le 15 du mois de Ulûlu, la Lune a été visible en même temps que le Soleil : l'éclipse n'a pas eu lieu.

En ce qui concerne l'éclipse de Lune pour laquelle le roi, mon maître, a envoyé des émissaires dans les cités de Borsippa, d'Akkad et de Nippur, elle a eu lieu, je l'ai observée dans Akkad et je l'annonce à mon seigneur. Quant à l'éclipse de Soleil, j'ai observé aussi ; elle n'a pas eu lieu ; je rends compte à mon seigneur de ce que j'ai vu de mes yeux. Abil-Istar, serviteur du roi.

Paul Courdec, *Histoire de l'astronomie,* Paris, Presses Universitaires de France, 1960, p. 25-26.

MÉDECINS, DEVINS ET EXORCISTES

En Mésopotamie, les praticiens de l'art de guérir se divisaient en médecins proprement dits *(asu)* et en une kyrielle d'exorcistes *(wasipu)*[42] et devins. Les malades pouvaient faire appel aux médecins et aux devins, soit ensemble, soit séparément. De la même manière, lorsqu'un devin ou un exorciste éprouvait une difficulté, il pouvait faire appel au médecin et vice versa[43]. Les médecins semblent avoir formé un groupe assez homogène, et nous ne connaissons qu'un cas de spécialisation, en médecine des yeux[44].

Le statut social du médecin mésopotamien était similaire à celui du devin, dont le rang était plus ou moins équivalent à celui du boulanger ou de l'aubergiste[45]. Il était un professionnel dans la mesure où il avait reçu une formation technique et touchait des honoraires. Les exorcistes et les devins avaient aussi une formation et pouvaient exiger des honoraires pour leurs services. Les praticiens de la santé étaient également soumis à une réglementation qui prescrivait les récompenses et les peines pour bonne ou mauvaise pratique. Selon le Code d'Hammourabi (1800 av. J.-C.), par exemple, la guérison d'un membre blessé valait 5 sicles d'argent.

En Égypte, la spécialisation semble avoir été poussée plus loin qu'en Mésopotamie, car les médecins (les *swnw* — prononcé « sounou ») étaient spécialisés ; un tel pour les maladies des yeux, un autre pour les maladies de l'anus, sans oublier les *swnw.t* (les femmes médecins). Aux *swnw* s'ajoutaient les devins *(rhw)*. Le magicien avait aussi un titre différent *(hk)*, mais rien n'empêchait un individu de porter à la fois le titre de devin *(rhw)*, de médecin *(swnw)* et de magicien *(hk)*.

Les Égyptiens commencèrent à momifier leurs morts dès le troisième millénaire avant J.-C. et continuèrent cette pratique jusqu'à l'an 400 de notre

---

La réglementation de la médecine à Babylone au XVIIIe siècle avant notre ère
(Extrait du Code d'Hammourabi)

215 — Si un médecin a traité un homme d'une plaie grave avec le poinçon de bronze, et guéri l'homme ; s'il a ouvert la taie d'un homme avec le poinçon de bronze, et a guéri l'œil de l'homme, il recevra dix sicles d'argent.

217 — S'il s'agit de l'esclave d'un homme libre, le maître de l'esclave donnera au médecin deux sicles d'argent.

220 — S'il a ouvert la taie avec un poinçon de bronze et a crevé l'œil, il paiera en argent la moitié du prix de l'esclave.

G. Contenau, *La Médecine en Assyrie et en Babylonie*, Paris, Librairie Maloine, 1938, p. 31-32.

ère environ. Il s'agissait essentiellement d'un processus de dessiccation qui utilisait le natron (plaques de carbonate de soude abandonnées par la crue du
Nil). Une fois que l'on avait enlevé les organes internes (sauf les reins dont les
Égyptiens ignoraient l'existence en raison de leur petite taille, et le cœur à
cause de son importance religieuse), le corps entier était recouvert de ce produit et ensuite enveloppé de bandages imbibés de résine. L'objectif strictement
religieux de l'opération est largement attesté par le fait que, après plus de
2 000 ans de momification, les Égyptiens n'avaient rien appris de l'anatomie
humaine.

En effet, la physiologie égyptienne reposait sur une représentation anatomique qui tenait plutôt du système d'irrigation faute d'avoir observé attentivement les organes internes. Les *swnw* concevaient ceux-ci comme une série
de canaux ou de conduits nommés *metu (fig. 1.10).* Selon le premier grand
système, l'air entre par le nez et se rend directement au cœur par la trachée.
Mélangé avec l'eau, l'air quitte le cœur et se dirige vers les autres organes par
des *metu.* Un deuxième système de *metu* transporte les produits ou les excré-
ments des organes en surface, tel le mucus qui sort par le nez.

Dans ce système, la santé consiste en un bon mélange, ou équilibre, des
trois éléments : le sang, l'air et l'eau. La maladie, tout comme la mauvaise
irrigation, est alors le résultat d'un blocage des *metu* ou d'un déséquilibre
entre les éléments. Selon les données médicales de l'époque, le blocage le
plus important et le plus fréquent se produisait dans les intestins où une mauvaise irrigation provoquait la formation de poisons (*whdw* — prononcé
« ukhédu ») composés de résidus alimentaires. En cas d'accumulation, le poison risque de remonter l'intestin pour infecter d'autres *metu.* Mélangé avec
le sang, il provoque la formation de pus. Comme on le verra au chapitre suivant, la médecine grecque adoptera une conception analogue de la santé
comme équilibre entre des humeurs.

La pratique thérapeutique des *swnw* reflète assez bien la logique de leur
système. La moitié de leur pharmacopée était composée de plantes et de
produits animaux dans lesquels nous pouvons aujourd'hui reconnaître des

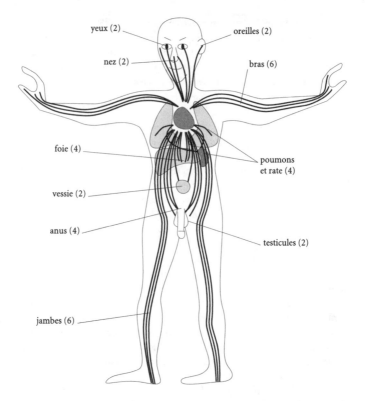

yeux (2)

oreilles (2)

nez (2)

bras (6)

foie (4)

poumons
et rate (4)

vessie (2)

anus (4)

testicules (2)

jambes (6)

Figure 1.10. Représentation de la conception égyptienne du système de canaux du corps humain décrit dans le papyrus d'Ebers (les chiffres entre parenthèses indiquent le nombre de vaisseaux).

laxatifs. Le mouvement de déblocage, de chasse au poison et de restauration de l'équilibre se poursuivait d'ailleurs avec les émétiques, les antidiarrhéiques, les lavements intestinaux et une classe de composés qui, depuis la Seconde Guerre mondiale, n'ont plus droit de cité dans les *materia medica* d'Occident, mais qui autrefois étaient connus sous le nom de « carminatifs » et dont l'action consiste à provoquer l'expulsion des gaz intestinaux.

En Mésopotamie, les tablettes médicales se présentaient sous forme de listes de symptômes et de traitements. À la différence des Égyptiens, les Babyloniens ne semblent pas avoir tenté d'élaborer une anatomie ou une physiologie explicites. Le texte typique d'une tablette médicale prenait la forme suivante : « Si une personne a tels symptômes [description des signes subjectifs et objectifs], alors tel traitement [description des ingrédients, de leur préparation et de la posologie][46]. » Le texte se terminait par un pronostic, généralement favorable (on ne collectionne pas les recettes susceptibles d'échouer…). Cependant, dans un certain nombre de cas, le médecin était averti du fait que le patient risquait de ne pas survivre[47]. Quoique certaines tablettes nomment une maladie comme source du mal, la plupart en attribuent la cause à l'action d'un mauvais sort[48].

Les remèdes proposés en Mésopotamie étaient très divers et ils étaient, sans doute, d'une efficacité aussi variable. Les pansements qui étaient composés de laine de mouton pouvaient avoir un léger effet antibiotique. Par contre, les traitements qui utilisaient des organes d'animaux, des os ou des coquilles étaient probablement inutiles dans la plupart des cas. Enfin, nous ignorons les effets d'un certain nombre de potions à base végétale ; les descriptions botaniques, les détails de la préparation ou la posologie sont tout simplement insuffisants pour que nous puissions juger de leur efficacité.

Les pratiques divinatoires des Mésopotamiens et des Égyptiens ne reposaient pas vraiment sur une croyance en des pouvoirs surnaturels. En effet, une telle croyance présuppose une distinction, inexistante pour eux, entre la nature et un lieu en dehors de la nature. Comme nous l'avons vu plus haut, les dieux et les esprits étaient plutôt des forces de la nature comme le vent et le Soleil ; plus exactement, le Soleil et le vent étaient à la fois des dieux et des forces naturelles.

De ce point de vue, la nature s'exprime par des régularités que l'homme est en mesure d'observer et qui peuvent se manifester aussi bien dans un cadre

---

Recettes médicales babyloniennes (vers 1000 av. J.-C.)

Si un homme a des douleurs au cœur, si son estomac est en feu, si sa poitrine est comme déchirée, cet homme souffre de la chaleur du jour. De l'hellébore, des lupins, de la calendule, du chrysanthemum segetum, de la résine d'andropogon (?), de la manne, du lolium, du ricin tu pileras ensemble ; à jeun, dans de la bière il boira, et il guérira.

Si un homme tousse, fais bouillir de l'arnoglosse quand il est encore vert comme des haricots ; avec du lait, de l'ail (?) et de l'huile fine, mêle-le ; qu'il boive à jeun et il guérira.

G. Contenau, *La Médecine en Assyrie et en Babylonie*, Paris,
Librairie Maloine, 1938, p. 184-186.

« magique » que dans un cadre dit « scientifique ». En outre, ces régularités sont, en principe, présentes dans tout phénomène ou événement. Ainsi, les pratiques magiques reposent entre autres sur la croyance selon laquelle chaque effet a une cause ; en ce sens, tout comme la science, la pensée magique est causale.

En Mésopotamie, ces pratiques, combinées à un système d'écriture et au travail de scribes-prêtres voués à l'établissement de listes et de recensements, prirent l'allure d'une recherche systématique. Plus avancés en arithmétique et en astronomie que les Égyptiens, les Mésopotamiens poussèrent aussi plus loin les pratiques divinatoires qui aboutirent à l'astrologie, pratique divinatoire par excellence, qui ne cesserait d'émerveiller le monde scientifique occidental, au moins jusqu'à la fin du XVIIe siècle. Selon les traités de divination qui nous sont parvenus de la Mésopotamie, toutes les manifestations de la nature recelaient des signes de l'avenir, qu'il s'agisse des objets visibles (animaux, végétaux, éléments, astres, etc.), des objets invisibles (anatomie interne) ou des phénomènes physiques comme la forme prise par une goutte d'huile jetée sur l'eau. Ainsi, un texte portant sur les signes divinatoires que l'on peut déceler dans la physionomie humaine consacrait pas moins de 170 paragraphes à la chevelure de l'homme, en recourant à des catégories d'analyse telles que la forme, la couleur, les dimensions, la disposition, la position relative, la présence ou l'absence[49].

La connaissance des régularités et des causes des phénomènes permettait, croyait-on, la manipulation de la nature. En effet, tout comme la science d'aujourd'hui, la magie visait le contrôle de la nature. Bien qu'elles aient relevé d'une vision déterministe de cette dernière, les pratiques divinatoires et magiques n'étaient pas appliquées avec rigidité ou automatisme. Il existait une marge d'interprétation qui donnait aux praticiens la possibilité de mettre en œuvre leur connaissance des signes d'une manière déductive. C'était le cas

---

Astrologie babylonienne (VIIIe-VIIe siècles avant notre ère)

Le 14 de ce mois, Vénus ne sera pas visible, mais je dis au roi, mon maître, qu'il y aura une éclipse de Lune. C'est un présage de malheur pour les pays d'Élam et de Syrie, mais, par contre, félicité à mon roi : que le roi soit tranquille. Irassilu aîné, serviteur du roi.

J'ai écrit au roi, mon maître : une éclipse aura lieu. Elle a eu lieu en effet. C'est un signe de paix.

Paul Courdec, *Histoire de l'astronomie*, Paris, Presses Universitaires de France, 1960, p. 25.

notamment lorsque les objets d'analyse avaient eux-mêmes besoin d'une interprétation. L'analyse du foie en est un bon exemple. Nous savons que les Mésopotamiens pratiquaient des sacrifices rituels sur des moutons afin d'en extraire le foie pour des fins d'observation. C'était la forme du foie qui présentait les signes des événements à venir ; comme les signes étaient multiples et qu'il n'y a pas deux foies identiques, il fallait nécessairement procéder par déduction en mettant en rapport les signes pertinents avec la forme irrégulière du foie.

C'est aussi le cas lorsque les signes eux-mêmes entrent en contradiction, comme dans les pronostics suivants :

> *S'il* [l'exorciste appelé à traiter un malade] *voit un cochon noir : ce malade guérira ;* [ou bien] *après de pénibles souffrances, il guérira.*
>
> *Si lorsque quelqu'un se rend à la maison d'un malade, un faucon traverse* [le ciel] *vers sa droite : ce malade guérira.*
>
> *Si un faucon traverse* [le ciel] *vers sa gauche, ce malade mourra*[50].

Comme on le voit, il suffit que l'exorciste ait vu un cochon noir en allant chez le malade ou qu'un visiteur quelconque ait vu un faucon traverser le ciel vers la gauche sur le même trajet pour que les signes se croisent et qu'un espace d'interprétation s'ouvre devant l'exorciste.

LES TECHNIQUES

Il existe toute une série de savoirs pour lesquels les scribes ne nous ont laissé presque aucune trace écrite : ceux qui sont reliés aux métiers techniques. Par exemple, en dépit des grands temples et palais de Babylone, nous n'avons aucun écrit ou dessin d'un architecte ou d'un ingénieur mésopotamiens. Nous savons toutefois que les Égyptiens utilisaient des plans d'architecte pour travailler, certaines tombes du Nouvel Empire (1540-1069) comportant de tels dessins. On a aussi trouvé des esquisses à Deir el-Médineh et une carte détaillée et assez précise du Wadi Hammamat, zone d'exploitation de minerais et de la pierre. Le monde du travail manuel et des artisans — et même celui de la conception des grands travaux — demeurait donc nettement séparé du monde du travail intellectuel.

On possède néanmoins quelques textes à caractère technique concernant notamment la fabrication de produits de luxe comme le verre, la bière ou les parfums et les bijoux. Ces textes diffèrent des textes astrologiques, mathématiques, médicaux ou divinatoires dans la mesure où ils décrivent des savoirs qui sortent du champ des compétences du scribe. Ils furent probablement écrits pour une occasion particulière, peut-être à la demande du roi. Cependant, une fois rédigés, ils entrèrent dans le corpus du savoir écrit et furent fidèlement recopiés par des scribes. Ils ne circulèrent certainement pas parmi les artisans à l'origine de ces savoirs, car, rappelons-nous, la lecture n'était pas à leur portée[51].

En dépit des lacunes dans la documentation archéologique, il est possible d'affirmer que le niveau technique atteint par les Mésopotamiens et les Égyptiens ne fut guère dépassé durant toute l'Antiquité, bien que les façons de réaliser les grands travaux aient été substantiellement améliorées par les Grecs et les Romains, qui laissèrent aussi de nombreux textes (voir chapitre 3). Toutes les techniques essentielles à l'organisation de la société étaient connues tant des Mésopotamiens que des Égyptiens. Ainsi, ils mirent au point de nombreuses techniques pour la production et la conservation des aliments. Outre les produits de base, l'orge et le blé, ils savaient cultiver des légumes tels que l'oignon, le poireau, l'ail, la laitue et le concombre, ainsi que les épices comme la coriandre. Dans le domaine de la construction, les pyramides et les ziggourats témoignent de leurs prouesses; ils savaient comment utiliser l'argile (pour les briques), la pierre et le bois pour édifier des villes desservies par un système d'égouts et d'aqueducs[52]. Dans la production des objets de consommation courante, on remarque encore que les techniques de base sont bien représentées, que ce soit par l'extraction et la fonte des minerais (argent, plomb, étain, cuivre, fer et fabrication du bronze), le tissage, la poterie, le tannage ou la confection d'outils, y compris des horloges à eau[53].

CONCLUSION

Tout au long de ce chapitre, il a été question du caractère pratique des savoirs véhiculés par les scribes. De façon générale, ce sont en effet les besoins quotidiens de gestion de la société qui sont à la base des savoirs que l'on associe aujourd'hui aux sciences: astronomie, mathématiques, médecine. L'agriculture aussi bien que les rites sociaux et religieux saisonniers nécessitaient l'établissement de calendriers; la division des terres et la construction des édifices exigeaient des connaissances en géométrie (surfaces et volumes); la gestion des ressources, des connaissances en arithmétique et des méthodes permettant de trouver la solution de problèmes à une ou deux inconnues;

l'existence de maladies, un certain art médical. Ces différents types de savoir se retrouvent d'ailleurs dans toutes les civilisations anciennes, celles qui ont fleuri en Mésopotamie et en Égypte fournissant les cas types les plus anciens.

Malgré les échanges économiques, politiques et culturels qui existèrent entre les Babyloniens et les Égyptiens, il est frappant de constater que ces deux civilisations ne développèrent pas l'ensemble des savoirs de la même façon. Alors que la géométrie atteignit un niveau comparable dans les deux civilisations, l'astronomie se développa de façon beaucoup plus systématique chez les Babyloniens, au point d'aboutir à une véritable astronomie mathématique vers le VIe siècle avant notre ère. Ce fait est intéressant car il fait bien ressortir l'influence des croyances religieuses dans l'évolution de certains savoirs. En effet, les scribes babyloniens s'intéressaient beaucoup plus que leurs homologues égyptiens aux signes naturels qui permettaient, selon eux, de prédire l'avenir, et se consacraient par conséquent davantage à l'étude de la position exacte des astres de façon à pouvoir avertir le roi des présages célestes. Cette forme ancestrale d'astrologie stimula donc la connaissance positive du ciel. Une certaine mystique des nombres — que l'on retrouvera d'ailleurs en Grèce avec Pythagore — joua sûrement aussi un rôle dans le développement de l'arithmétique qui atteignit en Mésopotamie un niveau plus avancé qu'en Égypte[54].

Portés par des scribes fiers de leur titre et de leur position sociale, les savoirs mathématiques, médicaux et astronomiques servaient ultimement à l'harmonisation des rapports sociaux, c'est-à-dire à la gestion des activités économiques et techniques. Dans un tel contexte, les scribes n'étaient pas enclins à développer le savoir pour lui-même, ni à rédiger des textes critiques ou polémiques ni même des réflexions philosophiques soutenues. Quant au travail manuel et aux techniques, qui parvinrent pourtant à un haut degré de perfection artistique, ils restaient le sort, sinon le fardeau, des illettrés. L'opposition entre le travail manuel et le travail intellectuel, que l'on retrouvera aussi chez les Grecs, est ainsi aussi vieille que les premières civilisations.

CHAPITRE 2

Science et rationalité en Grèce ancienne : le projet des philosophes

Du point de vue de la tradition occidentale moderne, les univers méso-potamien et égyptien semblent étrangers, sinon étranges. Mais déjà, avec les Grecs, on entre dans un monde plus familier. Cela n'est d'ailleurs pas sans lien avec le fait que cette civilisation est la source majeure de notre tradition occi-dentale. Cela peut aussi expliquer que l'on hésite encore à qualifier de « science » les pratiques mésopotamiennes et égyptiennes, réservant ce terme au mode grec d'appréhension de la nature, dans lequel on se reconnaît plus aisément.

Notons d'ailleurs que le mot « science » est d'origine latine et n'a pas d'équivalent en grec. Dans cette langue, on parlait plutôt de « *philosophia* », d'« *epistémè* » (connaissance) ou de « *théôria* » (contemplation, spéculation). Néanmoins, les historiens s'accordent généralement pour dire que la « science » fait son apparition en Grèce entre le VIᵉ et le IVᵉ siècle avant notre ère. Bien sûr, dater ainsi les débuts de la science présuppose une certaine défi-nition du terme ; or, cette définition se fonde sur les caractéristiques mêmes des pratiques grecques.

Sans doute, les civilisations égyptienne et mésopotamienne avaient-elles accumulé d'abondantes connaissances, mais on constate que les Grecs abor-dèrent les questions physiques, mathématiques, astronomiques et médicales d'une manière qui les distingua de façon significative de leurs prédécesseurs.

Premièrement, les penseurs ioniens furent les premiers à éliminer les

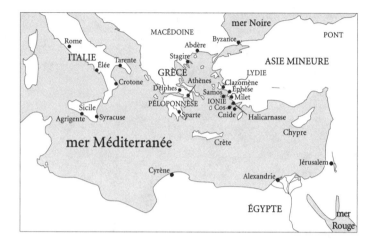

Figure 2.1. La Grèce antique.

dieux comme éléments d'explication des phénomènes physiques et biologiques. Ainsi, Thalès de Milet explique la foudre en invoquant non pas la colère des dieux, mais le mouvement rapide de l'air. En médecine aussi, plusieurs traités critiquent la médecine des temples, largement répandue et fondée sur des explications surnaturelles de la maladie et des pratiques magiques de guérison.

Deuxièmement, les Grecs prêtaient une attention toute particulière à la justification de leur savoir. En mathématiques, par exemple, ils ne se contentaient pas de décrire des procédures algorithmiques, mais ils justifiaient ces dernières en introduisant la notion de preuve. Ainsi, bien que les Babyloniens aient utilisé, depuis au moins 1600 avant notre ère, le résultat que nous connaissons sous le nom de « théorème de Pythagore », ils n'avaient donné aucune *preuve* de ce théorème et n'avaient utilisé que des listes de « triplets » vérifiant la relation pythagoricienne $a^2 + b^2 = c^2$ pour un triangle rectangle de côtés a, b et d'hypoténuse c.

Troisièmement, les Grecs élaborèrent des modèles géométriques pour expliquer le fonctionnement de l'univers. En astronomie, notamment, alors que les Babyloniens s'en étaient tenus à des enregistrements purement arithmétiques, les Grecs s'employèrent à construire des modèles géométriques du mouvement des corps célestes.

Quatrièmement, les Grecs avaient souvent recours dans leurs explications à l'utilisation d'analogies tirées soit de la technique, soit de la nature pour rendre compte de l'univers invisible. Comme disait Anaxagore de Clazomène (environ 400 av. J.-C.), « le visible est l'œil de l'invisible ». On observe également quelques tentatives, exceptionnelles, d'expérimentation, particulièrement en musique chez les disciples de Pythagore, en optique avec Ptolémée et en médecine avec Érasistrate.

Enfin, l'épistémologie, ou le discours sur les fondements et la provenance des connaissances, apparut aussi, pour la première fois dans l'histoire, chez les Grecs. On constate en effet que les philosophes grecs ne se bornaient pas à critiquer les modèles du monde proposés par les différentes écoles de pensée, mais discutaient abondamment de la possibilité même de connaître le monde et de la fiabilité de nos sens, organes de perception du monde environnant.

En somme, ces nouvelles pratiques grecques marquèrent le début de la science conçue comme un savoir organisé faisant usage de la raison (logique, preuve), de l'expérience et des mathématiques (géométrie). Toutes ces nouveautés apparues entre 600 et 400 av. J.-C. ont longtemps fait dire aux historiens qu'il s'agissait là du « miracle grec », tellement cette émergence apparaissait inexplicable, et ce, ironiquement, parce qu'une telle caractérisation eût certainement déplu aux premiers « rationalistes » grecs !

Si cette période est bien celle où virent le jour les principaux traits de la science telle qu'on la conçoit encore aujourd'hui, il ne faudrait pas en conclure que tous les Grecs adoptaient une attitude scientifique face au monde. En fait, c'est plutôt le contraire, et les pratiques à nos yeux les plus « rationnelles », c'est-à-dire les plus conformes à nos propres canons scientifiques, étaient le fait d'une infime minorité de la population. Il n'y a là rien de surprenant car, encore de nos jours, qui soutiendrait que l'ensemble de la population adopte une attitude scientifique dans ses comportements et jugements quotidiens ?

Notre connaissance de l'histoire des sciences et des techniques en Grèce se fonde sur des découvertes archéologiques (comme les mines, les outils et les poteries), mais surtout sur des textes littéraires à partir d'Homère (vers 800 av. J.-C.) et d'Hésiode (vers 750 av. J.-C.). Ces sources sont fragmentaires et de qualité inégale. En médecine, nous avons le « corpus hippocratique », plus de 50 traités d'origines diverses datant surtout de la période allant de 430 à 330 av. J.-C. Par contre, il reste peu de textes mathématiques des Ve et IVe siècles avant notre ère. Pour les « philosophes » dits « présocratiques », c'est-à-dire ceux qui ont vécu avant Socrate (472-399), nous ne possédons que des fragments d'œuvres — d'ailleurs généralement en vers et non en prose — souvent difficiles à authentifier, car tous nous sont parvenus incorporés à des textes postérieurs. Nous avons également en notre possession les textes des « doxographes » qui écrivirent la vie des personnages les plus célèbres. Le doxographe le plus connu et le plus cité est Diogène Laërce, qui nous a laissé *Vie et Opinions des philosophes illustres*; nous ne savons du reste rien de précis sur cet auteur important qui aurait vécu au IIIe siècle de notre ère.

De façon générale, ce n'est qu'à partir de Platon (427-347) que nous possédons des traités à peu près complets de « philosophes » grecs. C'est d'ailleurs à cette époque que le terme de « philosophe » commença à être utilisé pour caractériser un groupe particulier d'individus, les présocratiques ne se définissant pas comme tels. Aristote (384-322), qui, dans le premier livre de sa *Métaphysique,* fait un historique et une critique systématique de ses prédécesseurs, les appelle *« physiologoi »,* mot que l'on traduit souvent par « physiciens » ou même par « physiologues », et qui signifie « penseurs de la nature ». Notre connaissance de leurs doctrines est largement tributaire de cette œuvre, ce qui pose un problème, puisque, vu l'hostilité d'Aristote à plusieurs des idées des présocratiques, il ne les présente sûrement pas sans parti pris, et a tendance à les interpréter en fonction de sa propre philosophie de la nature. Nous nous limiterons donc aux grandes caractéristiques des idées présocratiques, toute tentative de discussion détaillée donnant lieu à des spéculations plus ou moins fondées. Cela est d'autant plus vrai que certains fragments, ceux d'Héraclite notamment, sont particulièrement obscurs. Aristote déplore que l'absence de ponctuation chez cet auteur rende plusieurs phrases incompréhensibles ; plus ironique, Lucrèce dira que son langage obscur a fait de lui un homme illustre chez les Grecs[1].

LES MONISTES MILÉSIENS

Selon Aristote, le premier philosophe grec à avoir étudié la nature, ses phénomènes et leurs causes fut Thalès de Milet, vers 585 av. J.-C. Lui et ses deux successeurs Anaximandre (vers 555 av. J.-C.) et Anaximène (vers 535 av. J.-C.) étaient originaires de Milet, à cette époque l'une des cités les plus prospères. Cette colonie grecque située sur la côte de l'Asie mineure (l'actuelle Turquie), en Ionie, fut, jusqu'à son occupation par les Perses en 494 av. J.-C., une ville marchande importante connue pour la qualité de sa laine et de ses teintures, sa production d'huile d'olive et ses nombreux échanges économiques avec l'Égypte et la région de la mer Noire. Ce fut d'ailleurs par les routes marchandes, caravanières et maritimes que les connaissances babyloniennes et égyptiennes parvinrent en Grèce. En somme, comme cela avait été le cas en Mésopotamie et en Égypte, la ville était le lieu privilégié de l'activité savante.

L'écriture utilisée par les premiers « philosophes » au VIe siècle avant notre ère était d'invention récente. La Grèce archaïque avait connu, au temps de la civilisation mycénienne, entre le XVIe et le XIIIe siècle, une écriture qui répondait aux besoins administratifs de gestion au sein de grands palais comme ceux de Cnossos et de Mycènes, mais celle-ci avait complètement disparu avec la destruction de cette civilisation au cours du XIIIe siècle. Connue aujourd'hui sous le nom de « linéaire B », elle ne fut d'ailleurs redécouverte qu'au début du XXe siècle et déchiffrée seulement en 1952 par un architecte, Michael Ventris, qui avait travaillé pendant la Seconde Guerre mondiale au décryptage des codes ennemis[2].

L'écriture alphabétique, appelée à servir de véhicule d'expression aux philosophes et à fixer les grandes épopées d'Homère, apparut vers le IXe siècle avant notre ère. Sa structure était très différente de celle du linéaire B, ou des écritures babylonienne et égyptienne, en ce qu'elle reposait sur un véritable alphabet, emprunté à l'écriture consonantique des Phéniciens et adapté aux besoins spécifiques de la langue grecque, indo-européenne et non pas sémitique comme le Phénicien. Les voyelles y jouaient donc un rôle important et les Grecs utilisèrent les symboles des consonnes phéniciennes non utilisées dans leur langue pour les représenter. Tous les sons de la langue grecque purent ainsi être reproduits par écrit grâce à 27 lettres seulement. Cette évolution se fit différemment d'une région à l'autre de la Grèce, mais une uniformisation fut entreprise à la fin du Ve siècle, la plupart des villes emboîtant le pas à Athènes qui, en 403 av. J.-C., adopta officiellement l'alphabet milésien.

Cette écriture simplifiée permit une plus large diffusion de l'écriture et de la lecture qui ne fut plus dès lors confinée au groupe des scribes, comme cela avait été le cas chez les Égyptiens, les Mésopotamiens et même chez les Mycéniens, prédécesseurs immédiats des Grecs.

Ce qui frappe d'abord chez les premiers penseurs ioniens — dont on ne connaît les œuvres que par les auteurs postérieurs qui les ont cités —, c'est l'idée d'une nature (*physis* en grec) distincte du monde surnaturel. Ainsi, bien qu'ils reprennent souvent des mythes plus anciens, ils éliminent complètement la référence aux dieux et aux forces surnaturelles. Par exemple, l'idée de Thalès voulant que la Terre flotte sur l'eau comme un morceau de bois est présente dans plusieurs mythes mésopotamiens et égyptiens. Cependant, chez lui, cette idée sert à expliquer les phénomènes naturels. Ainsi, la Terre étant entourée d'eau, le précieux liquide se trouve aussi au-dessus de nous, ce qui permet de comprendre le phénomène de la pluie. Le Soleil et les étoiles sont, selon lui, des vapeurs chaudes qui flottent dans ce liquide. Il explique aussi que les tremblements de terre se produisent quand les vagues secouent la Terre.

De même, pour Anaximandre, que la tradition doxographique présente comme un élève de Thalès ou tout au moins comme son disciple, le tonnerre est provoqué par la rencontre des vents, et l'éclair par la séparation d'un nuage en deux, causée par le vent. Il aurait aussi élaboré le premier modèle mécanique du mouvement des astres conçus comme des anneaux de feu. Les anneaux sont invisibles, mais on voit les planètes à travers des trous dans la brume qui cache les anneaux. Les éclipses surviennent quand les trous se bouchent. Anaximandre avance également l'idée que les êtres vivants proviennent d'un milieu humide. La vie humaine trouverait ainsi son origine dans des processus naturels. La Terre étant à l'origine recouverte d'eau, nos ancêtres seraient sortis des poissons. Il est d'ailleurs évident pour Anaximandre que les êtres humains doivent provenir d'un autre animal parce que les nouveaux-nés humains sont incapables de se nourrir seuls. Anaximandre prétend en effet que nous sommes véritablement sortis des poissons dans le sens où nous étions portés (en état miniature, bien sûr) dans les poissons en attendant que la Terre émerge des eaux.

Bien que l'eau soit importante dans les spéculations d'Anaximandre, elle ne constitue pas l'élément primordial de l'univers. Il propose plutôt comme élément une substance qu'il nomme « *apeiron* », « l'Illimité ». Cet aspect indifférencié de l'*apeiron* permettait d'expliquer que la substance primordiale puisse prendre des formes diverses et même opposées, comme le feu et l'eau, alors que Thalès, en ne postulant que l'existence de l'eau, ne pouvait expliquer celle du feu. De même, Anaximandre disait que la Terre flotte librement dans l'Illimité parce qu'elle est « à égale distance de toute chose[3] », ce qui lui permettait d'éviter la question : sur quoi repose l'*apeiron*?

Pour Anaximène, dernier représentant de l'École de Milet, l'élément fondamental qui expliquerait l'ensemble des manifestations visibles est l'air. Tout se fait alors par raréfaction et condensation : l'eau, la terre, les pierres sont des formes condensées de l'air, le feu en est une forme raréfiée.

Ces explications ne font appel à aucun dieu ou force surnaturelle comme c'était le cas auparavant. De plus, elles ne se limitent pas à rendre compte d'un phénomène en particulier, mais s'étendent à une classe de phénomènes. Contrairement au monde d'Homère ou d'Hésiode en effet, encore soumis aux caprices des dieux, le cosmos des Milésiens est réglé, ordonné. En grec, « *cosmos* » signifie d'ailleurs « ordre » et « proportion ». Il demeure toutefois une entité vivante, dotée d'une âme, bien que non personnelle, et en ce sens il est différent de notre univers purement matériel et mécanique. L'importance des spéculations des Milésiens tient au fait qu'elles offrent un premier modèle d'explication exclusivement naturelle du monde, explication qui tranche avec la tradition jusque-là dominante telle que véhiculée par Homère dans l'*Iliade* et l'*Odyssée*, œuvres de base de toute l'éducation grecque à cette époque, et qui le restera malgré ces nouvelles données.

La conception ionienne (ou milésienne) du cosmos est fondamentalement moniste, c'est-à-dire que tout s'explique par les transformations d'un seul élément fondamental. On verra plus loin que ce monisme engendrera des paradoxes qui mèneront à la formulation de la théorie des quatre éléments. Le travail des Milésiens tranche aussi avec celui des scribes égyptiens et mésopotamiens. Alors que ces derniers accumulaient des données empiriques sur les positions des principales planètes et colligeaient les résultats avec des intentions essentiellement religieuses et divinatoires, les premiers s'intéressent d'abord aux grands principes expliquant la composition de l'univers sans se vouer à l'accumulation de données. Bien que minoritaire au sein de la société, cette nouvelle vision des choses définit une tradition critique marquée par une confrontation de conceptions qui sera reprise et développée par les philosophes grecs, lesquels auront toujours tendance à insister davantage sur les grandes théories que sur les observations précises.

LES PYTHAGORICIENS ET LA THÉORIE DES NOMBRES

Si la première cosmologie grecque est en un sens « matérialiste », dans la mesure où elle explique tout en invoquant l'existence d'un substrat matériel universel, on peut dire que la seconde est « idéaliste » en ce qu'elle fait plutôt reposer l'univers sur un principe intellectuel : le nombre. Son initiateur est Pythagore de Samos. Bien qu'il soit aujourd'hui universellement connu pour son fameux théorème, on sait peu de choses sur sa vie et, comme Thalès de Milet, il reste un personnage semi-légendaire. Il serait né à Samos, une île importante de la côte ionienne, mais émigra ensuite à Crotone, dans le sud de l'Italie, vers 530 av. J.-C., à la suite de l'invasion de sa ville natale par les Perses. Grâce à Platon, on sait qu'il enseignait une philosophie relative à la conduite de la vie, et que les pythagoriciens, ses disciples, formaient une sorte de secte ayant ses propres pratiques religieuses. Ils croyaient, notamment, à la réincarnation de l'âme, qui, après la mort, migrait d'un être à un autre.

Le fondement de la doctrine pythagoricienne, très difficile à connaître puisque son enseignement était secret et réservé aux initiés, est que tout est nombre. Les choses sont en fait la matérialisation de nombres, et c'est dans la géométrie qu'il faut chercher le principe de la réalité. Alors que les Milésiens réduisaient toutes choses à des principes matériels, Pythagore les ramène à des principes intellectuels. En musique, par exemple, on pense que ce sont les pythagoriciens qui ont découvert que les intervalles d'un octave s'expriment par des rapports numériques simples 1:2, 2:3, 3:4, etc. Partant de ce principe, ils tentent systématiquement d'exprimer leurs connaissances en termes mathématiques. Ainsi, les nombres sont conçus comme la véritable « substance » des choses. Les pythagoriciens construisent une véritable mystique du nombre qui les amène, notamment, à désigner la justice par le nombre 4, le mariage par le chiffre 5, l'homme par le chiffre 3 et la femme, inférieure, par le chiffre 2. Pour sa part, l'univers est une échelle numérique musicale, et le mouvement des sphères produit des sons, inaudibles aux humains parce qu'ils s'y seraient habitués depuis leur naissance. On retrouvera cette idée d'harmonie musicale de l'univers 2 000 ans plus tard chez Kepler qui, dans son traité *L'Harmonie du monde*, reprendra des thèmes typiquement pythagoriciens.

Cette mystique du nombre amènera les pythagoriciens à découvrir plusieurs propriétés des nombres pairs, impairs et premiers, à classer ceux-ci selon qu'ils sont carrés, triangulaires, rectangulaires, etc. *(fig. 2.2)*. Ils prêteront également attention aux propriétés des progressions arithmétiques et

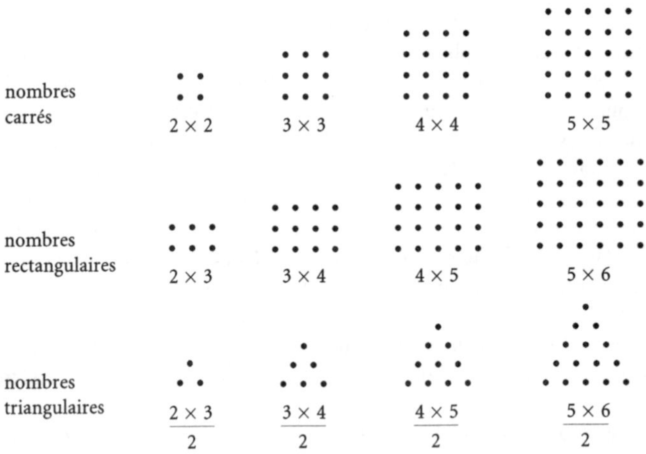

Figure 2.2. Les quatre premiers nombres carrés, rectangulaires et triangulaires des pythagoriciens.

géométriques. En géométrie, on connaît peu leurs contributions, sinon que plusieurs des résultats colligés dans les *Éléments* d'Euclide (330-260), composés vers 300 av. J.-C., leur sont attribuables. La tradition rapporte que le problème majeur de leur doctrine découla de la découverte du nombre représentant la diagonale d'un carré de côté 1. On sait peu de choses de cette découverte, sinon que la preuve que la racine carrée de 2 est un nombre irrationnel avait été faite avant l'époque de Platon. Des approximations de ce nombre étaient connues depuis longtemps des Babyloniens, mais ce furent les Grecs qui démontrèrent de façon parfaitement générale son irrationalité — c'est-à-dire le fait qu'un tel nombre ne peut être représenté par le rapport a/b de deux nombres entiers a et b. Postulant que la diagonale peut être représentée par le rapport a/b de deux nombres entiers, la démonstration indique que cette hypothèse implique que l'un des termes serait à la fois pair et impair, ce qui est une contradiction et donc impossible. Pour les pythagoriciens, seuls les nombres entiers avaient une existence propre, et tout nombre devait pouvoir être représenté par un rapport de deux nombres entiers. Cette démonstration remettait donc en cause les fondements mêmes de leur doctrine, et la tradition veut que cette découverte lui fut fatale. Quoi qu'il en soit, l'élément essentiel de cette tradition, qui aura une grande influence, est l'idée qu'il existe un fondement mathématique à la nature, notion totalement absente chez les Milésiens. L'importance accordée par les pythagoriciens aux figures géométriques les amène aussi à attribuer une forme sphérique à la Terre et aux planètes. Il faudra toutefois attendre Aristote pour avoir des arguments physiques confirmant cette conception généralement acceptée par les penseurs grecs.

LES ÉLÉATES ET L'EXPLICATION DU CHANGEMENT

Occupés à définir la composition ultime de la réalité, les Milésiens n'abordèrent pas la question de savoir *pourquoi* et *comment* les choses changent. Cependant, les idées et les hommes circulaient et les premiers philosophes à soulever ces questions furent Héraclite d'Éphèse (500-470), un Ionien, et Parménide (515-450), natif d'Élée (aujourd'hui Vélia) en Italie, mais qui fréquenta aussi Athènes.

Selon Héraclite, tout est en perpétuel changement et même ce qui semble immobile est en état incessant de mouvement ou de tension. Il considère aussi que les sens sont parfois trompeurs et qu'il faut se méfier des apparences. Pour Parménide, au contraire, rien ne change et les perceptions sont trompeuses

quand elles suggèrent le changement. Il distingue donc deux voies de connaissance, celle de la vérité, fondée sur la raison, et celle des apparences, fondée
sur les sens. Aussi, seule la raison *(logos)*, qui prouve qu'aucun changement
n'est possible, doit nous guider en philosophie. Ici, Parménide tire les conclusions logiques du monisme à partir du postulat selon lequel l'être ne peut provenir du non-être. En effet, explique Parménide, dire qu'il y a changement,
c'est dire que quelque chose de neuf, quelque chose qui n'existait pas avant,
apparaît. Mais pour que cette chose existe et qu'elle soit nouvelle, il faut supposer qu'elle a été engendrée à partir de rien. Or, selon Parménide, une telle
chose est impossible car l'être, c'est-à-dire ce qui est, ne peut sortir du non-
être, c'est-à-dire de ce qui n'est pas. C'est d'ailleurs ce même principe fondamental qui explique que le cosmos grec est fondamentalement incréé et
éternel car, encore une fois, l'être, quel qu'il soit, ne peut provenir du non-
être. Aujourd'hui on dirait : la matière ne peut être créée à partir de rien. Par
leurs discours et leurs critiques de l'école milésienne, Héraclite et Parménide
furent les fondateurs de l'épistémologie, en ce qu'ils furent les premiers à discuter de la possibilité même de connaître le monde et des limites de la fiabilité de nos sens.

Zénon d'Élée (vers 445 av. J.-C.), contemporain et disciple de Parménide,
reformula les propos de son maître sous la forme de paradoxes logiques. Pour
nier la possibilité du changement, il montre, dans un paradoxe devenu célèbre
(« Achille et la tortue »), que le mouvement, qui est une forme évidente de
changement, est impossible. Dans l'une de ses démonstrations, il dit en effet
que, pour traverser une distance donnée, il faut d'abord faire la moitié du chemin, et ensuite parcourir la moitié de la distance qui reste à franchir et ainsi
de suite. Comme toute distance peut être divisée en deux, on n'atteint jamais
le but, car il reste toujours une distance, même infiniment petite, à parcourir.
L'importance de ces discussions, à première vue oiseuses, est de faire ressortir
tout ce qui sépare l'argumentation logique, à partir de principes, des observations empiriques, et de poser la question de la valeur respective des voies
empiriste et rationaliste ouvertes à la connaissance.

L'histoire de la philosophie de la nature fut en somme, au Ve siècle avant
notre ère, celle d'une lutte entre partisans et opposants de ces deux grands
courants de pensée défendus respectivement par Héraclite et Parménide.
Cependant, niant le changement, la voie de Parménide ne permettait pas vraiment de fonder une physique, c'est-à-dire de rendre compte des différentes
modifications de l'environnement. Par contre, en suivant la voie d'Héraclite,
Empédocle (480-430) et son contemporain Anaxagore offriraient de nouvelles explications du monde.

DES ÉLÉMENTS AUX ATOMES

Pour Empédocle, né à Agrigente en Sicile, le changement est possible car l'être (ce qui existe) n'est pas *un* mais *multiple*. Il propose l'existence de quatre éléments ou racines (*rhizoma*, en grec) — terre, eau, air, feu — et explique ainsi les changements par leurs combinaisons multiples. Deux forces agitent ces éléments : l'Amitié (ou l'Amour) qui les attire et la Haine (ou la Discorde) qui les repousse. Le rapport de ces forces est cyclique, l'une dominant au cours d'une période et l'autre au cours de la période suivante. Cette conception répondait aux arguments de Parménide, car les quatre éléments ne changent pas, ce sont leurs combinaisons seulement qui donnent lieu à des apparences nouvelles. Le nouveau n'est donc pas engendré à partir de rien, mais bien par la combinaison des quatre éléments de base de l'univers.

Anaxagore de Clazomène (500-428) qui, selon Diogène Laërce, aurait été l'élève d'Anaximène, vécut surtout à Athènes. Ami de Périclès (495-429) et peut-être même son précepteur, il aurait eu Socrate comme auditeur. Sa solution au problème du changement diffère de celle d'Empédocle, puisque, d'après lui, il n'existe pas un nombre défini d'éléments fondamentaux qui entreraient en combinaison ; au contraire, ce nombre est indéfini car tout est dans tout.

Ce fut dans le contexte des discussions du problème du changement qu'apparut la théorie atomiste proposée par Leucippe (460-370), originaire de Milet, d'Élée ou d'Abdère, selon les sources, et développée par Démocrite d'Abdère (460-370). L'élément essentiel de la doctrine est que seuls les atomes et le vide existent (déjà, Empédocle avait distingué l'air et le vide). La différence entre les objets s'explique par la forme, l'orientation et l'arrangement des atomes. Dans sa présentation de cette théorie, Aristote donne les exemples suivants : A et N (forme) ; AN et NA (arrangement) et ⊢ et ⊥ (orientation). Les atomes sont en nombre infini. L'existence du vide, niée par Parménide et plus tard par Aristote qui eut une influence durable, est un aspect important de la théorie atomiste, car sans vide il n'y aurait pas de mouvement, du moins selon Démocrite. À la forme et à la grandeur, Épicure (342-270) ajouta le poids aux propriétés des atomes et fit de l'atomisme le fondement de sa philosophie morale.

La doctrine atomiste pose un problème car, si les atomes ont une forme, ils ont des parties et sont, mathématiquement au moins, divisibles. De plus, rien n'empêche qu'un atome soit gros comme la Terre. Comme Empédocle, Leucippe développe peu sa théorie, satisfait d'avoir réfuté Parménide. Démocrite, au contraire, s'intéresse à tout : physique, astronomie, zoologie, et donne plusieurs exemples de la fécondité de sa théorie pour expliquer les phénomènes. Ainsi, le goût sucré s'expliquerait par des atomes ronds et le goût acide, par des atomes pointus.

Notons que toutes ces théories, abstraites et générales, se prêtaient peu à une mise à l'épreuve par des expériences. Leur apport tenait au fait qu'elles servaient de base à des explications naturelles du monde, et qu'elles donnaient lieu à des discussions et à des débats entre partisans de théories rivales. C'est en somme le caractère *rationaliste* et fortement dialogique de ce mode d'appréhension de la nature qui contraste avec ce que l'on a observé chez les scribes mésopotamiens et égyptiens dont la tâche, à titre de fonctionnaires des cours et des temples, se limitait à noter des informations utiles. Le mode de pensée des Grecs faisait peu appel à l'expérience et utilisait beaucoup l'analogie comme mode d'explication des phénomènes naturels. Il y a bien sûr quelques exemples ici et là d'embryons d'expériences, comme celle qu'aurait faite Anaxagore pour prouver la matérialité de l'air. De même Xénophane de Colophon (570-480) aurait utilisé des observations de fossiles pour appuyer sa théorie selon laquelle toutes les choses qui naissent et qui croissent sont formées de terre et d'eau. Enfin, Anaximène aurait invoqué le fait que l'air soufflé la bouche grande ouverte est plus chaud que l'air soufflé les lèvres pincées pour soutenir sa théorie voulant que le chaud ne soit que de l'air raréfié et le froid de l'air condensé. Le seul domaine qui semble avoir donné lieu à des expériences un peu systématiques est l'acoustique, dans le cadre de la doctrine des nombres de Pythagore.

Les méthodes d'argumentation appliquées à la nature par les premiers philosophes grecs furent également utilisées par les premiers historiens. Hérodote (485-425), né à Halicarnasse sur les côtes de l'Asie mineure, auteur des *Histoires,* dit en effet vouloir donner les « raisons » du conflit qui opposa les Perses aux Grecs au cours des guerres médiques. Il laissait toutefois encore place aux explications religieuses, et il fallut attendre Thucydide d'Athènes (460-400) pour lire, dans son *Histoire de la guerre du Péloponnèse,* une explication entièrement naturelle du cours des événements, qui cherchait à corroborer les faits et ne se contentait pas d'entériner les interprétations des acteurs. Comme l'écrit Jacqueline de Romilly, « l'histoire de Thucydide est résolument humaine et tous les enchaînements le sont également[4] ».

LA MÉDECINE HIPPOCRATIQUE ET LE RATIONALISME

Le domaine de la médecine n'échappa pas à la tendance naturaliste et rationaliste qui caractérisa la pensée grecque aux Ve et IVe siècles, comme en témoigne le corpus des textes médicaux de cette époque.

Dans ses *Histoires*, Hérodote nomme deux des principales écoles de médecine de l'époque et nous apprend que, à la fin du VIᵉ siècle, « les médecins de Crotone passaient pour les premiers de la Grèce, avant ceux de Cyrène[5] ». Crotone, située dans le sud de l'Italie, était aussi la ville natale d'Alcméon. Disciple de Pythagore, ce médecin, qui aurait pratiqué la dissection, concevait la santé comme un mélange équilibré de qualités opposées, constitutives de l'être humain (chaud/froid, chaud/humide, doux/amer, etc.). C'est la plus ancienne théorie médicale conservée par la doxographie et qui fut adoptée par l'école hippocratique.

Hérodote aurait pu ajouter deux autres écoles importantes à sa liste : celle de Cos et celle de sa rivale, Cnide, toutes deux situées non loin de sa ville natale, Halicarnasse. La première, celle de l'île de Cos, doit sa célébrité à Hippocrate (460-370), dont le père et plusieurs fils furent aussi médecins — l'art se transmettant à cette époque de père en fils. Le plus célèbre médecin de l'Antiquité, il donna son nom à la tradition dite « hippocratique », qui nous a laissé de nombreux traités médicaux, et surtout au célèbre serment d'Hippocrate qui régit encore aujourd'hui la conduite des médecins. Quant à l'École de Cnide, ville située juste en face de Cos, sur la côte d'Asie mineure, elle n'a pas laissé de noms aussi célèbres à la postérité, mais ses traités sont assez bien représentés dans la collection hippocratique.

Les conceptions médicales de ces deux écoles reflétaient les débats philosophiques de l'époque, les empiristes (concentrés à Cnide) s'opposant aux dogmatiques ou rationalistes (réunis à Cos). Les premiers ne juraient que par l'observation, et leurs traités étaient surtout descriptifs, alors que les seconds, plus préoccupés de philosophie et de théories, jugeaient nécessaire de construire des systèmes pour expliquer les maladies. Ainsi, le traité du *Régime* se fonde sur deux éléments (l'eau et le feu) tandis que le traité sur les *Chairs* fait appel à trois éléments (l'éther, l'air et la terre)[6].

C'est toutefois la doctrine du traité *De la nature de l'homme,* de l'école de Cos, qui aura le plus d'influence — celle-ci perdurera en fait jusqu'au XVIIIᵉ siècle. L'auteur — qui, selon Aristote, est Polybe, le beau-fils d'Hippocrate — aborde le problème de la constitution et du fonctionnement du corps humain à partir d'une théorie dite des quatre humeurs (bile jaune, pituite ou flegme, bile noire et sang), analogue à la théorie des quatre éléments. Selon cette approche, la santé du corps est assurée par un équilibre entre les quatre humeurs, alors que la maladie est l'expression de la présence disproportionnée d'une ou plusieurs de ces humeurs. Cette doctrine met en relation les quatre humeurs avec ce que les médecins considèrent alors comme les quatre principaux organes du

La théorie des quatre humeurs

Le traité hippocratique De la nature de l'homme, *qui date de 410-400, fournit la plus ancienne présentation de la théorie des quatre humeurs :*

4. Le corps de l'homme a en lui sang, pituite, bile jaune et noire ; c'est là ce qui constitue la nature et ce qui y crée la maladie et la santé. Il y a essentiellement santé quand ces principes sont dans un juste rapport de mélange, de force et de quantité, et que le mélange en est parfait ; il y a maladie quand un de ces principes est soit en défaut soit en excès, ou, s'isolant dans le corps, n'est pas combiné avec tout le reste. Nécessairement, en effet, quand un de ces principes s'isole et cesse de se subordonner, non seulement le lieu qu'il a quitté s'affecte, mais celui où il s'épanche s'engorge et cause douleur et travail. Si quelque humeur flue hors du corps plus que ne le veut la surabondance, cette évacuation engendre la souffrance. Si, au contraire, c'est en dedans que se fait l'évacuation, la métastase, la séparation d'avec les autres humeurs, on a fort à craindre, suivant ce qui a été dit, une double souffrance, savoir au lieu quitté et au lieu engorgé.

5. [...] Et d'abord, remarquons-le, dans l'usage, ces humeurs ont des noms distincts qui ne se confondent pas ; ensuite, dans la nature, les apparences n'en sont pas moins diverses, et ni la pituite ne ressemble au sang, ni le sang à la bile, ni la bile à la pituite. En effet, quelle similitude y aurait-il entre des substances qui ne présentent ni la même couleur à la vue, ni la même sensation au toucher, n'étant ni chaudes, ni froides, ni sèches, ni humides de la même manière ? Il faut donc, avec une telle dissemblance d'apparence et de propriétés qu'elles ne soient pas identiques, s'il est vrai que le feu et l'eau ne sont pas une seule et même substance.

On peut se convaincre qu'elles ne sont pas en effet identiques, mais que chacune a une vertu et une nature particulière : donnez à un homme un médicament flegmagogue, il vomit du flegme ; un médicament cholagogue, il vomit de la bile ; de même, de la bile noire est évacuée si vous administrez un médicament qui agisse sur la bile noire ; enfin, blessez quelque point du corps de manière à faire une plaie, du sang s'écoulera. Et cela se produira devant vous chaque jour et chaque nuit, l'hiver comme l'été, tant que l'homme pourra attirer en lui le souffle et le renvoyer ; il le pourra jusqu'à ce qu'il soit privé de quelqu'une des choses congénitales. Or, ces principes que j'ai dénommés sont congénitaux. Comment en effet ne le seraient-ils pas ? D'abord, l'homme les a évidemment en lui sans interruption tant qu'il vit ; puis il est né d'un être humain les ayant tous, et il a été nourri dans un être humain les ayant tous aussi, à savoir ces principes qu'ici je nomme et démontre.

Hippocrate, *De l'art médical*, traduit par Émile Littré, Paris, Livre de Poche, 1994, p. 146-147.

corps (foie, cerveau, rate, cœur), les quatre saisons et les quatre âges de l'homme.

Tous les traités médicaux de l'époque ne suivent pas cette voie théorique. Le goût de la polémique étant aussi développé chez les médecins que chez les philosophes, il était prévisible que les grandes théories trouvent leurs détracteurs. Ainsi, le traité *De l'ancienne médecine* (430-380) critique les théories médicales trop influencées par les philosophes et insuffisamment fondées sur des observations précises :

> *Pour moi, quand j'écoute ceux qui font ces systèmes et qui entraînent la médecine loin de la vraie route vers l'hypothèse, je ne sais comment ils traitent leurs malades en conformité avec leurs principes. Car ils n'ont pas trouvé, je pense, quelque chose qui soit chaud, froid, sec ou humide, en soi, et sans mélange d'aucune autre qualité; et sans doute ils n'ont pas à leur disposition d'autres boissons et d'autres aliments que ceux dont nous usons tous; mais ils attribuent à ceci ou à cela la qualité ou chaude ou froide ou sèche ou humide[7].*

Malgré l'influence visible des philosophies présocratiques, la médecine grecque se distinguait tout de même de la philosophie par sa finalité : soigner les malades. Pour cette raison, la théorie avait une utilité limitée — comme l'auteur que l'on vient de citer l'a bien compris —, la médecine demeurant toujours un art. En effet, contrairement à la science qui est démonstrative, l'art naît, selon Aristote, « lorsque, d'une multitude de notions d'expérience, se dégage un seul jugement universel, applicable à tous les cas semblables[8] ».

Aussi, les auteurs anonymes du *Pronostic (prognosis)* et des *Épidémies I,* ouvrages datant de la seconde moitié du Ve siècle avant notre ère, insistent sur l'importance de l'examen détaillé du patient. Et les traités I et III des *Épidémies* contiennent 42 études de cas très semblables aux cas de chirurgie rapportés vers 1600 av. J.-C. en Égypte (Papyrus Edwin Smith). Le traité grec est cependant plus détaillé et suit le progrès de la maladie jour après jour.

Comme le note l'historien G. E. R. Lloyd, l'appel à l'observation des faits et aux expériences était surtout utilisé contre les charlatans ou les médecins concurrents. Il s'agissait d'un usage rhétorique pour critiquer l'adversaire car, dans les faits, ces pratiques ne furent guère utilisées avant le début du IVe siècle avant notre ère. Au temps d'Hippocrate, par exemple, on connaissait encore peu l'anatomie, faute de pratiquer la dissection. Comme le note Aristote dans son traité *Histoire des animaux,* « les parties internes des hommes sont tout particulièrement ignorées, au point qu'il faut les étudier par référence aux parties des autres animaux dont la nature est proche de celle de l'homme[9] ». Ainsi que nous le verrons plus loin, ce furent plutôt les médecins d'Alexandrie qui pratiquèrent la dissection humaine. L'observation même des faits était, selon Lloyd, conditionnée par le type de questions formulées[10]. Ainsi, la croyance en l'existence de jours critiques — au cours desquels devait se décider l'issue de la maladie — dans l'évolution de certaines affections a pu amener les médecins à observer des patients pendant plusieurs jours consécutifs. En général, cependant, le caractère plutôt vague de la plupart des concepts utilisés prêtait peu à l'expérimentation.

Le rejet de l'idée voulant que la maladie ait une cause divine, caractéristique de la pensée ionienne, ressort aussi du corpus hippocratique. Le traité *De la maladie sacrée* (l'épilepsie), datant de la seconde moitié du Ve siècle avant notre ère, s'oppose à l'idée même de maladie sacrée :

> *Voici ce qui en est de la maladie dite sacrée : elle ne me paraît avoir rien de plus divin*
> *ni de plus sacré que les autres, mais la nature et la source en sont les mêmes que pour*
> *les autres maladies. Sans doute c'est grâce à l'inexpérience et au merveilleux qu'on l'a*
> *regardée comme quelque chose de divin*[11].

L'auteur dénonce vertement ceux qu'il tient pour responsables de cette appellation trompeuse[12] :

> *Ceux qui, les premiers, ont sanctifié cette maladie furent à mon avis ce que sont aujourd'hui les mages, les purificateurs, les charlatans, les imposteurs, tous gens qui prennent des semblants de piété et de science supérieure. Jetant donc la divinité comme un manteau et un prétexte qui abritassent leur impuissance à procurer un remède utile, ces gens afin que leur ignorance ne devînt pas manifeste, prétendirent que cette maladie était sacrée.*

Comme les philosophes ioniens, les médecins hippocratiques considèrent que chaque maladie « a sa cause naturelle et aucune ne se produit sans cause naturelle ». Et comme la nature tout entière est divine, cela leur permet d'inverser le point de vue jusqu'alors dominant et d'affirmer qu'« aucune maladie n'est plus divine qu'une autre, mais toutes sont analogues et toutes sont divines » comme on peut le lire dans le traité *Airs, Eaux et Lieux* dont l'auteur est peut-être aussi celui qui a écrit *De la maladie sacrée*[13].

À la même époque, l'historien Thucydide affiche aussi son scepticisme quant aux guérisons miraculeuses, lorsqu'il écrit à propos de la pestilence survenue à Athènes en 430 av. J.-C. :

Rien n'y faisait, ni les médecins qui, soignant le mal pour la première fois, se trouvaient devant l'inconnu (et qui étaient eux-mêmes les plus nombreux à mourir, dans la mesure où ils approchaient le plus des malades), ni aucun autre moyen humain. De même, les supplications dans les sanctuaires, ou les recours aux oracles et autres possibilités de ce genre, tout restait inefficace : pour finir, ils y renoncèrent, s'abandonnant au mal[14].

Bien sûr, à côté de ces écoles de médecine, subsistaient les médecins des temples et les charlatans qui préconisaient des pratiques magico-religieuses telles que incantations et bains de purification. Cependant, c'est moins la pratique religieuse des temples avec leurs guérisons miraculeuses qui est dénoncée dans le corpus hippocratique que celle des charlatans, véritables concurrents des médecins à une époque où aucune législation n'encadrait la pratique médicale. Il ne faut donc pas surestimer l'importance des médecins rationalistes en Grèce antique, qui n'ont jamais vraiment réussi à terrasser ces adversaires avec lesquels ils étaient en constante compétition. Pour obtenir le poste de médecin public, par exemple, ils devaient, dans les cités démocratiques comme Athènes, convaincre l'Assemblée et ainsi faire appel à leurs talents tant d'orateurs que de médecins. Le sophiste Gorgias se vante d'ailleurs de son pouvoir de conviction, dans le dialogue éponyme de Platon, lorsqu'il dit à Socrate :

Suppose qu'un débat contradictoire s'engage dans l'Assemblée du peuple, ou dans quelque autre réunion, pour savoir qui l'on doit choisir pour médecin, le médecin n'y ferait pas longtemps figure, et celui qui, bien plutôt, serait choisi s'il le voulait, serait celui qui est capable de bien parler[15] !

La médecine des temples et celle des médecins semblent avoir été complémentaires, surtout dans le cas des maladies incurables. Ainsi, les inscriptions sur des stèles dressées à l'intérieur du temple d'Asclépios à Épidaure et relatant les guérisons de visiteurs venus des quatre coins du monde grec, rappellent les pèlerinages contemporains à Lourdes, en France, à l'oratoire Saint-Joseph, à Montréal, ou à Sainte-Anne-de-Beaupré, près de Québec :

Ambrosia d'Athènes était aveugle d'un œil. Celle-ci vint en suppliante vers le Dieu. Faisant le tour du sanctuaire, elle se moquait de certaines guérisons qu'elle jugeait incroyables et impossibles, à savoir que des boiteux et des aveugles guérissent par le seul fait d'avoir une vision en dormant. S'étant couchée dans [le portique d'incubation] elle eut une vision. À ce qu'il lui semblait, le Dieu se tenait au-dessus d'elle et lui disait

Les humeurs et les saisons

La pituite augmente chez l'homme pendant l'hiver ; car, étant la plus froide de toutes les humeurs du corps, c'est celle qui est la plus conforme à cette saison. [...]

Au printemps, la pituite conserve encore de la puissance, et le sang s'accroît. [...]

En été, le sang a encore de la force, mais la bile se met en mouvement dans le corps, et elle se fait sentir jusqu'à l'automne. [...]

La pituite est au minimum dans l'été, saison qui, étant sèche et chaude, lui est naturellement contraire. Le sang est au minimum en automne, saison sèche et qui commence déjà à refroidir le corps humain ; mais c'est alors que la bile noire surabonde et prédomine. [...]

Donc toutes ses humeurs existent constamment dans le corps humain ; seulement elles y sont, par l'influence de la saison actuelle, tantôt en plus grande, tantôt en moindre quantité ; chacune selon sa proportion et selon sa nature. L'année ne manque en aucune saison d'aucun des principes, chaud, froid, sec, humide ; nul, en effet, de ces principes ne subsisterait un seul instant sans la totalité des choses existant dans ce monde, et, si un seul venait à faire défaut, tous disparaîtraient ; car en vertu d'une seule et même nécessité, tous sont maintenus et alimentés l'un par l'autre. De même dans l'homme, si manquait une des humeurs congénitales, la vie ne pourrait continuer. [...]

Pour résumer toute notion, le médecin doit combattre le caractère constitutionnel des maladies, des complexions, des âges, et relâcher ce qui est resserré, ainsi que resserrer ce qui est relâché ; de la sorte, la partie souffrante sera le plus en repos ; c'est en quoi me paraît surtout consister le traitement. Les maladies proviennent les unes du régime, les autres de l'air, dont l'inspiration nous fait vivre. On distinguera ainsi ces deux séries : quand un grand nombre d'hommes sont saisis en même temps d'une même maladie, la cause en doit être attribuée à ce qui est le plus commun, à ce qui sert le plus à tous ; or, cela, c'est l'air que nous respirons. [...] Mais quand les maladies sont de toutes sortes dans le même temps, manifestement alors elles sont respectivement imputables au régime de chacun.

Les maladies qui naissent de la partie du corps la plus forte sont les plus fâcheuses. En effet, restent-elles là où elles ont commencé ? nécessairement tout le corps souffre, la partie la plus forte souffrant. Se portent-elles sur une partie plus faible ? les solutions deviennent difficiles. Mais elles sont plus aisées quand le mal passe d'une partie plus faible sur une partie plus forte, qui, en vertu de sa force même, consumera aisément les humeurs affluentes.

Hippocrate, *De la nature de l'homme*, dans *Œuvres complètes d'Hippocrate*, traduit par Émile Littré, Amsterdam, A. M. Hackkert, 1965, p. 47-57.

qu'il la guérirait mais qu'elle devait déposer en salaire dans le sanctuaire une truie d'ar-
gent pour commémorer sa sottise; après ces mots, il incisa l'œil malade et y versa un
remède. Quand le jour vint, elle s'en alla guérie[16].

De façon générale, la médecine grecque diffère moins radicalement, dans sa partie descriptive, des médecines babylonienne et égyptienne que de la cosmologie présocratique avec son caractère très spéculatif. La médecine grecque partage toutefois avec cette dernière un net penchant pour les explications naturelles, les débats et les discussions entre écoles adverses, débats à peu près absents au sein des groupes de scribes. Alors que ces derniers étaient essentiellement des fonctionnaires, les médecins grecs étaient des agents libres prodiguant leurs services au plus offrant.

ATHÈNES : L'ÂGE D'OR DE LA PENSÉE GRECQUE

Déjà au temps d'Hippocrate, le centre intellectuel du monde grec s'était déplacé vers Athènes, l'Ionie ayant été conquise par les Perses en 494 av. J.-C. C'est à Athènes, centre politique et culturel de la Grèce classique et lieu d'émergence de la démocratie, que vont se retrouver les penseurs grecs les plus importants.

La démocratie athénienne dura à peu près 250 ans. Elle évolua à compter de la promulgation, vers 594, des lois de Solon qui limitèrent le pouvoir aristocratique, avec la réforme de Clisthène (510 av. J.-C.) créant un Conseil, une Assemblée du peuple, des fonctions de stratèges et d'archontes, mais cessa d'exister avec la conquête de Philippe de Macédoine en 338 av. J.-C. Dans sa forme classique, aux Ve et IVe siècles, le système démocratique grec donnait droit de vote à tout citoyen mâle de la ville aux assemblées générales tenues d'abord sur l'agora, puis sur la colline de la Pnyx, qui pouvait accueillir 6 000 personnes. Le nombre de citoyens athéniens était de 30 000 environ — l'obtention du titre étant soumise à de sévères restrictions —, mais la population totale, difficile à établir, devait se situer autour de 250 000 personnes.

L'Assemblée était souveraine, toute décision importante nécessitant son approbation. Elle siégeait à peu près 40 jours par année. L'administration quotidienne de la ville et l'adoption des lois et des motions soumises à l'Assemblée étaient confiées au Conseil des 500. Ses membres étaient choisis parmi l'ensemble des citoyens par tirage au sort. Le mandat d'un conseiller était d'un an, et aucun citoyen n'avait le droit de siéger au Conseil plus de deux fois dans sa vie. Selon les documents de l'époque, il semble que peu de citoyens aient accepté d'être conseiller plus d'une fois. Parce qu'il n'y avait pas à Athènes de bureaucratie centralisée, comme à Babylone ou à Thèbes, le conseiller devait assumer plusieurs tâches d'ordre civique ou administratif. Il s'agissait notamment d'assurer la propreté de la ville, de surveiller la construction et l'entretien des équipements publics (égouts, marché public, port, etc.), de collecter les impôts, etc. À la fin de l'année, le conseiller devait rendre compte de ses activités devant le public réuni à l'agora. Si l'Assemblée considérait que ses devoirs n'avaient pas été dûment remplis, elle pouvait lui imposer des amendes sévères.

L'Assemblée pouvait aussi tenir des réunions extraordinaires pour décider, par exemple, du déclenchement d'une guerre — les Athéniens étaient en guerre en moyenne tous les deux ans. À la suite de l'institution de l'ostracisme vers 508 av. J.-C., elle pouvait également décider d'expulser un citoyen de la ville à condition d'obtenir l'appui de 6 000 voix. C'était sans doute dans ce contexte décisionnel que la capacité de convaincre les concitoyens était mise à plus rude épreuve. Les conséquences d'une déclaration de guerre étaient loin d'être abstraites, car c'étaient les citoyens eux-mêmes qui formaient l'armée et donc qui risquaient leur vie, les esclaves n'étant pas mobilisés (sauf en de rares occasions). Les citoyens avaient des responsabilités similaires en matière de droit criminel. En effet, le jury d'un procès pouvait comprendre jusqu'à 1 001 personnes. Ces dernières étaient choisies par tirage au sort à partir d'une liste de 6 000 citoyens.

Ce fut dans ce contexte de démocratie politique qu'apparurent les sophistes, professeurs itinérants qui gagnaient leur vie en enseignant un peu partout la rhétorique, la philosophie ou tout autre matière trouvant preneur. Ce fut aussi à Athènes que les écoles philosophiques les plus importantes virent le jour et s'installèrent à demeure. En leur sein ou sous leur influence, le savoir scientifique allait progresser pendant plus d'un siècle.

PLATON, L'ACADÉMIE ET LES PREMIERS MODÈLES ASTRONOMIQUES

On a vu au chapitre précédent que, pour des raisons d'ordre religieux, les Babyloniens avaient accumulé d'importantes connaissances astronomiques, mais qu'ils s'étaient peu préoccupés de construire des modèles qui rendent compte de leurs observations. Chez les Grecs au contraire, la tradition astronomique prit une tournure théorique d'inspiration pythagoricienne. Ce fut en effet au sein de l'école philosophique réunie à Athènes autour de Platon dans les jardins d'Académos (d'où le nom d'Académie) que fut formulé un programme de recherches mathématiques visant à expliquer le mouvement des cinq planètes connues (Saturne, Jupiter, Mars, Vénus, Mercure), de la Lune et du Soleil par un modèle géométrique faisant intervenir uniquement des mouvements circulaires uniformes, c'est-à-dire à vitesse de rotation constante.

Ce programme repose sur un cosmos sphérique, divin et vivant ; il existe en effet une âme du monde, et c'est pourquoi le cosmos est ordonné. Le mouvement apparemment erratique des planètes — le terme grec « *planetos* » signifie d'ailleurs « astres errants » — semblant aller à l'encontre de cette conception du cosmos, il fallait sauver les apparences et montrer que derrière ce désordre apparent se cachent en fait des cercles, seules figures parfaites compatibles avec un cosmos divin. Cette approche contraste avec les modèles des présocratiques qui n'avaient rien d'aussi systématique et surtout n'utilisaient aucune méthode mathématique. Sous l'influence des cercles pythagoriciens qu'il avait fréquentés durant son séjour en Italie, Platon accorda beaucoup d'importance aux mathématiques. Fondée à Athènes vers 387 av. J.-C., l'Académie de Platon délaissa la physique et les données empiriques qui, selon lui, avaient peu de valeur parce qu'elles reposaient seulement sur le témoignage des sens et avaient un caractère changeant. Ce fut son disciple Aristote qui, en s'éloignant du maître pour fonder sa propre école, réhabilita les recherches empiriques. À l'Académie, les élèves de Platon se concentrèrent donc surtout sur les recherches mathématiques et contribuèrent à l'élaboration d'une astronomie mathématique. Quant au maître, disciple de Socrate, il n'était pas mathématicien mais philosophe, et les mathématiques avaient surtout pour lui une fonction pédagogique, au service de sa philosophie politique et morale.

L'importance de la géométrie pour Platon est nettement visible dans son dialogue sur l'origine du cosmos, le *Timée*. Les quatre éléments y ont pour origine et pour figure des formes géométriques idéales, des solides réguliers formés de triangles plans *(fig. 2.3)*. Le tétraèdre (4 faces) est identifié au feu ;

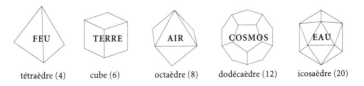

| FEU | TERRE | AIR | COSMOS | EAU |
| tétraèdre (4) | cube (6) | octaèdre (8) | dodécaèdre (12) | icosaèdre (20) |

Figure 2.3. Le cosmos, les éléments et les polyèdres réguliers correspondants (le nombre de faces apparaît entre parenthèses).

l'octaèdre (8 faces), à l'air ; l'icosaèdre (20 faces), à l'eau ; et le cube (6 faces), à la terre. La transformation d'un élément en un autre s'explique par le réarrangement des triangles de base. Ainsi, l'icosaèdre (eau) peut se décomposer en deux octaèdres (air) et en un tétraèdre (feu). Comme les pythagoriciens, Platon savait qu'il n'existe que cinq polyèdres réguliers. Ayant trouvé une fonction à quatre d'entre eux, il associa le cinquième, le dodécaèdre, qui se rapproche le plus de la sphère, au cosmos lui-même.

Il s'agit là d'une explication tout à fait originale de la transformation des éléments et d'un exemple important de mathématisation du monde physique.

La géométrie des éléments selon Platon

Donnons à la terre la figure cubique. En effet, des quatre genres, la terre est le plus stable, de tous les corps c'est le plus facile à modeler, et tel devait être nécessairement celui qui a les bases les plus sûres. Or, parmi les triangles dont nous avons parlé dans le principe, ceux qui ont les deux côtés égaux forment une base naturellement plus sûre que ceux qui sont scalènes : ainsi, des deux figures planes équilatérales qu'ils forment, le tétragone est une base plus sûre que le triangle, et est nécessairement, dans ses parties comme dans son ensemble, plus fixe et plus solidement établi. En donnant donc cette espèce de base à la terre, nous restons fidèles à la vraisemblance, et de même en attribuant à l'eau la plus stable des autres ; la moins stable au feu, et celle qui tient le milieu à l'air ; le corps le plus petit au feu, le plus grand à l'eau, le moyen à l'air ; le plus aigu au feu, le second sous ce rapport à l'air, le troisième à l'eau. Ainsi, de tous ces corps, celui qui a le moins grand nombre de bases doit nécessairement être le plus mobile, le plus tranchant et le plus aigu de tous, et aussi le plus léger, puisqu'il se compose d'un moindre nombre des mêmes éléments. Celui qui en a le moins après tient le second rang sous ce double rapport, et celui qui en a le plus tient le troisième. Disons donc, d'après la droite raison et d'après la vraisemblance, que l'espèce de solide qui a la forme pyramidale est l'élément et le genre du feu ; que le second dont nous avons décrit la formation est celui de l'air, et le troisième celui de l'eau.

Il faut donc se représenter tous ces corps comme tellement petits que chacune des parties de chaque genre, par sa petitesse, échappe à nos yeux, mais qu'en en réunissant un grand nombre, leur masse devienne visible ; et quant à leurs rapports, à leurs nombres, à leurs autres propriétés, il faut concevoir que Dieu, toujours par des moyens auxquels la nécessité cédait en vertu d'une sorte de persuasion et d'obéissance volontaire, acheva complètement de les établir avec une exactitude parfaite, et unit ainsi ces quatre genres de corps avec proportions et harmonie.

Platon, *Timée*, cité par Th. Henri Morton, dans *Études sur le Timée de Platon*,
Paris, J. Vrin, 1981, p. 151.

Le premier modèle astronomique, proposé par un élève de Platon, fut celui d'Eudoxe de Cnide (vers 365 av. J.-C.), géomètre pythagoricien qui se rendit à Athènes pour se joindre à l'Académie. Plaçant la Terre au centre de l'univers, la théorie d'Eudoxe fait appel, pour rendre compte du mouvement de chaque planète, à plusieurs sphères concentriques dont les axes sont diversement inclinés les uns par rapport aux autres. Les mouvements du Soleil et de la Lune y sont reproduits au moyen de 3 sphères chacun, et ceux des autres planètes, au moyen de 4 sphères chacune. Une dernière fait tourner les étoiles fixes pour un total de 27 sphères. Un peu plus tard, pour expliquer les variations de vitesse des planètes, Callipe de Cysique (vers 330 av. J.-C.) ajouta deux sphères chacun au Soleil et à la Lune et une cinquième à Mercure, à Vénus et à Mars, portant le total à 38. Ce modèle de sphères concentriques est purement géométrique *(fig. 2.4)* et les sphères n'y sont pas matérielles. Il vise à rendre compte qualitativement du mouvement rétrograde des planètes *(fig. 2.5)*, mais ne permet pas d'expliquer la variation de leur intensité lumineuse — due au fait que la distance qui les sépare de la Terre n'est pas constante — ni de calculer leur position en fonction du temps.

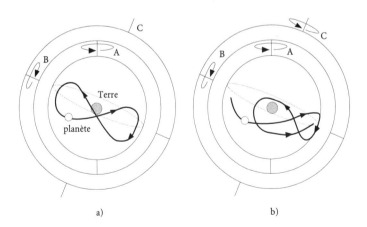

Figure 2.4. Modèle des sphères concentriques d'Eudoxe : *a)* la rotation des deux sphères intérieures (A et B) cause un mouvement apparent en boucle, du point de vue d'un observateur terrestre ; *b)* la rotation de la troisième sphère (C) transforme ce mouvement en un mouvement rétrograde.

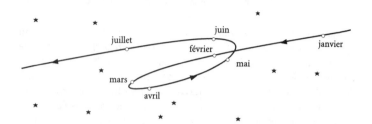

Figure 2.5. Trace de la position d'une planète (vue de la Terre) par rapport aux étoiles, sur une période de plusieurs mois.

À la suite de celui d'Eudoxe, plusieurs autres modèles géométriques furent proposés pour mieux rendre compte du mouvement des différentes planètes, créant ainsi une véritable tradition d'astronomie mathématique qui, on le verra plus loin, culminerait avec les travaux de l'astronome alexandrin Ptolémée.

LA SYNTHÈSE ARISTOTÉLICIENNE

Parmi les élèves de Platon, Aristote fut incontestablement le penseur qui exerça la plus grande influence sur la pensée européenne, et ce pendant près de 2 000 ans. Son œuvre est monumentale et aucun domaine de la pensée ne lui est étranger : philosophie, politique, éthique, astronomie, biologie, zoologie, logique, etc. On lui doit la formalisation de la logique classique, version qui ne fut remplacée par la logique dite « moderne » qu'au XIXe siècle. Sa physique fut commentée jusqu'au XVIIe siècle, époque où elle fut remplacée par celle de Galilée, plus fondée sur l'expérimentation et les mathématiques. En biologie, Aristote inventa une classification des animaux et en étudia attentivement plus de 500 espèces, dont 120 sortes de poissons et 60 d'insectes. L'ampleur de ses recherches n'a d'égal que le caractère global et systématique de sa philosophie qui offre une véritable synthèse des courants l'ayant précédée. On ne s'attardera ici qu'à sa cosmologie et sa physique qui domineront le monde intellectuel jusqu'aux révolutions copernicienne et galiléenne respectivement.

Fils du médecin personnel du roi de Macédoine, Amyntas III, Aristote vit le jour en 384 av. J.-C. à Stagire, colonie grecque située en Chalcidique, près du mont Athos. Comme Platon, il faisait partie de l'aristocratie et côtoyait les dirigeants politiques importants. Ainsi, Aristote épousa la fille adoptive

(Laërce dit plutôt la concubine, d'autres la nièce) du tyran d'Assos, Hermias, qui était son ami, et il fut engagé en 343 par Philippe II de Macédoine, fils d'Amyntas, qui lui confia l'éducation de son fils Alexandre, lequel succéderait à son père en 336.

Après avoir vécu sept ans à la cour macédonienne, à Pella, il retourna à Athènes pour y fonder une école, le Lycée. Contrairement à son maître cependant, il n'était pas Athénien et ne jouissait donc pas des privilèges du citoyen, bien qu'il se fût installé à Athènes dès l'âge de 18 ans et eût été membre de l'Académie de Platon, dont il avait été le plus illustre étudiant, pendant 20 ans. À la mort de ce dernier, en 347, il avait quitté l'Académie et passé quelques années à Assos, sur les côtes d'Asie mineure, se consacrant à des recherches de biologie marine, avant de devenir le précepteur d'Alexandre.

Au Lycée, il forma des disciples pendant une douzaine d'années, puis s'exila après avoir été accusé d'impiété par ses adversaires antimacédoniens qui profitaient ainsi de la mort d'Alexandre le Grand en 323. Il s'éteignit un an plus tard à Chalcis, ville natale de sa mère, à l'âge de 62 ans.

Au Lycée, encore plus qu'à l'Académie, le travail mobilisa un véritable groupe de recherches, et des travaux empiriques furent entrepris dans plusieurs domaines. Même en politique, Aristote adopta un point de vue empirique, recueillant les textes de 158 constitutions de cités grecques. Malheureusement, seule celle d'Athènes s'est rendue jusqu'à nous. Comme Platon, Aristote écrivit sur la politique et l'éthique, mais, contrairement à celle de son maître qui ne s'était jamais intéressé aux sciences naturelles, son œuvre comprend un grand nombre de traités de nature scientifique sur la physique, le ciel et les animaux.

Dans la cosmologie qualitative d'Aristote, le monde se sépare en deux régions distinctes. Le monde sublunaire, composé des quatre éléments, est soumis au changement et constitue l'objet propre de la physique. Le monde supralunaire, composé d'un cinquième élément, éther ou quintessence (cinquième essence), est éternel et ne change pas. Seul le mouvement circulaire uniforme y est possible. Alors que Platon postule l'existence de formes idéales, d'essences qui rendent possible l'existence des objets, lesquels ne sont d'ailleurs qu'une incarnation imparfaite de ces idées, Aristote croit que les formes sont inséparables des contenus, c'est-à-dire des substances, et que le « monde des essences » n'existe pas.

Contrairement à Platon qui a interprété les principaux phénomènes à l'aide de figures géométriques, Aristote offre une lecture essentiellement qualitative du monde sublunaire et s'intéresse peu aux mathématiques. Ainsi, il abandonne l'idée des solides réguliers et propose que la transformation d'un élément en un autre se fait par le mélange deux à deux des quatre qualités sensibles fondamentales que sont le chaud, le froid, l'humide et le sec. Comme l'indique la *figure 2.6,* chaque élément est une combinaison de deux de ces qualités sensibles : la terre est formée du froid et du sec, l'eau du froid et de l'humide, et ainsi de suite. On peut donc transformer l'eau en terre par le passage de l'humide au sec. Cette théorie, comme d'ailleurs celle de Platon, fournit un fondement à l'idée de la transmutation des éléments qui est à la base de l'alchimie et qui ne sera remise en question qu'aux XVIIe et XVIIIe siècles.

Dans la physique d'Aristote, chacun de ces éléments est aussi caractérisé par sa légèreté et sa lourdeur. Il s'agit là de qualités absolues et non d'échelles quantitatives continues. Lourdeur et légèreté sont donc des qualités contraires et non des degrés différents de pesanteur. Ainsi, la terre et l'eau sont tous deux lourds, le premier davantage que le second, et leur place naturelle est le centre de l'univers, la terre précédant l'eau. L'air et le feu étant légers, leur place naturelle est aux confins du monde sublunaire, le second, plus léger que le premier, étant plus près de la sphère lunaire. Ce concept de « lieu naturel » est au cœur de la physique d'Aristote, car il explique le type de mouvement naturel des quatre éléments : étant lourds, la terre et l'eau ont un mouvement naturel vers le bas, alors que l'air et le feu ont un mouvement naturel vers le haut. Du fait que l'univers est sphérique et la Terre, immobile en son centre, lorsque les éléments occupent leur lieu naturel, ils forment des sphères concentriques dans l'ordre suivant : terre, eau, air, feu *(fig. 2.7).*

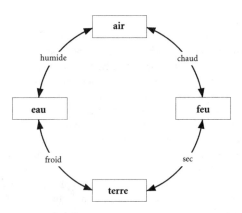

Figure 2.6. Qualités sensibles et transformation des éléments selon Aristote.

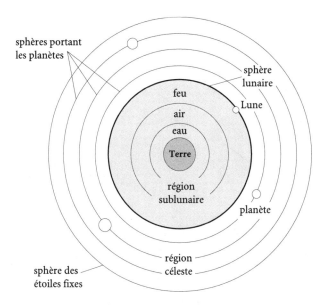

sphères portant les planètes

feu

air

eau

Terre

région sublunaire

sphère lunaire

Lune

planète

région céleste

sphère des étoiles fixes

Figure 2.7. La structure du cosmos selon Aristote.

Quand un élément est déplacé, il tend, par son mouvement, à regagner son lieu naturel. Ainsi, un objet lourd lâché d'une certaine hauteur tombe en ligne droite vers la Terre, alors que la flamme se dirige naturellement vers le haut. Lorsque le mouvement est autre que naturel, Aristote dit qu'il est violent. Tout mouvement violent est causé par une force externe qui entre en contact avec l'objet. Ainsi, quand on lève un objet lourd, on exerce une force, de même que quand on pousse un objet. Selon Aristote, l'état naturel étant le repos, le mouvement cesse aussitôt que la force ne s'exerce plus sur l'objet. Prenons, par exemple, le lancer du javelot, que les Grecs pouvaient observer régulièrement dans les épreuves sportives et les combats. Dans sa trajectoire ascendante, son mouvement est violent. Lorsqu'il commence à descendre, son mouvement est naturel. Les deux mouvements ne pouvant, d'après Aristote, s'exercer en même temps, la trajectoire devrait avoir l'allure représentée à la *figure 2.8*. Au dire d'Aristote, le mouvement doit cesser aussitôt que la force ne s'exerce plus sur l'objet. Or, ce n'est manifestement pas le cas puisqu'il y a mouvement. Quelle est donc la force exercée lorsque l'athlète lâche le javelot? Pour répondre à cette question, Aristote et ses disciples affirmeront que c'est l'air entourant le javelot qui continue à exercer une force de contact et qui

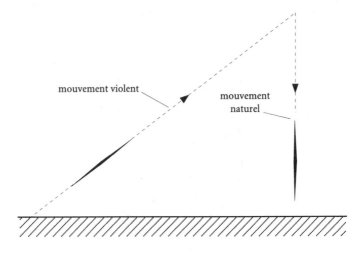

Figure 2.8. Les deux parties de la trajectoire d'un javelot, selon Aristote.

graduellement s'estompe. Comme on le verra au chapitre suivant, cette théorie n'est pas totalement convaincante et sera modifiée par des commentateurs du Moyen Âge. Aristote ne croit pas en l'existence du vide, car le mouvement des objets, ne rencontrant aucune résistance, y serait infiniment rapide, ce qui pour lui est impossible. Il rejette par le fait même l'atomisme de Démocrite qui est justement fondé sur la présence de vide, condition du mouvement des atomes. Ainsi que nous le verrons au chapitre 8, ce n'est qu'au XVIIᵉ siècle que l'ensemble des interprétations d'Aristote sera radicalement remis en question et abandonné en faveur d'une physique corpusculaire et quantitative.

Alors que le monde sublunaire est soumis aux changements décrits dans les traités de physique (*Physique* et *Météorologie*), et de biologie (*Histoire des animaux* et *Parties des animaux*), le monde supralunaire, parfait et régi par des mouvements circulaires, est décrit dans le traité *Du Ciel*. Ici, Aristote s'inscrit dans la continuité des travaux de l'Académie et adapte le modèle d'Eudoxe, purement géométrique, en lui donnant toutefois une interprétation substantielle conforme à sa métaphysique. Le monde étant plein, toutes les sphères y sont donc composées d'un cinquième élément, l'éther (ou quintessence), et sont en contact les unes avec les autres pour assurer la transmission du mouvement qui, chez Aristote, se fait par contact direct : il n'y a pas d'action à distance. Aristote aboutit ainsi à un système très complexe de 55 sphères concentriques, tournant dans différentes directions pour expliquer l'ensemble des mouvements des planètes vus de la Terre.

À la mort d'Aristote, son successeur Théophraste d'Érèse (372-287), ayant obtenu d'un gouverneur d'Athènes, disciple d'Aristote, le droit de posséder des biens immobiliers dans cette ville bien qu'il n'en fût pas originaire, donna au Lycée des assises institutionnelles stables[17]. Il légua ensuite ses biens immobiliers par testament de façon à assurer la continuité de l'École qui serait dirigée par son successeur Straton de Lampsaque (330-268) :

> *Je laisse mon jardin, mon parc et les maisons adjacentes à ceux de mes amis dont j'ai inscrit le nom, qui voudront y tenir école et y philosopher ensemble, puisqu'il n'est pas possible aux hommes d'être toujours en voyage, mais à la condition que ces biens ne seront ni aliénés, ni possédés en propre par aucun d'eux, mais qu'ils resteront indivis comme un sanctuaire et que tous en useront en commun amicalement et familièrement, comme il est convenable et juste[18].*

Appelée à devenir dominante, la cosmologie d'Aristote ne fut toutefois pas la seule proposée. Un élève de Platon contemporain d'Aristote, Héraclide du Pont (388-310), proposa que la Terre tourne sur son axe en 24 heures, mais sa proposition n'eut pas de suite. Comme on le verra plus loin, ce sont en fait les astronomes alexandrins qui feront une synthèse de la cosmologie d'Aristote et de l'astronomie mathématique de l'Académie.

LES LIMITES DU RATIONALISME GREC

L'importance de la vie intellectuelle à Athènes au Ve siècle avant notre ère fut telle que certains historiens ont pu en parler comme d'un véritable « Siècle des lumières ». Un indice sûr de la large diffusion à cette époque des idées rationalistes des philosophes est le ton railleur sur lequel Aristophane en parle dans sa pièce *Les Nuées*, comédie politique jouée devant la population d'Athènes aux Grandes Dionysies de 423 av. J.-C., foire annuelle qui marquait la fin des vendanges. Sans que ce soit sa pièce la plus appréciée, elle montre bien que les sophistes et les disciples des philosophes naturalistes — qu'Aristophane amalgame dans son personnage de Socrate — avaient un rayonnement suffisant pour attirer l'attention du poète et pour que celui-ci soit compris par le public quand il dénonce les effets néfastes des enseignements rationalistes et du goût trop prononcé pour les explications scientifiques qui remettent en cause l'action des grands dieux grecs. Ses pièces *Les Oiseaux* et *Les Grenouilles* expriment également ce courant antirationaliste.

Les Nuées d'Aristophane (423 av. J.-C.)

SOCRATE. Quel Dieu ? Veux-tu bien ne pas déraisonner ? Zeus n'existe même pas.

STREPSIADE. Que dis-tu là ? Et qui fait pleuvoir ? Explique-moi d'abord cela ?

SOCRATE. Ce sont les nuages j'imagine. Je m'en vais t'en donner des preuves éclatantes. Voyons, où donc as-tu vu jusqu'à présent Zeus faire pleuvoir sans nuages ? Il faudrait pourtant qu'il le fît par un ciel serein, clair, et en leur absence.

Aristophane, *Théâtre complet 1*, traduit, commenté et annoté par M.-J. Alfonsi,

Paris, Garnier-Flammarion, 1966

Tous ne voyaient donc pas d'un bon œil cet esprit rationaliste qui paraissait souvent dénigrer les dieux, et il y eut de nombreuses réactions négatives, comme ce décret datant de 432 ou 430 av. J.-C. et faisant de l'enseignement de l'astronomie un délit. Il faut dire qu'il y eut au cours du dernier tiers de ce Ve siècle un conflit entre Athènes et Sparte qui fut désastreux pour la Grèce — la guerre du Péloponnèse ; ce n'était sûrement pas un contexte propice aux discussions sereines remettant en cause des croyances ancrées dans la population. On assista d'ailleurs durant cette période à une recrudescence des cultes et des demandes de guérison magique, qui correspondait à l'apparition, en 430 av. J.-C., d'une importante épidémie, la « peste » d'Athènes, décrite par Thucydide. La croyance générale en l'action divine était également présente aux Assemblées, dont les règles de fonctionnement indiquaient qu'il fallait lever la réunion si un signe divin se manifestait. Dans sa pièce, *Les Acharniens,* Aristophane se moque aussi de cette pratique lorsqu'il fait dire à l'un de ses personnages :

> [...] *je m'oppose, à ce que l'Assemblée délibère sur la solde à accorder aux Thraces ; je vous avertis qu'un présage vient de se produire ; que j'ai senti tomber une goutte* [d'eau][19].

Dans *Les Lois*, Platon dénonce les conceptions des penseurs ioniens, qu'il juge impies :

> [...] *les discours de nos contemporains et de leurs savants méritent d'être dénoncés à proportion des maux dont ils sont la cause. Or voici à quoi aboutissent les discours de cette sorte de gens : quand toi et moi énonçons des preuves de l'existence des dieux mettant en avant, au titre de dieux et de réalités divines, cela même que nous évoquions — le Soleil, la Lune, les astres, et la Terre —, nos contemporains, convaincus par les savants en question, diraient que ces réalités mêmes ne sont que de la terre et des pierres, et qu'elles ne sont nullement capables de se soucier des affaires humaines. Voilà qui, une fois enrobé dans de jolis discours, devient en un sens plausible*[20] *!*

Pour Platon, l'erreur des Ioniens est d'avoir tout ramené à la nature, sans avoir compris que la matière ne peut être le principe premier d'explication. Selon lui, en effet :

> *Ce qui est la cause première de toute génération et de toute corruption a été présenté, dans les arguments qui modèlent l'âme des impies, non pas comme ce qui advient en premier, mais comme ce qui advient en dernier, et ce qui vient en dernier a été mis en premier. De là vient que les impies se sont trompés au sujet de la véritable essence des dieux*[21].

En conséquence :

> *Il est impossible à un mortel de devenir fermement pieux à l'égard des dieux à moins d'avoir saisi les deux thèses que nous énonçons à l'heure actuelle, à savoir, que l'âme est le plus ancien de tous les êtres qui ont part à la génération, et, d'autre part, qu'elle est immortelle et qu'elle commande à tous les corps* [...][22].

Platon évoque aussi la réaction que cette philosophie « impie » aurait entraînée :

> *C'est ainsi qu'on en arriva, à cette époque, à la longue série d'impiétés et autres conceptions dangereuses qui fut reprochée aux hommes de ce genre, sans parler naturellement des injures auxquelles en vinrent les poètes lorsqu'ils comparèrent les philosophes aux chiennes qui aboient à la Lune, tout en multipliant les propos insensés*[23].

Comme le note l'historien Dodds, « le grand Siècle des Lumières en Grèce fut aussi [...] un siècle de persécution — savants bannis, pensée mise en œillères et même [...] livres brûlés[24] ». Ainsi, Diogène Laërce rapporta même que les Athéniens avaient brûlé les livres de la bibliothèque du sophiste Protagoras, contemporain de Platon, pour cause d'impiété. Anaxagore dut s'exiler afin d'échapper à une condamnation à mort pour avoir méprisé les dieux. Cependant, comme il était l'ami de Périclès, il est probable qu'il s'agissait là d'une manœuvre politique dirigée contre ce dernier. On a vu que, un siècle plus tard, Aristote connut le même sort lors du décès d'Alexandre le Grand. Enfin, Socrate lui-même fut condamné à mort en 399 av. J.-C., déclaré coupable de « rejeter les dieux reconnus de la Cité » et d'avoir, par son enseignement, « corrompu la jeunesse ». Refusant la fuite et l'exil, il choisit de boire la ciguë. Bien qu'en fait il s'opposât aux sophistes, sa méthode d'enseignement était parfois confondue avec la leur, comme c'est le cas dans *Les Nuées* d'Aristophane.

Les sophistes en particulier étaient souvent attaqués par les esprits plus conservateurs, ce qui fit dire à Platon (par la voix de Protagoras) que celui qui choisit cette profession s'expose à « des jalousies, des animosités, des machinations hostiles », de sorte qu'il lui est souvent nécessaire de travailler en secret ou de se présenter sous de fausses apparences[25].

ALEXANDRIE : CENTRE DE LA SCIENCE HELLÉNISTIQUE

À la fin du IVᵉ siècle avant notre ère, le centre intellectuel de la Méditerranée se déplaça vers Alexandrie, ville fondée par Alexandre le Grand au moment de la conquête de l'Égypte, en 331. À la mort d'Alexandre, huit ans après, ses trois généraux se partagèrent l'empire. L'un deux, Ptolémée, qui se déclara par la suite roi et prit le surnom de Sôter (« Le Sauveur ») régna sur l'Égypte et fit d'Alexandrie sa capitale. Sous son règne et celui de son fils Philadelphe, qui eut comme précepteur Straton, troisième directeur du Lycée, Alexandrie devint le principal centre commercial et intellectuel de la Méditerranée, attirant écrivains et philosophes. Son musée, fondé vers 290, en était l'attraction principale et sa bibliothèque, plusieurs fois incendiée, était d'une richesse documentaire aujourd'hui légendaire. Sur les conseils de Démétrios de Phalère, un disciple d'Aristote, Ptolémée Iᵉʳ aurait en effet entrepris d'y rassembler tous les livres du monde et de les faire traduire en grec. On croit qu'elle aurait contenu plusieurs dizaines de milliers d'œuvres différentes[26]. Ce n'était pas encore des livres mais essentiellement des rouleaux de papyrus, dont les textes étaient plutôt courts.

Même si, à Athènes, l'Académie et le Lycée continuaient leurs activités dans la voie tracée par leurs fondateurs, c'est surtout autour du musée et de la bibliothèque d'Alexandrie que, du début du IIIᵉ siècle avant notre ère jusqu'à la prise de la ville par les Arabes en 642, se trouvaient les principaux mathématiciens et philosophes.

Renouant en quelque sorte avec la tradition babylonienne des institutions étatiques, les activités du musée et de la bibliothèque contrastaient fortement avec la tradition démocratique athénienne fondée sur l'initiative individuelle et sur le regroupement volontaire de citoyens autour de maîtres à penser. Contrairement à leurs prédécesseurs ioniens, éléates et athéniens qui n'étaient pas vraiment spécialisés, les penseurs alexandrins se consacrèrent le plus souvent entièrement à un domaine précis (géométrie, astronomie ou génie) et laissèrent les grandes réflexions aux philosophes athéniens.

Les contributions scientifiques les plus importantes de la période dite

« hellénistique », qui s'étendit de la fondation d'Alexandrie à l'annexion de l'Égypte par les Romains en 31 av. J.-C., furent donc surtout le fait d'auteurs œuvrant à Alexandrie. Ainsi, dès le début de cette période, Aristarque de Samos (310-230), probablement influencé par les idées pythagoriciennes, proposa un système héliocentrique, dans lequel la Terre tourne autour du Soleil. Il fut aussi le premier à calculer le rapport entre les distances Terre-Lune et Terre-Soleil.

Ératosthène de Cyrène (284-192), qui dirigea la bibliothèque d'Alexandrie, calcula pour sa part avec une précision étonnante la circonférence de la Terre à partir de la mesure de l'angle entre les rayons du Soleil et la verticale au moment où, à un endroit assez éloigné au sud, un puits est éclairé jusqu'au fond par les mêmes rayons *(fig. 2.9)*. Ces deux calculs montrent bien la puissance déductive des modèles géométriques utilisés par les Grecs et la force de raisonnement des géomètres. Seule l'abstraction mathématique peut en effet permettre de calculer de telles distances.

Formé à Athènes, le mathématicien Euclide fut lui aussi, au cours du IIIe siècle avant notre ère, associé au musée d'Alexandrie. On lui doit une *Optique* et surtout les fameux *Éléments* en 13 volumes, synthèse du savoir mathématique de l'époque, qui servirent de base à l'enseignement de la géométrie jusqu'au XIXe siècle, soit pendant plus de 2 000 ans. Archimède (287-212), bien qu'originaire de Syracuse, en Sicile, fit également un séjour à Alexandrie. Il inventa plusieurs machines et on lui attribue même, probablement à tort, l'invention de la vis sans fin (utilisée pour vider l'eau des mines).

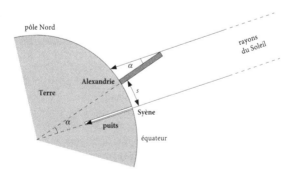

Figure 2.9. Calcul de la circonférence de la Terre par Ératosthène, fondé sur la différence d'inclinaison des rayons solaires entre Alexandrie et Syène.

Sur le plan scientifique, sa mathématisation de l'hydrostatique allait servir de modèle à Galilée. Il écrivit des traités importants sur les corps flottants, l'équilibre des plans, les leviers et la balance, de même que des traités de géométrie sur les cylindres et les sphères. Ces traités sont mathématiques et déductifs comme ceux d'Euclide, qu'ils prennent comme modèle. Parmi les géomètres qui travaillèrent au moins quelque temps à Alexandrie, citons Apollonios de Perga (262-180), né en Asie mineure et dont les travaux sur les sections coniques représentent le sommet de la géométrie grecque.

Au milieu du IIe siècle avant notre ère, Hipparque de Rhodes, considéré comme le plus grand astronome de l'Antiquité, fit un séjour au musée d'Alexandrie. C'est là qu'il put tirer profit des connaissances astronomiques babyloniennes qui, à cette époque, étaient très avancées. Il rédigea un catalogue des positions des étoiles et découvrit le phénomène de la précession des équinoxes, qui est responsable de légères variations dans les dates exactes des équinoxes. Une telle mesure demandait une excellente précision des observations et surtout des séries s'étendant sur plusieurs siècles, ce que seuls les Babyloniens pouvaient fournir. Pour donner une idée de la précision des observations et des calculs d'Hipparque, rappelons simplement que son calcul de la longueur moyenne du mois lunaire ne diffère de la valeur moderne que d'une seconde. En posant les bases de la trigonométrie, c'est-à-dire de la mesure des longueurs d'arcs de cercle, il fut le premier à mettre au point une méthode permettant d'assigner des valeurs numériques aux modèles géométriques. Il est aussi à l'origine de l'utilisation des excentriques et des épicycles *(fig. 2.10a)* dans les modèles astronomiques, qui remplacèrent les sphères concentriques, de peu d'utilité pour le calcul précis des positions des planètes.

Trois siècles plus tard, Ptolémée, également associé au musée et à la bibliothèque d'Alexandrie au milieu du IIe siècle de notre ère, reprit les travaux d'Hipparque et produisit la synthèse finale des travaux de ses prédécesseurs.

L'*Almageste* de Ptolémée

Nous allons nous efforcer de démontrer chacun [des] sujets [abordés], en utilisant comme principes (et pour ainsi dire comme fondements) dans notre recherche les phénomènes évidents et les observations indubitables, tant parmi celles des Anciens que parmi les nôtres ; nous déduirons les conséquences de ces observations à l'aide de démonstrations géométriques rigoureuses.

Jean-Pierre Verdet (dir.), *Astronomie et Astrophysique*, Paris, Larousse, coll. « Textes essentiels », 1993, p. 125-126.

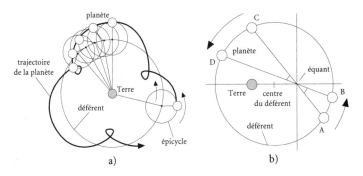

Figure 2.10. *a)* Le mouvement rétrograde reproduit avec le modèle des épicycles.
b) L'équant de Ptolémée : le rayon joignant l'équant à la planète tourne à vitesse constante, mais la vitesse de la planète varie, celle-ci franchissant une distance variable pour une même durée.

Il introduisit le modèle des équants *(fig. 2.10b)* pour rendre compte de certains mouvements des planètes. Le grand traité astronomique de Ptolémée, *La Composition mathématique,* mieux connu par la traduction latine de son titre arabe *Almageste* (le grand œuvre), est une synthèse brillante de la métaphysique d'Aristote et de l'astronomie mathématique. Ce système géocentrique, dans lequel la Terre est immobile au centre de l'univers, ne fut sérieusement remis en question qu'au XVIe siècle par Nicolas Copernic (1473-1543), et fit autorité jusqu'au XVIIe siècle. Avant de passer dans le monde arabe au VIIIe siècle, l'*Almageste* fut commentée par plusieurs mathématiciens et philosophes de l'Antiquité tardive, de Théon d'Alexandrie et sa fille Hypathie au IVe siècle jusqu'à Jean Philopon au VIe, en passant par Proclus au Ve siècle.

Ptolémée est aussi l'auteur d'autres ouvrages importants comme la *Géographie* (voir chapitre 5) et la *Tétrabible,* un manuel d'astrologie ; comme plusieurs mathématiciens grecs, il rédigea aussi un traité d'harmonie musicale, ce qui s'inscrit naturellement dans la tradition pythagoricienne qui, on l'a vu, associe étroitement musique et mathématique.

En médecine aussi, on assiste à un déplacement de l'expertise de Cos vers Alexandrie. Hérophile, dans la première moitié du IVe siècle avant notre ère, et Érasistrate, vers 250 av. J.-C., contribuèrent au développement de l'anatomie en disséquant de façon systématique les corps humains que le musée d'Alexandrie mettait à leur disposition. Il est même établi qu'ils pratiquèrent des vivisections sur des condamnés à mort. L'œuvre d'Hippocrate continuait tout de même à être lue et commentée à la bibliothèque d'Alexandrie.

LES « CAUSES » DE L'ÉMERGENCE DE LA SCIENCE GRECQUE

Comment expliquer l'essor de la science grecque, et le fait qu'elle se distingue si radicalement des pratiques antérieures par son esprit critique, son caractère théorique et la place qu'y prennent les débats ? Comme c'est toujours le cas en histoire, la recherche des « causes » n'est pas chose facile et on ne peut ici que présenter les différentes hypothèses qui ont été mises de l'avant pour éclairer la spécificité du savoir grec.

Certains nient la possibilité même d'expliquer ce phénomène et se contentent de parler d'un « miracle grec ». Pour les autres, quatre principaux facteurs seraient à l'origine de l'émergence de la pensée critique chez les Grecs : l'attention prêtée aux techniques, l'ouverture aux autres civilisations, le rôle de l'écriture et, finalement, le régime politique démocratique.

Science et techniques chez les Grecs

Selon Benjamin Farrington, la science est née avec les présocratiques, car ils s'intéressaient aux arts et aux métiers, leurs théories étant fréquemment fondées sur des analogies avec le travail des artisans ou sur des exemples tirés des métiers. Ainsi, il écrit : « La science, quels que soient ses développements ultimes, a son origine dans les techniques, dans les arts et les métiers. [...] L'expérience est sa source, son but est pratique et son seul critère est la réussite pratique[27]. » C'est une thèse qui est chère non seulement aux marxistes, mais aussi à d'autres historiens comme Maurice Daumas, pour qui la science primitive serait née de la volonté de perfectionner les techniques[28]. D'après G. E. R. Lloyd, cependant, cet argument souffre de deux faiblesses importantes. D'une part, il présuppose que l'expérience que les Grecs ont eue avec la technique est différente de celle de leurs prédécesseurs ou de leurs contemporains. Le niveau technique était toutefois semblable ailleurs sur les côtes de la Méditerranée, et il n'y eut en Grèce aucune innovation technique majeure. D'autre part, l'attitude qu'ont adoptée les philosophes grecs vis-à-vis des techniques et du travail manuel ne semble pas avoir été très éloignée du mépris et du dédain manifestés à ce sujet par les Égyptiens et les Babyloniens. Bien que des analogies avec le travail des artisans aient été utilisées par Platon et Aristote, par exemple, ces derniers n'avaient pas une haute estime pour le travail manuel : ils soutenaient que les artisans n'auraient pas dû être des citoyens et considéraient les philosophes comme l'élite de la société. En somme, le caractère analogique des références aux arts et aux métiers avait surtout une fonction rhétorique et n'implique pas de relations directes entre les techniques et les savoirs abstraits en Grèce antique.

Il y avait de fait peu de relations entre les savoirs des philosophes et les techniques, car ces dernières étaient assez éloignées des préoccupations cosmologiques générales qui sont l'objet privilégié des réflexions des premiers.

Contacts interculturels

L'anthropologue Robin Horton a suggéré que l'émergence d'une attitude d'esprit ouverte et critique est liée à la connaissance de sociétés étrangères[29]. Ainsi, la connaissance de plusieurs pratiques religieuses et magiques différentes des leurs aurait permis aux Grecs de relativiser l'autorité et la portée de leurs propres pratiques intellectuelles. Il est certain que la multiplication des échanges économiques et la fondation de colonies grecques à partir du VIIIe siècle leur a donné une connaissance des pays étrangers, notamment l'Égypte et plus tard Babylone. Les villes commerçantes comme Milet, dont étaient originaires les premiers philosophes, étaient en contact directs avec ces civilisations. La doxographie rapporte d'ailleurs que Thalès aurait appris la géométrie et l'astronomie au cours de ses voyages en Égypte. Tout en objectant que les Grecs ont pourtant montré peu d'intérêt pour l'étude des langues étrangères, Lloyd admet que c'est peut-être là une condition nécessaire, bien que non suffisante, à l'apparition de l'esprit critique si caractéristique de la science grecque.

Le sociologue Joseph Ben-David invoque pour sa part la théorie de la « frontière » pour expliquer l'émergence de la pensée critique en Ionie[30]. À son avis, il est significatif que ce soit à la périphérie de la Grèce, dans des colonies, que l'on trouve les premiers présocratiques. Il insiste sur le fait que la colonisation permettait aux esprits non conformistes d'émigrer vers des lieux où ils pourraient donner libre cours à leurs intérêts particuliers sans subir la répression d'un environnement conservateur. C'est aussi cette « frontière » en expansion qui les mettait en contact avec d'autres civilisations. En somme, pour Ben-David, le pluralisme idéologique, la décentralisation politique et le contact avec les civilisations étrangères sont les facteurs qui expliquent l'émergence en Ionie de la pensée philosophique grecque.

Logique de l'écriture

On a déjà mentionné au chapitre 1 que l'invention de l'écriture a joué un rôle important dans la prise de conscience des procédures formelles de pensée. L'écriture instaure en effet un nouveau rapport au monde extérieur : plus général, plus abstrait, moins directement relié au temps, à l'espace et aux individus particuliers que celui que permet la communication orale. On a vu également que les sociétés complexes n'auraient pu exister sans l'écriture et le calcul qui étaient au centre des processus administratifs. Bien sûr, les Grecs disposaient eux aussi d'une écriture, mais les caractéristiques alphabétiques de cette dernière sont telles que certains auteurs pensent qu'elle a eu une grande importance dans la formation de la pensée critique[31]. En effet, l'écriture grecque possède un petit nombre de symboles. Cela la rend beaucoup plus facile à maîtriser que les écritures cunéiforme ou hiéroglyphique, pour leur part constituées de centaines de signes différents nécessitant de longues années d'étude, et donc réservées à un groupe privilégié de scribes-prêtres qui, comme nous l'avons vu au chapitre 1, administraient, en Égypte et en Mésopotamie, une société centralisée et hiérarchique.

Cet alphabet grec aurait joué un rôle majeur dans le développement de la démocratie en Grèce, en rendant la lecture et l'écriture beaucoup plus accessibles. Le mot grec signifiant « élément » est d'ailleurs le même que celui qui veut dire « lettre de l'alphabet », et Platon, dans le *Théétète*, compare le processus de raisonnement à la combinaison de lettres qui forment des syllabes ayant une signification que n'ont pas les lettres elles-mêmes, lesquelles ne sont qu'objets de perception. La logique, selon Goody et Watt, est donc inséparable de l'écriture, de même que l'épistémologie et la classification des catégories du savoir (théologie, biologie, physique, etc.).

Les cités-États de Grèce et d'Ionie ont effectivement été les premières, aux VIe et Ve siècles avant notre ère, à voir se répandre l'utilisation de l'écriture parmi les citoyens. Toutefois, les travaux récents des historiens suggèrent que seule une minorité de Grecs savait lire et écrire à l'époque des premiers philosophes ioniens. Même au Ve siècle, la production et la circulation des écrits étaient encore très limitées. Les écoles élémentaires grecques, assez communes aux Ve et IVe siècles, étaient plutôt rares au VIe siècle. Aucun système d'éducation officiel n'existait et la famille devait assumer les frais d'éducation des enfants. Les grandes œuvres d'Homère ou d'Hésiode, fixées par l'écriture vers 700 av. J.-C., étaient à la base de la formation des jeunes Grecs, et les générations successives y apprirent les noms des principaux dieux et les grandes épopées qui avaient marqué leur peuple. Il y avait peu de bibliothèques privées, le coût des manuscrits était élevé. Il ne faudrait pas non plus sous-estimer la difficulté que présente la lecture des textes écrits sur différents substrats, comme le plomb, la cire, le cuivre, le papyrus, les feuilles d'olivier, etc. Très peu de citoyens athéniens durent accumuler des livres et Aristote fut probablement celui qui en posséda et en lut le plus grand nombre.

De façon générale, la tradition orale était encore importante et les rares manuscrits servaient tout au plus d'aide-mémoire. On n'a qu'à penser à

Socrate qui se refusa toujours à écrire et qui dénigrait les textes sous prétexte qu'on ne peut dialoguer avec eux et qu'ils ne répondent pas aux objections. Platon, son disciple, adopta également une attitude critique face à l'écrit, ce qui ne l'empêcha pas toutefois de produire une œuvre abondante, présentée le plus souvent sous forme de dialogues. D'ailleurs, loin d'engendrer de façon automatique un esprit critique et une distanciation, la forme écrite faisait disparaître le caractère fluide de la tradition orale et put même favoriser une certaine sacralisation du texte, qui devenait une sorte de « bible ».

En somme, le rôle de l'écriture dans la production du savoir en Grèce antique ne semble pas plus déterminant que celui qu'il a joué dans les civilisations antérieures qui utilisaient des signes cunéiformes ou des hiéroglyphes, mais le caractère alphabétique de l'écriture grecque facilitait son expansion dans la population. Si cela a certes pu faciliter l'exercice de la démocratie, cela ne peut suffire à expliquer les caractères distinctifs du *savoir* grec.

Science et démocratie

Selon Lloyd, qui élabore sur ce point la position de Jean-Pierre Vernant, la structure politique de la cité grecque, avec ses débats et sa participation démocratiques, aurait eu une influence majeure sur le mode de pensée scientifique. En effet, la pratique politique d'Athènes accordait une large place aux débats d'idées et impliquait une participation et une responsabilité réelles des citoyens. Fallait-il agrandir le port ? Déclarer la guerre à Sparte ? Condamner Socrate ? Ostraciser Polycrate ? De telles questions n'avaient pas de réponses toutes faites, et quand l'argent et la vie des personnes qui votaient étaient en jeu, il fallait des arguments convaincants. Lorsqu'il s'agissait de rendre des comptes devant l'Assemblée, il fallait convaincre les citoyens que les impôts étaient non seulement bien collectés, mais aussi soigneusement dépensés. Les démagogues pouvaient bien sûr manipuler l'Assemblée, mais, encore là, tout tenait à la capacité d'argumentation.

En analysant la structure des textes scientifiques grecs, Lloyd constate que les débats entre écoles de pensée, surtout dans les textes du corpus hippocratique, font fortement appel à la rhétorique et à la persuasion. Le rôle particulièrement visible des débats dans le domaine médical se comprend aisément si l'on tient compte du caractère éminemment public de l'acte médical en Grèce antique. En compétition dans une ville ou un village, les médecins se devaient de démontrer leur supériorité sur ceux qui voulaient leur ravir leur clientèle[32]. L'obligation d'argumenter pour gagner un débat forçait les participants à chercher les point faibles et à proposer des vues cohérentes.

La démocratie grecque aurait ainsi facilité les débats scientifiques qui reproduisaient en quelque sorte les débats de cette dernière. Lloyd a également montré que le vocabulaire scientifique s'inspirait du vocabulaire juridique. En effet, les débats publics faisaient intervenir des preuves et on retrouve des analogies juridiques dans les textes scientifiques de l'époque. Vernant résume bien cette thèse lorsqu'il écrit : « La raison grecque ne s'est pas tant formée dans le commerce avec les choses que dans les relations des hommes entre eux[33]. »

Si le rôle de la démocratie dans le développement du caractère agonistique de la pensée grecque est indéniable, il reste qu'il n'explique pas la caractéristique la plus frappante de toute la cosmologie grecque : la place centrale accordée à la géométrie et à la sphère. En effet, alors que les sociétés mésopotamienne et égyptienne avaient une approche arithmétique du monde, les Grecs étaient sans contredit les maîtres de la géométrie et ce tant en astronomie et en architecture qu'en sculpture. En fait, très peu d'historiens ont abordé de front cette question et seul Jean-Pierre Vernant a proposé une explication fondée sur la *polis*. Il considère effectivement que « la nouvelle image sphérique du monde a été rendue possible par l'élaboration d'une nouvelle image de la société humaine dans le cadre des institutions de la *polis*[34] ». L'avènement de la démocratie met l'agora, lieu de discussion publique, au centre de la cité. Ainsi, lorsque Hippodamos de Milet refit le plan de la ville après sa destruction par les Perses en 494 av. J.-C., il plaça l'agora en son centre. Hippodamos était tout autant architecte et astronome que théoricien politique, et son plan organisait l'espace urbain en fonction d'une vision politique de la cité. En grec ancien, « déposer au centre » signifie d'ailleurs « mettre en discussion publique », « mettre en commun ». Et il y a un lien conceptuel entre les idées de centre, d'isonomie (égalité devant la loi) et de non-domination. Selon Vernant, lorsque Anaximandre dit que, parce qu'elle est située au centre, la Terre « n'est dominée par rien, au pouvoir de rien », et qu'elle n'a donc besoin d'aucun soutien, il utilise en astronomie des notions d'ordre politique. S'il est toujours difficile de conclure à un lien de causalité directe entre politique et cosmologie, il reste que la thèse de Vernant rappelle au moins l'homologie frappante entre ces deux niveaux de réalité.

CONCLUSION

Malgré des excès, visibles notamment chez les sophistes et dénoncés par Platon et Aristote, le goût de la rhétorique et des débats en petit groupe favorisa certainement chez les philosophes grecs le développement d'un esprit cri-

tique et interrogateur typique de la pensée scientifique. C'est par la compétition ouverte que les auteurs étaient amenés à invoquer des faits comme *arguments* en faveur de leurs théories ou contre celles de leurs opposants. Il y eut
quand même quelques cas d'expérimentation véritable en physique, comme
les expériences de Ptolémée sur la réfraction de la lumière consignées dans
son *Optique*. Il y étudie systématiquement le lien entre angle de réflexion et
angle de réfraction lorsque la lumière passe de l'air à l'eau, de l'air au verre et
du verre à l'eau, effectuant des mesures par intervalles de 10° pour des angles
d'incidence entre 10° et 80°. Il a pu ainsi établir une loi de la réfraction de la
forme : angle de réfraction = N x angle d'incidence), N étant une constante
dépendant du milieu, qui est en fait valide pour les petits angles[35]. Mais il s'agit
là d'un cas exceptionnel, cela étant peut-être dû au fait que, pour les penseurs
grecs, l'objet de la science est de saisir le cours naturel des choses et que l'expérimentation, qui perturbe cet ordre pour provoquer des résultats, ne saurait procurer une connaissance vraie du monde tel qu'il est[36].

L'étude critique de la nature en Grèce antique ne fut pas un phénomène
généralisé, mais plutôt limité à un petit groupe de personnes disséminées dans
diverses villes à différentes époques. Alors que, au VIᵉ siècle avant notre ère,
Milet était le centre des premiers philosophes, ce fut Athènes qui vit l'esprit
critique atteindre son apogée aux Vᵉ et IVᵉ siècles, pour ensuite passer, vers 300
av. J.-C., le flambeau à Alexandrie, où l'on trouvait surtout des savants et des
ingénieurs, Athènes demeurant le centre de la réflexion philosophique.

Dans l'ensemble, il est frappant de constater que tous les développements
décisifs de la science grecque purent se faire sans la moindre intervention de
l'État. Le libre regroupement de penseurs et de leurs disciples, les débats entre
philosophes éloignés dans l'espace et dans le temps tranchaient avec le caractère bureaucratique et centralisé du travail des scribes égyptiens et babyloniens. Aucun système d'éducation officiel n'existait et ceux qui voulaient s'ini-
tier à la science, à la grammaire, à la philosophie ou à la poésie devaient payer
des sophistes, seuls enseignants professionnels de l'époque, ou encore se faire
admettre dans des écoles privées comme l'Académie ou le Lycée. Dans ce
contexte, il n'existait pas, non plus, en Grèce d'équivalent des scribes rétribués
par l'État pour observer le ciel et faire des prédictions. Seuls les citoyens riches
pouvaient s'offrir le luxe de méditer. Même Aristote admettait que la philosophie n'était accessible qu'à ceux qui avaient des loisirs. Ceux qu'on appelait
« mathématiciens », « astronomes » ou « philosophes » étaient avant tout des
citoyens à l'aise faisant souvent du commerce ou de la politique, comme Thalès ou Pythagore qui, selon les doxographes, fut mêlé à des conflits politiques
en Grèce et en Italie. Empédocle était à la fois mystique, prophète et physicien.

Platon eut des relations, tendues il est vrai, avec le tyran Denys de Syracuse, qu'il voulait conseiller, et n'eut pas plus de succès auprès de son fils. Quant à Aristote, il fut le précepteur d'Alexandre le Grand. À l'âge d'or de la démocratie athénienne, certains sophistes gagnaient leur vie en enseignant, mais ils n'avaient pas de postes officiels comme les scribes dans les cours mésopotamiennes et égyptiennes. Ce ne fut que sous le règne des Ptolémée, à Alexandrie, que des institutions officielles comme le musée et la bibliothèque abritèrent des individus qui pouvaient s'adonner à leurs recherches aux frais du monarque. C'est aussi de cette époque que datent des textes d'ingénieurs militaires comme Ctésibios (vers 270), Philon de Byzance (vers 200), qui avaient eux aussi l'appui de rois, intéressés par leur expertise en matière de construction de machines de guerre. Platon, dans *La République*, jugeait d'ailleurs « nécessaire au guerrier la science du calcul et des nombres ». Avec sa bureaucratie très développée, la dynastie des Ptolémée renouait en quelque sorte avec la tradition centralisatrice égyptienne.

Cette position sociale du philosophe n'est peut-être pas étrangère au caractère désintéressé et plutôt abstrait de la plupart des contributions grecques à la logique, à l'astronomie, aux mathématiques et à la physique, contributions qui tranchent avec le caractère pratique des connaissances babyloniennes et égyptiennes dans ces domaines. La prise de conscience de l'importance de la logique, son développement de plus en plus explicite de Parménide à Aristote, doivent sans doute beaucoup aux débats qui étaient au cœur de la vie civique d'Athènes. Seule la médecine, par son objectif pratique de guérison, est à peu près comparable, dans ses thérapeutiques, à ses équivalents égyptien et babylonien. Cependant, à côté de traités de nature pratique qui servaient probablement de manuel de formation, les médecins grecs laissèrent libre cours à la théorisation ; qu'on pense à la théorie des quatre humeurs et à ses ramifications. Les ingénieurs d'Alexandrie rédigèrent aussi des traités qui décrivaient toutes sortes de dispositifs techniques ingénieux permettant de faire fonctionner des automates, sans se soucier d'adapter certaines applications pour augmenter la production ou, par exemple, faciliter le travail dans les mines.

En fait, comme on l'a vu au chapitre précédent, ce furent les besoins religieux des Mésopotamiens et des Égyptiens qui les amenèrent à prêter une si grande attention aux différentes manifestations de leur environnement, tout étant signe ou présage d'événements futurs qui intéressaient les rois au plus haut point. Ce n'est pas par hasard que, pour l'essentiel, les scribes étaient confinés aux temples et aux cours royales. Les Grecs, par contre, n'avaient aucun système centralisé pour recueillir de telles informations qui, pour de petites cités-États indépendantes, avaient peu d'intérêt. Ainsi, l'arithmétique, très développée chez les Égyptiens et chez les Babyloniens, qui devaient gérer de grands travaux et une importante main-d'œuvre et tenir les comptes s'y rapportant, intéressait peu les Grecs. La primauté qu'accordaient les pythagoriciens à la théorie des nombres était liée davantage à un culte mystique qu'à des besoins concrets.

Si l'on peut parler d'un certain déclin de la science grecque après le IIe siècle de notre ère, déclin qui ne fait que suivre celui du monde hellénistique, il reste que le nouveau mode d'appréhension de la nature instauré par les penseurs grecs et fondé sur des procédures démonstratives et des modèles géométriques remplacera définitivement la « science des listes » des Babyloniens et des Égyptiens. Comme nous allons le voir dans les chapitres suivants, les travaux scientifiques romains, arabes et chrétiens utilisent et commentent les textes de penseurs grecs comme Aristote, Ptolémée et Archimède. Même si chacun les investit de valeurs distinctives, ils adoptent tous, essentiellement, le mode grec d'appréhension de la nature. C'est lui qui sera dorénavant à l'œuvre dans les pratiques philosophiques et scientifiques occidentales.

CHAPITRE 3

Rome : l'encyclopédiste, l'ingénieur et l'héritage grec

Dans le domaine des techniques comme dans celui des sciences, le monde romain s'inscrivit dans la continuité de la tradition grecque, même si au départ des esprits conservateurs comme Caton (234-149) — qui avait lui-même appris le grec — s'opposèrent sans grand résultat à l'introduction à Rome d'une pensée qu'ils récusaient, la jugeant trop étrangère à l'esprit romain. Cette continuité fut certes pour une bonne part assurée par la circulation des personnes et des textes manuscrits, ainsi que par l'admiration suscitée par la richesse de la pensée grecque. Mais elle le fut aussi du fait des conquêtes romaines *(fig. 3.1)* qui assurèrent progressivement l'unité d'administration sur d'immenses territoires, englobant aussi bien la péninsule grecque que l'Égypte qui était devenue, à la suite des conquêtes d'Alexandre le Grand et de la fondation d'Alexandrie, le foyer privilégié des innovations intellectuelles durant la période hellénistique.

Rome, principalement sous l'Empire romain (jusqu'en 476), recueillit l'héritage grec, mais bénéficia aussi, surtout en matière de techniques, d'apports des autres peuples conquis et intégrés au sein d'un empire qui s'étendait des îles Britanniques au Moyen-Orient, en passant par la Gaule et la Germanie.

En outre, alors que les cités grecques, Athènes comprise, étaient avant tout des agglomérations inscrites dans les campagnes et où les citoyens étaient pour l'essentiel des agriculteurs, ce qui caractérisa Rome, ce fut d'être

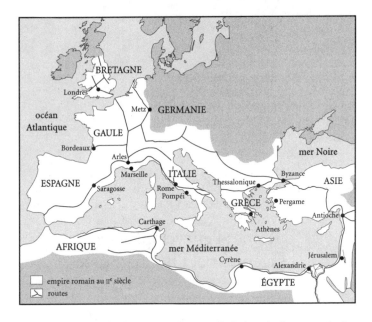

Figure 3.1. L'empire romain à son apogée et ses principales voies de communication terrestre.

la première grande civilisation urbaine européenne, même si la propriété foncière demeurait la preuve qu'un homme était libre et possédait des richesses. Dans l'énorme ville de Rome, la majorité des citoyens ne vivaient plus directement de la terre et devaient donc être ravitaillés de l'extérieur. L'approvisionnement de la ville et, de façon générale, la gestion de l'empire posaient des problèmes inédits qui allaient largement déterminer l'orientation des innovations romaines.

L'HÉRITAGE GREC ET L'ENCYCLOPÉDISME ROMAIN

Les historiens ont généralement porté un jugement sévère sur la science à Rome. Alors que la science florissait à Alexandrie dans l'univers hellénistique, à Rome elle se serait bornée à exploiter l'héritage intellectuel grec. Elle se résumerait d'une part à des adaptations de la science grecque et d'autre part à la compilation de connaissances issues de la tradition grecque et d'informations glanées dans les nouveaux territoires sous autorité romaine.

Il est vrai que les Romains, surtout pour ce qui est des sciences les plus abstraites, n'apportèrent pas de contributions comparables à celles des Grecs. Ainsi, il n'y a pas d'astronomie ni de géométrie romaines à proprement parler, et ces sciences restent pour l'essentiel l'apanage de savants d'origine grecque. Cicéron (106-43) le constata : « Les mathématiciens grecs mènent dans le domaine de la pure géométrie, nous nous contentons de calculer et de mesurer[1]. » On s'en tenait à Rome aux acquis disponibles dans les textes grecs.

Il est par ailleurs exact aussi que les grandes encyclopédies romaines ont pour caractéristique de reprendre des éléments de textes anciens et sont pauvres en recherches ou même en observations personnelles, que l'on trouve par contre en abondance chez Aristote, par exemple. Ce sont avant tout des compilations sans grand sens critique qui colportent souvent sans discernement nombre de légendes et d'informations inexactes. D'ailleurs, même les plus importants compilateurs se copiaient les uns les autres. Ainsi, la *Collectanea Rerum Memorabilium* de Solin, une compilation géographique rédigée vers l'an 200 de notre ère, est pour l'essentiel tirée du plus fameux des encyclopédistes romains Pline l'Ancien (23-79). Quatre cents ans plus tard, dans ses *Etymologiae* —

Pline l'Ancien, rédacteur de l'*Histoire naturelle*

Le livre que je vous dédie est un travail peu relevé ; il n'a point de place pour le génie, d'ailleurs si médiocre en moi ; et il n'admet ni digressions, ni discours ou développements, ni événements merveilleux ou aventures variées, ni autres détails agréables à conter ou à lire. Matière stérile, la nature des choses, c'est-à-dire la vie, en est le sujet ; et encore dans ce qu'elle a de plus bas, exigeant souvent l'emploi de termes de la campagne, de mots étrangers, barbares même, ou qu'il est besoin de faire précéder d'une excuse. D'ailleurs, la voie où j'entre n'est pas familière aux auteurs, ni de celles où l'esprit aime à s'engager. Nul chez nous n'a fait cette tentative, nul chez les Grecs n'a embrassé seul tous ces objets. [...]

Il me faut toucher à tout ce que les Grecs renferment dans le mot d'*encyclopédie*. [...] À chaque chose sa nature et à la nature tout ce qui lui appartient. [...] Pour moi, je pense qu'un intérêt particulier doit s'attacher dans les lettres à ceux qui, vainqueurs des difficultés, ont préféré le mérite d'être utile à l'avantage de plaire. [...]

Je suis homme, mon temps est pris par des fonctions publiques, et je m'occupe de ce travail à mes moments de loisir, c'est-à-dire pendant la nuit. Car je ne voudrais pas que mes princes me crussent coupable de leur avoir dérobé des heures qui leur sont dues [...].

Pline, *Histoire naturelle*, traduit par Émile Littré, Paris, F. Didot, 1860, p. 2-3.

une encyclopédie qui fut l'une des œuvres principales à avoir assuré la jonction entre le savoir antique et le Moyen Âge —, l'évêque chrétien Isidore de Séville (560-636) empruntait lui aussi l'essentiel de ses informations à ses prédécesseurs, Pline surtout, comme s'il suffisait qu'un texte existe pour faire autorité.

Cela dit, cette vision critique et généralement acceptée de l'apport intellectuel romain demande à être nuancée. Ainsi l'*Histoire naturelle* de Pline, qui demeure l'une des principales sources en ce qui concerne la science et la technique grecques et romaines, constitue un monument dans l'histoire intellectuelle de l'humanité. Il s'agit d'une œuvre immense, en 37 livres, à laquelle Pline consacra l'essentiel de sa vie et qui eut un retentissement énorme (on en connaît plus de 200 manuscrits, mais pour la plupart incomplets). Pline y fait la synthèse des connaissances de son époque sur l'univers physique, la géographie, la zoologie, la botanique — y compris les usages médicinaux des plantes et de dérivés animaux —, la minéralogie, etc. L'œuvre montre que Pline connaissait très bien les auteurs anciens. Mais elle révèle aussi chez lui deux grandes faiblesses, soit son manque d'intérêt pour les aspects les plus théoriques et abstraits de la science, ainsi qu'un sens critique faisant souvent défaut, comme il le prouve en propageant des légendes sur la licorne ou le phénix. Néanmoins, nous devons à Pline beaucoup de connaissances sur le savoir et les techniques des Anciens qui, sans lui, ne nous seraient jamais parvenues. En outre, et contrairement à d'autres compilateurs, il sut faire place à des observations personnelles et originales, notamment à l'occasion de son service militaire dans la cavalerie romaine en Germanie, puis au Moyen-Orient durant la guerre contre les Juifs en 70 de notre ère. Il périt lors de l'éruption volcanique qui détruisit notamment la ville de Pompéi.

La compilation prit à Rome, de façon marquée, le pas sur la recherche, sauf en médecine. Le savoir médical y était en effet hautement estimé pour son caractère utilitaire, en accord avec l'esprit romain. Ainsi, Jules César, au Ier siècle avant notre ère, donna la citoyenneté romaine à tous les médecins étrangers, et le gouvernement impérial, à compter du Ier siècle de notre ère, subventionna des écoles de médecine, notamment pour la formation de chirurgiens militaires, dans des villes de nombreuses provinces de l'empire, par exemple à Marseille, Metz, Bordeaux et Saragosse.

La médecine ne fut d'ailleurs pas la seule discipline à se voir accorder l'attention de l'État : au IIIe siècle de notre ère, l'empereur Alexandre Sévère versait des salaires aux professeurs de littérature, de génie, d'astrologie et d'architecture, mettait à leur disposition des salles de classe et assurait le couvert aux étudiants pauvres[2]. Sans doute, en médecine aussi la tradition encyclopédique est considérable, illustrée par exemple par le *De re medica,* rédigé vers l'an 30 de notre ère par Celse (14 av. J.-C.-37), qui lui-même n'était pas médecin et qui ne se distingua pas par son originalité, mais dont l'œuvre constitue une source de première importance pour la connaissance de la médecine de l'époque hellénistique.

LA SYNTHÈSE MÉDICALE DE GALIEN

Cela ne veut pas dire cependant que la médecine à Rome fut stérile, uniquement vouée à la répétition d'idées grecques. Galien (129-env. 200) est en effet reconnu comme le plus important médecin de l'Antiquité après Hippocrate. C'est d'ailleurs lui qui a en grande partie assuré la postérité de ce dernier en le commentant abondamment dans ses propres œuvres. Son influence fut immense. Appréciées par les médecins byzantins et aussi dans le Moyen-Orient chrétien, les œuvres de Galien demeurèrent vivantes même après la chute de l'Empire romain ; elles furent traduites en arabe au IXe siècle, et de cette langue au latin au XIe siècle, et furent ainsi rendues à l'Europe. Son

---

Comment étudier l'anatomie, selon Galien

Si, à de multiples reprises, tu as observé sur des singes la place et la dimension de chaque tendon et de chaque nerf, tu en garderas un souvenir précis, et si tu as un jour la faculté de travailler sur un corps humain, tu auras tôt fait de retrouver chaque organe tel que tu l'as observé. Mais cette possibilité (de travailler sur un corps humain) ne te serait d'aucun secours si tu étais tout à fait dépourvu d'entraînement. Tel fut le cas des médecins qui participèrent à la guerre contre les Germains ; ils avaient toute liberté de disséquer des corps de barbares, mais pourtant ils n'en apprirent pas plus que ce que savent les bouchers.

Ce que les empiristes appellent la « dissection occasionnelle » n'est qu'une vaste niaiserie… Plus dément encore est l'apprentissage au moyen de traités anatomiques : il fait penser à ceux qui, comme dit le proverbe, pilotent d'après un livre. Ceux qui ont observé les nerfs et les tendons en suivant les indications claires du professeur, s'ils n'ont pas l'occasion de les revoir une seconde fois, puis une troisième et à maintes reprises, ils ne se rappelleront pas avec précision l'endroit où ils sont. On ne pourrait guère non plus l'apprendre par une simple lecture.

Galien, *De la composition des médicaments,* dans Paul Moraux, *Galien de Pergame. Souvenirs d'un médecin,* Paris, Les Belles Lettres, 1985, p. 112-113.

---

autorité resta incontestée jusqu'au XVIᵉ siècle, et son influence continua à être sensible jusque dans certaines théories médicales du XIXᵉ siècle[3].

Né à Pergame, alors grand centre médical d'Asie mineure, l'actuelle Turquie, Galien eut une éducation grecque soignée, d'abord dans sa ville natale, tant en philosophie et en sciences naturelles qu'en médecine. Notons d'ailleurs que la plupart des grands médecins de l'époque romaine, comme Galien, étaient Grecs et qu'ils avaient reçu leur formation en territoire de culture grecque. Galien s'était installé à Rome au tournant de la trentaine et il y demeura plus de 20 ans. Il avait commencé à écrire vers l'âge de 18 ans et son œuvre, en partie perdue, est immense, comptant environ 500 titres.

Cette œuvre est remarquable par son souci théorique. Même si elle s'alimente à de nombreuses sources anciennes, dont Aristote et Hippocrate au premier rang, elle n'est pas éclectique, mais se caractérise plutôt par sa volonté de construire une doctrine fortement intégrée. Elle ne se fonde pas d'ailleurs seulement sur des connaissances livresques ; elle est au contraire riche en observations cliniques et se distingue par la qualité de ses connaissances anatomiques. Galien ne put disséquer des corps humains, pratique alors interdite, mais il multiplia les dissections d'animaux, notamment de singes. En outre, médecin des gladiateurs à Pergame puis à Rome, il eut nombre d'occasions de s'instruire sur l'organisme humain en soignant des blessures qui faisaient apparaître les organes internes. Il était très critique à l'endroit de beaucoup de ses prédécesseurs et, grâce à une pratique assidue de l'observation, il fit avancer de façon notable le savoir médical en apportant beaucoup de nouvelles données sur les os, les muscles et les nerfs. La qualité de ses travaux sur ces sujets ne sera pas dépassée avant le XVIᵉ siècle.

Sur le plan théorique, sous l'influence d'Aristote, Galien souscrivit à une vision finaliste de l'organisation anatomique et physiologique humaine, illustrée dans son *De usu partium,* dont il fit une machine de guerre intellectuelle dans sa lutte contre ceux, comme Démocrite et Lucrèce, qui prétendaient que même les vivants devaient au hasard leur existence. Par ailleurs, empruntant l'idée encore peu développée de « tempérament » au traité hippocratique *De la nature de l'homme,* Galien la transforma en l'une des idées maîtresses de la médecine : en fonction de l'humeur qui domine chez un individu, celui-ci appartient à l'un des quatre groupes physiologiques, correspondant aux quatre humeurs : sanguin, phlegmatique, colérique (bile jaune) ou mélancolique (bile noire ou atrabile). Cette typologie jetait les bases de la caractérologie, mettant en circulation des idées qui devaient survivre jusqu'à aujourd'hui.

En plus des quatre humeurs, trois esprits circulent dans le corps — animal, végétal et vital —, véhiculés par les vaisseaux sanguins et les nerfs. Chez

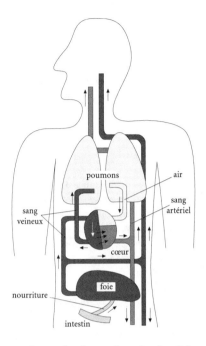

Figure 3.2. Mouvement du sang dans le corps humain selon Galien.

Galien, l'action du cœur et la physiologie sanguine en général, étaient très différentes de ce qu'elles sont aujourd'hui. Partant du constat que les artères et les veines étaient continues avec le cœur, Galien prétendait qu'elles agissaient à l'unisson avec lui, se contractant et se dilatant au même rythme. C'était la dilatation du cœur qui transportait le sang à travers le corps et non pas sa contraction comme nous le savons depuis le XVIIᵉ siècle. De plus, selon Galien, le cœur agissait comme un aimant qui attirait le sang à lui et non pas comme une pompe le faisant circuler.

D'après la conception de Galien, la fonction du cœur est de fournir au sang la chaleur animale (ventricule droit) et l'air (ventricule gauche). Le sang existe sous deux formes, veineux et artériel. Le premier a son origine dans le foie et se répartit dans l'ensemble du corps, alors que le second provient du cœur, qui fournit la chaleur et l'air, et il circule ensuite dans le corps via les artères *(fig. 3.2)*. Les veines et les artères constituent donc deux systèmes parallèles nourrissant le corps, l'un relié au foie qui distribue le sang veineux à tout le corps et l'autre relié au cœur qui distribue le sang artériel chauffé et aéré.

Le sang est consommé au cours de son trajet par les différents organes qui s'en nourrissent et il est constamment recréé à partir des aliments ingérés dont la partie utile est transformée en sang dans le foie. Cette conception galénique de la physiologie sanguine ne fut remise en question qu'au XVIIᵉ siècle avec les travaux de Harvey (voir chapitre 9).

ASTRONOMIE ET ASTROLOGIE

Dans les sciences physiques, les Romains, si l'on en croit les rares documents qui nous sont parvenus, n'apportèrent pas de contribution nouvelle significative. Apparentée à ce domaine, l'œuvre latine la plus remarquable est celle d'un littérateur, Lucrèce (vers 94-55). Son *De natura rerum,* qui adopte la forme d'un long poème en six livres, reprend la théorie déterministe et atomiste que les philosophes grecs Démocrite et Épicure ont exposée dans leurs œuvres dont nous ne possédons aujourd'hui que des fragments. Résolument matérialiste, Lucrèce présente la vision d'un monde éternel, infini, entièrement déterminé par des lois mécaniques, et veut libérer les hommes de la crainte de l'intervention des dieux dans la marche du monde et de la punition de l'âme après la mort. « Je travaille, écrit-il, à dégager l'esprit humain de la superstition[4]. » L'épicurisme, avec le stoïcisme, fut l'une des doctrines philosophiques les plus importantes dans le monde romain.

Si les auteurs romains ne firent nullement progresser la théorie astronomique, en revanche ils en firent grand usage à deux titres : pour la tenue du calendrier et dans la pratique très répandue de l'astrologie. Réformé à l'initiative de Jules César en 46 av. J.-C. grâce à l'aide de l'astronome alexandrin d'origine égyptienne Sosigène, le nouveau calendrier, dit « julien », ne serait modifié qu'au XVIᵉ siècle et demeurerait pour l'essentiel le même jusqu'à aujourd'hui.

La notion d'une influence des astres — divins pour les Anciens — sur la destinée des hommes persista en effet, en dépit des leçons d'un Lucrèce et plus tard des admonestations des autorités chrétiennes, qui toutefois ne rejetèrent pas toujours complètement l'idée d'influences astrales. L'astrologie était venue du Moyen-Orient et elle était intimement associée dans la pratique à l'astronomie. Son apparition à Rome date du IIIᵉ siècle avant notre ère, et le succès des doctrines astrologiques, qui prétendaient prédire l'avenir — une pratique dangereuse du point de vue politique dans certaines situations —, avait entraîné la promulgation d'un édit d'expulsion de tous les astrologues en 139 av. J.-C., mesure dont l'effet fut éphémère. L'empereur Auguste (63 av. J.-C.-14), qui, comme à peu près tous les empereurs, croyait fermement au

Lucrèce : le naturalisme libérateur

Le point de départ sera pour nous cette vérité première que rien ne peut être engendré de rien par la volonté et la puissance divine. Car si une crainte superstitieuse tient comme enchaînés tous les mortels, c'est parce que sur la terre et dans le ciel ils sont témoins de bien des faits dont ils ne peuvent, en aucune sorte, apercevoir les causes et qu'ils les regardent comme provenant d'une action de la divinité. [...]

J'ai enseigné que la matière se compose de corpuscules d'une solidité parfaite, toujours volant, sans que rien les puisse vaincre pendant toute la durée des âges. Voyons maintenant si leur nombre est fini ou ne l'est pas ; si le vide, dont nous avons reconnu l'existence, si cet espace, ce lieu, où tout s'accomplit, est fini lui-même, ou bien s'il s'étend sans limites dans ses dimensions, dans l'abîme de sa profondeur. [...]

[...] Hors de l'ensemble des choses il n'y a rien, on en conviendra ; il n'a donc point d'extrémité, par conséquent point de fin, point de terme ; et peu importe le point que vous y occuperez, puisque, hors de ce point où vous vous serez placé s'étend en tous sens l'infini. [...]

Car ce n'est pas certainement en vertu d'un dessein arrêté, par l'inspiration d'une pensée intelligente que les premiers principes des choses sont venus occuper leur place ; les mouvements qu'ils devaient accomplir, ils ne les ont pas réglés par un contrat. Mais comme ils sont nombreux, sujets à un grand nombre de changements, soumis dans l'espace, pendant l'infinie durée du temps, à des rencontres, à des chocs, ils arrivent enfin à une disposition telle qu'il en peut résulter l'ensemble des choses créées ; [...].

Lucrèce, *De la nature des choses*, traduit par M. Patin, Paris,
Librairie Hachette, 1876, p. 8, p. 42-46.

caractère rigoureux de l'astrologie, allait encore décréter l'interdiction, sous peine de mort, d'établir l'horoscope d'un empereur de son vivant[5]. Tous sans doute ne partageaient pas cette croyance. Pline lui-même, que les historiens taxent généralement de crédulité et de manque d'esprit critique, niait toute relation entre les astres et les actions humaines. Mais cette opposition à l'astrologie demeurait très minoritaire. Les velléités de prédire l'avenir restaient fortement ancrées dans la culture romaine. Cela remontait aux origines mêmes de Rome : quand les Romains s'étaient défaits de la dynastie des Tarquins pour instituer la République en 510 av. J.-C., ils avaient continué à accorder une grande importance à la divination par l'examen du foie d'animaux sacrifiés. Cette pratique, les haruspices, était pratiquée par les prédécesseurs des Romains, les Étrusques[6]. Le grand astronome Ptolémée, qui vécut à Alexandrie au IIe siècle de notre ère, était d'ailleurs un fervent défenseur de l'astrologie et lui consacra un traité important, *La Tétrabible*. Admettant que cette « science des prédictions astronomiques » est moins précise que l'astronomie mathématique, qu'il avait présentée dans son *Almageste*, il la considère

tout de même comme légitime et répond à ceux qui la dénigrent qu'il est
« injuste d'attribuer à la science les fautes qui naissent de l'imbécillité de ses
professeurs » et que même « si quelquefois on se trompe aux prédictions, est-
il raisonnable pour cela d'en condamner la science? Rejetons-nous l'art de
conduire les vaisseaux, parce que souvent il arrive des naufrages[7]? »

De manière générale, loin d'assister aux « progrès de la rationalité », la
période hellénistique et la fin de l'Antiquité furent témoins, sous l'influence
de l'Orient, d'une montée de la magie, de l'occultisme et des doctrines religieuses mystiques et hermétiques[8]. Ce contexte facilita sans nul doute l'expansion rapide d'une nouvelle religion, le christianisme[9], elle-même d'abord
hostile au savoir des Anciens. Au IIe siècle, un père de l'Église, Tertullien, écrivit : « Qu'est-ce qu'Athènes a à voir avec Jérusalem, l'Académie avec l'Église?
[…] Nous n'avons nul besoin de curiosité depuis Jésus-Christ, non plus que
de recherche depuis l'Évangile[10]… » De même, au tournant du IVe siècle, Lac-
tance, un maître de rhétorique romain converti au christianisme et précepteur
du fils de l'empereur Constantin, ridiculisa la notion de la sphéricité de la Terre
et la science des Grecs. C'est que, pour les premiers chrétiens, la conviction que
la fin des temps était prochaine devait en effet faire paraître oiseuse et même
néfaste toute activité de pure curiosité intellectuelle détournant les hommes
de la doctrine morale du salut. Avec le temps toutefois, cette attitude ne fut pas
uniformément maintenue par les autorités chrétiennes. Par exemple, saint
Basile et saint Grégoire de Naziance, au IVe siècle, firent au contraire valoir une
certaine légitimité de la science en soulignant comment l'étude de la nature
peut rendre manifeste l'œuvre divine et l'action de la Providence.

Néanmoins, la Rome de l'époque de la chute de l'Empire, submergée
par les invasions des barbares, ne constituait plus un milieu favorable à la
poursuite d'activités intellectuelles. Au VIe siècle, le philosophe Boèce (vers
475-525) tenta d'assurer la permanence du savoir antique en traduisant certaines œuvres classiques grecques en latin, notamment dans les domaines de
l'arithmétique, de la musique et de la logique. Mais les jeux étaient faits et,
comme nous le verrons au chapitre suivant, ce seront surtout les Arabes qui
bientôt, et pour quelques siècles, reprendront la quête intellectuelle interrompue dans le monde chrétien.

L'ARCHITECTE ET LA GESTION ROMAINE DE GRANDS SYSTÈMES

Dans le domaine technique comme dans celui de la science, les Grecs
furent ceux qui produisirent le cadre conceptuel à l'intérieur duquel évoluè-

rent les Romains. Pour résoudre des problèmes inédits suscités surtout par la taille de la ville de Rome et l'étendue de leur empire, ceux-ci firent cependant preuve, dans les techniques, d'un intérêt et d'une inventivité nettement plus poussés que dans le domaine scientifique.

Les historiens ne disposent pas seulement de documents écrits pour reconstituer l'univers technique des Anciens. Il reste en effet de leurs réalisations des vestiges architecturaux importants (temples, amphithéâtres, aqueducs, segments de routes, etc.), sans parler d'innombrables objets maintenant conservés dans les musées. Les textes sont aussi nombreux, mais souvent constitués de mentions plutôt allusives. Quelques grands traités subsistent, mais ils sont relativement tardifs. Ainsi, sur la technique grecque, les documents essentiels (où il est question de l'usage des « machines simples », comme les poulies, le coin ou le levier) sont les *Problèmes mécaniques,* issus de l'école d'Aristote (IIIe siècle avant notre ère) et des travaux de Héron d'Alexandrie (Ier siècle de notre ère), dont la *Mécanique,* un livre sur les automates, et la *Pneumatique,* qui traite de l'air comprimé, des siphons et de la vapeur, mais à des fins ludiques et non productives. Cependant, beaucoup d'écrits plus anciens ont complètement disparu, comme ceux de Ctésibios, l'un des plus fameux ingénieurs de l'Antiquité, qui vécut à Alexandrie au IIIe siècle avant notre ère. Pour Rome, le document le plus important, le *De architectura,* qui fut rédigé par l'architecte romain Vitruve au tournant de notre ère, passe en revue l'ensemble des techniques liées à la construction d'édifices et aux machines. Dans certains domaines, des œuvres plus spécialisées nous sont parvenues, comme le *De aquis* de Frontin (Ier siècle de notre ère), qui décrit les pratiques liées à l'adduction d'eau, ou en agriculture le *De rustica* de Columelle (Ier siècle de notre ère). Enfin, Pline, ici encore, dont l'*Histoire naturelle* tente de faire l'inventaire de tous les faits connus, constitue une source non négligeable, bien qu'elle n'ait pas la qualité technique des ouvrages évoqués précédemment.

Il existe une telle continuité entre la technique grecque et la technique romaine que l'historien des techniques Bertrand Gille a écrit : « Aussi étonnant que cela puisse paraître, Vitruve est l'un des derniers grands mécaniciens grecs[11]. » En fait, si les Romains sont sans conteste les plus grands ingénieurs civils de l'Antiquité, ce n'est pas parce qu'ils ont apporté un grand nombre d'innovations fondamentales ; leur contribution est surtout remarquable dans l'organisation et l'administration de très grands projets d'ingénierie[12].

Qui étaient ces personnages à l'origine des réalisations techniques grecques ou romaines ? L'*architecton* en Grèce ou l'*architectus* à Rome était pour les Anciens, comme l'indique le préfixe du terme, le technicien par excellence, celui qui était « au-dessus » des artisans ; il jouait à cet égard un rôle analogue à celui des ingénieurs modernes. Il était avant tout un concepteur et un organisateur de travaux. Ainsi, tout au début du *De architectura*, Vitruve note : « L'architecture [...] est un savoir qui embrasse une variété de disciplines et de connaissances et qui juge des productions de tous les arts[13]. » Il insiste d'ailleurs sur le fait que, à la différence de la plupart des techniciens ou des artisans, l'architecte est un lettré qui connaît notamment la géométrie, le calcul, l'optique, l'acoustique, la philosophie, l'histoire, l'astronomie et la médecine, lesquels sont tous des savoirs utiles dans la conception des villes, des habitations, des temples, des théâtres, des ports, des monuments et des divers travaux publics sans lesquels il n'est pas de vie urbaine organisée. L'architecte ne se contente pas de faire des plans et de diriger les travaux de construction d'édifices ; sa compétence embrasse tous les domaines de ce que nous appellerions aujourd'hui le génie civil et le génie mécanique. L'architecture, selon Vitruve, comporte en effet trois parties : la construction des bâtiments, la gnomonique (l'art de la mesure des distances et des hauteurs) et la mécanique[14].

D'autres activités techniques que celles de l'*architectus* étaient devenues à Rome suffisamment importantes et reconnues pour jouir d'une dénomination particulière et constituer une spécialisation nécessitant une formation spécifique : les arpenteurs *(agrimentores)*, les spécialistes de la mesure des niveaux et des opérations de nivellement *(libratores)*, et les *mechanici*, mécaniciens par excellence, ingénieurs militaires responsables de la construction des engins de guerre (balistes, catapultes, etc.)[15].

Mais ce sont les Grecs qui mirent en forme les savoirs de base reliés aux exigences de la technique. Ainsi, dans le domaine de la statique furent établis des principes de l'équilibre des solides et des liquides, avec Archimède (vers 287-212) surtout. En revanche, comme on l'a vu au chapitre précédent, leurs contributions à la science du mouvement demeurèrent d'ordre essentiellement qualitatif et ne pouvaient servir d'impulsion à une pensée technique efficace.

Même si les techniques grecques et romaines pouvaient s'appuyer sur des sciences comme la géométrie et la statique, ces techniques ne sont pas de la science appliquée ; la science n'est alors jamais à la source de l'innovation — et cela ne sera le cas qu'à compter du milieu du XIXe siècle. Le savoir technique est alors avant tout une affaire d'expérience et d'ingéniosité, et c'est la résolution des problèmes qui se posent aux civilisations urbaines et militaires de la Grèce et de Rome qui en constitue la stimulation principale.

Cela dit, les problèmes que rencontraient les deux civilisations devaient être différents. Le territoire d'Athènes, la plus importante des villes grecques, ne dépassa jamais 300 000 habitants, les citoyens et leurs familles, les esclaves et les résidants étrangers compris, la population d'une ville moyenne de nos jours[16]. Dès le milieu du IIIe siècle avant notre ère, Alexandrie comprenait aussi 300 000 habitants et aurait peut-être atteint le million au moment de la conquête romaine au Ier siècle avant notre ère[17]. Quant à Rome, au IIe siècle de notre ère, elle comptait au moins un million d'habitants ; selon le recensement de l'an 8 avant notre ère, à l'époque où l'ensemble de la population de l'empire atteignait entre 50 et 60 millions de personnes, il y avait environ 5 millions de citoyens romains, vivant pour la plupart en Italie[18]. L'administration des cités anciennes dut donc progressivement faire face à des problèmes d'une ampleur nouvelle en Europe, ces villes dépassant alors en population celles des villes européennes du début du XVIIe siècle, alors que Londres comptait autour de 200 000 résidants et Rome, 150 000 seulement[19].

Au VIe siècle avant notre ère, on commença dans les villes grecques à remplacer, pour la construction d'édifices importants, la brique et le bois par la pierre. Selon Vitruve, de plus en plus à l'étroit dans leurs fortifications, les villes allaient généraliser l'usage de la pierre pour construire davantage en hauteur et cela, même, dans certains cas, pour l'édification d'immeubles d'habitation[20]. L'utilisation des pierres, souvent très lourdes, nécessita la mise au point d'outils de levage, comme la louve et des grues complexes, en lieu et place des techniques égyptiennes par ensevelissement, longues et coûteuses. Ainsi Vitruve décrit-il des grues utilisant jusqu'à cinq poulies, deux dans la moufle du bas et trois dans celle du haut[21].

L'approvisionnement de villes déjà aussi populeuses devait faire l'objet d'un soin particulier. Aussi beaucoup des constructions les plus impressionnantes de cette époque sont-elles liées à l'adduction d'eau.

Déjà, au VIe siècle avant notre ère, l'architecte Eupalinos de Mégare avait dirigé la construction à Samos, une île d'Asie mineure, d'un tunnel reliant à travers une montagne un lac et la ville en contrebas. Long d'environ 1 100 m, le tunnel avait été creusé simultanément par les deux bouts, de sorte qu'au point de rencontre, imparfaitement aligné, on a dû lui faire décrire un léger coude ; néanmoins, cette réalisation reste d'autant plus remarquable qu'il fallait non seulement faire face à ce difficile problème d'alignement, mais aussi assurer tout au long du tunnel une pente permettant l'écoulement de l'eau par gravité.

Notons ici que les Anciens disposaient d'une panoplie d'instruments d'arpentage, de visée, d'estimation des hauteurs et des distances, et de vérification des niveaux. Mais tous ces instruments étaient utilisés à l'œil nu, puisque les appareils optiques ne feraient leur apparition qu'à compter de l'invention de la lunette, au début du XVIIᵉ siècle.

C'est évidemment à Rome que l'art de construire des aqueducs atteignit son sommet. Vitruve consacra tout un livre de son grand traité à la question de l'eau, et Frontin, administrateur principal des eaux à Rome, en fit l'objet d'un traité spécifique. Le premier aqueduc de Rome avait été construit en l'an 312 avant notre ère ; mais avec la croissance de la population (plus d'un million de personnes vers 50 av. J.-C.), les besoins de l'approvisionnement de la ville en eau potable en portèrent finalement le nombre à 12. Au total, les aqueducs de la ville s'étendaient sur plus de 500 km dont une quarantaine sur voûtes[22]. Ces puissantes constructions n'étaient pas réservées à la capitale de l'empire. Les Romains parsemèrent les provinces conquises, en Espagne, en France, en Afrique du Nord et au Moyen-Orient, de nombreux aqueducs à la tête desquels on construisait souvent un barrage pour constituer un bassin régularisant l'apport d'eau, ce qui fut une innovation romaine. Le pont-aqueduc, servant à la fois à la circulation des personnes et à l'adduction d'eau, comme celui particulièrement spectaculaire qui traverse la vallée du Gard avec ses trois étages d'arches et sa hauteur de 50 m, était aussi une nouveauté romaine. Dans les tunnels et sur les aqueducs, des conduits en maçonnerie ou des tuyaux de plomb (une matière toxique qui devait à la longue causer de sérieux problèmes de santé) ou de terre cuite permettaient le passage de l'eau.

Les problèmes de l'approvisionnement en aliments et autres marchandises n'étaient pas moins cruciaux. La ville de Rome à l'époque de l'empire devait notamment importer de l'étranger environ les deux tiers de son blé (surtout d'Égypte), tout son fer, son étain, son cuivre, et la plus grande partie des peaux et du cuir dont elle avait besoin[23]. On sait que les Romains accordaient beaucoup d'importance à leur réseau de communication terrestre ; ainsi avaient-ils construit plus de 90 000 km de routes et 200 000 km de voies et chemins secondaires.

Néanmoins, sur toutes les distances de quelque importance, le transport se faisait par bateau. Un texte de l'époque de l'empereur Dioclétien, au IIIᵉ siècle de notre ère, nous apprend qu'une cargaison de 500 kg de blé acheminée par chariot doublait de prix tous les 500 km. En fait, il coûtait moins cher de transporter le blé par mer, d'une rive à l'autre de la Méditerranée, que de lui faire parcourir 100 km sur terre.

En fait, les routes romaines, de qualité très supérieure aux routes grecques qui se transformaient en bourbiers à la moindre averse, n'avaient pas été construites à des fins commerciales ; leur raison d'être était avant tout militaire, puisqu'elles permettaient la circulation des légions. Aussi est-ce au bord de la mer et le long des fleuves que les grandes villes de l'empire se construisirent et se développèrent[24]. Le transport terrestre était négligeable dans l'Antiquité en comparaison du transport sur mer, fleuves et rivières.

La gestion de l'adduction d'eau à Rome, selon Frontin

Je vais maintenant faire connaître les obligations de l'intendant des eaux, ainsi que les lois et les sénatus-consultes qui doivent lui servir de règle. En ce qui regarde le droit de conduite chez les particuliers, il faut veiller à ce que personne ne détourne l'eau publique sans un édit de César, c'est-à-dire sans une autorisation expresse, et à ce que nul n'en détourne plus qu'il n'en a obtenu. De là il résultera que la quantité d'eau que nous avons recouvrée, comme nous l'avons dit, pourra donner lieu à l'établissement de nouvelles fontaines, et à de nouveaux bienfaits de la part du prince. Pour atteindre ce double but, il faut opposer une active surveillance aux fraudes multipliées qui se commettent. Il est nécessaire d'inspecter de temps en temps, et avec soin, les canaux hors de la ville, pour reconnaître les concessions, et d'exercer la même surveillance sur les châteaux d'eau et les fontaines publiques, afin que l'eau coule sans interruption jour et nuit. [...]

Maintenant que nous avons expliqué ce qui regarde ces corporations, nous allons, ainsi que nous l'avons annoncé, parler de la conservation des aqueducs, objet qui méritait plus de surveillance et de soins, puisque ces édifices sont la principale marque de la grandeur romaine. Ils sont sujets à de nombreuses et à de grandes réparations, auxquelles on doit se hâter de pourvoir avant qu'elles donnent lieu à des ouvrages si considérables ; et il faut le plus souvent, y apporter une sage économie, sans trop se fier à ceux qui demandent à exécuter les travaux ou à les augmenter. C'est pourquoi l'administrateur des eaux doit s'appuyer non seulement sur la science des hommes spéciaux, mais encore sur sa propre expérience ; et, au lieu de se contenter des architectes qui dépendent directement de lui, il faut qu'il ait recours à la probité et au talent de plusieurs autres, afin de pouvoir se prononcer sur les ouvrages qu'il convient d'exécuter ou de différer, et distinguer ceux qui doivent être faits par entreprise, de ceux qu'il veut confier à ses propres ouvriers. [...]

C'est ordinairement de la vétusté ou des tempêtes qu'ont le plus à souffrir les parties d'aqueducs soutenues par des arcades, ou appliquées aux flancs des montagnes ; et les arcades les plus endommagées sont celles qui traversent les rivières : ce sont les ouvrages qui demandent, dans leurs réparations, beaucoup de soin et de célérité.

Julius Sextus Frontin, *Les Stratagèmes. Aqueducs de la ville de Rome,* traduit par Charles François Bailly, Paris, C. L. F. Panckoucke éditeur, 1848, p. 451, p. 465, p. 467.

Malgré leur dépendance à l'endroit de la mer, les Romains ne furent pas de grands innovateurs en matière maritime; ils se contentèrent pour l'essentiel de tirer profit de l'héritage grec. Les vaisseaux de guerre étaient propulsés à la rame (galères), dotés d'un mât démontable à voile quadrangulaire pour profiter des vents favorables hors des périodes de combat, et ils comptaient surtout sur la vitesse, la tactique navale se fondant essentiellement sur l'éperonnage des vaisseaux ennemis. Les navires marchands avaient pour leur part une coque plus évasée, pour le chargement des cargaisons, et n'avaient pas à tabler sur la vitesse; ils marchaient surtout à la voile et occasionnellement à la rame, munis d'une voile quadrangulaire et d'un mât unique, plus rarement de deux. Tous les bateaux étaient gouvernés par deux rames latérales, puisque le gouvernail d'étambot monté sur charnières à l'arrière de la coque ne serait inventé en Europe qu'à la fin du Moyen Âge.

Sur terre, le transport était assuré par la force animale. En Grèce et à Rome, le cheval ne fut à peu près pas utilisé pour le transport des marchandises. Le bœuf, l'âne et le mulet, moins délicats que le cheval, étaient beaucoup moins coûteux à entretenir et à alimenter; ils se laissaient aussi plus aisément charger. En outre, la technique d'attelage sur l'encolure de la bête, qui permettait à celle-ci de tirer des charges, convenait davantage au bœuf qu'au cheval. Aussi ce dernier avait-il presque exclusivement une fonction militaire, pour la cavalerie — une cavalerie qui ne pouvait cependant se servir de la lance en raison du manque de stabilité dû à l'absence d'étriers, lesquels n'apparaîtraient en Europe qu'au Moyen Âge. On n'attelait guère le cheval qu'au léger chariot de guerre aux roues armées de faux transportant des archers.

Trait caractéristique de la technique jusqu'au Moyen Âge, les sources d'énergie demeurèrent pour l'essentiel la force humaine et la force animale. L'existence de moulins à eau en Asie mineure fut signalée par Strabon, un historien et géographe d'origine grecque qui vécut au tournant de notre ère. Ces moulins ne furent probablement pas nombreux jusqu'au Ier siècle avant notre ère, mais ils se multiplièrent par la suite, principalement pour moudre le blé. En Grèce, les moulins à eau, qui supposent la capacité de concevoir et de fabriquer des roues dentées (en bois) bien ajustées les unes aux autres, étaient peu utilisés, en raison du petit nombre de cours d'eau ayant un débit suffisant et du climat très sec durant une grande partie de l'année. Mais les Romains avaient résolu le problème sur plusieurs sites en créant des bassins au moyen de barrages et en acheminant l'eau aux moulins par des aqueducs. En effet, vu la difficulté des transports, dont nous avons déjà parlé, il était important que les meuneries soient à proximité des concentrations de consommateurs. L'exemple le plus spectaculaire d'une telle installation est celle de Barbégal,

dans le sud de la France, qui ne fut découverte et décrite qu'en 1940. Cette installation, construite par les Romains, sans doute au début du IVe siècle de notre
ère, était alimentée par un aqueduc long de 17 km; l'eau ainsi acheminée mettait en action une série de 16 grandes roues à eau, chacune faisant tourner une
meule. Cette meunerie de dimension industrielle produisait probablement
autour de 4,5 tonnes métriques de farine par jour, suffisamment pour appro-
visionner toute la population de la ville voisine d'Arelate, l'Arles moderne[25].

L'énergie éolienne n'était mise à profit qu'en navigation, et encore de
façon très imparfaite, puisque, dans ce domaine, les améliorations notables se
feront attendre jusqu'à la fin du XIIe siècle. Le moulin à vent comme moyen
de production d'énergie est resté inconnu de l'Antiquité. Il est en effet significatif que Vitruve écrive : « Les machines à vent sont celles qui, par l'impulsion de l'air, imitent le son des instruments que l'on touche, et la voix humaine
et [elles] produisent des effets étonnants[26]. » C'est dire que l'action du vent
n'était encore utilisée pour aucune fonction productive.

Les Anciens pourtant savaient construire des machines complexes; on l'a
vu en ce qui a trait aux appareils de levage ou au complexe de Barbégal, on
le verra aussi plus loin pour l'art militaire. L'ingéniosité romaine fut aussi fortement mise à contribution dans les domaines de l'adduction et du pompage
de l'eau. Ainsi, pour l'irrigation des champs ou pour le pompage de l'eau hors
des mines, on se servait, au moins depuis le IIIe siècle avant notre ère, de la vis
dont la tradition a attribué l'invention à Archimède. D'usage courant, elle était
mue par des hommes. Sa fabrication est notamment décrite avec force détails
par Vitruve. Les archéologues ont trouvé des restes de vis de grande taille dans
des mines de l'Espagne romaine. Un autre mécanisme mis en mouvement par
la force humaine était une grande roue porteuse de godets plongeant dans
l'eau et la déversant dans une canalisation au point supérieur de sa course.
Plus perfectionnée encore, la pompe inventée par Ctésibios au IIIe siècle avant
notre ère faisait usage de cylindres, de pistons et de valves *(fig. 3.3)*; elle était
elle aussi actionnée par des hommes et elle fut principalement utilisée sur
les navires pour aspirer l'eau qui s'infiltrait dans la coque et pour lutter contre
les incendies.

Parce que l'histoire romaine est avant tout l'histoire de la conquête puis
du contrôle d'un empire, le plus vaste que l'Occident ait connu, qui s'étendait
des îles Britanniques au Moyen-Orient et à l'Afrique du Nord, les techniques
militaires furent à Rome étudiées systématiquement. Mais ici encore, s'ils
furent de grands innovateurs en matière de stratégie et de tactique, les
Romains le furent beaucoup moins dans la construction de machines. Ils amé-
liorèrent les inventions des Grecs, surtout de ceux de l'époque hellénistique

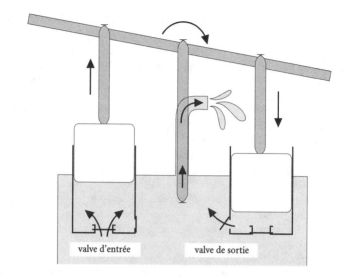

valve d'entrée   valve de sortie

Figure 3.3. Pompe de Ctésibios.

comme Philon de Byzance (qui vécut probablement au IIIe siècle avant notre ère) et Héron d'Alexandrie (Ier siècle de notre ère), qui tous deux rédigèrent des traités sur la construction des catapultes. Comme on l'a dit plus haut, la construction et l'entretien de ces machines étaient à Rome l'affaire d'ingénieurs militaires spécialisés, les *mechanici*, qui recevaient une formation particulière, aux frais de l'État.

Certaines catapultes reprenaient le principe de l'arc et constituaient des sortes d'arbalètes de grande taille pouvant lancer des traits ou des pierres, tendues à force de bras ou à l'aide d'un treuil. Mais les machines les plus puissantes, comme l'onagre, utilisaient la torsion de fibres (généralement des nerfs de bœuf) comme source de force motrice pour projeter des pierres (certaines pouvant envoyer des pierres de 125 kg à 150 m) ou des traits. Ces dernières machines ont joué un rôle important dans l'histoire de la technique parce qu'elles ont donné lieu à certaines des premières tentatives systématiques de formulation de principes. Ainsi, dans son *Traité des machines de jet,* Philon insiste sur les proportions à respecter dans les machines de guerre, par exemple entre, d'une part, le diamètre des faisceaux de fibres dont la torsion assurera l'énergie motrice et, d'autre part, le poids du boulet : la racine cubique du poids du projectile, augmentée du dixième, donne le diamètre en nombre de doigts, du trou du bâti et donc approximativement celui du faisceau de fibres qui y passe[27]. Comme l'indique Philon, ces résultats furent obtenus par des expériences suivies faisant varier les différents paramètres : « Cela [le calcul du module] devait être atteint non par chance et au hasard, mais par une méthode susceptible de donner la proportion correcte quelles que soient les grandeurs. Cela était impossible à atteindre sauf en accroissant et en diminuant expérimentalement le périmètre du trou[28]. » Vitruve lui-même consacra une partie de son traité aux proportions des catapultes et des scorpions, sorte d'arbalètes géantes[29].

Les techniques de l'Antiquité européenne, pour l'essentiel mises au point par les Grecs et perfectionnées par les Romains, s'inscrivent dans une continuité certaine. Excepté pour l'usage relativement tardif du moulin à eau qui fait appel à une force motrice autre qu'humaine ou animale, la technique gréco-romaine s'est montrée plus ingénieuse à ses débuts qu'au tournant de notre ère : on a utilisé les machines simples (poulie, levier, etc.) et trouvé les moyens de les combiner, mais cela n'a pas donné lieu à de nouvelles innovations radicales. Ce constat a soulevé une question qui a beaucoup retenu l'attention des historiens : pourquoi les Anciens n'ont-ils pas mobilisé leurs capacités techniques pour franchir une autre étape, celle du machinisme, c'est-à-dire de la mise au point de machines permettant d'accélérer la production de biens et d'accroître les rendements ?

LA QUESTION DE L'ABSENCE DE DÉVELOPPEMENT
DU MACHINISME DANS LE MONDE ANTIQUE

Dans un bilan de la technique des Anciens, Pierre-Maxime Schuhl conclut : « Arrivé à ce point, le développement du machinisme pouvait être considérable : il n'en fut rien[30]. » Il fait valoir notamment que les Anciens fabriquèrent des machines utilisant des engrenages, eurent l'idée d'employer des roues à palettes pour mesurer la distance parcourue par les navires, et songèrent même à atteler des bœufs à un mécanisme à engrenages pour actionner de telles roues et ainsi propulser des navires ; la pompe de Ctésibios montrait qu'il savait combiner cylindres, pistons et valves ; et Héron mit même au point un appareil utilisant la vapeur d'eau pour faire tourner des figurines autour d'un axe. Pourquoi alors les Anciens n'ont-ils pas inventé la machine à vapeur, devançant d'un millénaire et demi les débuts de la révolution industrielle ? Comment expliquer ce « blocage » ?

Trois grands types d'explications ont été invoqués : des raisons idéologiques (le mépris des activités manuelles et la subordination des gens qui les exerçaient), des raisons socio-économiques (l'existence de l'esclavage, du travail servile), et enfin des raisons proprement techniques. Nous les examinerons successivement.

Bien que des analogies avec le travail des artisans aient été utilisées par Platon et Aristote pour élucider des points de philosophie, on a vu au chapitre précédent que ces derniers n'avaient pourtant pas une haute estime pour le travail manuel.

Cette attitude n'était pas propre aux philosophes seulement, et si l'on en croit l'historien Hérodote, elle était largement répandue dans le monde ancien et en Grèce notamment :

> *Les Thraces, les Scythes, les Perses, les Lydiens et presque tous les peuples barbares refusent eux aussi toute considération à ceux de leurs concitoyens qui apprennent les divers métiers manuels ainsi qu'à leurs descendants, et jugent nobles ceux qui n'ont pas à travailler de leurs mains, et surtout ceux qui se consacrent à la guerre. En tous cas les Grecs ont tous adopté cette idée, et surtout les Lacédémoniens [Sparte] ; c'est à Corinthe que l'exercice d'un métier manuel rencontre le moins de mépris*[31].

Mais comme Bertrand Gille le note, à Athènes, du temps de Solon, une loi obligeait tout Athénien à apprendre un métier, et les métiers manuels n'étaient pas exclus. Aussi, l'opinion de lettrés tels qu'Aristote et Platon est peut-être avant tout une réaction, d'autant plus absolue qu'elle aurait été en fait minoritaire[32].

Toutefois, même à Rome où les préoccupations pratiques dominaient de fait l'activité sociale, le philosophe Sénèque blâme l'un de ses contemporains pour s'être attardé à décrire les métiers : « Les plus vils esclaves ont fourni ces trouvailles. La sagesse a son siège plus haut. Elle n'instruit pas les doigts : elle est l'institutrice des hommes. Elle n'est pas ouvrière de l'outillage, qui répond aux nécessités de l'existence[33]. » En outre, un historien aussi averti que Finley écrit que les sources littéraires, les textes légaux et l'épigraphie confirment que les professions commerciales et manufacturières jouissaient d'un statut peu élevé, même à Rome[34].

Néanmoins, les fonctions des artisans étaient nécessaires et ceux-ci devenaient progressivement de plus en plus nombreux. Athènes, écrit un historien, fut une cité d'artisans et « ce qui se lit, en effet, à travers Platon, c'est le drame de l'artisan dans la civilisation grecque [...]. De cette civilisation l'artisan est bien le héros, mais c'est un héros secret[35] ».

Il est incontestable que l'artisan était alors peu valorisé — comme tous ceux qui dépendaient d'autrui ou d'une rémunération, le commerçant notamment était encore plus déprécié que l'artisan chez les Grecs —, mais cela ne suffit probablement pas à expliquer l'absence de développement de la technique. Même si le travail des artisans était uniformément décrit comme routinier dans l'Antiquité, ce n'était pas le cas pour les activités d'un Archimède ou d'un Ctésibios, célébrés au contraire pour le caractère quasi divin de leur inventivité. Or, aucun des grands ingénieurs et architectes de l'époque, même ceux qui écrivirent par exemple sur les machines de guerre et qui souhaitaient la mise en application de leurs idées, ne laissèrent de traité sur des procédés manufacturiers. Pourtant, l'économie de l'Athènes classique et *a fortiori* celle de la Rome impériale n'étaient pas des économies primitives et elles devaient faire face à des problèmes de production à grande échelle. Ainsi, on sait que le travail dans les carrières répondait à une demande considérable de pierre de construction, que l'on commande à un moment donné 6 000 toges et 30 000 tuniques pour l'armée romaine, et que même en Grèce une fabrique de boucliers n'employait pas moins de 120 esclaves[36].

Cette incapacité à donner naissance au machinisme, certains historiens ont cru en trouver la raison précisément dans l'institution esclavagiste. Le blocage ne serait donc pas dû aux positions idéologiques dont nous venons d'esquisser les contours. Ces positions dériveraient plutôt d'une cause primordiale, l'existence du travail servile qui aurait précisément conduit au mépris des activités manuelles et techniques. Et ce serait la disponibilité des esclaves qui aurait détourné l'attention des possibilités d'amélioration des techniques de production.

L'esclavage joua en effet un rôle important en Grèce et à Rome. Selon des évaluations prudentes, il y aurait eu quelque 60 000 esclaves à Athènes à la fin du Ve siècle avant notre ère et 2 millions en Italie à la fin de la République au 1er siècle avant notre ère, soit respectivement 30 % et 35 % de la population[37]. L'afflux d'esclaves provenait généralement des conquêtes et c'étaient donc principalement des Européens ou des natifs d'Asie mineure et d'Afrique du Nord. Ainsi, César aurait ramené à Rome un million d'esclaves, capturés au cours de la guerre en Gaule. Beaucoup travaillaient comme artisans, mais certains étaient médecins ou instituteurs (« pédagogues » selon l'expression grecque), et un grand nombre furent employés comme fonctionnaires dans l'administration impériale. Sauf pour le travail dans les mines, particulièrement pénible, et aussi pour le service domestique, il n'y avait pas d'emplois réservés spécifiquement aux esclaves qui travaillaient couramment côte à côte avec des hommes libres[38].

De nombreux auteurs ont fait valoir que cette situation conduisit au mépris de tous les métiers et, comme on l'a dit plus haut, que la présence d'une abondante main-d'œuvre servile faisait qu'il n'y avait pas de raison de chercher à mettre au point des techniques pour faciliter le travail.

Toutefois, cet argument n'est pas solide. Comme l'ont souligné plusieurs historiens, les esclaves n'étaient pas bon marché et leur entretien coûtait relativement cher; la possibilité de les utiliser de façon plus rationnelle, notamment en les dotant de moyens de travail plus efficaces, n'aurait pas été à dédaigner. En outre, leur présence ne suffit pas à expliquer l'absence de machinisme; après tout, elle n'empêcha pas l'invention et la dissémination du

---

Comment Archimède, pourtant inventeur de génie, méprisait les machines et glorifiait la géométrie

Archimède ne se souciait pas des machines de siège rassemblées par Marcellus; ce n'était rien auprès des engins qu'il avait lui-même inventés, non qu'il en fît grand cas, ni qu'il les eût faits comme des chefs-d'œuvre pour montrer son esprit; car c'était pour la plupart jeux de la géométrie, qu'il avait fait en s'ébattant par manière de passe-temps, sur l'insistance du roi Hiéron. […]

Cet art d'inventer et dresser instruments et engins qui s'appelle la mécanique, tant aimé et prisé par toutes sortes de gens, fut premièrement mis en avant par Architas et par Eudoxe, en partie pour rendre attrayante la science de la géométrie, et en partie pour étayer par exemples d'instruments sensibles et matériels quelques propositions géométriques qui ne se peuvent prouver par raison démonstrative et qui sont néanmoins fort utiles. […] Mais Platon s'étant courroucé contre eux, en leur maintenant qu'ils corrompaient et gâtaient la dignité et ce qu'il y avait d'excellent en la géométrie, en la faisant descendre des choses intellectives et incorporelles aux choses sensibles et matérielles, et lui faisant user de matière corporelle, où il faut trop vilement et trop bassement employer l'œuvre de la main; depuis ce temps-là, dis-je, la mécanique ou art des ingénieurs vint à être séparée de la géométrie et, étant longuement tenue en mépris par les philosophes, devint l'un des arts militaires. […]

Archimède a eu le cœur si haut, et l'entendement si profond, et où il y avait un trésor caché de tant d'inventions géométriques, qu'il ne daigna jamais laisser par écrit aucune preuve de la manière de dresser toutes ces machines de guerre, pour lesquelles il acquit lors gloire et renommée, non de science humaine, mais plutôt de divine sapience; et réputant toute cette science d'inventer et composer des machines, et généralement tout art qui comporte quelque utilité à le mettre en usage vil, bas et mercenaire, il employa son esprit et son étude à écrire seulement choses dont la beauté et subtilité ne fût aucunement mêlée avec nécessité.

Plutarque, *Les Vies des hommes illustres*, traduit par Jacques Amyot, Paris, Gallimard, 1951, p. 679-680, 683.

moulin à eau[39]. De fait, il n'y a pas nécessairement d'opposition entre esclavage et progrès techniques : nombre d'innovations furent largement implan-
tées « là même où l'esclavage se montrait sous son jour le plus brutal et le plus
oppressif, dans les mines d'Espagne et sur les *latifundia* romains[40] », mines où
l'on utilisait des vis d'Archimède pour pomper l'eau.

Inversement, quand se produisit le déclin de l'esclavage antique, ce ne fut
pas du fait de progrès techniques le rendant inutile, et il ne donna pas lieu non
plus à une éclosion d'innovations. Ce déclin ne fut pas dû, comme on le lit
parfois, aux progrès du christianisme : au contraire, ce fut sous le règne de
l'empereur chrétien Justinien, au VIᵉ siècle, alors que le nombre des esclaves
diminuait, que la codification du droit romain fournit le plus de détails sur la
conduite de l'institution esclavagiste et qu'elle donne ses fondements juridiques à la reprise du trafic d'esclaves à grande échelle à compter de l'époque
des grandes découvertes[41]. La régression de l'institution esclavagiste — qui ne
disparut d'ailleurs jamais complètement dans certaines régions de l'Europe
jusqu'au XIXᵉ siècle — tenait plutôt à une conjonction de facteurs socio-
économiques : le déclin de la production marchande, puis, aux IVᵉ et Vᵉ siècles,
le repli des propriétaires terriens dans les campagnes et l'abandon relatif de la
ville, et enfin un meilleur accès à une main-d'œuvre libre[42].

LA LOGIQUE DU SYSTÈME TECHNIQUE

Puisque ni les raisons économiques ni même l'esclavage n'expliquent
l'absence du machinisme chez les Anciens, faut-il en chercher la cause du côté
des techniques elles-mêmes et de la pensée technique ? C'est en effet l'hypothèse privilégiée par nombre d'historiens, et pas seulement par des historiens
des techniques.

Ceux-ci soulignent d'une part que les Anciens ne connaissaient pas le système bielle-manivelle — qui n'apparut que vers 1400 —, lequel est « à la base
de tout machinisme développé[43] » ; d'autre part qu'ils n'avaient ni les connaissances ni les moyens de mettre au point une machine à vapeur (élément central de la révolution industrielle), qui nécessite des connaissances en soudure
et en laminage des métaux.

Ce dernier point a fait l'objet de discussions poussées. Comme on se le
rappelle, la vapeur en tant que force motrice est mentionnée dans le *Pneuma-
tica* de Héron d'Alexandrie, mais elle y avait pour seule fonction de produire
un résultat étonnant, le mouvement circulaire de figurines, ce que nous appellerions aujourd'hui un *gadget*. De fait, de toute l'Antiquité, la vapeur ne fut

utilisée comme force motrice pour aucune innovation productive. Pouvait-elle l'être? Était-il techniquement possible de fabriquer une sorte de machine à vapeur? Outre qu'ils ignoraient le système bielle-manivelle intégré aux machines à vapeur du XVIIIe siècle, les Anciens, fait-on remarquer, ne disposaient pas de notions essentielles à la conception d'une telle machine, comme le vide, la condensation ou la pression atmosphérique[44], notions qui seront explorées de manière expérimentale à compter du XVIIe siècle seulement.

Il aurait fallu aussi des cylindres en métal dans lesquels les pistons se déplacent de manière suffisamment étanche, de même qu'un mécanisme de valves. Tous ces dispositifs étaient connus et se trouvaient même combinés dans la machine de Ctésibios. Mais les machines anciennes étaient presque toujours en bois. Vitruve définit d'ailleurs ainsi la machine: « [...] un assemblage solide de pièces de bois disposées de manière à faire mouvoir les plus lourds fardeaux[45]. » Un exemplaire encore existant d'une pompe de Ctésibios, que les archéologues ont trouvé en Angleterre, fut construit avec des cylindres en chêne[46]. Cependant, Vitruve mentionne aussi que la pompe de Ctésibios, « qui fait monter de l'eau à une grande hauteur [...] se fait en cuivre[47] ». Il demeure néanmoins que personne dans l'Antiquité ne semble avoir pensé à associer les composantes de la pompe de Ctésibios à l'appareil à vapeur de Héron. Un historien des techniques, J. G. Landels, a estimé d'ailleurs qu'un appareil comme celui de Héron avait en fin de compte un rendement très faible: pour faire le travail qu'un homme effectue en une heure, il aurait consommé une énorme quantité de combustible; l'acquisition et le transport du combustible, ainsi que l'alimentation de la machine auraient requis plus de travail que celui qu'aurait produit cette dernière[48]. L'association de cet appareil à des pistons comme ceux de la pompe de Ctésibios n'aurait donc certainement pas donné de résultats bien satisfaisants.

Pour Bertrand Gille, on aurait eu moins affaire à un blocage dû à l'intervention d'un obstacle externe qu'à un arrêt, à une « saturation » du système technique des Anciens. Ce système aurait donné tout ce qu'il pouvait donner, et on ne pouvait en attendre aucun progrès: « Ni la science ni, provisoirement, les ressources en matières premières n'incitent à des progrès spectaculaires[49]. »

On notera que les Anciens étaient d'ailleurs tout à fait étrangers à l'idée de progrès dans le domaine technique. Pour eux, tout ce qu'il y avait d'important à découvrir en matière technique l'avait été. Aristote l'indique bien — de manière allusive, tellement la chose lui paraît aller de soi — quand il écrit que, après une période de découverte des « arts nouveaux », sont apparus le loisir et la philosophie, alors que « tous les différents arts étaient déjà constitués[50] ». À la même époque, le traité hippocratique *Lieux dans l'homme* tient le même discours : « La médecine me paraît désormais être découverte tout entière[51]. » De même, Finley a noté que Vitruve, qui fait en quelque sorte la synthèse des techniques de l'Antiquité, ne voyait pas la possibilité d'un progrès technique se poursuivant indéfiniment au moyen de recherches systématiques. Pour les Anciens, toutes les machines essentielles — l'échelle, la poulie, le treuil, le chariot, le soufflet et la catapulte — étaient déjà connues. Quand il signale l'existence du moulin à eau, Vitruve se contente d'ailleurs d'une brève mention[52], comme si cette découverte, qui allait contribuer à la substitution progressive des forces physiques aux forces animales et humaines, était de peu de portée[53].

D'ailleurs, la notion même d'un machinisme était pour les Anciens inconcevable. Ainsi, Aristote écrit : « Si les navettes [du métier à tisser] tissaient d'elles-mêmes et les plectres jouaient tout seul de la cithare, alors les ingénieurs n'auraient pas besoin d'exécutants ni les maîtres d'esclaves[54]. » Il s'agit pour lui de choses évidemment impossibles, de telles machines ne pouvant exister.

Non seulement les Anciens n'avaient pas la notion d'un progrès indéfini des techniques, mais il leur manquait aussi, selon Finley, un autre incitatif qui serait à la base du développement moderne, l'idée de *productivité*, de l'impératif économique d'une augmentation des rendements.

Ainsi, le moulin à eau — qui, de notre point de vue, est une innovation hautement capable d'améliorer la productivité — inventé vers le Ier siècle avant notre ère, ne commence à se répandre de manière significative qu'à compter de la fin du IIIe siècle et il ne deviendra courant qu'au Ve ou VIe siècle, d'ailleurs essentiellement dans le domaine de la meunerie[55].

Il est également significatif que la notion pour nous essentielle de la croissance de la productivité par une division accrue du travail ait été inconnue dans l'Antiquité. Les quelques mentions des bienfaits de la division du travail dans l'Antiquité insistent seulement sur le fait que la spécialisation du travail de l'artisan favorise l'amélioration de la qualité d'un produit, mais nulle part on ne fait état de quelque chose qui ressemblerait à un gain de productivité[56].

Pour les Grecs, la division du travail renvoie exclusivement à l'organisation sociale, à la distribution des fonctions sociales, mais jamais à la façon d'organiser le travail. En effet, selon Jean-Pierre Vernant :

> La division des tâches n'est […] pas sentie comme une institution dont le but serait de donner au travail en général son maximum d'efficacité productive. […] Aucun des textes qui célèbrent la division des tâches ne l'envisage comme un moyen d'organiser la

production pour obtenir plus avec la même quantité de travail : son mérite consiste à
permettre aux divers talents individuels de s'exercer dans les activités qui lui sont propres
et de créer par là des ouvrages aussi réussis qu'ils peuvent l'être[57].

De même, l'effort des Grecs pour construire une théorie de la technique, une techno-logie — théorie que les Romains allaient reconnaître sans rien y ajouter — n'avait rien à voir avec l'amélioration de la productivité, des rendements, ce qui sera le rôle même de la technologie quand elle prendra la forme d'une discipline en voie de constitution au tournant du XIXe siècle.

Pour les Anciens, il s'agit non pas de se servir de cette théorie pour transformer le système technique existant, mais seulement d'en rendre compte de manière rationnelle. Ainsi que l'écrit un historien de la pensée grecque, cette théorisation « montre que tous les procédés mécaniques se ramènent au jeu de cinq instruments simples, dont les propriétés découlent de la nature du cercle, et à leur combinaison. Cette démonstration, en même temps qu'elle fonde un système de mécanique rationnelle, en circonscrit définitivement le champ, et fixe d'avance les limites au-delà desquelles cette *technè* ne doit pas s'aventurer[58]. » Dans cette technologie, tout part d'instruments — les machines simples — qui peuvent être mus par la force humaine et qui, à ce titre, apparaissent comme des prolongements des organes. Dans un tel cadre, il n'y a pas de place pour la vapeur, pour le vent et même pour l'eau : ainsi nulle part ne trouvera-t-on dans les textes anciens quelque chose qui ressemblerait à une théorie du moulin à eau. Il faut attendre justement la révolution industrielle pour qu'une telle théorie soit formulée par les ingénieurs.

Les *Problèmes mécaniques,* issus de l'école d'Aristote, voulaient rendre compte rationnellement des effets produits par les cinq machines simples (levier, poulie, treuil, vis, coin) ; les propriétés de ces machines dériveraient toutes du cercle qui serait leur principe commun. Ainsi Vitruve écrivait-il : « L'art de faire des machines est entièrement fondé sur la nature, et sur l'étude qu'on a faite du mouvement circulaire du monde. [...] les Anciens prirent modèle sur la nature[59]. » Il ne s'agissait pas dans cette théorie des techniques de perfectionner les machines, il s'agissait seulement de démontrer rationnellement leur conformité avec la nature qu'elles s'efforçaient d'imiter, mais toujours de manière superficielle (comme le dit Cicéron, « aucun art ne peut imiter l'habileté de la nature[60] »). La théorie grecque des techniques incitait à penser leur achèvement, tous les principes étant déjà donnés, découlant des régularités naturelles et, au premier chef, de la régularité suprême du cercle et des mouvements circulaires ; elle n'invitait nullement à un dépassement et à une valorisation de l'inédit.

CONCLUSION

Rome fut pendant plusieurs siècles, surtout pendant le demi-millénaire que dura l'Empire romain, le centre économique et politique du monde occidental. La cité impériale fut certes aussi un grand centre de vie intellectuelle, mais celle-ci pour l'essentiel se nourrissait moins de son inventivité propre que d'une double tradition grecque, celle d'Athènes pour ce qui est des courants philosophiques et celle d'Alexandrie pour ce qui est des sciences. L'éducation romaine comportait d'ailleurs pour la portion la plus instruite de la population l'apprentissage nécessaire de la langue grecque, ce bilinguisme témoignant de la symbiose intellectuelle de Rome avec la culture hellénistique.

En fait, l'expansion romaine jusqu'aux confins du monde hellénistique en Asie mineure et en Égypte assura, dans l'Italie romaine même et aussi jusque dans ses conquêtes à l'ouest de peuples considérés alors comme « barbares » (Germanie, îles Britanniques, Gaule, Espagne), la pénétration de la civilisation hellénistique. Les conquérants, comme il arriva souvent dans l'histoire, devinrent les élèves des conquis et disséminèrent ensuite leur culture.

S'il est vrai que Rome ne fut le terrain d'aucune révolution intellectuelle, d'aucune tradition intellectuelle originale d'une portée comparable aux spéculations physiques des présocratiques, aux philosophies athéniennes ou aux mathématisations caractéristiques de la science alexandrine, néanmoins sa production intellectuelle fut loin d'être stérile. Pline, Galien, Vitruve, sans parler de Cicéron, Virgile, Tacite ou Marc-Aurèle, même considérés sur le seul plan intellectuel, ne sont pas des figures historiques secondaires.

Cependant, là où les Romains s'avérèrent novateurs, c'est dans la gestion intellectuelle et matérielle d'une société complexe, d'un ensemble cosmopolite et hétérogène formé de sociétés aux cultures diverses et maintenues par la contrainte ou l'intérêt dans le giron de l'empire. Leur génie fut un génie de synthèse, d'organisation, de mobilisation ordonnée des ressources intellectuelles et techniques puisées aux quatre coins de cet empire. S'ils ne furent pas les plus brillants inventeurs de l'Antiquité, les Romains en furent sûrement les meilleurs ingénieurs, ceux qui poussèrent le plus loin et à plus grande échelle l'usage des techniques pour satisfaire aux besoins matériels des cités et affermir leur puissance militaire.

Au IIIe siècle de notre ère, l'Empire romain connut de longues périodes d'instabilité peu propices à la vie intellectuelle : de 235 à 285, 26 empereurs se succédèrent dont un seul mourut de mort naturelle[61]. L'empire était devenu si immense et si hétérogène que le maintien de son unité devenait de plus en plus problématique. De 285 à 337, il y eut deux empereurs seulement, Dioclétien et Constantin, qui firent appel aux grandes qualités romaines d'organisation et de gestion pour renforcer les contrôles bureaucratiques et militaires : la situation parut se rétablir. L'empire fut divisé en deux grandes régions administratives, l'une centrée sur Rome, l'autre sur Byzance. Constantin, l'empereur qui reconnut le christianisme comme religion de l'empire, transporta en 324 la capitale, qui prit le nom de Constantinople, dans la province de l'est, de culture hellénistique, qui lui paraissait être le vrai centre de gravité de l'empire. En 395, deux empereurs régnaient, l'un à Rome, l'autre à Constantinople. En 410, Rome fut une première fois prise par les Goths ; en 476, l'Empire d'Occident fut dissout. L'Empire romain n'existait plus que dans sa province orientale ; connu sous le nom d'Empire byzantin, il allait survivre encore un millénaire, jusqu'à sa conquête par les Ottomans en 1453.

Après la chute de l'Empire romain d'Occident, la connaissance de la langue grecque se perdit rapidement en Europe. Une grande partie du savoir scientifique ancien, qui n'avait jamais été traduit en latin parce que les lettrés romains lisaient couramment le grec, tomba rapidement dans l'oubli en Europe occidentale. La culture urbaine et la vie même des cités — milieux essentiels à la continuité d'une culture latine — s'effritaient dans une Europe retournant à une organisation sociale et à des formes culturelles « barbares ». La ville de Rome elle-même fut complètement désertée après son sac en 546. Le site de la ville antique fut à peu près abandonné, réduit à l'état de bourgade, le peuplement s'étant déplacé de l'autre côté du Tibre, là où s'élèverait plus tard la cité vaticane.

Une culture scientifique allait de nouveau s'épanouir, mais loin du foyer initial de la gloire romaine, dans le monde musulman qui s'étendrait considérablement entre le VIIe et le VIIIe siècle. Les connaissances accumulées par les Anciens ne furent remises en circulation en Europe chrétienne qu'à compter du XIIe siècle, à la suite de la reconquête chrétienne des grands centres intellectuels qu'étaient devenus sous l'islam Palerme, Cordoue et Tolède.

CHAPITRE 4

Le clerc, l'université
et la science médiévale

À la suite du déclin de l'Empire romain, c'est d'abord dans les monastères que l'on trouvait les porteurs du savoir en Occident chrétien. Du VIIe au XIIe siècle, cependant, le niveau des connaissances conservées dans ces institutions apparues dès le IVe siècle présentait un net recul en regard du savoir grec le plus avancé[1]. Dans son ouvrage *De natura rerum*, compilation dans la tradition latine, l'archevêque visigoth Isidore de Séville (560-636) présente une version élémentaire de la cosmologie géocentrique. Le même Isidore rédige aussi *Originum sive etymologiarum libri*, ouvrage dans lequel il parle des sept arts libéraux, de médecine, de métallurgie et d'un peu de tout. Des grands écrits des philosophes grecs, on ne disposait alors guère que d'une traduction latine partielle du *Timée* de Platon et de quelques traités de logique d'Aristote, traduits par Boèce. Les traités de physique et de science naturelle du Stagirite comme ceux de Ptolémée n'étaient pas connus. Pour ce qui est de la médecine grecque, il ne restait presque rien d'Hippocrate ni même de Galien ; le lien avec le passé n'était maintenu qu'à travers la traduction latine d'un traité de Soranus, médecin grec du début du IIe siècle de notre ère, sur les maladies aiguës et chroniques.

En somme, le savoir grec, et en partie romain, conservé sur des papyrus en nombre limité de copies, n'a pas survécu à la destruction de la civilisation de l'Empire romain d'Occident. N'eût été la continuité de la tradition scientifique et médicale assurée en partie à Constantinople, capitale de l'Empire byzantin, et surtout, à compter du VIIIe siècle, dans les grands centres intellectuels du monde musulman, qu'étaient Bagdad, Tolède et Cordoue, les pertes — dont les destructions successives de la bibliothèque d'Alexandrie sont le symbole — auraient été encore plus grandes.

Ce n'est qu'avec la renaissance urbaine, qui s'amorça en Europe occidentale au Xe siècle et se poursuivit jusqu'à la grande peste de 1348, que la réflexion scientifique et philosophique de l'Occident chrétien reprit de façon importante et sur de nouvelles bases. Cet essor des villes s'accompagna en effet de l'émergence de nouvelles institutions et d'une nouvelle catégorie sociale, le clerc, figure de l'intellectuel au Moyen Âge. Représentée d'abord par les ecclésiastiques qui enseignaient dans les monastères et, à compter du IXe siècle, dans les écoles dites « cathédrales » — car situées tout près des églises —, cette figure, à partir du XIIIe siècle, devint de plus en plus laïque, associée à l'université. Vers 1200, les universités furent fondées comme institutions distinctes des écoles cathédrales et des monastères, et ces nouvelles institutions allaient rapidement constituer le lieu par excellence de la formation d'une élite intellectuelle laïque en même temps que de la conservation et de la transmission du savoir en Europe[2]. Bien que le contenu de ce savoir restât profondément antique — Platon, Aristote, Ptolémée et Galien étant, en quelque sorte, les véritables maîtres d'école —, la science, telle qu'elle se pratiquait au Moyen Âge, était un savoir au service des universités et des professionnels qu'on y formait : théologiens, médecins et avocats. C'était un savoir essentiellement théorique sans prise sur le monde technique, lequel constituait un univers social distinct.

CHANGEMENTS TECHNIQUES ET URBANISATION

La croissance et la multiplication des villes ainsi que l'expansion du commerce s'appuyèrent sur la diffusion de nouvelles techniques, notamment dans les domaines de l'agriculture et du transport. Les principales innovations du système technique qui se mit en place entre le Xe et le XIIIe siècle étaient le remplacement de l'araire par la charrue lourde, celui de la rotation biennale des récoltes par la rotation triennale, l'utilisation accrue du cheval pour le transport et l'agriculture, et enfin celle du moulin à eau comme source d'énergie productive.

L'araire avait fait son apparition au quatrième millénaire avant notre ère au Moyen-Orient, sous la forme d'une simple pièce de bois tirée par une paire de bœufs. Cette charrue primitive était bien adaptée au sol aride du pourtour de la Méditerranée. Cependant, puisqu'elle ne retournait pas la terre et ne faisait qu'un sillon, il fallait repasser sur le même terrain plusieurs fois en croisant les sillons, d'où la forme plutôt carrée des champs.

Cette forme de charrue n'était toutefois pas adaptée à une grande partie du nord de l'Europe, aux climats humides et aux sols plus lourds. La nouvelle charrue à versoir, dont l'usage se répandit en Europe entre le VIᵉ et le Xᵉ siècle, était plus complexe et comprenait essentiellement trois parties : 1) le coutre, pénétrant verticalement dans le sol ; 2) le soc, perpendiculaire au coutre, qui coupait horizontalement la terre et les racines des mauvaises herbes et 3) le versoir qui retournait sur le côté la tranche de terre. Plus lourde à manœuvrer, la charrue remuait la terre en profondeur et évitait le labour entrecroisé nécessité par l'utilisation de l'araire — ce qui avait d'ailleurs des répercussions sur la forme des terrains cultivés, les champs des régions du nord de l'Europe étant plutôt de forme rectangulaire que carrée[3].

Une autre innovation importante dans le domaine agricole fut l'utilisation de la méthode de l'assolement triennal. Bien qu'elle fût connue depuis le VIIIᵉ siècle, son usage se répandit pour devenir dominant au XIIIᵉ siècle. Au lieu de diviser la terre en deux parties, comme le voulaient les pratiques courantes, on commença à la diviser en trois en effectuant une rotation des récoltes : en octobre, on semait du blé ; en mars, on plantait de l'avoine, de l'orge, des pois chiches, des lentilles ou des fèves ; la troisième partie était laissée en jachère. L'année suivante, la première sole était plantée de récoltes d'été, et la troisième, de céréales d'hiver. En théorie, ce système permettait une augmentation d'un tiers de la production. En effet, pour une surface de 600 acres par exemple, la rotation biennale en cultivait 300, alors que la rotation triennale permettait d'en ensemencer 400. Cette nouvelle technique donnait aussi la possibilité de répartir le labour plus également durant l'année, réduisant ainsi les risques de famine causée par une mauvaise et unique récolte.

Un des effets de l'assolement triennal fut que les semailles du printemps augmentèrent la production d'avoine, nourriture idéale pour les chevaux qui commençaient à se substituer au bœuf en tant que source d'énergie animale. Ce remplacement fut également rendu possible par l'utilisation du fer à cheval, apparu dans les steppes sibériennes vers le IXᵉ siècle, et l'invention d'un nouveau type d'attelage, le collier d'épaule qui, libérant le cou de l'animal, lui permettait de tirer de fortes charges sans s'étrangler. Ces transformations techniques ne se firent pas instantanément : quoique l'utilisation du cheval de trait soit attestée au début du XIᵉ siècle, elle se diffusa lentement pour ne devenir courante qu'au XIIIᵉ siècle. Néanmoins, vers la fin du Moyen Âge, la corrélation entre rotation triennale et utilisation du cheval dans l'agriculture apparaît très nettement. Le remplacement du bœuf par le cheval accéléra aussi l'urbanisation en augmentant la rapidité des transports. En Allemagne, par exemple, grâce au cheval, les paysans commencèrent à abandonner les villages vers le XIe siècle pour s'installer dans les villes voisines, tout en continuant à travailler aux champs[4].

Tout comme la charrue, le moulin à eau a une longue histoire. Connue depuis le tournant de notre ère, cette machine, nous l'avons mentionné au chapitre précédent, demeura peu utilisée avant la fin du Xe siècle, époque où elle connut un véritable essor[5]. Déjà en 1086 en Angleterre, on comptait quelque 6 000 moulins pour environ 3 000 agglomérations. Compte tenu du fait que, selon les calculs de l'époque, un moulin valait 40 esclaves, les gains en productivité furent considérables. Ne servant d'abord qu'à moudre le grain, il serait plus tard employé pour d'autres opérations, notamment dans la production textile pour fouler la laine. Le moulin à eau allait demeurer la source d'énergie mécanique la plus utilisée jusqu'à la mise au point de la machine à vapeur au milieu du XVIIIe siècle.

Cet intérêt pour le harnachement des forces naturelles se manifesta aussi dans la diffusion du moulin à vent à compter de la fin du XIIe siècle. On en voyait en Angleterre vers 1170 et en Normandie avant 1179. Vingt ans plus tard, il était suffisamment intégré dans la vie quotidienne pour que Célestin III, qui fut pape de 1191 à 1198, décrète l'obligation de payer une dîme pour ce genre de moulins. Alors que le moulin à vent oriental, apparu en Perse dès le VIIe siècle, avait un axe vertical et donc des pales horizontales, son vis-à-vis occidental possédait un axe horizontal et semble être une invention indépendante[6].

Les innovations techniques du Moyen Âge ne se limitèrent pas au domaine agricole. L'horloge mécanique fut en effet une invention importante du XIIIe siècle. Jusque-là, le temps était mesuré par des horloges hydrauliques ou des horloges solaires. Grâce à l'horloge mécanique, composée d'engrenages actionnés par un poids, la mesure du temps se modifia. Les heures étaient uniformisées tandis qu'auparavant le jour et la nuit étaient traités séparément et comptaient chacun 12 heures. Ainsi, la durée des heures variait selon les saisons : en été, les heures du jour étaient longues et celles de la nuit, courtes. Avec l'horloge mécanique, les heures ne dépendaient plus des saisons. L'homme modifia ainsi sa façon de rythmer son existence. Le roi Charles V, par exemple, ordonna vers 1370 à toutes les églises de Paris de sonner les heures au même moment que les pendules royales, afin que les habitants règlent leur vie sur un seul rythme. Jusque-là, en effet, l'Europe avait un double rythme, les heures temporelles et les heures canoniales. Ces dernières réglaient la vie monastique, et les cloches sonnaient seulement 7 fois en 24 heures. Comme l'ont fait remarquer plusieurs historiens, « ce sont les marchands du XIVe siècle qui créent l'heure régulière et laïque, heure urbaine, heure d'ouverture et de fermeture des boutiques et ateliers, en édifiant les premières horloges municipales[7] ».

Comme l'horloge mécanique, le moulin entraîna lui aussi des changements sociaux. Les seigneurs imposaient le monopole de leurs moulins et forçaient leurs sujets à venir y moudre le grain moyennant une redevance. La diffusion de l'emploi de l'énergie hydraulique eut aussi des conséquences techniques. Ainsi, l'utilisation de la fonte, qui apparut au début du XIVe siècle, nécessitait celle de soufflets actionnés par une force capable de porter le four à une température suffisamment élevée pour permettre la fusion.

En architecture, l'invention technique fut également importante au cours du Moyen Âge, comme en témoigne la construction des grandes cathédrales gothiques avec leurs ogives. Enfin, les premiers types de lunettes à lentilles convergentes destinées aux presbytes firent leur apparition au XIIIe siècle, vers 1280.

Plusieurs de ces innovations techniques, particulièrement dans le domaine de l'agriculture et du transport, contribuèrent à l'étonnante poussée démographique de l'Europe qui, entre 1000 et 1200, vit sa population doubler, sinon quadrupler. Cette transformation démographique fut aussi à l'origine du déplacement du centre intellectuel de l'Europe, du monde méditerranéen vers le nord de l'Europe, soit vers la France et l'Angleterre, ou plus précisément vers les villes se trouvant au bord des grands cours d'eau comme la Loire, la Seine, le Rhin, le haut Danube, l'Elbe et la Tamise, utilisés non seulement pour la navigation mais aussi comme source d'énergie grâce à la multiplication des usages du moulin à eau.

Le grand nombre des innovations techniques du Moyen Âge contraste avec la relative stabilité du système technique gréco-romain et révèle une nouvelle attitude face à la nature. Selon certains historiens, en proclamant la dignité de l'homme de même que l'importance de comprendre la nature créée par Dieu, la doctrine chrétienne a pu créer un climat favorable au développement technique[8]. Rappelons par exemple que, dans les monastères du Moyen Âge, tous les moines travaillaient de leurs mains en plus d'avoir à étudier. Les ordres monastiques, notamment les cisterciens, furent d'ailleurs parmi les premiers à utiliser systématiquement les nouvelles techniques de production, comme le moulin à eau et la rotation triennale[9]. Cette nouvelle attitude active envers la nature était visible partout à compter du XIIe siècle, y compris dans les livres d'heures dont les enluminures présentaient des scènes de la vie quotidienne, alors qu'auparavant on y trouvait plutôt des figures passives et symboliques.

RATIONALISME ET NATURALISME CHRÉTIENS

Avec le développement des villes, les écoles monastiques ne répondaient plus aux besoins des citadins, et les écoles cathédrales, comme celle de Chartres en France, avaient été créées pour former des prêtres et enseigner les rudiments de l'écriture et de la lecture aux fils de la noblesse. La situation antérieure est bien décrite par le moine Guibert qui nous apprend que, vers 1060, « on ne rencontrait pour ainsi dire pas de maîtres de grammaire dans les bourgs ; encore leur science était-elle bien courte ». Quarante ans plus tard, la situation était déjà tout autre : « La grammaire fleurit de tous côtés et le grand nombre des écoles la met à la portée des plus pauvres[10]. » C'est d'abord dans l'entourage de ces écoles cathédrales que l'on assista, au début du XIIe siècle, à un mouvement intellectuel qui proposait une lecture naturaliste et rationaliste de la création. Chartres en particulier se distingua par son intérêt pour la philosophie de la nature.

Thierry de Chartres (mort vers 1150), par exemple, se proposa de réconcilier la Genèse avec la théorie platonicienne de l'origine de l'univers telle qu'exposée dans le *Timée*. Il tenta donc d'expliquer l'ordre selon lequel Dieu avait créé le monde en utilisant les catégories de la philosophie naturelle grecque. Selon Thierry, Dieu créa d'abord les quatre éléments. Par la suite, le feu chauffa l'eau, ce qui la fit monter dans l'atmosphère, permettant ainsi la séparation du ciel et de la terre. Puis la chaleur provoqua la création des plantes et des animaux (cinquième et sixième jours de la création biblique). On voit la nette division entre le divin et le naturel, typique de la pensée présocratique : le premier geste de Dieu, celui de la création des quatre éléments, est surnaturel, mais la suite des événements est composée uniquement de processus naturels.

Nous trouvons la même division entre Dieu et nature et, donc, entre théologie et science chez Pierre Abélard (1079-1142), pour qui la nature, une fois créée par Dieu, suit son cours naturel sans intervention divine, et Adélard de Bath (1070-1142), aussi lié à l'école de Chartres, selon lequel le recours à Dieu ne devrait servir à expliquer les processus naturels qu'une fois que tous les arguments naturels ou scientifiques ont été épuisés. Ainsi, appelé à expliquer la croissance des plantes sans invoquer l'intervention divine, Adélard écrit que ce processus n'est rien d'autre que l'assimilation et la recomposition des quatre éléments tels qu'ils se trouvent dans le sol.

Parallèlement à ce renouveau de l'explication naturaliste et rationaliste, on assista à une renaissance de l'astrologie. Réprouvée par les pères de l'Église comme forme de magie, l'astrologie réapparut au XIIe siècle non pas comme un appel aux forces surnaturelles, mais comme une explication rationnelle des événements naturels. Plus particulièrement, l'astrologie servait à relier les mouvements terrestres et les mouvements célestes tels que les marées et le mouvement lunaire, ou les saisons et le mouvement solaire. Ce rapport entre le ciel et la Terre fut renforcé par la continuité supposée entre la constitution de l'homme, le microcosme et la constitution de l'univers, le macrocosme. Ces deux ordres de la nature, animés chacun par une âme, étaient constamment en interaction, et l'analogie microcosme-macrocosme servait de fondement aux astrologues pour prédire l'avenir. Thomas d'Aquin (1225-1274) par exemple, nous dit Thomas Litt, « affirme comme absolument certain le principe tout à fait général de l'influence universelle des corps célestes sur les événements corporels d'ici-bas[11] ». De même, le franciscain Robert Grosseteste (1175-1253), évêque de Lincoln, écrit un petit traité d'astrologie météorologique qui débute ainsi :

> Lorsque vous voulez pronostiquer la disposition de l'air à une certaine époque bien déterminée, il vous faut d'abord, à l'aide des tables, trouver le lieu précis de chacune des planètes à cette époque déterminée. Cela fait, vous noterez les témoignages que chacune d'elles a dans les signes [du zodiaque], et vous porterez votre jugement par la planète qui a le plus de témoignages ; la planète qui aura le plus de témoignages sera celle, en effet, qui déterminera la distribution de cette époque[12].

Comme on le voit, l'astrologie et la religion peuvent faire bon ménage, à condition toutefois d'assurer la liberté humaine, en rappelant, comme ne manque pas de le faire Thomas d'Aquin, que cette influence est indirecte et jamais nécessitante.

LA REDÉCOUVERTE DU CORPUS SCIENTIFIQUE GREC

En 1085, les chrétiens, poursuivant la reconquête de l'Espagne musulmane, prirent Tolède, un haut lieu de la traduction des œuvres scientifiques grecques en arabe. Onze ans plus tard, la Sicile (Palerme) était revenue aux mains des chrétiens, de sorte qu'à l'aube du XIIe siècle la science grecque redevint accessible dans les pays latins.

Rappelons d'abord que, au cours de la seconde moitié du VIIe siècle, les régions du Moyen-Orient, de l'Afrique du Nord, de l'Espagne et de la Sicile étaient tombées aux mains des musulmans, au cours de leur campagne d'expansion territoriale. C'est à la suite de ces conquêtes que les philosophes, les astronomes et les mathématiciens arabes étaient entrés en contact avec les grands textes scientifiques, philosophiques et médicaux grecs disparus de la vie intellectuelle européenne depuis la désagrégation de l'Empire romain d'Occident. Durant les VIIIe et IXe siècles, les traités de Platon, Aristote, Ptolémée, Euclide et Galien, oubliés dans le monde latin, furent traduits en arabe et commentés, alimentant une tradition intellectuelle proprement arabe. Dès le début du IXe siècle, la Maison de la sagesse *(Bayt al-hikma)* de Bagdad joua dans le monde arabe le rôle tenu au cours de la période hellénistique par le musée et la bibliothèque d'Alexandrie[13]. À compter du milieu du Xe siècle, les centres politiques et intellectuels de l'Empire islamique, outre Bagdad, se trouvaient en Espagne et en Italie du sud. Les villes de Cordoue, de Tolède et de Palerme étaient alors les centres intellectuels qui avaient remplacé Athènes et Alexandrie *(fig. 4.1)*. C'est de là qu'au XIIe siècle les traducteurs latins viendraient cueillir les textes anciens pour les faire connaître à l'Europe latine.

À l'instigation de l'archevêque de Tolède, Raymond, les traducteurs chrétiens se mirent à l'œuvre en se concentrant sur les œuvres grecques et romaines. La renaissance du XIIe siècle, comme on appelle parfois cette époque du Moyen Âge allant de 1100 à 1250, fut due en bonne partie à ces traduc-

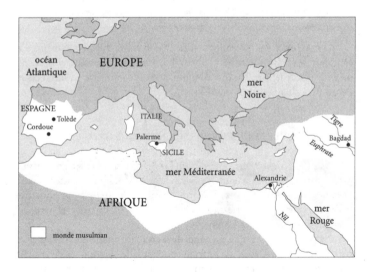

Figure 4.1. Extension maximale et centres intellectuels du monde musulman au Moyen Âge.

tions de l'arabe au latin, le plus souvent par l'intermédiaire d'autres langues comme le syriaque, qui revitalisèrent la pensée chrétienne en lui donnant accès à un important corpus scientifique grec et arabe inconnu jusque-là du monde chrétien. En ce sens, le savoir du Moyen Âge fut davantage gréco-arabe que gréco-romain.

En plus de développer la tradition grecque, les savants arabes, citoyens d'un empire qui s'étendait jusqu'aux frontières de l'Inde, tirèrent profit des connaissances scientifiques indiennes, notamment en mathématiques et en astronomie. C'est en effet dans le traité d'al-Khwārizmī (800-850) sur le calcul arithmétique que l'on trouve les chiffres dits « arabes » — qui sont en fait d'origine indienne. Traduit vers le milieu du XIIᵉ siècle par Adélard de Bath, l'un des premiers Latins à vanter les mérites du savoir arabe et à dénoncer l'ignorance des siens, ce texte introduisit la numération indienne en Occident, facilitant des calculs jusqu'alors accomplis sur des abaques. Par ailleurs, on doit aussi à al-Khwārizmī le premier manuel d'algèbre, traduit en latin en 1145. Cependant, cette algèbre pratique attira peu l'attention dans les universités et elle sera plutôt développée, vers la fin du Moyen Âge, dans des écoles destinées aux futurs marchands. comme on le verra au chapitre 6. En médecine, les traducteurs firent connaître le grand commentateur arabe de Galien, ibn Sinā (980-1037), connu sous le nom latin d'Avicenne, qui, avec son *Canon de la médecine,* aurait une grande influence sur les médecins européens. De même, ibn Rushd (1126-1198), dit Averroès, deviendrait pour les intellectuels de l'Occident le commentateur par excellence d'Aristote, grâce à la traduction de ses commentaires des grands traités du Stagirite. En astronomie, l'*Introduction à la science de l'astronomie* d'Albumasar (Abū Ma'shar, 786-866), traduit en latin en 1133, fit connaître la philosophie naturelle d'Aristote et les principes de l'astrologie de Ptolémée. Quant à l'*Almageste* lui-même, il fut traduit plusieurs fois, d'abord en Sicile vers 1160, à partir d'une version grecque et, 15 ans plus tard, à Tolède, à partir d'un manuscrit arabe.

C'est dans ce contexte intellectuel profondément renouvelé que les universités firent leur apparition et fournirent un lieu institutionnel particulièrement propice pour discuter les textes des auteurs grecs et arabes nouvellement découverts.

LA NAISSANCE DES UNIVERSITÉS

À l'origine, l'appellation d'« université » ne s'appliquait pas à l'institution que l'on connaît aujourd'hui, mais à des associations librement constituées d'étudiants, ou de maîtres et d'étudiants. L'*universitas* était indépendante de la structure ecclésiastique et des écoles cathédrales, qui relevaient de l'autorité de l'évêque. Ainsi, l'une des toutes premières universités en Europe fut celle de Bologne qui, au milieu du XIIe siècle, apparut comme le regroupement d'étudiants en une corporation divisée en « nations » (réunissant les étudiants selon une certaine parenté culturelle : Lombards, Romains, Toscans, etc.). De même, au début du XIIIe siècle, l'université de Paris émergea comme une corporation d'étudiants et de professeurs de la ville[14]. Sur l'initiative de princes, de rois ou même de dirigeants des villes, de nombreuses universités furent fondées à travers l'Europe. L'université de Naples, par exemple, fut créée en 1224 par Frédéric II de Sicile. Cependant, seuls le pape et l'empereur pouvaient octroyer des chartes de fondation avec les privilèges qui y étaient associés. Ainsi, les membres des universités (professeurs et étudiants) se voyaient accorder le statut de clerc et bénéficiaient ainsi des mêmes privilèges que ceux qui étaient reconnus au clergé sans avoir à être eux-mêmes prêtre ou membre d'un ordre religieux.

Instituées dans les villes, les universités jouissaient d'un statut particulier. Elles étaient en effet protégées non seulement par les autorités laïques locales, qui voyaient dans ces institutions une source de prestige et un lieu de formation de serviteurs de l'État, mais aussi par les papes pour qui elles représentaient un endroit idéal pour créer et propager une doctrine religieuse orthodoxe[15]. Dans ce sens, les universités se dotèrent d'une mission à la fois locale — former les fils de paysans et d'artisans aisés, de même que ceux d'une bourgeoisie de plus en plus dépendante de l'écriture et de l'arithmétique — et universelle — transmettre une culture générale qui relevait des auteurs sanctionnés par une église internationale. Comme l'indique la *figure 4.2*, le

nombre des universités augmentera rapidement au cours des XIIIe et XIVe siècles, bien que l'existence de certaines fût plutôt éphémère, et le XVe verra une
seconde vague de création d'universités.

Dans les principales universités, Paris, Oxford et Montpellier, l'enseignement était divisé entre les facultés de théologie, de droit et de médecine, auxquelles s'ajouta la faculté des arts qui enseignait le *trivium* (logique, grammaire, rhétorique) et le *quadrivium* (musique, arithmétique, géométrie et
astronomie) comme propédeutique aux études professionnelles supérieures
assurées dans les trois autres facultés. Dans certaines universités, les étudiants
payaient directement les maîtres pour leurs cours. Dans d'autres, comme celle
de Padoue, les professeurs étaient rémunérés par la ville[16]. Ces conditions
étaient propices à l'émergence d'une classe d'intellectuels, spécialisés dans l'enseignement des sciences et de la philosophie, et en compétition les uns avec
les autres pour l'obtention de postes.

Figure 4.2. Les universités européennes selon leur période de fondation.

Les étudiants commençaient leurs études universitaires vers l'âge de 14 ans en s'inscrivant au baccalauréat de la faculté des arts. À peine la moitié d'entre eux y restaient plus de deux ans. Après un baccalauréat de quatre ans, environ un tiers des diplômés accédaient au programme de maîtrise, où ils demeuraient deux ou trois ans. La maîtrise ès arts donnait à son détenteur le droit d'enseigner tous les sujets couverts à la faculté des arts — et ce dans toutes les universités d'Europe — et permettait d'entrer dans l'une ou l'autre des facultés professionnelles. Les statuts universitaires fixaient la durée des études : environ six ans en médecine, huit en droit et, enfin, plus d'une douzaine d'années pour la théologie. En pratique, cependant, cela pouvait être plus court, et on pouvait même parfois avoir accès à ces facultés sans posséder la maîtrise ès arts. On estime qu'il y avait environ 500 nouveaux étudiants chaque année à l'Université de Paris et que, entre 1350 et 1500, quelque 750 000 étudiants s'inscrivirent dans l'ensemble des universités d'Europe[17].

L'ENSEIGNEMENT DES SCIENCES À L'UNIVERSITÉ

La forme d'enseignement dispensé dans l'université médiévale est connue de nos jours sous le nom de « scolastique ». La méthode scolastique est essentiellement une façon de lire et de commenter des textes de façon hiérarchique : lecture du sens des mots d'abord, du sens des phrases ensuite et, enfin, du sens dit « profond » du texte lui-même. La hiérarchie universitaire correspondait à cette hiérarchie des actes de lecture : l'étudiant au baccalauréat faisait la lecture selon les mots, tandis que le maître faisait une lecture selon le sens profond. Une forme d'exposé oral était associée à cette technique de lecture : la dispute *(disputatio)*. Une question étant imposée par le maître (« Est-ce qu'un lieu [au sens d'Aristote] est une surface ? » ou : « Est-ce qu'un lieu est immobile ? » ou : « Est-ce qu'un vide est possible ? » ou encore : « Est-ce que la condensation et la raréfaction sont possibles ? »), l'étudiant devait réunir et exposer les opinions des auteurs recommandés, selon qu'il adhérait ou non à la théorie proposée. L'examen que l'on passait pour obtenir le diplôme de maîtrise prenait aussi la forme d'une dispute. L'usage de la *disputatio* demeurerait d'ailleurs en usage dans la plupart des universités jusqu'au XVIIIe siècle.

Du point de vue moderne, la place réservée à l'enseignement des sciences dans un tel système était relativement modeste. Bon nombre de disciplines techniques étaient écartées d'emblée, car elles ne présentaient que peu d'intérêt pour les trois facultés professionnelles. Les savoirs techniques comme l'architecture, la technologie militaire, la construction navale, les techniques

Les différentes significations du mot « science »

Le franciscain Guillaume d'Occam (1285-1349), un des grands philosophes du Moyen Âge, enseigna la philosophie à Londres et rédigea plusieurs commentaires des livres d'Aristote. Dans le Prologue au Commentaire sur les huit livres de la physique, *il explique les différents sens du mot « science » :*

[I]l faut savoir que « science » a plusieurs significations et il existe des distinctions variées et non subordonnées de la science.

Selon une première signification, la « science » est la connaissance certaine de quelque chose de vrai. Et certaines choses ne sont ainsi connues que par la foi. Par exemple, nous disons « savoir » que Rome est une grande ville sans pourtant l'avoir vue. De même, je dis que cet homme est mon père, cette femme ma mère, et ainsi des choses qui ne sont pas connues avec évidence et cependant, parce que nous adhérons à ces choses sans le moindre doute et qu'elles sont vraies, nous disons les savoir.

D'une autre façon, « science » signifie la connaissance évidente, à savoir quand on dit connaître quelque chose non seulement d'après le témoignage d'autrui, mais quand on l'accepterait par une connaissance simple [*notitia incomplexa*] de certains termes, médiatement ou immédiatement, même si personne ne nous disait que cela existe. Par exemple, même si personne ne me disait que le mur est blanc, du simple fait de voir la blancheur qui est dans le mur, je saurais que le mur est blanc. Et il en va de même dans les autres cas. Et en ce sens la science ne regarde pas seulement ce qui est nécessaire, mais aussi ce qui est contingent, quelle que soit la forme de contingence.

D'une troisième façon, on appelle « science » la connaissance évidente de quelque chose de nécessaire. Et, de cette façon, ce ne sont pas les contingents, mais les principes et les conclusions qui en découlent qui sont connus.

D'une quatrième façon, « science » signifie la connaissance évidente du vrai nécessaire, capable d'être causée à partir de la connaissance évidente de prémisses nécessaires au moyen d'un discours syllogistique. Et de cette façon on distingue la science de l'intellect, qui est l'habitus des principes, et aussi de la sagesse, comme l'enseigne le PHILOSOPHE au VIᵉ livre de l'*Éthique*.

Il y a une autre distinction de la science, où, parfois, « science » signifie connaissance évidente de la conclusion, parfois elle signifie la connaissance totale de la démonstration.

Une autre distinction de la science est celle où « science » signifie parfois un habitus numériquement un, n'incluant pas plusieurs habitus spécifiquement distincts, et parfois une collection de nombreux habitus ayant entre eux un ordre déterminé et certain. Et c'est cette deuxième signification du mot « science » qu'ARISTOTE utilise fréquemment. Et selon cette acceptation la « science » inclut comme ses parties intégrantes les habitus des principes et des conclusions, la connaissance des termes, le rejet des faux arguments et des erreurs et leur solution. Et de cette façon on dit que la métaphysique est une science, et ainsi des autres disciplines.

R. Imbach et M.-H. Méléard (dir.), *Philosophes médiévaux des XIIIᵉ et XIVᵉ siècles*, Paris, Union générale d'éditions, 1986, p. 294-296.

minières et agricoles, la pharmacie et la médecine vétérinaire étaient exclus de l'enseignement universitaire, et on ne pouvait faire son apprentissage dans l'un ou l'autre de ces domaines qu'au sein des guildes, associations professionnelles regroupant les gens du même métier. N'étant généralement pas communiqués par écrit, ces savoirs nous sont beaucoup moins connus que les savoirs théoriques transmis à l'université et codifiés dans les livres. Au niveau du baccalauréat, l'enseignement des disciplines mathématiques (le *quadrivium*) était limité à 8 ou 10 semaines d'un cursus de 4 années. L'astronomie, par contre, était davantage mise en valeur dans le programme, vu son importance pour l'astrologie, la médecine et l'établissement des calendriers religieux. Cependant, selon les critères de l'époque, la science occupait une place centrale à l'université à travers l'enseignement de la philosophie naturelle d'Aristote, notamment de sa cosmologie.

Avec la redécouverte des textes scientifiques d'Aristote sur la physique et l'astronomie — rendus accessibles, rappelons-le, au début du XIIIe siècle grâce aux traductions de l'arabe au latin —, les maîtres d'école furent mis en présence d'une œuvre dont la supériorité était manifeste, son explication de la composition et du fonctionnement du monde physique supplantant les commentaires bibliques offerts jusque-là aux intellectuels chrétiens. Ainsi, les intellectuels du Moyen Âge mirent beaucoup d'énergie à discuter les rapports entre la science païenne et la théologie chrétienne. La plus célèbre des discussions est sans doute celle de Thomas d'Aquin (1225-1274) pour qui la théologie, loin d'être un savoir inférieur à la science antique, était elle-même une science. Dans l'ensemble de son œuvre — qui ne se limite pas à la célèbre *Somme théologique,* mais comprend aussi des commentaires de la plupart des ouvrages scientifiques d'Aristote —, Thomas d'Aquin a voulu trouver une solution aux problèmes inhérents à cette situation. Le problème le plus aigu était le suivant : si la théologie est une science, comment se fait-il que, à la différence des autres sciences, elle ne puisse pas démontrer ses principes étant donné que ces derniers sont issus d'une révélation ? La solution de Thomas d'Aquin reposait sur l'analogie suivante : puisque la musique (qui, rappelons-le, est une des sciences du *quadrivium*) ne démontre pas les principes qui lui sont donnés par les mathématiques, alors nous ne devons pas en demander davantage à la théologie, dont les bases sont révélées par Dieu[18].

Loin d'être une simple querelle de mots, la discussion sur le statut du savoir théologique à l'université était l'expression d'un affrontement qui avait précédé et suivi les travaux de Thomas d'Aquin et de son maître Albert le Grand. De fait, les autorités ecclésiastiques locales condamnèrent plusieurs fois l'enseignement d'Aristote à l'Université de Paris au cours du XIIIe siècle. L'opposition de l'Église était due au fait que certaines des thèses découlant de la physique d'Aristote sont incompatibles avec la théologie chrétienne. Ainsi, l'affirmation d'Aristote selon laquelle le monde est éternel entre en contradiction avec la création du monde présentée dans la Bible. De même, dans la physique d'Aristote, les propriétés d'une substance sont inséparables de la substance elle-même, ce qui contredit le dogme de la transsubstantiation, la transmutation du pain en chair et du vin en sang du Christ, lors de l'Eucharistie[19].

L'Église continua de se méfier des enseignements prônés par les disciples d'Aristote et, en 1277, l'évêque de Paris, Étienne Tempier, condamna 219 propositions soutenues par les membres de la faculté des arts. En Angleterre, cette

---

Raison philosophique et foi chrétienne

Le philosophe Boèce de Dacie est un représentant de ce que l'on a appelé « l'aristotélisme radical » ou « averroïsme latin », doctrine — aussi un rationalisme — formulée par le philosophe arabe Averroès (ibn Rushd) selon laquelle la philosophie concerne uniquement ce qui relève de la raison et est par conséquent autonome par rapport à la foi qui ne relève aucunement de la raison ; c'est la théorie de la « double vérité ». Il s'en explique dans son traité De aeternitate mundi, *écrit vers 1260. Le décret de l'évêque Tempier le nomme d'ailleurs explicitement parmi ceux qui soutiennent les thèses prohibées.*

Les thèses des philosophes se basent sur des démonstrations et d'autres raisons possibles pour les sujets dont ils parlent, la foi en revanche s'appuie fréquemment sur des miracles et non pas sur des raisons ; en effet ce que l'on tient parce que cela a été conclu par des raisons n'est pas la foi mais la science. [...]

Il n'est aucune question qui ne puisse être disputée par des raisons, que le philosophe ne doive disputer et (au sujet de laquelle) il ne doive déterminer ce qu'il en est de sa vérité, dans la mesure où elle peut être comprise par la raison humaine. [...]

Et il ressort de ceci que si le philosophe dit que quelque chose est possible ou impossible cela signifie que cela est possible ou impossible par les raisons que l'homme peut appréhender. [...]

Au moment même où quelqu'un abandonne les raisons il cesse d'être philosophe et la philosophie ne se fonde pas sur des révélations et des miracles. [...]

Comme il est stupide de chercher la raison de ce qu'on doit croire par la religion et ce qui, cependant, n'a pas de raison [...] ; de même vouloir croire sans raison ce qui n'est pas manifeste de soi, mais qui cependant possède une raison, n'est pas digne du philosophe.

R. Imbach et M.-H. Méléard (dir.), *Philosophes médiévaux des XIIIe et XIVe siècles*, Paris, Union générale d'édition, 1986, p. 153-154.

---

condamnation fut promulguée à peine 11 jours plus tard par l'archevêque de Canterbury. Parmi les propositions condamnées, certaines faisaient écho à la question du statut de la théologie en tant que savoir, laissant entendre, par exemple, que « la théologie est une fable » ou que « les seuls sages dans ce monde sont des philosophes » (c'est-à-dire les lecteurs d'Aristote). Mais il y en avait d'autres qui visaient directement la philosophie naturelle d'Aristote et non pas simplement les prétentions de ses adeptes. Il s'agissait, entre autres, de celles qui soulignaient l'impuissance de Dieu à donner un mouvement linéaire à la Terre, ou son incapacité à créer plus d'un monde ou même un vide. Selon l'historien Pierre Duhem, la censure de ces dernières propositions aurait même encouragé les intellectuels du Moyen Âge à être plus critiques envers Aristote et à explorer des concepts non aristotéliciens comme le vide ou l'infini[20]. Chose certaine, à la suite de la condamnation de 1277, on assista à une multiplication de questions portant sur la possibilité du vide ou la pluralité des mondes, réflexions qui étaient exclues de la philosophie naturelle d'Aristote. Ces interrogations se faisaient toutefois sur le mode hypothétique des « mondes possibles » et finissaient tout de même par conclure qu'Aristote avait probablement raison, Dieu ayant choisi de ne pas les réaliser[21].

En dépit des critiques adressées à Aristote, de même qu'à Galien ou à Ptolémée, la compréhension du monde naturel prôné par les intellectuels du Moyen Âge restait profondément ancrée dans la science antique et ses ajouts arabes. Cela ne veut pas dire qu'il s'agissait simplement d'une copie conforme de la philosophie naturelle grecque. Le monde médiéval étudia et élabora des aspects particuliers de la science antique. Les points que les lettrés médiévaux désignèrent comme problématiques, et ceux qu'ils acceptèrent comme allant de soi ou même qu'ils ignorèrent simplement reflétaient leurs intérêts propres.

Condamnation de l'enseignement à la faculté des arts de Paris en 1277

Parmi les 219 thèses condamnées par l'évêque de Paris, Étienne Tempier, le 7 mars 1277, plusieurs relèvent de la physique d'Aristote. En voici quelques-unes (le chiffre indique le rang occupé dans le décret) :

6. Lorsque les corps célestes reviendront tous au même point, ce qui aura lieu dans trente-six mille ans, on verra revenir les mêmes effets qu'à présent.

9. Il n'y a pas eu de premier homme et il n'y aura pas de dernier homme ; l'homme a toujours engendré l'homme dans le passé et l'engendrera toujours dans l'avenir.

49. Dieu ne pourrait donner au ciel un mouvement de translation pour cette raison que le ciel, mû de la sorte, laisserait le vide derrière lui.

Pierre Duhem, *Le Système du monde*, Paris, Hermann, 1954, vol. VI, p. 26-27.

En d'autres termes, cette sélection n'était pas toujours attribuable à des défauts ou à des vertus inhérents à la science antique.

Dans la cosmologie, la division aristotélicienne entre l'espace sublunaire et l'espace supralunaire resta primordiale. Ici, au moins, les aristotéliciens étaient d'accord avec la doctrine chrétienne : le monde terrestre est unique en son genre. Néanmoins, le monde chrétien apporta des transformations importantes au système. D'abord, on ajouta et retrancha des sphères pour rendre le cosmos conforme à l'histoire de la création telle que racontée dans la Genèse[22]. Ainsi, étant donné que, selon la Bible, Dieu a séparé les eaux terrestres des eaux célestes, il fallait ajouter une autre sphère pour contenir ces eaux. De la même manière, on se demanda ce qu'il y avait en dehors du système des sphères. La réponse aristotélicienne — rien — ne satisfaisait pas le monde chrétien, en partie parce que l'idée de ce rien semblait remettre en question le pouvoir de Dieu de créer un vide. Ainsi, plusieurs intellectuels au Moyen Âge en vinrent à affirmer, à l'encontre d'Aristote, que, en dehors de la sphère des étoiles, il y avait effectivement encore de l'espace : vide, bien sûr, mais tout de même un lieu.

L'un des concepts fondamentaux de la physique d'Aristote était celui de mouvement. Cela incluait toutes les formes de mouvement, et pas seulement le changement de lieu d'un objet physique. La génération, la croissance et la décomposition des êtres vivants étaient aussi des processus considérés comme des mouvements. Ainsi, les formes de changement qui font aujourd'hui l'objet de disciplines différentes étaient alors regroupées au sein de la science du mouvement. Il était possible de dire, par exemple, que le phénomène de la croissance biologique était un mouvement d'augmentation, ou que les phénomènes psychologiques étaient des mouvements de l'âme.

Ces descriptions ne s'appuyaient pas sur l'expérimentation ou l'observation. L'analyse du mouvement était avant tout logique et reposait, en grande partie, sur la doctrine aristotélicienne des quatre causes. L'explication complète des phénomènes se ramenait en effet à la découverte d'une cause formelle, d'une cause matérielle, d'une cause efficiente et d'une cause finale.

LE COMMENTAIRE COMME MODE D'INNOVATION INTELLECTUELLE

L'étude du problème du mouvement local montre bien la façon dont les universitaires du Moyen Âge abordaient les questions scientifiques. Comme si les principales positions théoriques possibles avaient déjà toutes été énoncées et qu'il ne restait qu'à les améliorer dans le détail, le travail du professeur consistait à commenter les grandes œuvres, les innovations apparaissant ainsi, en quelque sorte, dans les marges des textes canoniques. Abélard, l'un des grands représentants du renouveau intellectuel du XIIᵉ siècle, estimait d'ailleurs qu'« il n'y a pas moins de bénéfice et de travail à bien commenter un texte qu'à inventer des idées[23] ».

Les commentateurs de la physique d'Aristote ne tardèrent pas à faire ressortir l'insuffisance de son explication du mouvement violent d'un projectile. Rappelons que, selon Aristote, le mouvement d'un javelot — une fois lancé — s'effectue grâce au mouvement de l'air avec lequel il est en contact, air qui reflue à l'arrière et le pousse, jusqu'à ce que ce mouvement de l'air s'épuise. En somme, la main qui lance le javelot ne pouvant plus servir de cause efficiente une fois qu'elle n'est plus en contact avec lui, Aristote, qui ne peut nier que le mouvement ne cesse pas aussitôt, en est réduit à attribuer à l'air le rôle de cause efficiente. Ses nombreux commentateurs ne furent pas tous satisfaits de cet expédient. Dès la première moitié du VIᵉ siècle, Jean Philopon, installé à Alexandrie, dans son commentaire sur la physique d'Aristote, suggère que l'impulsion donnée par la main n'est pas transférée à l'air ambiant, mais bien transportée par le javelot lui-même. Cette doctrine, dite de l'*impetus,* fut développée beaucoup plus tard par Jean Buridan (1300-1358) et Nicole Oresme (1320-1382) à l'université de Paris, et demeura l'interprétation dominante jusqu'au XVIIᵉ siècle. C'est elle que Galilée apprit dans ses cours de philosophie à l'université de Padoue, vers 1592. Selon cette théorie, le mouvement violent est le résultat de l'acquisition d'une l'impulsion ou *impetus* de la part de l'objet en mouvement : c'est le lanceur de javelot qui transmet directement, sans médiation de l'atmosphère, une impulsion au projectile ; une fois mis en mouvement, l'objet continue sur sa lancée jusqu'à ce que l'*impetus* s'épuise, soit par la résistance de l'air, soit par la résistance qu'oppose l'objet même à son propre mouvement.

Cette physique du mouvement restait essentiellement qualitative. Personne dans le monde médiéval ne tenta de quantifier le mouvement local selon des variables telles que la vitesse ou l'accélération. Le mouvement était non pas une quantité, mais une qualité. Nicole Oresme donna une formulation géométrique des différents types de mouvement, sans toutefois les appliquer au mouvement local d'objets concrets comme le javelot ou un corps qui tombe. Il fut aussi le premier à fournir une représentation graphique du mouvement en tant que variation de l'intensité (nous dirions « vitesse ») dans le temps. Les figures ainsi obtenues étaient autant de représentations géométriques des formes de mouvement *(fig. 4.3)*[24].

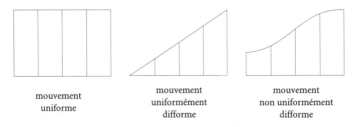

mouvement
uniforme

mouvement
uniformément
difforme

mouvement
non uniformément
difforme

Figure 4.3. Représentation des principales formes de mouvement selon Oresme. L'axe horizontal représente le temps et l'axe vertical l'« intensité » du mouvement.

En n'appliquant pas ses concepts au mouvement local, Oresme demeurait dans la tradition qualitative de l'époque. Ce qui intéressait le plus les intellectuels médiévaux dans les mathématiques, c'était le côté logique ou qualitatif. Ainsi, Euclide fut étudié en tant que modèle de la science, mais les discussions portaient moins sur le contenu des théorèmes géométriques que sur leur forme et les rapports qui les unissent. De même, les axiomes et les définitions suscitèrent de nombreux commentaires, mais aucun théorème géométrique d'importance n'en résulta.

Le niveau des connaissances astronomiques du monde latin resta lui aussi minimal comparativement à celui des astronomes arabes de la même époque. Les applications pratiques ne requéraient pas le niveau mathématique atteint par Ptolémée dans l'*Almageste*. Les connaissances de base du mouvement du ciel, nécessaires pour calculer la date de Pâques et d'autres fêtes religieuses, étaient présentées dans les *computs,* dont celui de Bède (673-735), rédigé en 725, fournit le modèle. Ce fut dans ces traités que l'on discuta, pendant tout le Moyen Âge, du problème de la réforme du calendrier. Enfin, ce que l'on appelait à l'époque la partie pratique de l'astronomie, l'astrologie, ne cessa de croître en importance notamment après l'épidémie de peste de 1348, à la suite de laquelle les recours à l'astrologie pour faire des prévisions sanitaires se multiplièrent à travers l'Europe.

De façon générale, l'astronomie resta largement qualitative, reposant sur des sources secondaires et des commentaires latins de Ptolémée et d'Aristote. L'enseignement des mathématiques dans les universités n'était pas suffisamment avancé pour permettre aux étudiants ni même à la plupart des professeurs de comprendre Ptolémée. Par contre, bon nombre de résumés de l'*Almageste,* délestés des complications mathématiques de cet ouvrage, circulaient dans les universités. Les plus importants sans doute étaient le *Tractatus de sphaera* de Sacrobosco (1190-1250) et l'anonyme *Theorica planetarum* qui le complétait sur certains points. Ce fut donc là et non pas dans l'*Almageste* lui-même que les étudiants européens apprirent la théorie des sphères et des épicycles, et la façon de faire des prévisions astrologiques. En fait, les avancées mathématiques les plus importantes accomplies dans le cadre de l'astronomie de Ptolémée furent le fait d'astronomes arabes.

À Oxford, cependant, les mathématiques et l'astronomie étaient plus étudiées qu'à Paris, et l'influence de Platon y était aussi plus grande. Ce fut aussi de cette école que jaillit un certain renouveau de la réflexion sur le statut du savoir empirique, avec les travaux de Robert Grosseteste (1175-1253), franciscain chancelier d'Oxford et évêque de Lincoln. Son disciple Roger Bacon (1214-1294), franciscain lui aussi qui enseigna à Paris et à Oxford, se prononça résolument en faveur de l'observation et de l'expérience. Il imagina même l'apparition de véhicules automobiles, aériens et sous-marins ! Pierre de Maricourt, un ami de Bacon, rédigea un important traité sur le magnétisme, rapportant de nombreuses expériences qui ne seraient reprises et dépassées qu'au XVIIe siècle avec le *De magnete* du médecin anglais William Gilbert, publié en 1600. Il s'agissait toutefois là de cas isolés, comme on en trouvait aussi dans l'Antiquité, et non d'un mouvement de fond comme cela le deviendrait au XVIIe siècle.

LA MATIÈRE : À L'UNIVERSITÉ ET CHEZ L'APOTHICAIRE

Il y avait deux façons de concevoir la matière au Moyen Âge : selon la physique d'Aristote et selon l'alchimie. Rappelons que, suivant la première conception, tous les objets du monde sublunaire sont des substances composées de matière sur laquelle est imposée une forme quelconque. De ces formes, les héritiers d'Aristote en imaginèrent deux sortes : une forme substantielle qui fait, par exemple, qu'un chien est un chien, et une forme accidentelle qui fait, pour reprendre le même exemple, qu'un chien en particulier a telle taille ou telle couleur. Pour Aristote, la matière est composée de quatre éléments : l'air, l'eau, le feu et la terre. Ces éléments peuvent aussi se transformer les uns dans les autres, en modifiant les quatre qualités de base : le chaud, le froid, l'humide et le sec, selon le schéma présenté au chapitre 2.

L'étude des commentateurs médiévaux de la doctrine aristotélicienne de la matière fit là aussi ressortir le penchant scolastique pour l'analyse logique des textes et le peu d'intérêt pour l'expérimentation. Ainsi, la question du mélange des éléments et celle de la divisibilité de la matière retinrent particulièrement leur attention. En ce qui concerne la divisibilité, les auteurs notaient qu'en principe, on pouvait diviser une substance à l'infini. Cependant, puisqu'une substance avait une forme, il semblait qu'il faille un minimum de matière pour que la forme puisse exister. Sinon, il y aurait eu autant de formes qu'il y avait de matière, et la distinction entre la forme et la matière n'aurait plus eu de sens ; n'importe quelle portion de la matière aurait été une substance. C'est ainsi que plusieurs commentateurs proposèrent l'existence de *minima,* c'est-à-dire de quantités minimales de substance à partir desquelles celle-ci ne pouvait plus se diviser. En cela, ces commentateurs se rapprochaient de l'atomisme antique, mais, comme leurs prédécesseurs, ils ne tentèrent pas de mesurer ou de fixer quantitativement ce minimum.

Un deuxième problème concernant la matière était celui de la nature des mélanges. C'était un fait notoire que le mélange de deux substances, dans des conditions précises telles que celles de la cuisine (confection du pain), donne lieu à de nouvelles substances dont les formes ne peuvent pas être qualifiées d'accidentelles : le pain n'est pas seulement une certaine quantité de farine. Donc la création de nouvelles formes substantielles posait un problème, dans la mesure où il fallait supposer que les nouvelles formes substantielles ne préexistaient pas dans les anciennes. Si l'on pensait le contraire, il fallait accepter que la farine soit déjà du pain avant même d'entrer dans un mélange. L'une des solutions les plus ingénieuses à ce problème avait déjà été offerte par Averroès. Selon lui, les formes substantielles d'une substance sont bien détruites dans un mélange, et la nouvelle forme substantielle ne préexiste pas dans l'ancienne. Cependant, les éléments persistent à travers les formes, et c'est justement l'une des particularités des formes des éléments de n'être ni substantielles ni accidentelles, mais un mélange des deux. Cela rend possible la continuité de la matière — la farine est bel et bien dans le pain — et la transformation des formes — le pain n'est pas la farine.

À côté de ces discussions de nature essentiellement logique sur la divisibilité et le mélange, il existait une pratique de transformation de la matière : l'alchimie. Pratiquée en Égypte et en Grèce hellénistiques, l'alchimie parvint à l'Occident latin par l'intermédiaire d'auteurs arabes comme Avicenne (980-1037) et al-Râzī, dit Rhazes (865-925), amenant avec elle une série de techniques (la distillation, la sublimation, la calcination, etc.) et un intérêt pour les métaux autres que les sept classiques (or, argent, cuivre, plomb, fer, étain et mercure), tels que le sel ammoniac ou le salpêtre (l'un des trois ingrédients essentiels de la poudre à canon). Pratiquée par certains universitaires, les apothicaires et les médecins, l'alchimie avait deux buts : la production de l'or par la transformation des métaux et la production des élixirs ou des substances capables de provoquer des transformations chimiques. L'intérêt des élixirs était avant tout d'ordre médical, et c'est à travers l'alchimie que les métaux furent introduits dans la pharmacopée occidentale.

La théorie alchimique n'était pas incompatible avec la doctrine aristotélicienne de la matière. En effet, la thèse de base de l'alchimie, selon laquelle on peut transformer des métaux de base, comme le plomb, en or, reposait sur le fait que, l'or étant une substance, il pouvait, en principe, être reconstitué à partir des éléments qui entraient dans la constitution de toute autre substance. En d'autres termes, l'alchimie n'était pas étrangère aux principes de base de la physique d'Aristote enseignée dans toutes les universités. Ceci explique, en partie, la persistance des pratiques alchimiques, qui ne perdraient progressivement leur légitimité savante qu'avec la diffusion, au XVIIe siècle, de la philosophie atomiste (voir chapitre 8). Le succès relatif des élixirs explique aussi la persistance de la pratique alchimique; non seulement il est vrai que certaines concoctions étaient aussi efficaces que d'autres préparations médicinales (bien sûr, d'un point de vue moderne, ils étaient tous d'une efficacité incertaine), mais, dans au moins un cas, l'alchimie introduisit un remède qui allait devenir essentiel à la fin du Moyen Âge, à savoir l'utilisation du mercure dans le traitement de la syphilis.

LA PROFESSION MÉDICALE

Du VIIe au XIe siècle, la médecine comme activité intellectuelle fut pratiquée dans les monastères. Il s'agissait en général — comme dans les autres disciplines d'ailleurs — de copier et de commenter les rares textes anciens qui avaient été conservés. Dans le cas des textes concernant la gynécologie, d'une utilité douteuse dans un monastère, on s'en tenait strictement à la copie. Dans sa pratique thérapeutique, cette médecine était largement herbaliste. À cet égard, l'auteur favori des moines était Dioscoride, médecin grec du Ier siècle de notre ère, dont la description de quelque 600 plantes médicinales dut causer une certaine consternation : bon nombre des espèces décrites étaient tout simplement inexistantes dans le nord de l'Europe.

La pratique de la médecine par les membres de l'Église n'était pas sans poser des problèmes, car ces derniers étaient également responsables de la sanction des miracles. Compte tenu du fait que la plupart des miracles au Moyen Âge étaient des guérisons, les rapports entre la médecine et l'Église devenaient parfois tendus. En effet, il était notoire à l'époque que les miracles étaient une preuve constante de l'inefficacité de la médecine comparée à l'intervention divine. Par ailleurs, comme preuve supplémentaire de la puissance de guérison de Dieu, l'Église soutenait que l'on pouvait recouvrer la santé en se confessant. À partir du XII⁰ siècle, l'Église abandonna progressivement le champ médical en interdisant la pratique et l'étude de la médecine au clergé. La principale raison de cette interdiction était la crainte que l'exercice d'une profession payante par les ecclésiastiques ne les fasse dévier de leurs vœux de pauvreté.

Cette désaffection du clergé coïncidait d'ailleurs avec l'apparition des universités qui allaient former des laïcs dans les professions libérales de l'époque, la médecine et le droit. La copie de manuscrits, également réservée aux monastères jusqu'au XIII⁰ siècle, fut aussi prise en charge par des laïcs qui en firent leur métier.

La médecine émergea au Moyen Âge en tant que pratique laïque pour devenir, par la suite, une corporation autonome qui commença à être soumise à une réglementation au XIII⁰ siècle. L'une des toutes premières lois régissant la pratique médicale date de 1231. Selon cette loi, promulguée dans la région de Salerne, en Italie, les aspirants à la pratique médicale devaient passer devant les officiers de santé du roi qui étaient, en principe, les « maîtres » de l'école médicale de Salerne. Cette loi fut suivie par la formation de corporations qui avaient la responsabilité d'examiner les futurs praticiens et de décerner les licences. L'objectif avoué de cette mesure était de maintenir les standards de la pratique et, surtout, d'offrir un recours légal à ceux et celles qui prétendaient avoir souffert entre les mains des médecins. Avec la naissance des universités, les études à la faculté de médecine deviendraient de plus en plus le critère d'accès à la pratique médicale. C'est à Venise, par exemple, en 1316 que le premier collège des médecins, composé uniquement de détenteurs d'un diplôme universitaire, fut constitué. Vers la fin du siècle suivant, presque la moitié des praticiens de Venise étaient membres du collège.

La médecine enseignée à l'université tirait, comme les autres sciences, son cadre conceptuel de la tradition gréco-arabe. Ainsi que nous l'avons vu, après avoir étudié le *trivium* et le *quadrivium,* l'étudiant diplômé de la faculté des arts avait le choix entre trois facultés : droit, théologie ou médecine. S'il choisissait cette dernière, il allait rencontrer encore une fois Aristote à travers des auteurs médicaux comme Galien et Avicenne, pour qui la clé de la médecine était justement la philosophie d'Aristote. Préparés par leur formation antérieure, les futurs médecins se lançaient dans des discussions à caractère philosophique. Ainsi, on se demandait dans quelle mesure la maladie représentait un changement d'état, ou quelle était la composition des corps. Au cours des disputes, on débattait de propositions telles que : « Un médicament agit-il seul et faut-il l'introduire dans le corps pour qu'il ait une puissance ? » ou encore : « Faut-il manger un gros repas à midi ? »

Quoique la reprise de la médecine antique parfois ne s'élevât pas au-delà de la simple répétition — par exemple, on effectuait peu de dissections en médecine avant le XVe siècle, puisque l'on considérait que tout avait déjà été découvert par Galien —, les intellectuels du Moyen Âge apportèrent des modifications importantes au corpus de savoir accumulé. Ce fut notamment le cas de la notion de *complexion*. Définie comme le résultat du mélange des quatre qualités (froid, chaud, sec, humide), la complexion était l'équilibre spécifique du mélange. Ainsi, chaque espèce de plante ou d'animal avait sa propre complexion. Les complexions étaient aussi sujettes au changement : la maladie modifiait, croyait-on, la complexion d'un individu, tout comme la chaleur et l'humidité de la jeunesse se transformaient, au temps de la vieillesse, en sécheresse et en froid. Par ailleurs, chaque organe était doté d'une complexion : le cœur est chaud, le cerveau est froid. À l'occasion des disputes universitaires, on se demandait si une complexion était une forme substantielle ou s'il s'agissait plutôt d'une cinquième qualité s'ajoutant au chaud, au froid, au sec et à l'humide.

En dehors des universités, la doctrine des complexions servait moins de lieu d'interrogation des catégories aristotéliciennes que d'outil de classement des maladies. Celles-ci étaient divisées en 1) *mala compositio* (malformations congénitales) 2) *mala complexio* (déséquilibre de la complexion) 3) *solutio continuitatis* (rupture dans la continuité du corps : traumatisme). Il s'agissait d'une classification somme toute primaire, qui réitérait les divisions de la médecine plutôt que les divisions des maladies ; toutes les maladies que nous appellerions « internes » étaient effectivement considérées, à la suite de Galien, comme étant des déséquilibres des quatre humeurs ou des quatre qualités. Par ailleurs, dans un tel système, la distinction entre un symptôme et une maladie n'était pas toujours claire. Chaque personne ayant une complexion particulière, les maladies tendaient à s'individualiser à un tel point que chaque symptôme pouvait devenir une singularité ou, en d'autres termes, une maladie en soi.

Pour une médecine où c'est le malade et non pas la maladie qui est au centre de l'examen, les questions « Pourquoi suis-je malade ? » et « Qu'est-ce qui arrivera ? » sont les points de repère fondamentaux. Pour répondre à ces questions, la médecine médiévale privilégia deux techniques, toutes deux connues des Anciens. La première, l'uroscopie, consistait en l'examen visuel et gustatif de l'urine du patient pour, en principe, y déceler des signes indiquant l'état du foie. Cependant, l'analyse de l'urine servait aussi à diagnostiquer un ensemble hétéroclite de maladies, et c'était souvent le seul critère utilisé. Certaines villes, en engageant un médecin, l'obligeaient à examiner gratuitement l'urine de tous les citoyens qui déposeraient le liquide devant leur porte[25].

La deuxième technique, l'astrologie, était souvent conjuguée avec la première. En effet, on croyait que la couleur et la consistance de l'urine variaient selon les saisons et que ses propriétés subissaient l'influence des mouvements des astres. En tant que technique diagnostique, la connaissance de la position des planètes était mobilisée pour expliquer soit les dispositions individuelles envers la maladie, soit les dispositions collectives : lorsque les autorités civiles demandèrent aux médecins de la faculté de médecine de Paris d'expliquer l'épidémie de peste de 1348, ces derniers répondirent que c'était la conjonction de Mars, de Jupiter et de Saturne qui en était la cause formelle[26].

Forme d'explication employée partout en médecine, l'astrologie était aussi prise en compte dans la thérapeutique, qui suivait la tripartition antique : régime, médicament et chirurgie. Comme dans la médecine hippocratique, on trouve la même identification entre l'aliment et le médicament dans la thérapeutique médiévale, bien que la prescription du régime alimentaire fût faite selon les complexions qui, elles, pouvaient subir des influences astrales. Le choix des médicaments proprement dit n'était jamais tout simplement empirique, mais tenait compte des textes anciens et des consignes sur les bonnes et les mauvaises journées (dites fastes et néfastes) de leur préparation et de leur administration. Les deux formes de chirurgie thérapeutique — la phlébotomie et la cautérisation —, chacune censée attirer les bonnes humeurs vers une partie du corps souffrant de l'excès d'une mauvaise humeur, avaient, elles aussi, leurs journées fastes et néfastes et devaient être administrées en conséquence.

CONCLUSION

Le Moyen Âge a longtemps été considéré comme un « âge noir » ou, comme son nom l'indique, une période « moyenne » entre deux âges plus importants. Il est vrai que le niveau du savoir scientifique de l'Europe ne dépassa pas alors, dans la plupart des domaines, celui qui avait été atteint durant l'Antiquité et que, dans certains cas, notamment en mathématiques et en astronomie, il lui fut même nettement inférieur. De même, lorsque les intellectuels médiévaux s'écartèrent des voies tracées par les maîtres antiques, ils privilégièrent comme eux une orientation qualitative, demeurant ainsi dans le cadre d'une science dont le modèle restait la logique et la rhétorique aristotéliciennes.

Cependant, ce serait sous-estimer considérablement la contribution du Moyen Âge au développement des sciences modernes que de la réduire à la simple récupération des savoirs arabes et grecs, car il y eut à cette époque un énorme travail de conservation, de diffusion et d'institutionnalisation du savoir. L'émergence des universités, au tournant du XIIIᵉ siècle, allait effectivement s'avérer un événement de première importance. L'enseignement universitaire des sciences eut en effet l'avantage d'assurer leur conservation et leur diffusion à un public plus étendu que celui des moines. Cet enseignement consistait toutefois avant tout à commenter les Anciens et non à chercher quelque chose de nouveau, et rares furent les auteurs qui firent des avancées importantes. La domination des clercs dans le monde intellectuel atteste d'ailleurs du fait que l'enseignement était subordonné à la doctrine chrétienne. La synthèse proposée par Thomas d'Aquin au milieu du XIIIᵉ siècle, qui donne à la philosophie d'Aristote une nouvelle orientation conforme à la théologie catholique, allait d'ailleurs fixer les grandes lignes de la doctrine scolastique qui continuerait à être enseignée dans les universités jusqu'au XVIIᵉ siècle.

CHAPITRE 5

Le savoir européen
et les nouveaux mondes : le navigateur, le marchand et le cartographe

Dans l'Antiquité comme au Moyen Âge, la science avait mis au point des théories expliquant le monde astronomique apparent qui situaient la Terre au centre de celui-ci. Elle avait aussi exploré le monde des objets physiques, le monde sublunaire, celui des êtres changeants, et tenté de comprendre la structure et le fonctionnement des organismes végétaux et animaux, l'homme compris. Or, cette Terre et les êtres qui l'habitaient continuaient d'être très imparfaitement connus.

L'Europe, une toute petite partie de l'Asie et du nord de l'Afrique seulement avaient été sillonnées par des voyageurs ou des commerçants européens dont on trouvait des traces dans la tradition écrite. Certes, d'autres voyageurs ou commerçants s'étaient aventurés plus loin, mais sans guère laisser d'informations durables.

Jusqu'à la fin du Moyen Âge, les moyens de navigation ne permettaient pas de s'éloigner des côtes, si ce n'est en Méditerranée où des itinéraires maritimes commerciaux et militaires avaient été établis depuis l'Antiquité. Mais l'Atlantique, avec ses courants et ses vents, demeurait encore, dans l'état des techniques, difficile d'accès. Les routes terrestres étaient les voies privilégiées vers les contrées lointaines, mais le plus souvent il n'était pas aisé de les parcourir, du fait de l'opposition armée de sociétés jalouses de leur contrôle sur leur territoire et de leur souci également de protéger leurs intérêts commerciaux. Aussi l'information sur les contrées éloignées de l'Afrique et de l'Asie demeurait-elle une affaire de rumeurs où les données exactes s'entremêlaient avec les représentations les plus fabuleuses.

Mais à compter du xvᵉ siècle, on entreprit l'exploration maritime de toute la surface du globe. Très rapidement, en un siècle, on atteignait le Japon, par la route de l'est, et le continent américain, par la route de l'ouest.

La signification majeure des nouvelles découvertes géographiques n'échappa pas aux contemporains. Dès 1552, c'est-à-dire un demi-siècle après le premier voyage maritime en Inde, via la pointe sud de l'Afrique (1497), un écrivain espagnol, Francisco Gomez de Gomara, dans son *Histoire générale des Indes*, notait que la découverte des routes maritimes vers l'Asie avait été « le plus grand événement depuis le commencement du monde, à l'exception de l'incarnation et de la mort de celui qui nous a créés ». Les Européens seront tellement saisis par les répercussions des grandes découvertes que, plus de 200 ans plus tard, Adam Smith, l'un des fondateurs de la science économique moderne, écrira encore dans la même veine : « La découverte de l'Amérique et celle du passage vers les Indes orientales par le cap de Bonne-Espérance sont les deux plus grands et plus importants événements de l'histoire de l'humanité[1]. »

C'est l'histoire de ces découvertes que nous allons retracer dans ce chapitre, pour tenter de comprendre en quoi elles ont été une série aussi majeure d'événements dans l'histoire de la connaissance. Comme on le verra, tout le savoir des Anciens en fut transformé : ces grands voyages modifièrent non seulement la représentation que l'on avait pu se faire de la géographie, mais aussi les représentations que l'on se faisait de l'ordre de la nature vivante ; ils amenèrent même les Européens à reconsidérer l'existence de types humains dont la littérature avait jusque-là fait grand état. Toutes ces transformations furent rendues possibles surtout par les progrès dans l'art et les techniques de la navigation, de la construction des navires et de l'armement ; en retour, les découvertes accélèrent puissamment l'évolution des techniques en Europe et, en tissant de nouveaux réseaux marchands, elles posèrent certaines des bases lointaines de la révolution industrielle du milieu du xviiiᵉ siècle.

LA GÉOGRAPHIE, DE L'ANTIQUITÉ À LA FIN DU MOYEN ÂGE

Ptolémée ne fut pas seulement le grand astronome qui écrivit l'*Almageste* ; il fut aussi un géographe célèbre. Le Livre I de sa *Géographie* s'ouvre sur une définition de cette science : « La géographie est une imitation graphique de la partie connue de la Terre[2]. » En tant qu'imitation de la nature (tracer une carte

de la Terre), la géographie s'affirme donc, selon Ptolémée, comme une technique *(technê)*. À l'instar de toutes les techniques, de tous les arts, la géographie obéit à des règles qui, dans ce cas, seront empruntées à la géométrie et à
l'astronomie. Sans doute les connaissances de Ptolémée reposent-elles pour
une large part sur les récits de voyageurs de son temps, mais, comme il le souligne, ceux-ci évaluent le plus souvent très incorrectement les distances entre
deux lieux : les déplacements terrestres imposent de trop nombreux détours,
rendant les estimations trop aléatoires. Idéalement, il faudrait donc, indique
Ptolémée, que toutes les positions de lieux soient déterminées par des observations astronomiques.

Comme le soulignait déjà un prédécesseur de Ptolémée, Strabon (58-25),
la géographie impose des opérations très abstraites :

> Le simple fait de tracer sur une seule et même surface plane l'Ibérie [c'est-à-dire la
> péninsule comprenant l'Espagne et le Portugal actuels], l'Inde et tous les pays inter-
> médiaires, tout autant que de déterminer couchants, levants, passages [du Soleil] au
> méridien, comme s'ils étaient les mêmes pour tous, exige une réflexion préalable sur la
> disposition et le mouvement du ciel, une claire conscience que la surface de la Terre,
> sphérique dans la réalité, n'est actuellement représentée en plan que pour l'œil ; l'ensei-
> gnement donné est alors proprement géographique ; dans le cas contraire, pas de géo-
> graphie possible[3].

Aussi, la géographie, comme imitation de la Terre, comme *mimesis*,
impose-t-elle une double abstraction : la gigantesque sphère de la Terre doit
être représentée d'abord comme une sphère plus petite, un globe terrestre
« imité », un modèle réduit sur lequel on inscrit des contours et des lieux.
Ensuite, la surface de cette sphère est projetée sur une surface plane, une carte
qui permet d'apercevoir d'un seul coup d'œil toute la surface de la sphère. La
géographie relève ainsi de la géométrie, science à qui elle emprunte ses techniques de projection.

Le travail consiste donc à tracer le contour exact des continents et des
eaux et à indiquer les éléments du relief (montagnes, lacs, villes, etc.), chaque
point devant être établi avec précision, à partir de la longitude et de la latitude,
les deux coordonnées nécessaires pour déterminer sa position sur un plan.
La *Géographie* devant servir à l'établissement de cartes, Ptolémée y présente
deux types de projection géométrique, conique simple et conique arrondie,
la seconde étant bien sûr plus précise que la première qui ne tient pas compte
de la rotondité de la Terre *(fig. 5.1)*. Sachant que ses lecteurs ne sont pas
tous de grands géomètres, il prend soin de noter, avec peut-être une pointe

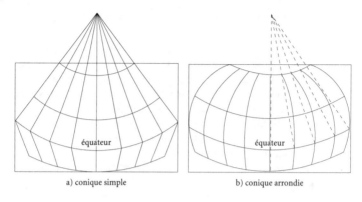

équateur   équateur

a) conique simple   b) conique arrondie

Figure 5.1. Les deux types de projection présentés par Ptolémée dans sa *Géographie*.

d'ironie sinon d'exaspération, que l'on doit « ici comme en toute occasion, préférer le meilleur et le plus difficile au moins bon et au plus facile ; il faut néanmoins conserver les deux procédures, à l'intention des paresseux qui préféreraient s'en tenir au procédé le plus commode[4] ».

La cartographie de Ptolémée n'était pas la première, mais ce fut à son époque la plus complète et la plus exacte *(fig. 5.2)*. Cela dit, il demeurait encore inévitable que l'emplacement de certaines localités, surtout dans les régions éloignées de la Méditerranée, soit souvent estimé de façon plus qu'approximative.

Mais surtout, par rapport à notre connaissance actuelle de la géographie, la représentation ptoléméenne présente des différences très marquées. D'abord la masse des terres émergées est beaucoup plus considérable que celle des eaux. Ensuite, l'océan Indien est enfermé dans une masse continentale et l'océan Pacifique est absent. On ignorait bien sûr tout à fait l'existence du continent américain. Celle de la Chine — le pays d'où venait la soie par voie terrestre depuis l'Antiquité — était connue, mais personne ne l'avait visitée encore ou tout au moins n'en était revenu pour en faire connaître les dimensions et la topographie. En outre, l'extension à l'est du continent asiatique est fortement exagérée. De l'Afrique, seul le Nord, avec lequel les échanges marchands datent de la plus haute Antiquité, est représenté. On note aussi, au sud, la présence d'une étendue de terre continue sur toute la carte, une grande *terra incognita* qui s'étendrait d'est en ouest sur toute la longueur de la Terre, continent qui n'existe évidemment pas, mais qui continuera à figurer sur bien des cartes jusqu'au début du xvie siècle. Les contours de l'Europe sont bien reconnaissables, mais pas ceux de l'Inde. Et au sud de l'Inde, la petite île qu'est

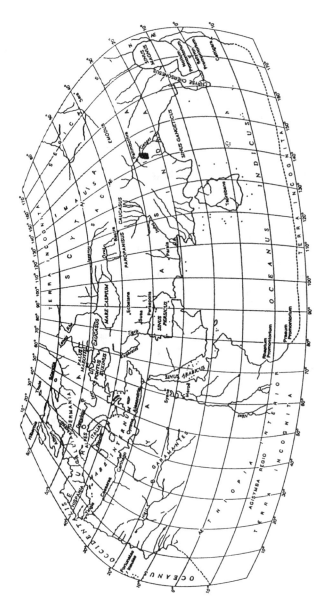

Figure 5.2. Le monde de Ptolémée. La « mer océane » entoure les continents, tous reliés les uns aux autres ; l'océan Indien apparaît ainsi comme une vaste mer intérieure.

Ceylan sur nos cartes actuelles prend des dimensions exagérées. La péninsule arabique cependant, où circulaient des caravanes remontant à partir de la mer Rouge vers l'embouchure du Nil, est, elle, assez précisément dessinée. Quant à la mer Rouge elle-même, on la connaissait assez bien au temps de Ptolémée, puisque des marins grecs y avaient navigué, après s'y être rendus en traversant l'Égypte, et avaient suivi une partie de la côte africaine, certains s'aventurant jusqu'en Inde, immense pays dont le nord était directement connu depuis la grande expédition terrestre de conquête d'Alexandre le Grand.

Les cartes médiévales les plus élaborées reflètent celles de Ptolémée, mais elles en sont le plus souvent, du fait des copistes, des simplifications schématiques et déformées, phénomène qui sera fréquent jusqu'à l'invention de l'imprimerie permettant enfin la reproduction identique des illustrations d'un texte, multipliée aussi souvent qu'on le voudra.

De manière générale, le savoir cartographique régressa au cours du Moyen Âge européen. Jusqu'après l'an 1000, ce savoir s'appuyait davantage sur la tradition biblique, le folklore et les légendes que sur les techniques mathématiques et astronomiques ptoléméennes. Les données géographiques anciennes utilisées étaient les moins sûres, comme celles de Solin, un compilateur romain de la seconde moitié du IIIe siècle, imitateur de Pline, qui propagea nombre d'idées sur des humains monstrueux (tels des hommes à tête de chien ou à sabots de cheval) habitant les régions éloignées du globe, et sur des « choses merveilleuses » (entre autres des dauphins sautant par-dessus les voiles des navires), des fables qui allaient survivre jusqu'à la fin du XVIe siècle chez certains auteurs. La plupart des cartes médiévales connues adoptent la fameuse forme en T, situent le Paradis terrestre en Asie, représentée en haut de la carte, et distinguent très schématiquement l'Europe et l'Afrique dont les contours ne sont pas même esquissés *(fig. 5.3)*. De telles cartes avaient évidemment une fonction essentiellement symbolique et elles ne pouvaient être un outil pour les voyageurs.

Les sources antiques privilégiées par les auteurs médiévaux étaient souvent les moins sûres et il était difficile de savoir qui croire. Ainsi, alors que le compte rendu, pour l'essentiel véridique, que Marco Polo fit de son voyage en Asie et de son séjour en Chine fut accueilli avec scepticisme ou même avec dérision par beaucoup de ses contemporains, le récit entièrement inventé des voyages de Sir John Mandeville, qui prétendit lui aussi avoir vécu en Chine, ne fut pas reconnu pour ce qu'il était, soit une supercherie littéraire commise dans les années 1320[5], mais fut au contraire immensément populaire surtout à compter de son impression en 1499. En fait, la relation fictive de Mandeville, qui disait avoir également voyagé dans des îles au sud-est de la Chine,

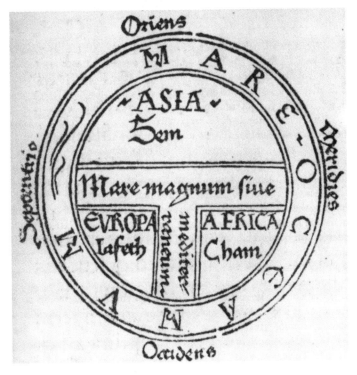

Figure 5.3. Sur cette carte du monde selon Isidore de Séville (IXᵉ siècle), les trois continents sont entourés par la « mer océane » et séparés les uns des autres par la Méditerranée ; chaque continent est identifié à celui des fils de Noé (Sem, Cham, Japhet) qui est censé l'avoir repeuplé après le déluge.

alors que Marco Polo, lui, y était vraiment allé, pourrait bien avoir été l'ouvrage ayant le plus contribué à semer l'idée d'une possible circumnavigation du globe[6].

Cependant, avec l'accès accru à des manuscrits reproduisant les textes des grands auteurs de l'Antiquité, se réaffirma la supériorité de la géographie de Ptolémée. L'*Imago mundi* du cardinal Pierre d'Ailly, rédigé vers 1410, en est un exemple marquant. Comme beaucoup de lettrés, il néglige les sources récentes et s'alimente d'ailleurs à peu près exclusivement à des sources classiques, essentiellement Aristote et Ptolémée. Ainsi ignore-t-il lui aussi entièrement le voyage asiatique du marchand vénitien Marco Polo.

Sa configuration du monde reste à peu près strictement identique à celle de Ptolémée. L'Océan (il n'y en a qu'un seul pour d'Ailly, comme pour ses contemporains et pour les Anciens) entoure la masse des terres. Marco Polo dit la même chose : à propos du fleuve Jaune en Chine, il écrit : « Il va se jeter dans la mer Océane qui entoure le monde, c'est-à-dire toutes les terres[7]. »

Reprenant le modèle de la carte en T, d'Ailly divise encore le monde en trois parties : « L'Europe et l'Afrique occupent une moitié du monde, tandis que seule l'Asie occupe l'autre moitié[8]. » Il continue de souscrire à la thèse commune chez Hippocrate et chez Aristote, par exemple, selon laquelle la nature et le caractère des hommes sont déterminés par le climat. Ainsi note-t-il que les « circonstances générales de l'habitabilité [sont] la terre fertile, la bonne exposition solaire et la clémence du Ciel sidéral », comme ce fut éminemment le cas au Paradis terrestre ; en revanche, les régions extrêmes sont peuplées par des « hommes au visage difforme et horrible [...] dont il est difficile de dire si ce sont des hommes ou des bêtes[9] ». En contrepartie, des peuples comme les Grecs, « placés dans une région intermédiaire [entre l'extrême nord et l'extrême sud] sont également bien doués en force et en sagesse », alors que les peuples du sud sont sages et intelligents, et doués pour l'astronomie selon Ptolémée, mais « sont moins robustes, moins travailleurs et moins entreprenants[10] ».

D'Ailly continue aussi à colporter, à côté d'informations exactes, des légendes anciennes ; ainsi, l'Inde, qui est constituée de « quarante-quatre nations », « renferme de gros éléphants et des licornes [...]. En outre c'est là qu'on trouve des montagnes d'or inaccessibles à cause des dragons, des griffons, et des monstres humains[11]. »

Le tour du monde, par terre puis par mer, de l'Asie à l'Angleterre,
mais sans rencontre de l'Amérique, selon un auteur du XIVᵉ siècle

... j'étais jeune encore lorsque j'entendis raconter l'histoire d'un homme courageux qui avait quitté nos régions pour aller à la découverte du monde. Il contourna les Indes, puis les îles au-delà, si nombreuses qu'il en compta plus de 5 000. Et il poursuivit ainsi son périple, par mer et par terre, pendant tant de saisons qu'il finit par débarquer sur une île où il entendit le son de sa propre langue, les mots mêmes que l'on crie aux bêtes de labour dans son pays ; il en fut émerveillé, car il ne pouvait comprendre qu'il en fût ainsi. Mais moi je vous dis qu'en voyageant si longtemps, par terre et par mer, il a parcouru le monde dans son entièreté.

Traduit d'après A. W. Pollard (dir.), *The Travels of Sir John Mandeville*,
New York, Dover, 1964, p. 122-123.

L'ouvrage de Pierre d'Ailly fut l'un des plus lus de son temps ; Christophe Colomb lui-même, à la fin du siècle, le lut attentivement et l'annota copieusement[12]. De manière générale, d'Ailly se déclarait en désaccord avec ceux qui croyaient l'Océan très étendu[13]. Et, à l'instar de tous les lettrés depuis l'époque de Platon, il savait parfaitement que la Terre était ronde. Comme on le verra plus loin, cela encouragea fortement Colomb à essayer de rejoindre l'Asie en naviguant vers l'ouest à partir de la côte européenne.

Pour que les Européens commencent à remettre en question la représentation géographique ptoléméenne, il fallut attendre la fin du XVe siècle. Les voyages de Bartolomeu Dias et de Vasco de Gama, qui contournèrent la pointe sud de l'Afrique, démontrèrent que l'océan Indien communique avec l'Atlantique et portèrent un coup sérieux à la crédibilité de la géographie de Ptolémée. Ce fut également le cas quand Magellan et del Cano réalisèrent la première circumnavigation et révélèrent l'immensité du Pacifique. Quant à la croyance en l'existence d'un continent austral sur toute l'étendue sud de la carte du monde, elle allait survivre longtemps encore. Néanmoins, on peut affirmer que, à compter de la seconde moitié du XVIe siècle, la géographie de Ptolémée n'exerça plus aucune autorité[14].

LETTRÉS, MARCHANDS ET MARINS DANS L'EUROPE DE LA FIN DU MOYEN ÂGE

Le savoir dont nous avons précédemment décrit l'évolution était essentiellement celui des lettrés. Cette littérature n'était pas familière aux marins — hommes frustes et le plus souvent illettrés — ainsi qu'aux marchands, avant tout intéressés par le savoir pratique. Leur principale préoccupation était de faire du commerce et, en tant que telle, la connaissance du monde n'était pas leur affaire. Un géographe grec du début du IIᵉ siècle, Marinos de Tyr, dont quelques fragments de textes nous sont parvenus par l'intermédiaire de Ptolémée, le déplorait déjà : « Ils ne s'intéressent qu'à leur propre négoce, se soucient peu de l'exploration et souvent par vantardise ils exagèrent les distances. » De même, Pline écrivait : « La foule immense qui navigue le fait par l'amour du gain et non de la science, sans songer, dans son aveuglement, et dans son avidité, que la navigation elle-même devient plus sûre par la science[15]. »

Par ailleurs, le monde des lettrés, comme nous l'avons souligné, ignorait souvent les écrits — du reste peu nombreux — de marchands et continuait de s'appuyer essentiellement sur la tradition littéraire et scientifique issue de l'Antiquité, tradition que l'intense activité de traduction à compter du XIIᵉ siècle s'affairait à reconstituer.

Les univers intellectuels des marchands et des lettrés n'étaient pourtant pas toujours aussi isolés les uns des autres. Ainsi, les historiens mentionnent, par exemple, que les cartes catalanes et celles de Majorque au XIVᵉ siècle témoignent d'une connaissance étonnante de la région sud du Soudan, comme des routes suivies par les caravanes de l'Afrique du Nord à travers le Sahara vers la « Terre des nègres de Guinée ». Cette information provenait surtout des marchands juifs qui pouvaient traverser avec une facilité relative les territoires islamisés, la région ibérique demeurant alors la zone privilégiée de contacts entre les mondes musulman et chrétien, et les savants juifs jouant souvent un rôle clé dans la transmission interculturelle des savoirs.

Néanmoins, au total, les marins bénéficiaient peu des connaissances du monde savant. L'arithmétique élémentaire, essentielle pour les calculs de la navigation, fut le premier emprunt qu'ils firent à ce savoir, un emprunt passant d'ailleurs par le détour de l'usage pratique de l'arithmétique que faisaient les marchands. La numération indienne avait été répandue en Europe par Léonard de Pise, fils d'une famille marchande qui avait beaucoup voyagé, au début du XIIIᵉ siècle. Son manuel d'arithmétique élémentaire, le *Liber abbaci*, gardait un caractère essentiellement pratique et amenait le lecteur jusqu'à l'apprentissage de la règle de trois. L'usage de ces chiffres maintenant dits « arabes », rendait caducs la numération romaine, impropre au calcul, et le recours à l'abaque. Mais il se répandit lentement : jusque tard dans le XVIᵉ siècle, on trouve encore des comptes de cargaisons et des relevés de distances parcourues inscrits en chiffres romains.

L'influence de l'astronomie savante sur la navigation était négligeable. On continuait à naviguer à l'estime, en se guidant sur les constellations du ciel, le

Soleil et l'étoile Polaire surtout, et en évaluant grossièrement les distances parcourues. Point nécessaire, pour de tels besoins, de savoir si c'est la Terre ou le Soleil qui est au centre de l'univers.

Néanmoins, le pilotage et l'hydrographie se développèrent continûment à la fin du Moyen Âge ; mais c'était essentiellement oralement, par l'exemple et par l'apprentissage « sur le tas », que les pilotes se transmettaient le savoir acquis. Ces pilotes disposaient parfois de cartes et de « routiers » fournissant des indications assez précises pour leur permettre de s'aventurer sur les itinéraires de la Méditerranée, de la mer Noire et même de la côte atlantique de l'Europe. Mais il s'agissait de petites distances et on ne possédait pas encore les connaissances et les instruments nécessaires pour la navigation hauturière.

Pour ceux qui étaient en mesure de lire, il existait au XVe siècle un certain nombre de textes clés relatifs au monde non européen. Mais il n'était pas toujours aisé de se les procurer. Pour l'Atlantique Nord, les voyages des Vikings au Groënland et sur la côte est de l'Amérique du Nord autour de l'an 1000, alors interrompus depuis longtemps, étaient relatés par des récits épiques en vers, les sagas, qui ne circulaient pas hors de la Scandinavie. L'Afrique était mieux connue, jusqu'au Sénégal à l'ouest et au Nil à l'est, grâce aux grands voyageurs arabes et juifs médiévaux, dont on ne possédait pas cependant encore en Europe les textes originaux. De fait, la connaissance du continent africain passait surtout, comme nous l'avons dit, par les travaux des cartographes et fabricants d'instruments juifs, installés à Majorque, qui faisaient le pont entre les chrétiens et les musulmans et qui participaient activement aux échanges commerciaux avec l'Afrique du Nord.

Pour l'Asie, on possédait quelques importants récits médiévaux, ceux de Jean de Plano Carpini, envoyé en 1245 par le pape en mission diplomatique à la cour du grand khan Qubilai qu'il espérait convertir au christianisme[16]. En 1253, Guillaume de Rubruck se vit confier semblable mission par le roi de France Louis IX qui souhaitait se faire du souverain mongol un allié pour combattre les musulmans dans son entreprise (avortée) de reconquête des Lieux saints en Palestine[17]. Surtout, on disposait du récit de voyage de Marco Polo, issu d'une famille de marchands vénitiens, qui, en 1271-1273, se rendit lui aussi à la cour du grand khan, lequel régnait alors sur la plus grande partie de l'Asie centrale et sur la Chine ; Polo y resta plus de 20 ans et voyagea à travers l'Asie. Ce fut son ouvrage qui le premier révéla aux Européens l'existence du Japon. Puis les voyages de religieux et de marchands se multiplièrent, mais ils furent interrompus, d'une part, par la grande épidémie de peste de 1348 et, d'autre part, par la montée des Turcs ottomans qui, convertis à l'islam, menèrent une guerre sainte contre la chrétienté. En outre, les Mongols furent chassés de Chine, où s'installa la dynastie Ming en 1368, laquelle revint à la politique traditionnelle d'exclusion des étrangers. Par conséquent, au XVe siècle, la connaissance de l'Extrême-Orient qu'avaient les Européens demeurait largement tributaire de sources datant du XIVe siècle ou d'avant[18].

Avant de se replier à la fin des années 1430 pour plusieurs siècles sur leur immense territoire, les Chinois avaient entrepris une série de grands voyages maritimes dans le but de conquérir de nouveaux territoires ou d'étendre leur marchés. Ils avaient ainsi, entre 1403 et 1433, monté une série d'expéditions jusque dans l'est africain et ils étaient déjà répandus partout dans le sud-est asiatique, notamment à Java.

Les Arabes, quant à eux, comptaient dans leur tradition de nombreux grands voyageurs. Le plus célèbre d'entre eux, Ibn Battûta, entreprit en 1325 un voyage qui allait durer plus de 25 ans. Quittant le Maroc, il se rendit, en

---

Le récit de Marco Polo sur le pétrole et l'amiante

Sur cette frontière devers les Géorgiens, il y a une fontaine d'où sourd une liqueur telle qu'huile en grande abondance, tant que parfois un cent de grandes nefs y chargent aisément en même temps ; point n'est bonne à manger [contrairement à ce qui est alors l'huile par excellence, l'huile d'olive], mais est bonne à brûler et pour oindre les hommes et les animaux galeux, et les chameaux pour l'urticaire et les ulcères. Et viennent les hommes chercher cette huile de très loin, et toute la contrée alentour ne brûle autre huile que celle-là.

[…] Et sachez aussi que sur cette montagne se trouve une veine de laquelle on tire la salamandre, laquelle ne peut brûler quand on la met au feu ; et c'est la meilleure que l'on trouve dans le monde. Et sachez-le bien : la salamandre dont je parle, n'est ni bête ni serpent, car point n'est vrai que ce tissu soit du poil d'un animal vivant dans le feu, comme on dit en notre pays, mais c'est ce que je vous dirai. […] Quand on a extrait des montagnes un peu de cette veine, et qu'on l'a rompue et broyée, elle se tient ensemble et forme des fils comme la laine. Et pour cela, quand elle sèche on la pile dans un grand mortier de cuivre ; puis on la lave à l'eau : seuls surnagent ces filaments dont je vous ai dits semblables à la laine, alors que la terre, qui ne vaut rien, tombe au fond de l'eau et on la jette. Puis ce fil semblable à la laine est facilement filé, puis tissé, et l'on en fait des toiles que nous appelons salamandre. […] Quant au serpent salamandre qu'on dit vivre dans le feu, je n'en ai pas entendu mot dans les régions de l'Est. Et toutes les autres choses qu'on en raconte sont mensonges et fables.

Marco Polo, *Le Devisement du monde*, Paris, La Découverte, 1980, vol. 1, p. 73, p. 149-151.

traversant toute l'Afrique du Nord, en Irak, en Perse, puis en Inde, et atteignit la Malaisie et peut-être même la Chine *(fig. 5.4)*. Son récit, dicté en 1355, constitue l'un des monuments de la littérature de voyages, mais il n'était pas alors connu en Occident. De manière générale, les Arabes avaient évidemment une connaissance bien plus poussée de l'Afrique et de l'Asie que les Européens. Le XIVe et le XVe siècle connurent une intense poussée de l'islam sur toutes les rives de l'océan Indien, jusque dans les îles indonésiennes. Aussi, quand ils pénétrèrent plus tard dans cet océan, les Européens se heurtèrent-ils partout à la concurrence militaire et commerciale islamique.

Contrairement à ce qu'on a pu penser, les progrès scientifiques ne furent pas à l'origine de la grande poussée d'exploration du monde qui s'accentua au XVe siècle. Malgré des points de contacts certains, l'univers des marins et des marchands et celui des savants et des lettrés restaient séparés. Certaines légendes ont contribué à faire oublier l'existence prolongée de cette double solitude. Dans certains pays, l'historiographie nationaliste du XIXe et du XXe siècle a modernisé indûment le monde des premiers grands navigateurs. On en trouve un bon exemple dans la légende entourant le grand prince portugais Henri le Navigateur — qui ne navigua d'ailleurs lui-même jamais sérieusement, mais qui encouragea les voyages d'exploration le long de la côte atlantique de l'Afrique : la grande école de mathématiques, d'astronomie et de navigation qu'il aurait créée à Sagrès apparaît maintenant aux historiens comme un pur mythe. En fait, les grands découvreurs portugais, puis Colomb lui-même, allaient se lancer dans leurs voyages avec un outillage mental médiéval[19].

Il est vrai toutefois qu'en 1484 Jean II du Portugal convoqua à sa cour une commission d'experts mathématiciens et astronomes pour mettre au point une méthode permettant de déterminer la latitude à partir de la position observée du Soleil. Une telle réunion avait cependant un caractère tout à fait exceptionnel. Le travail de la commission fut consigné dans ce qui constitue le premier manuel européen de navigation et le premier almanach nautique, le *Regimento do astrolabo e do quadrante*[20]. Ce manuel rassemble le meilleur des connaissances disponibles à la fin du XVe siècle. Mais seuls les plus éduqués et les meilleurs des navigateurs pouvaient utiliser un ouvrage aussi complexe.

Ce n'est que plus tard, au début du XVIe siècle, au Portugal et en Espagne, que l'on fonda des écoles destinées à former les experts navigateurs. Amerigo Vespucci — dont on donna le nom au nouveau continent, l'Amérique[21] — et Sébastien Cabot occupèrent l'un et l'autre le poste de directeur de l'école fondée à Séville.

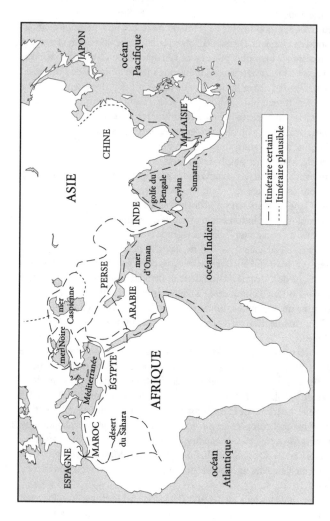

Figure 5.4. Itinéraires de Ibn Battûta, du Maroc à l'Extrême-Orient (1325 à 1353). D'après Ibn Battûta, *Voyages*, Paris, Maspero, 1982, vol. 1, p. 66-67.

LA CONQUÊTE ET LA CONNAISSANCE DES OCÉANS

Ainsi que le reconnaît un auteur de l'époque, avant 1415, même les navigateurs issus d'un peuple marin comme les Portugais « n'étaient pas habitués à se risquer loin en haute mer[22] ». Depuis des millénaires, le monde des Européens était centré sur les mers intérieures, la Méditerranée et la mer Noire, la Baltique ; dans l'Atlantique agité, on naviguait précautionneusement, à proximité des côtes seulement.

Pourtant, en deux siècles seulement, entre le tournant du xvᵉ et la fin du xviᵉ siècle, les Européens apprirent très rapidement à sillonner les mers et les océans de tout le globe et à considérer l'ensemble de la planète, Asie, Afrique et Amérique comprises, comme un tout qui leur était accessible. Cela ne veut pas dire que l'ensemble du monde ait été vraiment connu des Européens à la fin de cette période ; loin s'en faut. D'abord le continent australien ne fut découvert qu'au xviiiᵉ siècle, ensuite les régions arctiques et antarctiques restaient inexplorées. Mais surtout, et tout particulièrement dans le cas de l'Afrique et de l'Asie, ce ne fut qu'une mince bande de terre en bordure des mers qui livra ses premiers secrets et sur laquelle les Européens s'installèrent : malgré leur supériorité sur les océans, ils ne pouvaient, comme on le verra plus loin, s'imposer ailleurs que sur le pourtour des continents. La découverte des nouveaux mondes fut d'abord et avant tout celle des régions océaniques.

Comme le montre le *tableau 5.1* à la page suivante, les grandes découvertes se concentrèrent sur quelques décennies. En 40 ans, l'Afrique fut contournée, l'océan Indien — dont on savait désormais qu'il communiquait avec l'Atlantique — fut régulièrement parcouru, l'Amérique fut découverte et contournée, et l'océan Pacifique — ignoré des Anciens qui ne soupçonnaient pas l'existence de l'Amérique — fut traversé pour faire la jonction maritime avec l'Asie. Ces voyages venaient bouleverser dans leurs fondements mêmes les idées reçues de la géographie ancienne.

Le contournement de la pointe sud de l'Afrique avait été préparé de longue date : au cours de la première moitié du xvᵉ siècle, sous l'impulsion d'Henri le Navigateur surtout (1394-1460), les Portugais s'étaient engagés de plus en plus loin le long de la côte ouest africaine. Progressivement s'étaient multipliées diverses activités commerciales (par exemple les pêcheries le long des côtes mauritaniennes, ou le commerce d'un poivre grossier, la malaguette, le long des côtes du Liberia), activités impliquant une répétition des mêmes itinéraires que l'on finissait par bien connaître, mais toujours en s'en tenant à la navigation côtière à l'aide de repères terrestres, sans jamais perdre longtemps de vue le rivage.

	Tableau 5.1. Chronologie des grandes découvertes
1487	Le Portugais Bartolomeu Dias contourne la pointe sud de l'Afrique (le cap de Bonne-Espérance), donnant à penser qu'il existe au sud une route maritime vers l'Asie, même si la cartographie de Ptolémée présentait l'océan Indien comme entièrement encerclé par des terres.
1492	Christophe Colomb, marin génois, débarque dans les Antilles pour le compte des monarques espagnols.
1497	Le Florentin Giovanni Caboto (Jean Cabot), au service de l'Angleterre, découvre l'Amérique du Nord en cherchant la route des Indes.
1497-1498	Le Portugais Vasco de Gama, reprenant la route de Dias, est le premier à atteindre par cette voie la côte ouest de l'Inde.
1500	Le Portugais Pedro Alvares Cabral découvre le Brésil.
1513	L'Espagnol Balboa atteint l'océan Pacifique en traversant l'isthme centre-américain.
1519-1522	Le Portugais Fernand de Magellan, au service de l'Espagne, entreprend le premier voyage autour du monde en trouvant un détroit navigable dans les parages du cap Horn, au sud de l'Amérique, et trouve la mort aux Philippines après avoir découvert l'archipel des Moluques ; mais son périple est achevé par l'un de ses lieutenants, del Cano, qui rejoint Lisbonne en 1522.

Néanmoins, la volonté tenace de pousser sans cesse plus loin les explorations, puis la succession rapide des découvertes sont des faits remarquables qui ont infléchi de manière significative l'évolution des connaissances et qui méritent que l'on s'y attarde. On peut les examiner sous deux angles différents, celui des motivations et celui des moyens.

LES MOTIVATIONS

Quand Vasco de Gama aborda la côte ouest de l'Inde en 1498, on lui aurait demandé ce qu'il venait chercher, ce à quoi il aurait répondu : « Des Chrétiens et des épices[23]. » En fait, comme l'écrit l'historien Carlo Cipolla, « la religion fournit le prétexte et l'or la motivation[24] » ; et, pourrions-nous ajouter, c'est le progrès technique qui fournit les moyens.

L'idéologie des croisades survivait toujours en effet dans la péninsule ibérique qui s'était tardivement libérée de l'occupation musulmane ; le zèle déployé pour combattre l'islam n'y était pas mort. En outre, la légende du prêtre Jean en Asie, notamment popularisée par le récit fictif de Mandeville, mais vivace aussi dans les récits des voyageurs médiévaux[25], s'était perpétuée

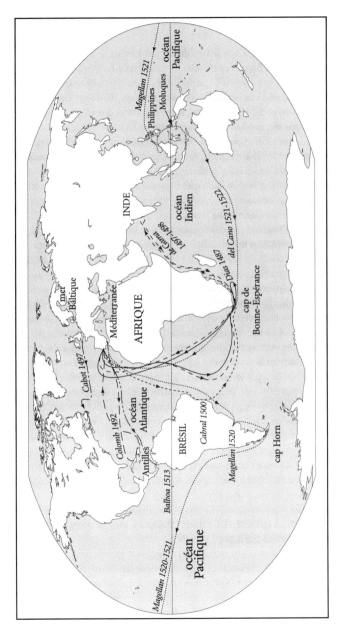

Figure 5.5. Les grands voyages d'exploration de 1487 à 1522.

et donnait l'espérance d'une jonction avec cet empire asiatique et chrétien mythique qui aurait permis de prendre les musulmans en tenailles. On ne doit pas non plus négliger l'esprit de curiosité, mais il est certain que les motivations économiques, la recherche de la route des épices, du poivre surtout, dont les Européens faisaient une consommation énorme et dont le prix était exorbitant, ne tardèrent pas à devenir déterminantes[26].

Enfin, le coût des expéditions (il s'agissait non seulement d'affréter des navires, mais aussi de les armer) et le fait que ce furent des marchands et des banquiers qui réalisèrent généralement les montages financiers nécessaires, confirment, si besoin était, que l'appât du gain fut un facteur décisif. Les sommes requises faisaient d'ailleurs que les voyages étaient souvent des entreprises internationales : une grande flotte qui quitta Lisbonne en 1505 fut financée pour l'essentiel par des étrangers, car le trésor public portugais était alors mal en point ; des marchands italiens, génois et florentins ainsi que des financiers allemands, les Welsers et les Fugger, assurèrent l'investissement et en tirèrent des profits énormes, de 175 %, au retour[27].

Mais les risques aussi étaient considérables. À cause des affrontements en mer, des maladies facilement transmissibles dans l'espace confiné des navires et des naufrages nombreux, la mortalité dans les équipages était désastreuse ; souvent, plus de la moitié des hommes d'une flotte ne survivaient pas au voyage. Les navires et les cargaisons perdues entraînaient également des pertes immenses, donnant lieu à l'époque à l'émergence et à la diffusion rapide d'une importante technologie sociale fondée sur le calcul, l'assurance[28].

Si les motivations de l'expansion maritime européenne sont assez évidentes, jointes au développement du commerce et des outils financiers, les raisons de son succès sont, en revanche, plus complexes. Elles tiennent à trois facteurs techniques : les progrès de la construction navale, l'évolution des techniques de navigation et celle des armements. Un quatrième facteur entre en jeu : des connaissances tirées de l'expérience et liées à l'art de la navigation, soit la maîtrise du régime des vents.

PROGRÈS DE LA CONSTRUCTION NAVALE ET DÉVELOPPEMENT DES TECHNIQUES DE NAVIGATION

La galère était le navire européen antique par excellence, mis au point en Méditerranée. Les rameurs fournissaient l'essentiel de la force motrice et on montait une grande voile carrée quand le vent le permettait. Souvent de très grande taille, la galère était adaptée aussi au transport de marchandises (certaines pouvaient contenir jusqu'à 1 300 tonnes de grains à l'époque romaine) ; tout à fait impropre à la navigation en haute mer, elle continua de dominer celle de la Méditerranée jusqu'au XVIᵉ siècle, ce qui constitue un exemple extrême de conservatisme technique.

Aussi les navires utilisés dans les grands voyages d'exploration au tournant du XVᵉ siècle relevaient-ils d'une autre tradition technique, essentiellement atlantique. Au XIVᵉ siècle, les bateaux qui naviguaient sur l'Atlantique n'avaient plus de rameurs comme les galères ; ils se mouvaient exclusivement à l'aide d'une voile carrée montée sur un mât unique et étaient dirigés par un gouvernail latéral, sorte de longue et large rame. Le gouvernail d'étambot, probablement apparu d'abord dans la mer Baltique, monté à l'arrière du navire, se propage en mer du Nord à compter du XIVᵉ siècle. La coque des nefs qui en étaient pourvues n'avait plus la même forme : au lieu d'être pointues aux deux extrémités, elles étaient coupées en biais à l'avant et aplaties à l'arrière. À la proue parfois et surtout à la poupe, la coque était surmontée de châteaux qui permettaient d'avoir un meilleur champ de vision, mais surtout de dominer le pont des navires ennemis et de faire pleuvoir sur eux flèches, balles ou boulets. À compter du tournant du XVᵉ siècle et après 1450 surtout, la surface de voile augmenta, la plupart des navires ayant désormais trois mâts : les deux premières portaient une voile carrée et l'artimon, une voile latine, triangulaire. Cette innovation donnait la possibilité de tirer parti de vents soufflant de l'avant[29].

Ces améliorations ne devaient rien à la science, elles étaient le fruit de l'expérience, d'essais et d'erreurs, d'une sorte de sélection naturelle : les navires qui avaient survécu aux épreuves et qui avaient donné de bons résultats étaient imités et progressivement améliorés.

Mais se déplacer sur l'océan n'est pas tout, encore faut-il savoir où l'on est et où l'on va : c'est tout l'art de la navigation. Celui-ci suppose trois choses : une connaissance de la configuration du globe et des distances, la capacité de faire le point, c'est-à-dire de déterminer précisément l'endroit où l'on se trouve sur l'océan, et enfin celle de reporter ce point sur une carte où est tracée la route que doit suivre le navire. Chacun de ces éléments de la technique de la navigation posait un problème à l'époque des découvertes.

D'abord, il fallait une représentation aussi exacte que possible de la taille de la Terre et de l'emplacement des océans et des continents. Or, comme on l'a déjà vu, le savoir géographique de l'époque, pour l'essentiel encore fondé sur les connaissances et les calculs de Ptolémée au IIᵉ siècle de notre ère, donnaient des informations très incomplètes et en partie fautives. À cet égard, les considérations et les choix de Christophe Colomb sont particulièrement significatifs.

Christophe Colomb qui, comme tous ses contemporains instruits, savait que la Terre est sphérique, voulait atteindre la Chine et le Japon en naviguant vers l'ouest. Il s'agissait de trouver une route espagnole, autre que celle qui contournait l'Afrique par le cap de Bonne-Espérance et qui était contrôlée par les concurrents portugais.

L'entreprise lui paraissait réalisable pour deux raisons, toutes deux d'ailleurs inexactes : il croyait la sphère terrestre plus petite qu'elle ne l'est en réalité et l'Asie bien plus grande, s'avançant beaucoup plus loin dans l'océan que ce n'est le cas. Pourtant, un astronome grec du IIIe siècle avant notre ère, Ératosthène, avait estimé la circonférence de la Terre à 40 000 km (on sait aujourd'hui qu'elle est de 40 075 km), une évaluation portée à 40 253 km par un astronome arabe au IXe siècle, al-Ma'mun. Mais Colomb, qui connaissait ce dernier chiffre, crut que la mesure arabe du mille était équivalente à celle du mille romain et en conclut que la Terre avait une circonférence de 30 044 km, soit les trois quarts seulement de sa valeur réelle[30]. Par ailleurs, il était aussi persuadé que le Japon n'était qu'à 5 000 km des îles Canaries, un archipel situé au large de la côte africaine. Comme la Méditerranée, d'une longueur d'environ 4 500 km d'est en ouest, était depuis des siècles traversée d'un bout à l'autre, l'entreprise asiatique lui paraissait tout à fait raisonnable. D'autant plus que Colomb pouvait également s'appuyer sur l'opinion de certains des plus grands auteurs médiévaux, comme le cardinal Pierre d'Ailly qui, dans l'*Imago mundi* — soigneusement annoté par Colomb —, avait écrit : « La limite de la Terre habitable à l'Est et la limite de la Terre habitée à l'Ouest sont proches l'une de l'autre et séparées par une petite mer. »

Comme on le sait, Colomb atteignit finalement les Antilles en 1492, à quelque 6 500 km de la côte européenne, après 36 jours de navigation à partir des îles Canaries ; il croyait avoir atteint l'Asie, alors que, à vol d'oiseau vers l'ouest, près de 23 000 km séparent en fait l'Europe de l'Asie. Jusqu'à sa mort, Colomb ignora l'existence du continent américain, convaincu qu'il était d'avoir atteint des îles au large de la côte asiatique, même si, selon ses propres calculs, ces îles auraient dû se trouver à 800 lieues de l'Asie[31].

Même en prenant pour base les données à peu près correctes de Ptolémée sur la taille de la Terre, se diriger autrement qu'à l'aveugle sur un océan n'était pas une mince affaire.

Le domaine technique de la navigation demeurait réservé à une aristocratie restreinte d'experts que l'on ne retrouvait pas sur tous les navires. Ces experts avaient quelques connaissances en astronomie et savaient comment appliquer des règles mathématiques à l'observation astronomique pour déterminer au moins de manière approximative la position d'un navire. De telles

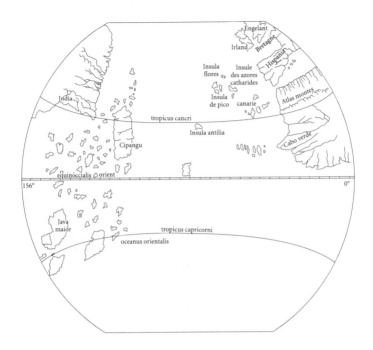

Figure 5.6. Sur cette représentation d'une section d'un globe terrestre réalisé par Martin Benhaim de Nuremberg en 1492, on notera l'absence du continent américain et la relative proximité des Antilles *(Insula antilia)* et du Japon *(Cipangu)*. D'après l'édition de l'*Imago mundi,* de Pierre d'Ailly, préparée par Edmond Buron, Paris, Maisonneuve, 1930, vol. 3, planche XXIX.

connaissances étaient tirées des livres et étaient réservées à une élite de marins alphabétisés[32]. Mais les pilotes qui firent les premiers grands voyages océaniques, comme ceux qui embarquèrent avec Colomb, n'étaient pas encore si savants. La plupart étaient des hommes d'expérience plutôt que des hommes instruits et ils se méfiaient d'ailleurs du savoir livresque ; ils avaient généralement pour toute expérience celle de la navigation en Méditerranée ou le cabotage le long de la côte atlantique.

Aussi les moyens le plus couramment utilisés pour la navigation se résumaient-ils souvent à la boussole et à la navigation à l'estime, qui ne requéraient aucune connaissance astronomique. La boussole permettait de suivre une direction constante — du moins en principe parce que les navires dérivaient au vent et qu'il n'y avait pas de moyen de déterminer précisément l'ampleur de cette dérive. L'estime visait à donner une approximation de la distance parcourue.

La boussole était utilisée en navigation par les Chinois au moins depuis le début du XIIᵉ siècle et son usage s'était généralisé sur les mers asiatiques et chez les Arabes au XIIIᵉ siècle. Elle était connue en Europe depuis la fin du XIIᵉ siècle[33] et y était d'usage courant depuis la fin du XVᵉ siècle. Il s'était longtemps agi d'un instrument rudimentaire : une aiguille aimantée (qu'il fallait frotter de temps à autre avec une pierre aimantée parce qu'elle avait tendance à se démagnétiser) était fixée sur un mince copeau de bois qui flottait dans un petit bassin d'eau. Au XVᵉ siècle, des fabricants d'instruments l'avaient perfectionnée : un fil de fer aimanté était monté, mobile, sur une épingle au centre d'un morceau de parchemin circulaire portant les divisions de la rose des vents. À compter du XVIᵉ siècle, cet instrument sera monté sur des cercles pivotants (cardans) de façon à le stabiliser et à le préserver des mouvements du navire.

Pour évaluer les distances parcourues, le navigateur du XVᵉ siècle disposait d'une technique encore plus primitive : on calculait la vitesse du navire en mesurant, à l'aide d'un sablier, le temps qu'un morceau de bois jeté à la mer prenait pour parcourir la longueur connue entre la proue et la poupe.

La boussole et la navigation à l'estime, qui furent les moyens utilisés par Colomb, permettaient d'arriver à destination, souvent cependant avec une dérive considérable, mais elles ne permettaient pas de se situer avec une précision suffisante sur l'océan.

C'est au cours des voyages d'exploration que les Portugais firent le long de la côte africaine, au XIVᵉ siècle, que de nouvelles méthodes de navigation se mirent en place. Le repérage s'effectuait désormais à l'aide des corps célestes, du Soleil et de l'étoile Polaire surtout, facile à observer et qui semble immobile à l'observateur. À mesure qu'un navire s'avançait vers le sud, l'angle entre l'étoile Polaire et l'horizon diminuait. (Au XVIᵉ siècle, on apprendrait à se servir dans les mers du sud de la constellation appelée Croix du sud, l'étoile Polaire ayant disparu à cet endroit sous l'horizon).

À compter de 1480 environ, on utilise de plus en plus le quadrant (*fig. 5.7*), puis, à compter du XVIᵉ siècle, l'astrolabe nautique (une version simplifiée de l'instrument astronomique d'origine grecque, perfectionné par les Arabes) pour estimer la latitude de la position d'un navire.

En revanche, la détermination de la longitude en mer posait un problème qui resterait longtemps insoluble dans la pratique, même si la solution, théoriquement simple, était depuis longtemps connue.

En effet, parce que les méridiens convergent aux pôles, la valeur (en longueur) d'un degré de longitude varie selon la distance séparant l'endroit où

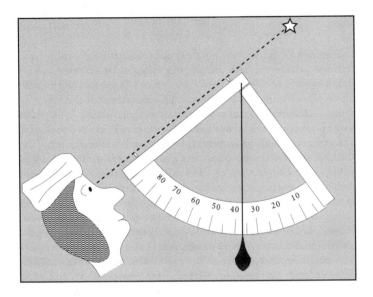

Figure 5.7. Quadrant. En mesurant l'angle d'une étoile par rapport à l'horizon, et en utilisant des tables de conversion, on peut déterminer la latitude de la position en mer.

l'on se trouve et l'équateur, c'est-à-dire dans ce cas-ci selon la latitude du navire. La mesure de la distance parcourue par un navire en un temps donné, en supposant que l'on ait pu la déterminer à peu près correctement, ne pouvait donc permettre d'établir la position de ce navire.

Pour se situer par rapport aux méridiens, il faut disposer d'horloges très précises indiquant exactement l'heure qu'il est à un méridien de référence, celui du point de départ. Quand le Soleil est à la verticale et qu'il est midi, il est alors, en principe, facile de connaître la longitude : tout cercle, quelle que soit sa circonférence, correspond à 360° et par conséquent, la Terre tournant sur elle-même en 24 heures, chaque heure correspond à 15° en longitude. En calculant, à midi pile sur le navire, la différence de temps par rapport au point de départ, on peut déterminer précisément la longitude. Une telle opération nécessite évidemment des horloges qui donnent toujours l'heure exacte, et qui restent parfaitement insensibles aux agitations et aux secousses d'une navigation hauturière. Des horloges capables de telles prouesses techniques ne seront mises au point qu'à compter du XVIIIe siècle.

En mesurant à l'aide du quadrant, l'altitude en degrés de l'étoile Polaire, l'observateur pouvait calculer sa latitude, ce que tous les lecteurs de Ptolémée savaient déjà. La distance par rapport au point de départ était donnée par la différence en degrés entre ce dernier point et la position estimée du navire, chaque degré étant évalué selon Ptolémée à environ 16,66 lieues, ce qui constituait une sous-estimation considérable. En outre, l'usage du quadrant était délicat, vu la difficulté de maintenir en position verticale stable le fil à plomb sur un pont de navire en mouvement ; mais cette imprécision ne portait guère à conséquence, puisqu'on ne pouvait reporter le point sur une carte[34].

La première utilisation d'une carte à bord d'un navire fut rapportée en 1270, pour une traversée de la Méditerranée[35]. Les portulans étaient connus depuis longtemps (le plus ancien qui subsiste aujourd'hui date de 1300), mais ils ne consistaient qu'en une description des côtes. De tels portulans existaient notamment pour la mer Noire, pour l'ensemble de la Méditerranée et pour l'ouest de la côte nord-africaine. Vinrent ensuite des livres de pilotage, appelés généralement « routiers » ; les plus anciens remontent au XVe siècle. Ils donnaient la direction à emprunter pour naviguer vers une côte, et aussi des informations sur les profondeurs et sur les marées. En fait, la préparation de la documentation nécessaire aux navigateurs donna lieu à la recherche de bons techniciens. À la fin du XVIe siècle, par exemple, à Lisbonne seulement, 6 bureaux employaient 18 spécialistes occupés à l'établissement de cartes marines[36].

Au milieu du XIVe siècle, un souverain espagnol, Pierre IV d'Aragon, imposa à ses navires l'obligation de posséder des cartes maritimes. Cependant, les premières cartes connues étaient des cartes planes, qui ne tenaient pas compte de la rotondité de la Terre ; elles étaient donc fort inexactes sur de longues distances, mais donnaient des indications sur les côtes, des repères et des distances[37]. Les premières transformations des cartes planes en cartes conformes eurent lieu au cours de la seconde moitié du XVIe siècle seulement, grâce aux travaux du Flamand Gerhard Mercator (1512-1594). Comme Ptolémée, Mercator était un savant et non un navigateur, et ses connaissances astronomiques et mathématiques étaient poussées. Il inventa un nouveau système de projection de la sphère terrestre sur une carte, système qui allait demeurer le plus utilisé jusqu'à nos jours. Le système de Mercator n'était toutefois pas parfait (par exemple, plutôt que de faire converger les méridiens, ses cartes les placent en parallèle, ce qui a pour conséquence évidemment d'exagérer les distances dans les régions des pôles Nord et Sud), mais il permettait aux navigateurs de déterminer leur direction avec la boussole de façon assez précise, tant qu'ils ne s'éloignaient pas trop de l'équateur. C'étaient les premières cartes marines vraiment utiles en plein océan dans les régions moyennes du globe[38].

Si imparfaites fussent-elles, les cartes du XVe siècle étaient importantes pour les navigateurs dans la mesure où elles représentaient les îles et les côtes, indiquaient la direction à prendre pour les aborder, les repères essentiels et signalaient par exemple les hauts-fonds et les récifs. De fait, de telles cartes présentaient un avantage tel que les souverains portugais, dont les marins furent les premiers à tracer la carte de larges portions du monde très peu connues, tentèrent d'interdire la circulation de cette information. Les bonnes cartes constituaient un secret d'État[39]. En fait, le contrôle était si sévère que, au Portugal, aucun livre portant sur les nouvelles découvertes ne fut publié avant le milieu du XVIe siècle[40]. Mais, ainsi qu'on l'a vu, le monde de la navigation — comme celui de la science — était dès la fin du Moyen Âge un monde hautement cosmopolite, financiers, marins et savants circulant beaucoup. Aussi, l'interdiction ne put-elle être très longtemps appliquée de façon efficace. Ces cartes firent en tout cas l'objet d'un véritable espionnage et d'un trafic lucratif. On acceptait de payer fort cher pour obtenir des informations ou pour attirer un navigateur expérimenté qui pouvait sauver un navire — et un investissement — de la perdition. Dans son *Traité de la marine et du devoir d'un bon marinier* (1632), Samuel de Champlain souligne que « rien n'est aussi utile à la navigation que la carte marine », pourvu qu'elle « donne exactement et sans erreur, la réduction des distances de la sphère à la surface plane », et il insiste aussi sur la nécessité pour le bon navigateur d'être lui-même « capable de dessiner, de façon à faire une carte exacte[41] ».

Toutefois, justement, les cartes maritimes n'étaient pas toujours précises et fiables. Elles furent responsables de nombreux naufrages, et beaucoup de navigateurs, même au XVIe siècle, s'en méfiaient et préféraient s'en remettre aux techniques d'observation. Les premières cartes étaient en effet empiriques, souvent établies par des marins peu éduqués, et elles n'avaient pas grand-chose à voir avec les cartes des grands atlas de la géographie savante, laquelle continua d'ailleurs longtemps à se fonder davantage sur la tradition livresque que sur les nouvelles données des explorateurs. Or, les meilleures estimations des longitudes et des latitudes des nouveaux lieux connus se trouvaient souvent dans les journaux de bord des navigateurs et dans des récits de voyageurs. Mercator lui-même le savait, qui allait tirer une bonne partie de son information de la consultation d'un grand nombre de voyageurs.

Le XVIe siècle fut une grande époque pour la cartographie. L'école hollandaise de géographie supplanta les écoles espagnole et portugaise. Mercator et Ortellius, qui publia en 1570 son grand atlas, le *Theatrum Orbis Terrarum*, ouvrirent une nouvelle ère et établirent de nouveaux standards en faisant notamment un usage systématique des rapports des grands découvreurs. En un sens, ce fut la fin de la tradition ptolémaïque en géographie.

LA MAÎTRISE DU RÉGIME DES VENTS

Il est un domaine qui est essentiel à la navigation et qui ne pouvait s'apprendre dans les livres à l'époque des grands voyages de découverte, c'est celui de la connaissance du régime des vents océaniques, que ces voyages allaient justement progressivement permettre de maîtriser.

Les marins de l'Antiquité et du Moyen Âge connaissaient déjà, évidemment, les vents de la Méditerranée. Ainsi, pour aller à Ostie, le port de Rome, jusqu'à Alexandrie sur la côte égyptienne, l'été, avec le vent soufflant à l'arrière, il fallait bien compter de 10 à 15 jours. Mais au retour, on devait lutter contre le vent, et le voyage pouvait prendre un ou deux mois et même plus, si bien que pour un navire marchand l'aller-retour était l'affaire de toute une saison[42].

De fait, la découverte progressive de la diversité des vents océaniques et de leur approximative régularité saisonnière fut l'une des plus décisives de l'époque : sans connaissance des vents, le navigateur ne va pas où il veut, il va où le vent le mène. Bien qu'elle porte apparemment sur une réalité peu tangible, à l'époque de la marine à voile, la connaissance de la variation des vents fut la condition d'une maîtrise de la mer.

Cette connaissance des vents océaniques s'élabora lentement. Les Portugais d'abord, dans leur exploration vers le sud, firent leur premier apprentissage de la science des vents au cours de leurs voyages à l'archipel des Canaries, au début du XIVe siècle. On pouvait s'y rendre presque en ligne droite en se laissant pousser par le vent qui soufflait régulièrement du nord-est. Mais il était beaucoup plus difficile d'en revenir ; contre le vent, la route était épuisante, à la limite de l'impossible, et de nombreux équipages disparurent durant ces voyages de retour. La solution, très audacieuse, consista à tourner le dos à sa destination, la côte européenne, et à se diriger en profitant encore du vent pour contourner la difficulté vers le nord-ouest, de façon à retrouver plus au nord un vent qui tourne dans le sens des aiguilles d'une montre et alors seulement revenir vers la côte européenne *(voir fig. 5.8)*. De même, les Portugais apprirent que, pour se diriger vers la pointe sud de l'Afrique, il fallait aussi s'en éloigner d'abord, faire route vers le sud-ouest, en traversant la bande du calme équatorial où le soleil frappe si fort qu'il n'y a pas de vent, l'air s'élevant verticalement, mais où sévissent parfois violemment orages et tempêtes, passage dangereux à propos duquel Colomb écrivit au cours de son troisième voyage en 1498 : « Là le vent me manqua et la chaleur devint si grande que je craignis que mes navires et mon équipage soient brûlés[43]. » Une fois cette zone éprouvante franchie, le navire, qui se trouvait donc maintenant

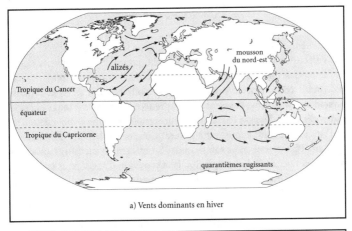

a) Vents dominants en hiver

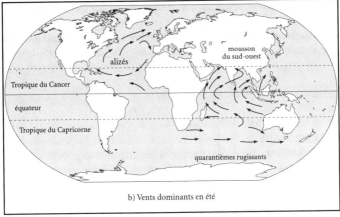

b) Vents dominants en été

Figure 5.8. Variations saisonnières des vents dominants dans l'Atlantique Nord et l'océan Indien.

sous l'équateur, était happé par les vents soufflant en sens contraire de ceux de l'hémisphère nord et qui amènent vers la côte américaine (c'est d'ailleurs ainsi que Cabral, en route vers l'Inde, découvrit par accident le Brésil en 1500), puis il tournait et se dirigeait enfin vers l'est et le sud du continent africain. C'est la route que suivirent Dias en 1487, puis Vasco de Gama 10 ans plus tard, et qui leur permit de pénétrer dans l'océan Indien. Là, le système des vents est entièrement différent : c'est celui de la mousson, qui en été pousse le navire vers l'est et en hiver, soufflant en sens contraire, pourra le ramener vers l'ouest.

Quand, à l'occasion du premier voyage de circumnavigation, Magellan voulut contourner l'Amérique par sa pointe sud, il traversa l'Atlantique d'abord comme l'avaient fait ses prédécesseurs, puis il longea la côte sud-américaine. Dans le Pacifique, il rencontra un système semblable à celui de l'Atlantique Sud, le portant à l'ouest. Comme on le sait, ce navigateur périt aux Philippines, mais son second, del Cano, suivant les vents, trouva la route vers l'océan Indien et profita de la mousson d'hiver pour continuer sa route vers l'ouest, ce qui lui permit d'atteindre finalement l'Atlantique et de revenir en Europe[44].

Beaucoup plus tard, au début du XVIIᵉ siècle, les Hollandais découvrirent les « quarantièmes rugissants », des vents plus proches du pôle Sud que ceux de la mousson et soufflant d'ouest en est au sud de l'océan Indien. Il n'aura donc pas fallu moins de trois siècles pour que les vents, l'une des composantes clés du système physique à la surface du globe, livrent l'essentiel de leurs secrets.

LE DÉVELOPPEMENT DES ARMEMENTS

Savoir arriver à destination et en revenir était déjà une bonne chose, mais ce n'était pas tout. Dès son premier voyage, Vasco de Gama avait reconnu la menace islamique sur l'océan Indien, et son second voyage se fit avec une flotte puissante et lourdement armée. Un tel armement ne servait pas seulement à la défense, mais également à exercer des représailles, à faire des démonstrations de force aussi ; bientôt, l'armement des flottes serait utilisé de manière plus agressive, pour détruire les adversaires, pour prendre possession de territoires et y construire des établissements[45].

Les Européens avaient commencé à faire usage du canon dans leurs campagnes militaires terrestres au début du XIVᵉ siècle. C'était alors une arme relativement inefficace et dangereuse à manier, dont l'avenir n'était pas du tout assuré. Étant donné qu'on avait d'abord misé sur la taille, certains canons étaient si énormes qu'ils ne pouvaient pas être transportés et devaient donc être fabriqués sur place, là où l'on comptait s'en servir, essentiellement pour abattre les murs de places fortes. De fait, il faudrait attendre le XVIIᵉ siècle pour que les Européens mettent au point une artillerie légère, manœuvrable sur les champs de bataille[46].

On sait hors de tout doute que les Chinois, qui en furent probablement les inventeurs, utilisaient déjà la poudre à des fins militaires au Xe siècle de notre ère, et l'usage de l'artillerie était connu en Asie longtemps avant l'arrivée des Portugais[47]. De fait, l'artillerie chinoise n'était pas inférieure à celle des Européens jusqu'au début du XVe siècle, mais la technique européenne progressa ensuite beaucoup plus rapidement et l'armement des navires portugais eut un effet de surprise dans les mers de l'Asie, leur conférant un net avantage. Cette artillerie était plus puissante que tout ce qui avait jusque-là été embarqué sur des navires asiatiques : c'est ce que constata un auteur chinois à l'époque où les Portugais arrivèrent en Chine la première fois, soit en 1517 : « Les *Fo-lang-ki* [les Européens] sont extrêmement dangereux à cause de leur artillerie et de leurs navires. [...] Aucune arme jamais depuis la mémorable antiquité n'est supérieure à leur canon[48]. » Des navires asiatiques, seule la jonque chinoise pouvait très bien se comparer aux navires européens pour les fonctions marchandes et pour l'exploration, mais elle n'avait jamais vraiment été équipée pour devenir un navire de guerre en mesure d'affronter ceux des Européens. L'artillerie navale fut probablement une innovation des Vénitiens, mise au point dans leur lutte contre les Génois qui leur disputaient le contrôle du commerce en Méditerranée. Elle allait devenir, tout autant que la navigation, une affaire de spécialistes, du moins à compter du XVIe siècle, usant de manuels dont la théorie, mathématique, présentait d'ailleurs beaucoup de ressemblances avec celle de la navigation. Ainsi, l'ouvrage de l'ingénieur italien Niccolo Tartaglia, *Nova scientia,* paru en 1537, porte sur la trajectoire des projectiles de canons et la détermination de leur portée par des méthodes géométriques.

La supériorité de ses navires et de ses canons, affaire de techniciens, allait assurer à l'Europe la prééminence sur les mers pendant plusieurs siècles. La démonstration en fut faite dès 1509, quand quelques navires portugais mirent en déroute une énorme flotte de 15 000 hommes montée en mer Rouge par les musulmans qui voulaient interdire l'accès à la route du commerce oriental afin d'en garder le monopole.

Au total, comme le remarque Cipolla, la percée européenne dans les nouveaux mondes fut fondée sur une double révolution, le remplacement du rameur par la voile et celle du soldat combattant à l'abordage par le canon, c'est-à-dire la substitution de l'énergie naturelle à l'énergie humaine : les voiliers armés « furent essentiellement un dispositif compact rendant possible la saga européenne et permettant à un équipage relativement restreint de maîtriser une quantité sans précédent d'énergie inanimée pour le mouvement et la destruction[49] ».

Les nouveaux empires coloniaux et commerciaux ne pouvaient pas être surveillés directement par le pouvoir royal ou par les financiers-marchands qui avaient investi pour en permettre la conquête. Il fallait aussi une armée de bureaucrates, de lettrés; avant les télécommunications et les transports rapides, les empires de l'époque « étaient tenus ensemble par des chaînes de papier ». Ce fut cette bureaucratie qui géra les échanges écrits rendant possible, notamment, l'accumulation des connaissances sur les nouveaux mondes[50].

L'EUROPE ET LES SAVOIRS DES CIVILISATIONS DE L'EST ET DE L'OUEST

Quand ils pénétrèrent en Asie, les voyageurs médiévaux furent frappés d'abord par la radicale nouveauté de ce qu'ils y découvrirent. Guillaume de Rubruck écrivit alors dans son journal : « Quand je parvins au milieu des peuples barbares [il s'agit ici des Mongols], je crus être entré dans un *nouveau monde*[51]. » Marco Polo, l'un de ceux qui connaissaient le mieux l'Asie à cette époque — il y séjourna un quart de siècle avant de retourner à Venise —, nota avec admiration, par exemple, à propos de Bagdad : « On y étudie en toutes sciences, et notamment […] la physique, l'astronomie, […] la physiognomonie et la philosophie[52]. » À propos des Chinois, il écrivit : « Je vous dis qu'ils sont sages marchands et subtils hommes de tous les arts, et aussi très grands philosophes et grands mires naturels, qui savent fort bien la nature, reconnaissent les maladies et donnent remèdes qu'on leur doit[53]. » De fait, il n'hésitera pas à décrire la puissance chinoise comme supérieure à celle de l'Europe : « Le grand khan est le plus puissant homme en gens, en terres et en trésors qui fût jamais au monde, ni ne soit aujourd'hui depuis Adam notre premier père[54]. »

Les historiens d'aujourd'hui s'accordent généralement pour dire que la Chine était à la fin du Moyen Âge la société la plus avancée, notamment sur le plan technique, et que la période allant de l'an 1000 à 1500 fut « l'ère de la prédominance chinoise[55] ».

L'échec des croisades, la chute de Constantinople en 1453, la pression mongole, puis turque sur l'Europe de l'Est jusqu'au tournant du XVIIIe siècle montrent bien que, sur terre tout au moins, les Européens n'étaient pas en position de force. Et de fait, dans une certaine mesure, les grands voyages qu'ils firent pour trouver une route maritime vers les richesses de l'Asie avaient justement pour but de contourner ces ennemis qu'ils ne pouvaient vaincre. Comme on l'a vu, la supériorité technique des Européens sur mer allait leur permettre de mener à bien cette stratégie, et très rapidement. Entre l'arrivée des Portugais en Inde en 1498 et la prise de Malacca, à la pointe sud de la Malaisie, par une de leurs flottes en 1511, en moins de 15 ans donc, allait s'établir leur domination d'une extrémité à l'autre de l'océan Indien.

Mais il s'agissait d'une supériorité toute relative, qui n'arriva jamais à s'exercer sur l'intérieur des continents avant le XIXe siècle. En Inde, même au XVIIe siècle, les troupes de la Compagnie britannique des Indes étaient encore fréquemment défaites sur terre. En Chine et au Japon, les Européens se virent confinés en des lieux déterminés, maintenus sous surveillance et tolérés seulement dans l'intérêt du commerce. Comme l'écrit un historien, « de 1500 à 1800 les relations entre l'Est et l'Ouest furent ordinairement conduites dans un cadre et selon des termes établis par les nations asiatiques[56] ». De fait, ce n'est qu'en Amérique, où ils avaient affaire à des peuples beaucoup moins développés sur le plan technique, que les Européens réussirent alors à s'implanter. En Afrique, avant la découverte de l'usage thérapeutique de la quinine, produite avec l'écorce du quinquina, un arbre du Pérou, la pénétration européenne resta aussi fort limitée malgré le niveau rudimentaire des techniques indigènes et elle se paya par une mortalité impitoyable chez les nouveaux venus mal adaptés aux infections tropicales. De fait, même en 1876, seulement 10 % du continent africain était effectivement sous contrôle européen[57]. Si en Amérique les choses se passèrent tout autrement, c'est largement parce que les infections jouèrent en sens inverse, décimant dans ce cas-ci les populations indigènes ; ces sociétés, dont certaines, comme celles du Pérou et du Mexique, étaient très complexes et très organisées, très nombreuses surtout, furent vaincues bien davantage par les microbes que par les armes dont disposaient la poignée de *conquistadors*[58].

En fait, avant le XVIIIe siècle et la révolution industrielle, le niveau de connaissance et de maîtrise de l'environnement naturel, ailleurs que sur les espaces maritimes, n'était pas de manière évidente à l'avantage de l'Europe en comparaison des civilisations les plus avancées d'Asie. Ce n'est qu'à compter des XVIIIe et XIXe siècles que les prouesses techniques et scientifiques devinrent l'étalon pour évaluer le niveau des civilisations[59]. Aux XVe et XVIe siècles d'ailleurs, les explorateurs, avant tout soucieux de faire du commerce, ne s'intéressaient pas qu'aux épices ; ils recherchaient aussi avidement des œuvres produites par des artisans orientaux, sans équivalent en Europe, et dont ils tiraient de gros bénéfices.

Avant 1500, le flux des emprunts techniques s'était fait principalement de l'Asie vers l'Europe, mais sans que l'on ait eu le plus souvent une conscience claire de l'origine des innovations ainsi reçues. C'est que leur transmission s'était effectuée lentement, par une série d'intermédiaires sur les routes des caravanes commerciales. On savait certes qu'une bonne partie des nouvelles mathématiques, à tendance algébrique plutôt que géométrique, était venue de l'Inde, mais l'on ignorait généralement que la boussole, l'étrier, le papier, la poudre étaient venus d'aussi loin que la Chine. En revanche, on connaissait la supériorité incontestable et l'origine indienne des tissus raffinés comme la mousseline, de même que l'origine chinoise de la sériciculture (la fameuse route de la soie était parcourue depuis l'Antiquité), des laques et surtout des porcelaines très recherchées, que malgré leurs efforts les Européens n'arrivaient pas à imiter parfaitement. Si le travail des artisans orientaux était hautement valorisé, en revanche, aux XVᵉ et XVIᵉ siècles, les Européens trouvèrent peu à emprunter aux Asiatiques sur le plan des dispositifs mécaniques, puisque, au contraire de ces derniers, ils continuaient à perfectionner les machines simples (horloges, vis, leviers, poulies) qui allaient leur permettre d'accéder à la mécanisation et à la production de masse, pavant la voie de la révolution industrielle[60].

Quant aux civilisations de l'Amérique, elles étaient d'un niveau technique semblable à celui des civilisations anciennes, donc loin de celui qu'avait atteint l'Europe en cette fin du Moyen Âge. Malgré des prouesses architecturales comparables à celles des Anciens, ces sociétés étaient notamment handicapées par l'absence d'animaux domestiqués pouvant servir d'animaux de trait et elles n'utilisaient pas la roue. Les découvreurs reconnurent que les Mayas possédaient un système d'écriture, mais celui-ci ne sera déchiffré qu'au XXᵉ siècle. Comme les Anciens, les civilisations précolombiennes cultivaient une connaissance assez élaborée de l'astronomie et du calendrier pour des fonctions religieuses, mais ce savoir demeurera totalement opaque pour les Européens. Les Incas, au Pérou, avaient une culture technique moins développée que celle des Mayas — à peu près égale à celle de l'âge de pierre —, mais leur société était fortement organisée. Ils n'avaient pas d'écriture, mais ils utilisaient le *quipu,* une corde nouée de manière complexe, une sorte d'abaque ayant diverses fonctions mnémotechniques et servant notamment à effectuer des calculs et à conserver des comptes. Ces pratiques ne pouvaient guère se révéler très intéressantes pour des Européens que la maîtrise des chiffres indo-arabes venait justement de libérer de l'usage de l'abaque. Le continent américain n'apparut donc pas une source très significative d'emprunts techniques ou scientifiques, non plus que l'Afrique, encore à un niveau moins avancé sur ce plan.

C'est dans le domaine des sciences naturelles, en botanique surtout, que les connaissances européennes allaient connaître les transformations les plus marquées du fait des découvertes. En botanique, les grandes autorités demeuraient grecques et romaines : Pline, avec son *Histoire naturelle,* immense

source d'informations cependant pas toujours très sûres, et surtout Dioscoride avec son grand traité de *Materia medica,* sur l'usage des plantes en médecine, qui ne connut pas moins de 78 éditions au cours du XVIe siècle[61].

En raison de l'importance du commerce des épices depuis l'Antiquité, un
grand nombre de produits asiatiques étaient bien connus en Europe, mais,
dans la majorité des cas, on ignorait tout des plantes d'origine et des conditions de leur culture. Toutefois, en général, les botanistes ne bénéficièrent pas
immédiatement des observations faites sur place en Asie par des explorateurs.
Ceux-ci étaient avant tout préoccupés de trouver et de contrôler les sources
d'approvisionnement et s'intéressaient généralement peu aux sciences. Le
renouveau de la botanique fut d'abord assuré par des médecins botanistes
eux-mêmes installés en Asie. Ainsi, Garcia da Orta, un médecin portugais qui
vécut en Inde plus de 30 ans, déplorait le manque de curiosité scientifique de
ses compatriotes. Il publia en 1563 un traité (traduit en 1619 sous le titre : *Histoire des drogues, espieceries et de certains médicaments simples qui naissent ès
Indes et en Amérique*) qui eut un grand retentissement et dans lequel il présentait ses observations sur plusieurs dizaines de plantes et sur leur utilisation
en cuisine et en médecine. On commença aussi à cette époque à cultiver des
plantes exotiques dans des jardins botaniques, en Asie et en Europe, pour les
étudier de façon systématique et éventuellement en répandre l'usage. C'est
ainsi que le riz devint une production agricole en Italie au cours du XVIe siècle.

On mesure l'abondance de plantes découvertes à cette époque en com-
parant les 240 spécimens décrits en 1562 par le botaniste allemand Brunsfels
aux 6 000 présentés dans le traité de Gaspard Bauhin paru en 1623. Ces nouvelles plantes allaient obliger les botanistes européens à mettre au point des
systèmes de classification permettant de les regrouper selon leurs affinités. Ce
faisant, ils inauguraient ce qui serait le programme de l'histoire naturelle jusqu'au XIXe siècle. Dans ce domaine aussi, les explorations eurent pour effet de
détacher les savants européens de leur servitude intellectuelle vis-à-vis des
sources de l'Antiquité : Antonio Brassavola, un botaniste italien qui critiqua
fortement Dioscoride, écrivit en 1537 que les Anciens ignoraient 99 % du
monde des plantes[62].

En zoologie, les progrès dus aux explorations ajoutèrent aussi un grand
nombre d'animaux à ceux que l'on connaissait déjà. On s'intéressait alors surtout aux mammifères et aux oiseaux asiatiques dont un certain nombre
étaient connus depuis l'Antiquité, mais souvent de manière imparfaite. C'est
ainsi que les premières descriptions fiables de l'éléphant et du rhinocéros
d'Asie datent de cette époque. Un grand nombre d'animaux furent d'ailleurs transportés par bateaux en Europe : au moins 13 éléphants, des singes et

d'innombrables oiseaux. Ces animaux étaient l'objet d'une grande curiosité et ils étaient fréquemment montrés en public[63].

Pour ce qui est du continent américain, les conquistadors y trouvèrent des peuples cultivant de nombreuses plantes qui seront acclimatées en Europe (pomme de terre, tomate, maïs, courge, tabac, cacao, poivron) où elles joueront un rôle commercial considérable, mais ils notèrent que les sociétés précolombiennes n'avaient domestiqué aucun autre animal que le lama et la dinde, qui elle aussi sera introduite en Europe. Les Espagnols remarquèrent aussi que les autochtones du Mexique avaient poussé loin la connaissance des propriétés médicinales des plantes et, au XVIᵉ siècle, le roi Philippe II envoya Francisco Hernandez, médecin et naturaliste, s'en enquérir[64]. Comme l'Asie, l'Amérique au cours du XVIᵉ siècle fit affluer dans les cabinets des naturalistes européens des milliers d'espèces jusque-là inconnues. Certains animaux, en particulier le tamanoir, le toucan et l'autruche, suscitèrent suffisamment d'intérêt pour qu'on les voie apparaître comme figures emblématiques de la nouvelle nature américaine sur des cartes de l'époque[65].

Mais comme nous l'avons déjà souligné, c'est surtout en géographie que les découvertes eurent sans doute les effets les plus décisifs. Ainsi, un contemporain écrit : « Notre époque fait des choses dont l'Antiquité n'a pas rêvé. […] Si l'un des Anciens revenait aujourd'hui, il trouverait la géographie devenue méconnaissable. Un nouveau globe nous a été donné par la navigation de notre temps[66]. »

En remettant en question sa géographie, les découvertes contribuèrent à ébranler l'autorité de Ptolémée, même dans le domaine astronomique. Le voyage de Christophe Colomb et la découverte de ce qui s'avéra bientôt un nouveau continent transformèrent la pensée astronomique au tournant du XVIᵉ siècle[67]. Ainsi Copernic, dans son grand traité qui s'inscrit dans la tradition de Ptolémée mais chambarde l'ordre des planètes, souligne-t-il, 50 ans après les voyages de Colomb, la remise en question imposée par la découverte du nouveau continent américain. Dans le Livre I de son fameux *De revolutionibus* de 1543, il écrit que « à cause de ses dimensions l'Amérique est encore mal connue », et qu'« on l'estime être un autre continent[68] ». Il ajoute : « Des raisons géométriques nous forcent de croire que l'Amérique occupe une situation diamétralement opposée à celle de l'Inde gangétique[69]. »

Mais l'influence des découvertes sur la géographie et sur la cartographie fut plus directe et plus définitive que sur l'astronomie. Favorisée par les progrès de l'imprimerie, qui permettait de reproduire de manière absolument identique des cartes en quantité illimitée, la cartographie allait rapidement propager une nouvelle vision de la Terre supplantant définitivement les représentations anciennes. Ainsi, le grand ouvrage *Carte marina* (1516) de Wald-seemüller, où l'on trouve pour la première fois le terme Amérique apposé sur le nouveau continent, se fondait entièrement sur les connaissances acquises grâce aux grands voyages de découverte et ne devait plus rien à la tradition ptoléméenne. Les nouvelles techniques de projection de la sphère terrestre sur une carte, à compter de la publication de la carte du monde de Mercator en 1569, ouvraient également une nouvelle époque, provoquant l'abandon de la technique de projection de Ptolémée et fournissant aux navigateurs un outil utilisable de façon plus précise avec la boussole. À compter de cette époque aussi, la vieille discipline de la cosmographie disparut, la géographie se sépara de l'astronomie, et elle commença, avec l'hydrographie, à être enseignée de manière indépendante. Un bureau hydrographique fut créé à Lisbonne autour de 1500, qui avait la responsabilité de garder et d'améliorer les cartes marines ; une chaire de géographie et de navigation fut fondée à Séville en 1522 ; et des postes de « géographes royaux » furent créés dans de nombreux pays euro-péens. Cette tradition allait d'ailleurs être transplantée en Nouvelle-France à la fin du XVIIᵉ siècle[70].

Il s'en faut de beaucoup évidemment qu'au XVIᵉ siècle les contours conti-nentaux soient encore exactement connus. Ainsi, dans les ordres que reçut Champlain en partance pour la Nouvelle-France en 1612, on lit qu'il devait « découvrir et chercher chemin facile pour aller au païs de Chine [...] par dedans les rivières et terres fermes dudit pays, avec assistance des habitants d'icelle ». Au milieu du XVIIᵉ siècle, on croyait encore que le Saint-Laurent débouchait sur la « mer de l'Ouest[71] ». À partir de 1576 et pendant un demi-siècle, pas moins de 11 expéditions furent organisées pour explorer l'Arctique, dont 10 britanniques : le rêve de trouver une voie maritime facile vers l'Asie en prenant la direction de l'Arctique, un passage du nord-ouest ou un pas-sage du nord-est qui ne soient pas déjà sous le contrôle des Portugais ou des Espagnols continuerait longtemps encore à hanter les navigateurs[72].

Un autre domaine fit l'objet de révisions radicales, c'est celui, popularisé par la littérature ancienne et médiévale, des autres types d'humanités et des « hommes monstrueux ». Quand Colomb quitta les Canaries, il prévoyait rejoindre le continent asiatique et donc trouver des hommes aux caractéris-tiques que des prédécesseurs, tel Marco Polo, avaient rendues familières aux lettrés. Mais comme en font foi ses journaux de voyages, il désirait d'autant plus examiner attentivement les caractéristiques physiques des Indiens, que là où les géographes dessinaient des terres — parfois imaginaires — désignées « Terra incognita », on s'attendait à trouver des races humanoïdes — pas tout à fait humaines —, des créatures monstrueuses. On en avait distingué traditionnellement plusieurs sortes : les géants d'abord (ainsi Hernándo Cortès envoya au roi Charles V des ossements fossiles de grande taille en croyant qu'il s'agissait de fragments de squelettes de géants) ; les cyclopes, à forme entièrement humaine, si ce n'est qu'ils n'avaient qu'un seul œil au milieu du front ; des « blemmyes », sans tête et dont le visage occupait le thorax ; les « cynocéphales », à tête de chien et au corps d'homme ; ou encore les « panotii », d'allure humaine, sauf pour ce qui était de leurs grandes oreilles similaires à celles des épagneuls et qui leur descendaient jusqu'à la ceinture (dans ses instructions, Cortès avait reçu mandat de rechercher des humains à oreilles géantes et aussi d'autres à tête de chien). Dès son arrivée, Colomb s'enquit fréquemment de l'existence d'hommes monstrueux. Mais quand des Indiens captifs à Cuba lui décrivirent les habitants d'Hispaniola (aujourd'hui Haïti, mais alors non encore peuplée de Noirs qui allaient y être amenés comme esclaves pour cultiver les plantations) comme ayant « un œil sur le front » Colomb estima que ses informateurs mentaient. C'est qu'il se croyait sur la côte de l'Asie. Et quand il ramena des Indiens (justement ainsi nommés parce qu'il était convaincu d'être en Orient) en Espagne, ce fut aussi peut-être pour démontrer qu'ils avaient forme tout à fait humaine[73]. À mesure que progressèrent les découvertes, régressèrent les surfaces terrestres où l'on pourrait trouver des humanoïdes ; ils disparaîtront à peu près complètement de l'univers des lettrés au cours du xvie siècle.

CONCLUSION

Les grands voyages d'exploration des xve et xvie siècles allaient, avec le temps, amener les Européens à prendre conscience que « ni le savoir classique, ni le savoir chrétien, ni une combinaison des deux, ne saurait expliquer ou contenir tout ce qui était en train d'être découvert au-delà des mers[74] ».

La connaissance du monde procurée par les grands voyages de découverte plaçait en effet les lettrés en face de nouveautés radicales, de réalités inconnues jusque-là. Mais pour qu'on le comprenne pleinement, il allait d'abord falloir qu'on ressuscite plus complètement le savoir antique, de sorte qu'apparaissent progressivement ses limites.

D'abord, les Européens furent pour ainsi dire éblouis par le savoir des Grecs et des Romains. Longtemps, faire de la recherche consista même pour l'essentiel à exhumer et à analyser des manuscrits grecs ou latins, tant la science des Anciens s'avérait supérieure à celle des médiévaux. Remettre à jour un texte ancien pouvait en effet faire avancer le savoir non seulement sur l'histoire des idées, mais aussi sur le monde physique. Tant que la connaissance de l'univers intellectuel des Grecs et des Romains demeurait très fragmentaire et donc énigmatique, il était possible de leur attribuer des connaissances très complètes que l'on aurait perdues par la suite.

De fait, ce n'est que progressivement au cours du XVIIe siècle que s'imposa assez généralement l'idée d'une supériorité d'ensemble des connaissances et des réalisations culturelles des Modernes par rapport à celles des Anciens. Pour y arriver, pour que l'on prenne enfin la mesure des limites du savoir des Anciens, il fallut d'abord que leurs textes redeviennent accessibles et intelligibles aux lettrés. Ce fut le travail des humanistes de la Renaissance qui y pourvut.

La Renaissance : l'humaniste, l'artiste-ingénieur, l'imprimeur et la fin de la culture du scribe

L'insertion entre « Moyen Âge » et « âge moderne » d'une période historique distincte, la « Renaissance », ne s'est imposée de manière générale que depuis la seconde moitié du XIXe siècle. Cette innovation est due principalement à deux historiens, le Français Jules Michelet[1] et le Suisse de langue allemande Jakob Burkhardt[2]. Pour ces auteurs, la Renaissance constitua une période charnière de l'histoire occidentale, fondatrice d'une ère nouvelle, marquée par un retour à des idéaux de la culture classique grecque et romaine, et au cours de laquelle de nouvelles formes de gouvernement, d'art et de savoir apparurent, en même temps que se trouvaient récusés des idéaux et des comportements identifiés au Moyen Âge chrétien.

En posant la Renaissance comme moment fondateur de ce qui allait devenir la modernité européenne, ces deux historiens s'opposaient aux écrivains romantiques et aux auteurs catholiques qui les avaient précédés et qui, alarmés par le progrès des idées des philosophes du XVIIIe siècle et surtout de la Révolution française, avaient chanté les louanges des valeurs et de l'organisation de la société médiévale chrétienne et prôné un retour à celles-ci.

Même si les historiens d'aujourd'hui jugent avec moins de sévérité que Burkhardt et surtout Michelet les accomplissements de la période médiévale, ils retiennent néanmoins généralement comme pertinente l'identification de la période qui suivit à une Renaissance. D'ailleurs, la notion qu'il s'agissait bien d'un âge nouveau s'accordait avec les perceptions de nombreux acteurs de cette époque.

En effet, nombreux étaient ceux qui adhéraient au jugement du lettré Pétrarque (1304-1374) pour qui tout le millénaire antérieur aurait été un âge de « ténèbres », alors que la reprise par leur génération des visées et du beau style des auteurs de l'Antiquité représentait à leurs yeux une véritable renaissance, une *rinascita* comme le dirait Vasari en 1550. Ainsi, l'un des plus éminents intellectuels de ce temps, Marsile Ficin (1433-1499), écrivait en 1492 : « Notre siècle, notre âge d'or a ramené au jour les arts libéraux qui étaient presque abolis, grammaire, poésie, rhétorique, peinture, architecture, musique et l'antique chant de la lyre d'Orphée. Et cela à Florence[3]. »

Le peintre et architecte florentin Leon-Battista Alberti (1404-1472) allait même plus loin, déclarant que cette renaissance n'était pas restée une simple imitation des Anciens, mais avait constitué un nouveau départ puisque, dans leurs réalisations, certains contemporains n'étaient « inférieur[s] à aucun autre artiste de l'Antiquité[4] ».

De même, Giorgio Vasari (1511-1574), un peintre et architecte glorifié en son temps, et considéré aujourd'hui comme le premier historien de l'art, retenait la thèse d'un âge des ténèbres, puisqu'il considérait que les arts, parvenus « à leur perfection » dans l'Antiquité, « déclinèrent continûment jour après jour [après la chute de Rome] jusqu'à ce que, au terme de ce processus graduel, ils aient entièrement perdu leur perfection ». Vasari admettait aussi qu'ensuite était venue en Italie « leur restauration ou plutôt leur renaissance[5] ». Pour lui, la culture était entrée dans une période « moderne » — c'est bien le terme qu'il utilise. Comme Alberti, il pensait que certains grands créateurs de son époque avaient produit des œuvres encore plus belles que celles des Anciens[6].

Cette « Renaissance » fut d'abord un phénomène italien. Nous aurons l'occasion de signaler son extension dans le nord de l'Europe, en Allemagne, en France, en Angleterre et en Flandres par exemple, mais c'est surtout l'impulsion italienne qui retiendra notre attention dans ce chapitre.

Comme on le verra, la période allant du XIIIe au XVIe siècle vit apparaître des porteurs de savoirs qui se distinguaient assez nettement des clercs médiévaux, même s'ils demeuraient à bien des égards leurs héritiers : c'étaient les *humanistes*.

À côté d'eux aussi, et se distinguant des artisans traditionnels, s'affirme une nouvelle génération d'artistes-ingénieurs qui n'étaient plus seulement des praticiens, mais aussi des intellectuels. Enfin, un autre type d'acteur fit son apparition, technicien par certaines facettes de ses activités, mais souvent lettré en même temps, qui allait devenir un agent majeur de changement : l'imprimeur. Ces nouveaux personnages, ces nouveaux types historiques étaient immergés dans des transformations sociales rapides qui avaient pour cadre la ville. La Renaissance fut avant tout un phénomène urbain.

DES MUTATIONS URBAINES

Ainsi qu'on l'a vu dans un chapitre antérieur, l'effondrement de l'Empire romain avait entraîné un recul marqué de la vie urbaine, la reprise de celle-ci constituant un phénomène clé des IXe et Xe siècles. Toutefois, au XIIe siècle et même plus tard dans une bonne partie de l'Europe, il n'y avait souvent pas une grande différence entre la taille des villes et celle des villages, non plus qu'une spécialisation fonctionnelle très poussée. Comme on l'a vu aussi déjà, c'est en fait à compter du XIIIe siècle que les universités prirent, en tant qu'institutions de diffusion du savoir, le relais des monastères et des écoles cathédrales, gardant certes une empreinte ecclésiastique forte, mais affirmant aussi une vocation intellectuelle propre aux villes.

Les villes italiennes des XIVe et XVe siècles abritaient alors peu de grands nobles de la féodalité ; d'autres autorités en régissaient la vie, notamment le pouvoir épiscopal, les familles aristocratiques moins éminentes et, de plus en plus, les grandes familles marchandes, surtout en Italie du nord puis en Flandres, grands foyers commerciaux de l'Europe.

Les villes étaient encore relativement peu populeuses en comparaison avec la Rome impériale ou avec une grande ville orientale comme Constantinople. Mais alors que, au début du XIVe siècle, Paris comptait environ 80 000 habitants et Londres la moitié, les villes d'Italie faisaient preuve d'un dynamisme remarquable : Milan comptait alors quelque 150 000 habitants, Venise 120 000 et Florence 95 000 ; au total, à cette date, 23 villes du nord et du centre du pays rassemblaient chacune plus de 20 000 personnes, de sorte que déjà la vie italienne au nord de Naples était à prédominance urbaine (fig. 6.1). Du XIVe au XVIe siècle, Venise apparaissait comme la plus grande cité marchande du monde alors que Florence faisait figure de plus grand centre industriel[7].

Ces transformations démographiques et économiques rapides s'étaient accompagnées d'une évolution tumultueuse de la vie politique.

La naissance de la commune en Italie, c'est-à-dire d'un partage du pouvoir dans le gouvernement municipal, avait d'abord été marquée par l'apparition de « consuls » exerçant des pouvoirs civiques parallèles à ceux des

Figure 6.1. L'Italie au XVe siècle.

évêques. Ces premiers gouvernements communaux avaient un caractère fortement aristocratique, les nobles et les citoyens riches se partageant le pouvoir. Des mouvements « populaires » avaient secoué ces régimes au XIIIe siècle, les guildes notamment, ces corporations qui rassemblaient les différents types d'artisans, participant de plus en plus à l'exercice du pouvoir ; mais, à compter de 1280 environ, toutes les villes italiennes importantes étaient passées sous le contrôle oligarchique de grandes familles ou de dictateurs[8].

Malgré cette histoire agitée et souvent sanglante — au cours de laquelle les villes italiennes prirent progressivement tous les attributs d'un État et en vinrent à se voir comme porteuses de l'histoire —, de fortes continuités restaient évidentes dans certains comportements qui seront au centre précisément de l'essor culturel que l'on désignera comme la Renaissance. Ainsi, la commune populaire avait mis l'accent sur la création d'écoles laïques, de sorte qu'en 1300 les niveaux d'alphabétisation dans les villes italiennes dépassaient ceux que l'on trouvait alors ailleurs en Europe; du fait des nécessités du commerce surtout, mais aussi de la vie civique, on persévéra dans cette voie. De même, durant la période de la commune populaire se poursuivit la construction d'édifices civils commencée sous la commune aristocratique : palais municipaux pour la tenue des assemblées et de la justice; à quoi il faut ajouter les bâtiments parfois somptueux des diverses guildes[9].

L'idéologie médiévale avait reposé sur un partage des responsabilités et l'assignation de statuts selon les trois fonctions de chevalier, de prêtre et de paysan. En tant qu'acteurs urbains, marchands, artisans, artistes et clercs n'allaient plus vivre seulement dans des interstices du système ancien. Ils allaient, dans la ville nouvelle, devenir des acteurs de premier plan.

L'HUMANISTE : UNE FIGURE CIVIQUE

L'humanisme qui a constitué le fer de lance de la Renaissance est parfois présenté comme s'il s'agissait d'une démarche exclusivement intellectuelle et désintéressée, fondée sur la redécouverte et la diffusion des textes philosophiques et littéraires de l'Antiquité, désormais posés comme modèles de l'activité des lettrés. Tout n'est pas faux dans cette représentation mais, en fait, il s'est agi d'un processus profondément enraciné dans les exigences de gestion de la vie urbaine.

Les universitaires médiévaux s'étaient engagés dans une entreprise de repérage, de traduction et de diffusion de grands textes de l'Antiquité; l'humanisme ne s'inscrivait pas vraiment dans la continuité de ces efforts surtout orientés vers la philosophie et coupés des préoccupations mondaines et profanes. En fait, des grandes figures de l'humanisme italien comme Pétrarque (1304-1374), Nicolas de Cuse (1401-1464), Marsile Ficin, Pic de la Mirandole (1463-1494) ou Toscanelli (1397-1482), aucun ne fut professeur d'université[10].

L'humanisme fut en fait un programme intellectuel et pratique de la couche dirigeante des villes italiennes, une couche sociale dominée simultanément et conjointement par les intérêts marchands et civiques. Cet humanisme avait pour condition la maîtrise des langues anciennes, surtout le latin, et plaçait au cœur de son entreprise la restauration de la rhétorique, art de s'exprimer oralement et par écrit de manière précise, réfléchie et convaincante, porté à la perfection par les Anciens[11]. Ce furent des matières relativement secondaires dans la hiérarchie des disciplines universitaires dominée par la philosophie — la grammaire et la rhétorique — qui jouèrent un rôle clé dans la mise en forme du mouvement humaniste. Enseignées à la faculté des arts, ces matières furent considérées comme centrales dans la formation des notaires qui s'occupaient en Italie non seulement de contrats entre personnes privées — étant à ce titre aussi fortement intégrés au flux des activités marchandes —, mais également des affaires de chancellerie, c'est-à-dire de l'administration des villes. Ce furent d'ailleurs des notaires qui rédigèrent à l'époque les premiers traités d'administration publique et donnèrent forme à une éthique fondée sur la glorification de la ville et à une conception laïque de la vie politique.

Brunetto Latini (vers 1220-1294), notaire comme son père, ambassadeur, puis membre de l'exécutif de Florence, était bien représentatif de ce groupe social. Il affirmait que « la science suprême du gouvernement d'une cité est la rhétorique », une idée souvent répétée et que les humanistes empruntaient à Cicéron. Exilé, Latini publia en français, *Li Livres dou Trésor,* la première encyclopédie, traitant de théologie, d'histoire, de sciences de la nature, d'éthique, de rhétorique et de gouvernement de la cité, écrite pour des laïcs éduqués, des bourgeois[12].

La culture juridique et rhétorique (que l'on qualifie parfois de préhumaniste) jeta les bases de l'activité intellectuelle des grands littérateurs et artistes identifiés avec l'humanisme. Ceux-ci resteront d'ailleurs étroitement associés à la vie urbaine. Contrairement aux clercs des universités, ces intellectuels étaient souvent fortunés, de naissance ou du fait de la protection de puissants patrons, et ils appartenaient au même milieu social que celui des riches marchands qui dominaient la vie de la cité. Les oligarques qui régnaient sur les cités accordaient aux idées des humanistes une grande importance, dans la mesure où ceux-ci exprimaient et célébraient leurs propres aspirations[13].

Les premiers humanistes avaient bien sûr appris la philosophie à l'université — une philosophie qui, rappelons-le, englobait ce que nous appellerions maintenant les questions de physique ou de sciences de la nature —, mais ils en récusaient l'importance. Pétrarque avait déclaré les sciences de la nature inutiles pour le projet humaniste. Dans la même veine, Coluccio Salutati, chancelier de Florence mais aussi humaniste, avait fait valoir que les conseils de la cité ne se souciaient ni du mouvement des planètes ni des substances séparées. Les sciences morales et sociales l'emportaient en pertinence sur les sciences naturelles, le *trivium* sur le *quadrivium.*

La grammaire constituait l'outil de base, et l'éloquence était l'objectif ultime[14]. Parmi les thèmes et les personnalités du monde antique, la préférence humaniste allait à ceux qui avaient traité de la politique et de la moralité de la cité, aux orateurs et aux hommes publics, à l'éloquence et à la célébrité. Ce choix n'était pas arbitraire et correspondait à des exigences et besoins de l'action dans la vie civique. Il s'agissait en somme d'une nouvelle façon, urbaine et laïque, d'interpréter l'expérience humaine[15].

L'humanisme n'est donc pas né au sein de l'université. Quand les humanistes y entrèrent, au début du XVe siècle, ce fut pour occuper d'abord des chaires de grec, de rhétorique et de philosophie morale, et non celles de philosophie où s'enseignaient les sciences de la nature.

L'humanisme n'était pourtant pas étranger à la philosophie, mais il privilégiait une philosophie autre que celle d'Aristote, qui dominait l'enseignement des universités et les écrits des auteurs scolastiques. Les humanistes se considéraient généralement comme des disciples du « divin Platon », comme des néoplatoniciens, mais des néoplatoniciens chrétiens. Séculiers et laïcs, les humanistes, en effet, n'étaient nullement antichrétien et souvent leurs travaux manifestaient des tendances mystiques.

En fait, c'est aux humanistes et surtout au néoplatonicien Marsile Ficin, qui avait reçu une formation médicale, que l'on doit la mode de l'hermétisme à la Renaissance. À la demande de son protecteur, le maître de Florence, Cosme de Médicis, Ficin avait traduit les textes du *Corpus hermeticum*, attribué à Hermès Trismégiste, qui aurait été le maître des pythagoriciens et par là celui de Platon. Ces écrits qui révélaient un savoir jusque-là réservé à des initiés, savoir prétendument d'origine égyptienne et perdu, donc antérieur aux Grecs, comprenaient des passages que l'on interprétait comme des prémonitions platoniciennes, de même que d'autres exposant l'enseignement du Christ, transmis par les textes du Nouveau Testament. De ce fait, la « science » d'Hermès Trismégiste, qui comprenait non seulement des éléments moraux, mais aussi toute une cosmologie, jouissait d'un prestige considérable. Il faudrait attendre le XVIIe siècle pour qu'un lettré suisse, vivant en Angleterre, Isaac Casaubon (1559-1614), démontre sur la base d'une analyse philologique des textes que, loin de précéder et d'annoncer de manière codée des secrets du christianisme à venir, ce corpus était en fait postérieur à Pythagore et même au christianisme, et datait du IIe siècle de notre ère[16].

Mais les humanistes qui occupaient des chaires de grammaire, de rhétorique ou de littérature jouèrent aussi (de manière un peu paradoxale puisqu'ils prétendaient souvent se désintéresser de la philosophie) un rôle majeur dans la connaissance de la science de l'Antiquité, parce qu'ils étaient alors les seuls à connaître le grec. Alors que « dans les chaires universitaires de philosophie naturelle ou de physique, de cosmologie et de psychologie la vieille tradition s'était pétrifiée », une réorientation culturelle passa par des disciplines comme la morale, l'histoire et la littérature. C'est par cette voie, écrit l'historien Eugenio Garin, que l'on eut finalement directement accès à des œuvres clés comme celle d'Archimède ; par le biais non pas de l'enseignement des philosophes universitaires, mais de celui de leurs collègues qui, eux, avaient appris le grec. C'est ainsi que « le grammairien qui pouvait lire Euclide, Apollonios, Archimède, Strabon, Ptolémée, et Galien finit par enseigner aux médecins, aux logiciens et aux physiciens[17] ».

Cet apprentissage du grec avait été favorisé par les échanges commerciaux avec Byzance, échanges qui passaient surtout par Venise. Mais le concile de Florence, réuni en 1439 pour tenter de mettre fin à la division entre chrétiens d'allégeance romaine et chrétiens du rite oriental, joua aussi un rôle important en mettant en contact des Italiens avec des lettrés grecs de Byzance[18]. Comme on le sait, la pression turque qui s'exerçait depuis des décennies sur l'Empire byzantin culmina en 1453 avec la prise de Constantinople, laquelle encouragea l'émigration permanente de lettrés byzantins en Italie.

Paolo dal Pozzo, mieux connu sous le nom de Toscanelli (1397-1482), était considéré comme l'un des premiers mathématiciens de son époque et l'érudit Pic de la Mirandole le caractérisait comme « certainement savant en médecine, mais principalement en mathématiques, en grec et en latin ». Or, Toscanelli entretint une relation suivie avec le cardinal grec Jean Bessarion, qui était venu au concile de Florence puis s'était établi en Italie et à qui il devait une grande part de sa connaissance du domaine scientifique grec. Le rayonnement intellectuel de Bessarion fut d'ailleurs considérable, puisque c'est à lui que l'astronome et mathématicien allemand Regiomontanus (1436-1476) dédia son édition de l'*Epitome* de l'*Almageste* de Ptolémée ; c'est en effet le cardinal Bessarion qui lui avait procuré le texte grec de Ptolémée[19].

Même si nous nous concentrons ici sur l'impulsion donnée par l'Italie au déclenchement de la Renaissance, cette mention de l'Allemand Regiomontanus rappelle utilement que le mouvement humaniste de sauvegarde et d'étude des textes savants de l'Antiquité devint un mouvement paneuropéen touchant progressivement la plupart des pays, d'abord surtout l'Allemagne et les Pays-Bas où se développaient aussi de grandes villes marchandes comme Nuremberg, Augsbourg, ou Bruges qui fit bientôt figure de rivale de Venise[20]. Là aussi, le milieu des artisans, des marchands et des banquiers était en effervescence ; vers 1500, en Flandres et dans le Brabant, les deux tiers de la population vivaient déjà dans les villes et là aussi le mouvement humaniste verra apparaître de grandes figures, comme Albrecht Dürer, de Nuremberg (1471-1528), artiste renommé, versé en mathématiques, ou le grand Didier Érasme, de Rotterdam (1469-1536), sans doute le plus influent humaniste du XVIe siècle.

Lettre de Gargantua à son fils Pantagruel, étudiant à Paris :
le programme d'une éducation humaniste

[…] mon fils, je te admoneste que employe ta jeunesse à bien profiter en estudes et en vertus. […] J'entens et veulx que tu apprenes les langues parfaictement. Premièrement la Grecque, comme le veult Quintilien ; secondement, la Latine ; et puis l'Hebraïcque pour les sainctes lettres, et la Chaldaïcque et Arabicque pareillement ; et que tu formes ton style, quant à la Grecque, à l'imitation de Platon ; quant à la Latine, de Ciceron. Qu'il n'y ait histoire que tu ne tiennes en memoire presente, à quoy t'aidera la Cosmographie de ceulx qui en ont escrit. Des arts liberaux, geometrie, Aritmeticque et Musicque, je t'en donnay quelque goust quand tu estois encores petit, en l'âge de cinq à six ans ; poursuys le reste, et de Astronomie sache en tous les canons ; laisse moy l'Astrologie divinatrice, et l'art de Lullius, comme abuz et vanitez. Du droit civil, je veulx que tu saches par cœur les beaux textes. […]

Et quant à la congnoissance des faictz de nature, je veulx que tu t'y adonne curieusement : qu'il n'y ait mer, riviere, ny fontaine, dont tu ne congnoisse les poissons ; tous les oyseaulx de l'air, tous les arbres, arbustes, et fructices des foretz, toutes les herbes de la terre, tous les metaulx cachez au ventre des abysmes, les pierreries de tout Orient et Midy, rien ne te soit incongneu.

Puis songneusement revisite les livres des medecins Grecs, Arabes, et Latins, sans contemner les Thalmudistes et Cabalistes, et, par frequentes anatomies, acquiers toy parfaicte congnoissance de l'autre monde, qui est l'homme. […]

Mais parce que selon le saige Salomon, Sapience n'entre point en ame malivole et science sans conscience n'est que ruine de l'ame, il te convient de servir, aymer, et craindre Dieu, et en lui mettre toutes tes pensées et tout ton espoir.

Rabelais, *Pantagruel*, Livre VIII (1532), *Œuvres complètes de Rabelais*,
Paris, Les Belles Lettres, 1959, p. 43-44.

Dans cette Europe marchande, les échanges intellectuels étaient multiples en même temps que se poursuivait la tradition médiévale de la « pérégrination » académique au cours de laquelle l'étudiant fréquentait de grandes universités dans plusieurs pays. Ainsi, Toscanelli et Regiomontanus se connaissaient très bien et connaissaient aussi le cardinal Bessarion envers qui ils avaient tous deux une dette intellectuelle. Regiomontanus avait d'ailleurs, tout Allemand et natif de Königsberg qu'il fût, commencé par enseigner le grec en Italie avant d'établir sa réputation comme mathématicien. Puis il s'était installé à Nuremberg pour y profiter de la présence d'une guilde de fabricants d'instruments astronomiques[21]. Comme on le verra au chapitre suivant, Copernic allait lui aussi étudier en Italie avant de regagner sa Pologne natale.

Le désintérêt de certains de ses premiers adeptes pour les sciences n'allait pas durablement marquer le mouvement humaniste. Au XVIe siècle, non seulement il n'y avait pas d'opposition entre les humanités et la science[22], mais au contraire celles-là étaient mobilisées pour les besoins de celle-ci. Georg Bauer, mieux connu sous le nom d'Agricola (1494-1555), en fournit un exemple particulièrement frappant, puisqu'il mit en œuvre des compétences littéraires dans un domaine extrêmement éloigné des belles-lettres, celui de l'exploitation des mines. Agricola était allé, de 1514 à 1518, étudier à Leipzig. Il y avait fait un solide apprentissage des langues classiques. Le premier ouvrage qu'il publia, en 1520, fut d'ailleurs une grammaire latine. D'abord intéressé par la médecine, il s'était dirigé vers l'Italie en 1523, tout probablement à Bologne qui avait alors une université réputée dans ce domaine. Il s'était bientôt rendu à Venise où, travaillant dans l'atelier de l'imprimeur Aldus Manutius, il avait apporté ses connaissances médicales et classiques à une édition des œuvres de Galien. De retour en Allemagne, il avait obtenu un poste d'apothicaire et de médecin municipal dans une région minière (en quoi, notons-le en passant, on retrouve ici encore l'humaniste comme figure civique). Ce fut dans ce contexte, mettant à contribution le milieu minier, sa formation médicale et sa connaissance des langues anciennes, qu'il rédigea un nouveau livre, sous forme de dialogue, qui passait au crible les textes de l'Antiquité pour y repérer toutes les connaissances sur les espèces minérales de médicaments et sur leurs usages[23]. Dans le livre qui assurera enfin sa réputation aux yeux des historiens des sciences et des techniques, son *De re metallica* de 1556, ouvrage fameux surtout pour sa description et son iconographie des machines et des travaux de génie nécessaires à l'exploitation des mines, Agricola inséra encore une section lexicale et philologique, tant une maîtrise poussée des mots continuait de lui paraître indispensable à la connaissance des choses.

UNE CULTURE MATHÉMATIQUE

Si, en tant que culture de l'élite civique, l'humanisme constituait d'abord une entreprise fondée sur les belles-lettres, l'éloquence et la morale, cette élite — il ne faut pas l'oublier — était aussi une élite d'affaires qui ne négligeait pas l'aspect pratique des choses. Aussi bien par souci de bonne administration gouvernementale que du fait des préoccupations marchandes, la culture urbaine italienne accordait aussi une grande importance au nombre, au quantifiable.

Il s'agissait bien sûr ici d'abord d'arithmétique, essentielle aux échanges marchands. Mais l'intérêt allait plus loin. La mesure des distances — qui fait appel à la géographie et à la géométrie — et celle des volumes et des poids étaient également importantes, notamment pour l'estimation des coûts, de même que la mesure du temps que les hommes d'affaires transposaient en valeur monétaire. Avoir l'heure exacte devint alors si important que c'est au xvᵉ siècle que l'on inventa, dans la ville industrielle et commerçante de Nuremberg, les montres de poche. L'arithmétique, qui permet de se familiariser avec la manipulation des nombres, constitue une pratique vraiment fondatrice; elle prit dans les cités italiennes un important tournant.

L'importance de l'arithmétique commerciale fut telle pour le développement des pratiques marchandes que le sociologue allemand Werner Sombart datait la naissance du capitalisme de la mise en circulation en 1202 du *Liber abbaci* de Fibonacci (1180-1250), aussi connu sous le nom de Léonard de Pise. Comme on l'a vu au chapitre précédent, son *Livre de l'abaque* visait à remplacer l'usage des chiffres romains, qui se prêtent mal au calcul, par les chiffres arabes et il présentait aussi certaines applications de l'arithmétique au commerce.

Le calcul avec les chiffres arabes devait finir par rendre caduc l'usage de l'abaque *(fig. 6.2)*; il allait aussi favoriser l'apparition dans les villes italiennes, au début du xivᵉ siècle, de l'outil clé pour le suivi des opérations commerciales, la comptabilité à double entrée[24].

Luca Pacioli (1445-1514), un mathématicien franciscain qui fut aussi professeur de théologie et à qui Léonard de Vinci demanda des leçons de mathématiques à la fin des années 1490, publia à Venise en 1494 — en italien de sorte que chacun y ait accès — la grande synthèse de l'arithmétique commerciale de l'époque, la *Summa de arithmetica, geometria, proportioni et proportionalita*. L'ouvrage fut traduit en plusieurs langues et notamment en latin qui restait la langue des clercs savants et la langue de communication internationale.

Il n'est sans doute pas exagéré de parler, à propos de l'élite marchande et civique de la Renaissance, de la diffusion d'une mentalité numérique. La multiplication des institutions bancaires et des outils de crédit, la naissance des assurances, le développement de la comptabilité d'entreprise, mais aussi les pratiques de recensement et de taxation dans les cités-États imposaient en effet une connaissance de plus en plus générale de l'univers des nombres.

Les connaissances techniques de base étaient, dans les villes italiennes, apprises à l'école ou dans les boutiques où l'on faisait un stage de plusieurs années comme apprenti. À Florence, dès la fin du xiiiᵉ siècle, des écoles laïques orientées surtout vers les besoins économiques de la vie profane s'étaient substituées aux écoles religieuses; vers 1340, jusqu'à 10 000 enfants, selon

Figure 6.2. Gravure de 1503 représentant l'issue d'une compétition entre deux calculateurs, présidée par l'esprit de l'arithmétique entouré des références à Boèce et à Pythagore. La mine déconfite de l'utilisateur de l'abaque, qui manipule des jetons sur une table lignée, comme le sourire serein de l'utilisateur des chiffres arabes rendent manifeste la victoire de ce dernier.

certaines sources, apprenaient à lire, dont quelque 2 000 se familiarisaient avec les nombres, le calcul, la tenue des livres comptables et les problèmes techniques du change, du crédit, de l'intérêt, du calcul des prix, etc., dans les six écoles d'abaque de la ville[25].

Cette préoccupation pour le quantitatif, le mathématique, ne se restreignait pas aux marchands et aux acteurs de plus en plus nombreux à être formés pour occuper des postes dans les bureaucraties municipales ; elle touchait aussi un groupe auquel on a l'habitude d'accorder une place centrale dans l'analyse de la Renaissance comme phénomène culturel, celui des artistes. Ainsi, Vasari écrit à propos du sculpteur Luca della Robia (1397-1482) : « Il avait été soigneusement éduqué, de sorte qu'il n'était pas seulement capable de lire et d'écrire, mais, comme la plupart des Florentins, il possédait aussi bien les mathématiques qu'il en avait besoin[26]. »

Durant la Renaissance, comme avant et jusqu'au XVIᵉ siècle, l'artiste appartenait au monde des artisans. Il n'était pas un producteur autonome destinant ses produits à un marché libre — cela viendrait beaucoup plus tard — mais, comme l'artisan, il travaillait sur commande. Son domaine était celui des arts « mécaniques », c'est-à-dire manuels, et non celui des « arts libéraux », ceux que cultivait l'université. Mais c'est au cours de cette période que l'on allait élever le statut de l'artiste — de certains d'entre eux tout au moins—, notamment en faisant valoir ce qui le rattachait au mouvement de l'humanisme, que nous venons de décrire. L'ouvrage de Vasari fourmille de notations sur l'importance des lettres pour l'artiste. Ainsi, à propos d'un peintre peu connu du XIVᵉ siècle, Lorenzetti, il écrit qu'il fut « honoré non seulement parce qu'il était un excellent maître en peinture, mais aussi parce que dans sa jeunesse il s'était lui-même voué aux lettres[27] ».

La figure qui illustre peut-être le mieux ces efforts pour hausser le statut de l'artiste et le hisser au rang des humanistes est celle du Florentin Leon-Battista Alberti (1404-1472). Issu d'une grande famille de Florence, il avait reçu une éducation universitaire à Bologne et à Padoue, et sa formation juridique lui avait permis d'occuper une charge dans la chancellerie pontificale, la curie, à Rome. Même s'il était lui-même aussi architecte, Alberti n'avait évidemment pas le statut d'un artisan, et ses plaidoyers en faveur de la dignité de l'activité artistique en devenaient d'autant plus crédibles. En fait, Alberti, qui avait publié au tournant des années 1440 un traité intitulé *Le Gouvernement de la famille,* pouvait parler avec toute l'autorité d'un moraliste humaniste. Mais c'est surtout dans son *De pictura* de 1435 qu'il trace le programme d'une vie d'artiste ordonnée selon les principes de l'humanisme.

Le peintre accompli, écrit Alberti, sera « avant tout un homme de bien

[…] instruit dans les arts libéraux » ; il devra « très bien posséder la géométrie » et « fréquenter les poètes, les rhéteurs et tous ceux qui sont versés dans les lettres, et capter leur bienveillance, car les esprits cultivés lui fourniront d'excellents ornements[28] ». L'artiste, dit-il, doit s'intégrer au monde des humanistes. Mais ce n'est pas là seulement une affaire de socialisation, c'est aussi et surtout une affaire de savoir, comme le montre très bien l'organisation de ce traité sur la peinture dont toute la première partie est consacrée à la présentation des principes de la perspective géométrique.

Prenant pour base la géométrie d'Euclide, Alberti y montre progressivement comment une peinture doit se construire comme un plan intersectant le cône visuel qui a sa pointe au centre de l'œil. On « ne deviendra très bon artiste, écrit-il, qu'au prix d'une parfaite connaissance des proportions et des séparations entre les surfaces, ce que bien peu ont su correctement ». La perspective telle que la présente Alberti est une reconstruction analytique de la vision, une technique par laquelle les corps sont d'abord dépouillés de leurs qualités pour être traités de manière exclusivement géométrique[29].

Paradoxalement, cette géométrisation de l'espace, qui consiste en un passage par l'abstraction et en l'abandon de l'espace immédiatement concret, était pour les humanistes la condition même d'une restitution exacte de ce qui s'offre à la vue. Comme l'écrit Vasari, la peinture, en s'attachant aux règles de la perspective, arrive à représenter « ce que l'on voit dans la Nature et rien de plus[30] ». La géométrisation avait une visée naturaliste, ce qui, encore une fois, apparaît paradoxal seulement si l'on oublie combien l'humanisme de la Renaissance était imprégné de néoplatonisme et combien il semblait alors aller de soi que les objets matériels sont des manifestations d'Idées qui avaient présidé à la création du monde.

Pour Alberti, le modèle de l'artiste est Filippo Brunelleschi (1377-1446). Il aurait été le premier à donner aux techniques du peintre un fondement théorique sur la base des démonstrations des *Éléments* d'Euclide. Non seulement il était artiste et architecte théoricien, mais il avait aussi à son actif des réalisations architecturales majeures dont l'une surtout fit époque, la construction du dôme de la cathédrale de Santa Maria dei Fiori à Florence, et le posa comme l'un des ingénieurs les plus illustres du temps.

UN PORTEUR DE PROGRÈS : L'ARTISTE-INGÉNIEUR

Dans sa préface, Alberti n'hésite pas à écrire à propos du fameux dôme : « Qui donc sera assez dur et assez envieux pour ne pas faire l'éloge de […]

l'architecte en voyant une structure si grande élevée au-dessus du ciel, et assez large pour couvrir de son ombre tous les peuples toscans, faite sans le secours d'aucune poutre ni d'une grande quantité de bois? Car cet artifice, si j'en juge correctement, qui était déjà chose incroyable à notre époque, n'a sans doute été ni connu ni su des Anciens[31]. » C'était reconnaître le caractère véritablement novateur des réalisations de son temps et cesser de poser en principe, comme on l'avait fait durant toute la période médiévale, la supériorité des grands noms de l'Antiquité.

Brunelleschi est probablement moins connu comme ingénieur que Léonard de Vinci (1452-1519) qui pourtant n'a à son actif aucune réalisation effective en ingénierie qui soit comparable aux peintures qui ont assuré sa célébrité. Il est certain que si Vinci peintre jouissait d'une réputation presque sans égale, Brunelleschi quant à lui réalisa des œuvres en architecture et en ingénierie qui exercèrent en leur temps une plus grande influence.

Après être passé par l'école d'abaque, Brunelleschi avait fait son apprentissage comme orfèvre, construit des horloges, fait des sculptures, étudié le mouvement, les poids et les roues, et « à un moment où cette question était encore mal comprise, il avait porté beaucoup d'attention à la perspective ». Pour étendre ses connaissances en géométrie, il bénéficia de la science de Toscanelli. Comme l'écrit Vasari, « il était habile dans beaucoup de domaines et il pratiqua plusieurs professions[32] ». Mais il devint avant tout un architecte, que Vasari loue pour avoir « découvert de nouveau les mesures et proportions [des édifices] des anciens ». Il se rendit effectivement à Rome où il prit des mesures soigneuses d'édifices de l'Antiquité, ce qui était alors un comportement nouveau[33].

Les travaux d'architecture civile ou militaire de Brunelleschi furent nombreux. Mais c'est la construction de la coupole de Santa Maria dei Fiori qui assura sa célébrité ; Vasari dit qu'elle fait partie de « ces choses vraiment miraculeuses qui n'ont pas été dépassées de nos jours et qui peut-être ne le seront jamais[34] ».

L'importance de cette construction résulte du fait que la coupole à monter pour coiffer les murs de la cathédrale devait englober un volume si gigantesque qu'il ne semblait pas possible d'y arriver : vu la hauteur et la largeur, donc le poids, les étaiements et soutiens des cintres et des autres armatures qui auraient dû partir du sol pour permettre de monter et de soutenir les pierres de la voûte en construction, auraient nécessité une telle quantité de bois d'œuvre que la dépense paraissait effrayante ; en fait plusieurs architectes tenaient même l'entreprise pour impossible[35]. Des maîtres spécialisés en charpente capables de conduire de tels travaux avaient peut-être existé lors de la construction des grandes cathédrales médiévales, une activité interrompue à la fin du XIIIᵉ siècle, mais vers 1420 ce n'était plus le cas.

Ce qui souleva une admiration sans borne, ce fut l'audace de la solution proposée par Brunelleschi qui consistait à « faire usage d'une structure en maçonnerie où l'emploi des cintres de charpentes devenait superflu ». Cette technique de mise en place d'une voûte autoporteuse découlait des études qu'il avait menées à Rome sur le site même des grandes constructions de l'Antiquité dont il avait pris les mesures, une démarche évidemment parfaitement en accord avec les postulats de l'humanisme dans sa volonté de retrouver les sources vives des œuvres de l'Antiquité classique[36].

Cependant, la technique mise au point par Brunelleschi reposait sur des principes inconnus des maîtres d'œuvre. Elle était si radicalement audacieuse que, lorsqu'il prit la direction des travaux, les maçons refusèrent de travailler selon les méthodes qu'il prescrivait. Ces artisans furent congédiés et leur guilde entra en lutte contre l'architecte. Le comité municipal des travaux de la cathédrale, qui avait accordé le contrat à Brunelleschi sur concours et qui était composé de riches notables de la ville, lui donna raison et fit arrêter et emprisonner les dirigeants de la guilde jusqu'à ce qu'ils acceptent d'abandonner leurs pratiques traditionnelles — les guildes d'artisans avaient en effet la réputation d'être conservatrices et réfractaires aux innovations — et se soumettent aux directives de Brunelleschi. L'épisode prend ici une allure symbolique, faisant ressortir le contraste entre la créativité humaniste et la routine artisanale.

Brunelleschi ne fut pas seulement ce que nous appellerions aujourd'hui un architecte ; il remplit aussi les fonctions d'ingénieur militaire et s'occupa de l'inspection et de la remise en état des fortifications de plusieurs villes. En fait, comme nombre de ses contemporains, et comme Léonard de Vinci, il fut à la fois « artiste et artisan, militaire, organisateur de fêtes ». Mais cet épisode de polyvalence extrême sera très bref au XVᵉ siècle : « Presque tout de suite, il a fallu rétablir une spécialisation qui ne cessa, ensuite, de gagner du terrain[37]. »

Les ingénieurs de l'époque, soulignons-le, n'étaient généralement pas au service d'entreprises privées qui étaient encore le plus souvent des manufactures de petite taille où c'étaient des artisans, des « manuels », les vrais techniciens praticiens des arts mécaniques qui construisaient et entretenaient métiers, bassins, moulins, etc. Sans doute était-il assez fréquent que les ingénieurs conçoivent des machines pour faciliter la production, mais celles-ci restaient souvent davantage des démonstrations de leur virtuosité que des appareils qu'ils se souciaient de mettre sur le marché. Leurs vraies responsabilités étaient civiques (conception et direction de la construction d'édifices et de monuments, organisation de fêtes publiques donnant l'occasion de montrer des machines ingénieuses, etc.) et surtout militaires (conception et construction de fortifications et d'armements). De fait, fonctions civiques et fonctions militaires étaient alors difficilement séparables et le véritable « ingénieur civil » n'apparaîtrait qu'avec la révolution industrielle au milieu du XVIIIe siècle.

Ce fut sans doute surtout le secteur militaire qui favorisa l'émergence de la figure sociale très particulière de l'ingénieur de la Renaissance. La protection des cités-États en rivalité constante les unes avec les autres, la menace des invasions étrangères dans une Europe mal stabilisée rendaient en effet partout nécessaire la présence d'ingénieurs militaires (c'est ainsi que Brunelleschi devint le premier ingénieur militaire au service de la république florentine). D'autant que les progrès de l'artillerie, à compter du XIVe siècle, allaient finir par exiger la reconstruction, selon des conceptions nouvelles, des villes fortifiées et des autres ouvrages militaires. En effet, ce n'étaient plus les hauts murs médiévaux qui pouvaient protéger les villes, mais un périmètre de bastions. L'ingéniosité et l'innovation devaient se substituer à la tradition[38].

Ces ingénieurs étaient, du fait du rapprochement des arts mécaniques et des sciences plus nobles, infiniment mieux armés que leurs prédécesseurs pour s'acquitter de ces nouvelles responsabilités. Et ils en étaient conscients. Ainsi, Tartaglia (1499-1557) écrivait en 1546 : « Celui qui désire contempler de nouvelles inventions, qu'il ne les cherche pas dans Platon ou Plotin ou de quelqu'autre ancien Grec ou Romain, mais seulement du métier, de la mesure et de la théorie[39]. »

Les progrès accomplis dans la capacité de se représenter exactement des machines, de les décrire et de les construire, grâce surtout aux apports de la quantification et à la pratique de la perspective géométrique, apparaissent de manière évidente quand on compare les dessins de Villard de Honnecourt, l'un des plus grands architectes et concepteurs de machines du XIIIe siècle, avec ceux d'ingénieurs de la Renaissance (fig. 6.3 et 6.4).

Pour Giorgio Vasari, l'« âge moderne » s'ouvrit dans les arts vers 1500 avec l'œuvre artistique de Léonard de Vinci, aujourd'hui la plus célèbre des figures de la Renaissance.

Le jugement de Vasari ne s'applique cependant pas à l'histoire des sciences et des techniques. En effet, dans ces domaines, Léonard apparaît davantage comme un « révélateur des possibilités de l'époque », témoignant d'une phase de l'histoire où survint une grande fermentation des idées, que comme une figure historique importante. En fait, Léonard ne mit en circulation aucun écrit scientifique ou d'ingénierie. Même son Traité sur la peinture ne fut publié qu'en 1651, plus d'un siècle après sa mort ; mais dans le domaine pictural,

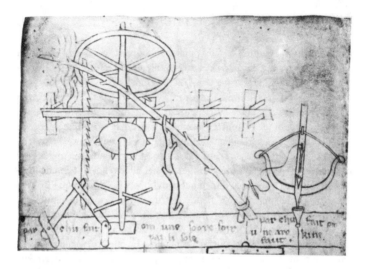

Figure 6.3. Croquis d'une scie hydraulique, tiré d'un carnet de Villard de Honnecourt (XIIIᵉ siècle). L'absence de perspective rend malaisée la compréhension de l'agencement des pièces.

Figure 6.4. Croquis d'un treuil : vue générale à gauche, vue éclatée et analytique à droite, tiré d'un carnet de Léonard de Vinci.

même si ses œuvres connues restent très peu nombreuses, elles parlaient pour lui indépendamment de ses écrits et suffisaient à assurer sa gloire.

Les écrits inédits de Léonard commenceront à être connus seulement au XIXe siècle, à un moment où ses idées ne pouvaient plus avoir en science et en génie qu'un intérêt historique. Quant à ses réalisations d'ingénieur, elles ne pouvaient avoir d'influence puisque aucune n'a survécu et que, de toute façon, de tous les travaux d'ingénieur et des machines qu'il a conçus, la plupart, surtout les plus audacieux, restèrent à l'état de plans et de projets. Comme l'a écrit sévèrement l'historien des techniques Bertrand Gille, « il a fallu beaucoup d'ignorance et d'abusive imagination, pour faire de Léonard de Vinci, et malgré lui, un inventeur fécond[40] ». Il fut plutôt un concepteur qu'un ingénieur de terrain. Au total, dit un autre historien, Léonard apparaît « comme un *designer* qui eut peu de réalisations pratiques[41] ».

Chez Léonard, tout est dans l'art discipliné et rigoureux du dessin. Même s'il émaille ses carnets de notations théoriques, il n'y a pas chez lui de constructions théoriques d'ensemble. Même en physique et en mécanique, il fait figure davantage de naturaliste que de physicien au sens moderne ; ce qu'on trouve chez lui, c'est plutôt une description figurée, armée des nouveaux outils du regard, au premier chef la perspective. Il est clair en effet qu'il préfère le quantifiable au qualitatif : « Il n'y a pas, écrit-il, de certitude dans les sciences là où les sciences mathématiques ne peuvent être appliquées, ou là où il n'y a pas de relations avec ces mathématiques[42]. » C'est là un discours auquel déjà les humanistes nous ont habitués, avec leur intérêt pour la géométrie, la proportion, la perspective.

Cela dit, l'itinéraire intellectuel et la carrière de Léonard méritent l'attention ; ils sont en effet par bien des aspects exemplaires du statut accordé aux porteurs du savoir technique les plus brillants de son époque.

Léonard se décrivait lui-même comme un « homme sans lettres », c'est-à-dire sans éducation universitaire et donc sans connaissance des langues anciennes. Son père adoptif était notaire et les orientations de l'humanisme lui étaient donc familières. La formation de Léonard fut celle de la plupart des autres artistes de son temps : après être passé par l'école d'abaque, il fut pendant une dizaine d'années un apprenti à Florence dans l'atelier (terme significatif : l'artiste a bien ses racines dans l'univers de l'artisan) d'un maître confirmé, dans son cas l'orfèvre, sculpteur et peintre, Verrocchio (1435-1488). Puis, quand il se considéra comme un artiste accompli, vers 1480, Léonard chercha à se mettre au service d'un prince en faisant lui-même valoir ses talents.

Léonard entra effectivement au service du duc de Milan, Ludovic Sforza.

L'offre de service de Léonard de Vinci à Ludovic Sforza

Illustrissime Seigneur, ayant désormais suffisamment considéré les expériences de ceux qui se prétendent grands inventeurs de machines de guerre, et constaté que lesdites machines ne diffèrent en rien de celles qui sont communément employées, je m'efforcerai, sans vouloir faire injure à personne, de révéler mes secrets à Votre Excellence, à qui j'offre de mettre à exécution, à sa convenance, toutes les choses brièvement notées ci-dessous.

1. J'ai un modèle de ponts très solides et légers, extrêmement faciles à transporter, grâce auxquels vous pourrez poursuivre et au besoin fuir l'ennemi ; et d'autres, robustes et résistants au feu comme aux assauts, faciles à poser et à enlever. Je connais aussi les moyens de brûler et de détruire ceux de l'ennemi.

2. Je sais, lors d'un siège, comment tarir l'eau des fossés et construire une infinité de ponts, béliers, échelles d'escalade et autres machines destinées à ce type d'entreprise.

3. Si en raison de la hauteur des remblais, de la force de la place ou de sa position, il était impossible de réduire cette place par le bombardement, je sais des méthodes pour détruire toute citadelle ou forteresse qui n'est pas bâtie sur le roc, etc.

4. J'ai encore des modèles de mortiers très pratiques et faciles à transporter, avec lesquels je peux envoyer de la pierraille presque comme s'il en pleuvait ; et dont la fumée plongera l'ennemi dans la terreur, à son grand dommage et à sa confusion.

5. Je sais par des chemins et des souterrains tortueux et secrets, creusés sans bruit, atteindre un lieu voulu, même s'il fallait passer sous un fossé ou une rivière.

6. Je ferai des chars couverts, sûrs et indestructibles, qui, pénétrant les rangs ennemis avec leur artillerie, détruiront la troupe la plus puissante ; l'infanterie pourrait les suivre sans rencontrer d'obstacles ni subir de dommages.

[…]

8. Là où un bombardement échouerait, je ferai des catapultes, mangonnaux […] et d'autres machines inusitées et d'une merveilleuse efficacité. En bref, selon les cas, je peux inventer des machines variées et infinies pour l'attaque comme pour la défense.

[…]

10. En temps de paix, je crois pouvoir donner satisfaction parfaite et égaler n'importe qui en matière d'architecture, dans la composition d'édifices publics ou privés, et pour conduire l'eau d'un endroit à un autre. Je puis exécuter de la sculpture en marbre, bronze ou terre ; et en peinture faire n'importe quel ouvrage aussi bien qu'un autre, quel qu'il soit. En outre, le cheval de bronze pourrait également être exécuté, qui sera la gloire immortelle et l'éternel honneur du seigneur votre père, d'heureuse mémoire, et de l'illustre maison des Sforza.

Et si l'une des choses ci-dessus mentionnées paraissait à quiconque impossible ou infaisable, je suis tout prêt à en faire l'essai dans votre parc ou en tout autre lieu qui plaira à Votre Excellence — à laquelle je me recommande en toute humilité.

Serge Bramly, *Léonard de Vinci*, Paris, J.-C. Lattès, 1988, p. 281-283

Il entreprit, sans le mener à terme, le projet de la gigantesque statue équestre qu'il avait proposé et il travailla aussi à des projets d'adduction d'eau, technique cruciale pour l'approvisionnement et les installations sanitaires de la ville, mais aussi pour les manufactures, y compris celles d'armements. Il s'intéressa également à l'architecture, mais aucun édifice ne subsiste qui témoignerait de son activité. On sait en outre qu'il fut l'ordonnateur de plusieurs « festivals ». En 1502, il changea de patron, se faisant engager, à titre d'« architecte et ingénieur général » (titre semblable à celui qu'il avait déjà à Milan), par le redoutable César Borgia, probablement à l'instigation de son ami Machiavel. Il retourna à Florence à la mort de Borgia en 1503 et travailla à un plan ambitieux pour rendre l'Arno — la rivière qui traverse Florence — navigable jusqu'à la mer, de même qu'à un plan de fortifications pour Florence ; l'un et l'autre plans n'auront pas de suite pratique. À la fin de 1508, il était de retour à Milan où il poursuivit les travaux d'anatomie et de dynamique des fluides qui le préoccupaient à cette époque. Toujours en mouvement, il se rendit à Rome en 1512, où on lui refusa l'autorisation de disséquer des cadavres. En 1516, il accepta l'invitation du roi de France François Ier et s'installa près du château d'Amboise. Il y mourut peu après alors qu'il élaborait des projets de canalisation de la Loire et d'édification d'un château royal, autres projets sans suite.

Même seulement ainsi esquissée, la vie de Léonard met en évidence combien toute la charpente de son existence dépendit du patronage de puissants protecteurs ou employeurs, et combien le choix des activités auxquelles il se livra lui était pour une bonne part dicté par les préoccupations de ces derniers. Il était à cet égard bien typique de son époque. Les figures de l'artiste et de l'intellectuel libres de toute dépendance personnelle étaient encore à naître ; il leur faudra encore plusieurs siècles avant de vraiment s'affirmer.

DE LA COUR À L'ACADÉMIE

Pour des artistes soucieux de se distinguer des artisans et de conquérir un statut social qui était déjà celui des lettrés humanistes — dont, comme on l'a vu, ils tentaient de se rapprocher intellectuellement —, trouver place dans l'entourage des grands constituait évidemment une option séduisante. Pour les puissants, il ne s'agissait pas seulement d'attirer des artistes-ingénieurs pour bénéficier de leur ingéniosité technique ; c'était aussi une affaire de réputation[43]. S'entourer des célébrités intellectuelles de l'époque, peintres, musiciens, mais aussi hommes de savoir, c'était en effet marquer une supériorité sur les concurrents. Comme l'écrit en 1513 Nicolas Machiavel (1469-1527) dans son fameux traité *Le Prince*, « un Prince doit montrer qu'il aime la *virtù*, et porter honneur à ceux qui sont excellents en chaque art », il saura récompenser ceux qui ajoutent à la richesse et à la gloire de sa principauté et « donner de soi des exemples d'humanité et de magnificience » ; il se souviendra surtout que le premier jugement que l'on porte sur « un Seigneur et son cerveau » dépend « des hommes qu'il tient à l'entour de lui[44] ».

Aussi voit-on la plupart des grandes figures intellectuelles de la Renaissance à un moment ou l'autre de leur carrière, ou même tout au long de celle-ci, comme le montre l'exemple assez représentatif à cet égard de Léonard de Vinci, s'attacher non pas à une université, comme le faisaient presque par définition les clercs médiévaux, mais à des employeurs puissants, parfois de riches marchands vivant noblement, mais préférablement des princes ou d'autres grands seigneurs, laïcs ou ecclésiastiques, suffisamment importants pour attirer en tant que patrons une clientèle à leur cour.

Le mouvement humaniste de la Renaissance était en effet inséparable de la vie des cours des principautés italiennes, et c'est dans ce cadre qu'allaient apparaître, au XVIᵉ siècle, les premières expériences d'une nouvelle institution appelée à jouer un rôle important non seulement dans les arts et les lettres, mais aussi en sciences : l'académie.

Le terme même d'« académie » signale bien la filiation philosophique. On se rappelle que l'école fondée par Aristote avait pris pour nom le Lycée. Or, justement, pour les humanistes, Aristote était le philosophe des universités, institutions décriées comme scolastiques et considérées comme sclérosées. On l'a vu, dans leur désir de retourner aux sources antiques qui est à la base de la Renaissance, les humanistes avaient au contraire privilégié Platon dont l'école justement s'était appelée l'Académie.

Pour le néoplatonisme de Marsile Ficin et de ses amis, les Idées constituaient la réalité véritable. Ce qui advient dans l'univers matériel et historique n'est jamais que la manifestation et l'imparfaite réalisation de telles Idées. Aux yeux de ces humanistes, l'Académie de Platon existait en tant qu'institution idéale et elle était toujours prête à se reformer. Ainsi, du fait de la présence des Idées dans toute discussion, toute la culture devenait une sorte d'immense académie. L'historien André Chastel écrit : « Cette orientation contribuera à entretenir l'idée que la culture doit se cristalliser non dans les universités, moins encore dans les couvents, mais dans des centres librement organisés. » Aussi, le terme *accademia* restait assez vague et pouvait désigner toute réunion d'artistes, toute assemblée de lettrés[45].

C'est ainsi que ce que l'on appelait à l'époque Accademia de Careggi (du nom d'une somptueuse villa que possédait Laurent de Médicis dans la campagne florentine) était non pas une organisation, mais seulement la constellation des influents lettrés gravitant autour de la cour des Médicis et dont certains se réunissaient parfois à Careggi ou, tout près, dans la maison beaucoup plus modeste que le prince avait donnée à Ficin en 1462, l'Academiola[46].

Des académies plus formellement constituées commencèrent à apparaître dans le milieu florentin environ un siècle plus tard : d'abord l'Accademia fiorentina, en 1541, puis l'Accademia del Disegno, en 1562[47]. L'Académie florentine était une académie exclusivement littéraire, annonciatrice en quelque sorte de l'Académie française qui sera fondée à Paris en 1635. Mais l'Accademia del Disegno, elle, n'était pas étrangère à certains aspects de la connaissance scientifique.

Fondée par le peintre et historien de l'art Giorgio Vasari et placée sous la protection du grand-duc, cette académie réunissait à peu près tous les artistes importants de la région florentine ; elle constituait une « organisation où peintres, sculpteurs et architectes pouvaient se réunir non en tant que membres d'une simple guilde d'artisans, mais en tant qu'intellectuels, pour discuter des courants contemporains en philosophie, en littérature et en science[48] ». Pour les artistes soucieux de s'assurer en permanence un statut nettement supérieur à celui des praticiens des arts mécaniques, il s'agissait de jeter les bases d'une doctrine intellectuelle des arts et de leurs applications.

Le nom de cette académie était des plus significatifs. En effet, le terme *disegno* renvoyait simultanément au *dessin* et au *dessein*. Il ne s'agissait pas dans cette dernière acception seulement du dessein de l'artiste, de ses intentions, mais du dessein de Dieu, du plan et de l'ordre de la création que la pratique picturale, le dessin, prétendait restituer. Sous ce seul terme, un art renvoyait à une connaissance et qui plus est à la connaissance du monde. L'exercice du regard réglé, discipliné par la géométrie et la perspective, livrait la structure du monde physique. Léonard de Vinci avait d'ailleurs plus tôt exprimé la même ambition : « La peinture force l'esprit du peintre à se transmuer en esprit de la nature elle-même. […] La peinture explique les causes des manifestations de la nature telles que ses lois les contraignent. »

De nos jours, les académies n'ont parfois pas vraiment d'autre fonction que de reconnaître la qualité exceptionnelle de certaines personnes dont l'élection à titre de membre constitue un honneur public. Les membres de l'Accademia del Disegno étaient certainement honorés d'être en si bonne compagnie mais, comme d'autres académies plus tard, l'Accademia s'attachait aussi à parfaire la formation de ses membres. La géométrie et les techniques de la perspective apparaissaient si centrales pour le *disegno* que l'institution se préoccupait d'en assurer l'enseignement en recourant à un expert de l'extérieur. C'est ainsi que Galilée lui-même, encore jeune, en 1588, dans le but sans doute non seulement de trouver un emploi mais aussi de se rapprocher du cercle entourant le puissant patron de Florence, le grand-duc de Médicis, présenta sa candidature à ce poste. Ce fut sans succès, mais Galilée avait pourtant certainement la compétence voulue pour enseigner les fondements du *disegno,* puisqu'il fut peu après engagé comme professeur de mathématiques à l'université de Pise. En fait, sa compétence en matière de *disegno* devait être plus tard reconnue d'une manière plus éclatante encore, puisqu'il fut, en 1613, élu membre de cette académie[49]. L'épisode mérite d'être relevé, comme témoignage supplémentaire du lien étroit qui exista durant la Renaissance entre les préoccupations artistiques et celles qui relevaient des praticiens des sciences.

Les académies, la plupart très éphémères, se multiplièrent durant la seconde moitié du XVIe siècle, surtout en Italie. Plusieurs s'intéressaient à la connaissance de la nature.

Ainsi, une Accademia della Crusca (du son), dont on sait peu de choses, apparut à Florence en 1582. Une vingtaine d'années plus tôt, en 1560, le jeune Giambattista della Porta (1538-1615), un membre de la petite noblesse, avait fondé dans sa maison, à Naples, l'Accademia secretorum naturae, qui réunissait, parfois pour faire des expériences, des « hommes curieux ». Il fallait, pour devenir membre, avoir fait une découverte, mis en évidence un fait de la nature jusque-là inconnu, un des « secrets de la nature ». Della Porta était l'auteur d'un des livres à succès de l'époque, *La Magie naturelle* (1589), et sa volonté de révéler ces « secrets de la nature » n'était pas sans éveiller la méfiance : les membres de son académie durent cesser de se rencontrer à la suite d'accusations de sorcellerie[50].

Deux initiatives académiques italiennes surtout laissèrent des traces durables et produisirent des contributions plus significatives dans l'histoire des sciences. Mais toutes deux présentaient, comme plusieurs des académies qui les avaient précédées, la caractéristique de reposer sur un patronage noble de haut lignage. Dans ces deux cas, témoignage de la fusion poussée entre vie de cour et préoccupations intellectuelles, la vie même de l'académie fut animée par le noble patron devenu lui-même un praticien — à temps partiel — de l'activité scientifique.

La première de ces créations, l'Accademia dei Lincei, apparut à Rome en 1603 à l'initiative du prince Federico Cesi qui n'avait alors que 18 ans. Installée dans son palais, l'académie abritait une bibliothèque, un jardin botanique et un cabinet d'histoire naturelle. Le prince en assumait tous les coûts. L'académie n'était pas étrangère aux lettres et aux arts, mais elle était surtout vouée aux sciences naturelles. Le nom même d'« académie des lynx » faisait en effet référence — par allusion à l'acuité visuelle exceptionnelle de cet animal chasseur — aux qualités d'observation que ses membres devaient posséder. Le projet du fondateur de l'académie était trop ambitieux pour être complètement réalisé. Il se proposait en effet d'établir des sortes de monastères laïques (les prêtres étaient par règlement exclus de son académie qui ne devait pas discuter de questions religieuses), non seulement à Rome mais à travers le monde, de façon à favoriser la coopération scientifique[51]. Mais l'académie demeura en fait confinée au seul site de son palais romain et ne donna naissance à aucun autre « monastère », semble-t-il. Elle comptait plus de 30 membres, les plus connus étant sans doute della Porta et Galilée qui y entra en 1611. L'existence d'une telle organisation si entièrement dépendante de l'intérêt et de la générosité d'un seul individu devait évidemment s'avérer fragile : à la mort du prince, en 1630, l'académie fut accueillie dans le palais d'un autre mécène, mais elle perdit beaucoup de son lustre et cessa ses activités en 1651.

L'autre illustre académie scientifique italienne, l'Accademia del Cimento, ou « académie de l'expérience », tint sa première séance en 1657. Elle avait été fondée à Florence par un membre de la dynastie des Médicis, le prince Léopold, qui lui-même s'intéressait activement aux sciences naturelles. Lui aussi couvrait toutes les dépenses de son académie qui comptait parmi ses membres nombre de savants importants, dont plusieurs disciples de Galilée, qui y menèrent des travaux expérimentaux et inventèrent de nouveaux instruments scientifiques de grande importance pour l'évolution de la pensée scientifique. Point n'est besoin de s'attarder sur ce sujet maintenant, puisque nous y reviendrons au chapitre 8. Relevons seulement ici que lorsque le prince Léopold accéda au cardinalat en 1667 il ne put continuer à se consacrer à l'académie qui dès lors, après seulement 10 années d'activité, cessa d'exister. Encore une fois, l'intégration poussée de l'académie à la vie de cour et sa dépendance à l'endroit d'un noble patron avaient eu pour conséquence une fatale précarité.

Les expériences académiques italiennes eurent leurs pendants à l'étranger, dans les multiples petites cours allemandes notamment, où il arriva souvent aussi que de grands nobles veuillent non seulement agir en protecteurs des sciences, mais aussi jouer eux-mêmes, comme le prince Cesi et le prince Léopold, le rôle de savants[52]. Cependant, là aussi, les mêmes conditions produisirent les mêmes effets. L'activité scientifique sans doute y trouva des points d'appui et des ressources pour favoriser son dynamisme, mais il ne pouvait s'agir d'un modèle institutionnel durable.

Toutefois, et en partie du fait de ses carences, le modèle académique expérimenté d'abord dans l'environnement effervescent des cours de la Renaissance était porteur d'enseignements. Comme on le verra au chapitre suivant, l'institution académique trouva des assises plus stables au XVIIᵉ siècle en dépersonnalisant l'organisation — désormais définie par l'activité d'un collectif de savants — et en lui assurant la protection et une aide financière de l'État, encore que, dans certains cas, cet appui demeurât essentiellement symbolique et non pécuniaire.

UNE NOUVELLE FIGURE SOCIALE : L'IMPRIMEUR

Pour l'historien des sciences George Sarton, l'imprimerie fut « la plus féconde invention de la Renaissance[53] », jugement voisin de celui d'un acteur historique fort conscient du caractère révolutionnaire de son époque, l'Anglais Francis Bacon, qui écrivait que trois découvertes « qui étaient inconnues des Anciens [...] [avaient] changé toute la face et l'ordre des choses à travers le monde [:] l'imprimerie, la poudre à canon et l'aimant[54] ». Même si certains esthètes continueront pour un temps à exiger des reproductions manuscrites, considérant comme vulgaires les textes reproduits mécaniquement au moyen de la presse à imprimer, les jours des *scriptoria,* les ateliers de copistes, étaient comptés. En effet, l'imprimerie qui apparut vers 1450 allait bientôt révolutionner les usages.

Le déclencheur du phénomène de la Renaissance, le mouvement humaniste de réactualisation des textes de l'Antiquité, supposait que l'on rendît d'abord ceux-ci accessibles. Aussi assista-t-on alors à une fébrile activité de copie des textes anciens.

Le phénomène n'était pas nouveau, puisque l'augmentation de la demande de tels textes avait fait que, dès le XIIIᵉ siècle, les scribes laïques dépassaient en nombre ceux des monastères. À cette époque, la croissance de la demande de livres, engendrée par les universités et les exigences de l'administration urbaine, avait favorisé une laïcisation de la culture lettrée et l'émergence des métiers du livre : parcheminiers, copistes, relieurs, libraires.

Le parchemin étant très coûteux et long à produire, la distribution de livres, à moyenne et grande échelles, reposait sur l'usage plus répandu du papier, matériau plus souple et surtout moins onéreux, fabriqué à l'aide de linges déchiquetés, sous-produit de l'industrie textile. Connu des Chinois depuis le début du IIᵉ siècle de notre ère, le papier avait atteint d'abord l'Italie au début du XIIᵉ siècle après avoir passé par le monde arabe *(fig. 6.5).* Ce fut

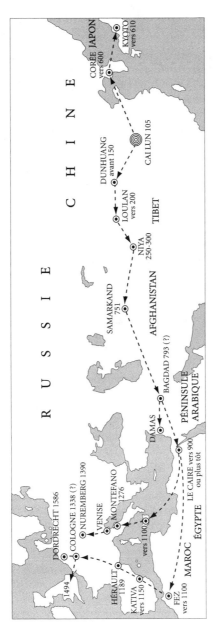

Figure 6.5. Carte de la diffusion du papier à partir de la Chine. D'après A. Gaur, *A History of writing*, London, British Library, 1984, p. 47.

aussi en Italie qu'apparurent les premiers fabricants de papier qui se multiplièrent et se répandirent rapidement en Europe à compter du XIIIe siècle[55].

Aux XIVe et XVe siècles, l'activité commerciale de production de manuscrits se développa à grande échelle. Le plus fameux fournisseur de manuscrits de l'époque fut sans doute Vespasiano da Bisticci qui, pour la réalisation d'un seul de ses contrats, la reproduction en 22 mois de 2 000 ouvrages pour la bibliothèque de Cosme de Médicis à Florence, engagea 45 scribes[56]. Le prix des volumes vers 1440 restait élevé : avec son salaire annuel, un professeur de l'université de Pavie, par exemple, ne pouvait acheter que deux gros volumes de droit ou dix de médecine. Le travail des copistes constituait une bonne partie du coût de production. En somme, l'invention de l'imprimerie doit être replacée dans le cadre de ce « système technique » où la métallurgie, les moulins à eau, le papier et les universités s'unirent pour faire augmenter le marché potentiel de lecteurs.

Le destin de l'imprimerie était ainsi intimement lié à l'état des techniques à l'époque. Certains historiens se demandent d'ailleurs si celui auquel on attribue l'invention de l'imprimerie en Europe, Johannes Gensfleisch dit Gutenberg (fin XIVe s.-1468), n'aurait pas été orfèvre, c'est-à-dire expert en métallurgie fine. Un biographe de Gutenberg a récemment souligné que « l'imprimerie est fille, ou plutôt sœur du rouet, de la machine à polir, des nouveaux alliages » et que les capacités techniques allemandes jouèrent effectivement un rôle déterminant dans la mise au point rapide de l'invention[57]. C'est que le monde de l'imprimeur, en effet, est un monde de machines et de compétences techniques : il s'agit de tailler des matrices et de fondre des caractères, de concevoir et d'assembler des presses, de dessiner, de graver, etc.

Mais les imprimeurs, comme les ingénieurs de leur époque, étaient aussi, souvent, à la fois artisans et penseurs, unissant travail manuel et travail intellectuel. L'atelier de l'imprimeur fut ainsi un lieu de rencontre des artisans, humanistes, auteurs, traducteurs, grammairiens, correcteurs d'épreuves. Les commentateurs savants s'y retrouvaient en effet, avec en plus les visiteurs lettrés de passage qui ne manquaient pas de s'arrêter, trouvant là un milieu convivial d'échanges intellectuels. Certains imprimeurs, comme la famille des Estienne à Lyon et à Paris ou Christophe Plantin à Anvers, furent non seulement des artisans raffinés, mais aussi de grands humanistes dirigeant eux-mêmes l'édition de leurs propres œuvres ou celle de grands textes du passé. Ainsi les vastes ateliers de ces grands imprimeurs constituaient-ils des sortes d'académies informelles, des centres d'innovation intellectuelle ; ils entretenaient d'ailleurs de vastes réseaux de correspondance. Dans cet esprit, l'ate-

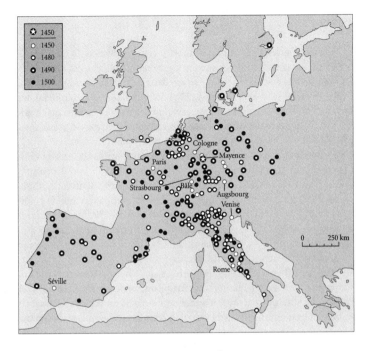

Cologne

Mayence

Paris

Strasbourg

Bâle

Augsbourg

Venise

Rome

Séville

0   250 km

Figure 6.6. Diffusion de l'imprimerie en Europe, de 1450 à 1500.

lier de l'imprimeur Aldus Manutius à Venise a été décrit comme un mélange « d'usine, d'auberge et d'institut de recherche[58] ». Cette atmosphère contraste avec celle du *scriptorium* où toute l'activité des copistes se résume à la retranscription des textes.

De l'Allemagne, l'imprimerie se répandit rapidement en Italie où Venise devint bientôt le centre majeur du nouveau commerce. Alors qu'elle était inconnue en 1450, on la retrouvait au tournant du XVIe siècle dans tous les centres urbains importants *(fig. 6.6)*. Même à Rome, qui ne devint jamais à l'époque un centre d'imprimerie important et où, comme à Paris, la censure ecclésiastique était toujours à craindre (contrairement à Venise où le Sénat gouvernait la ville dans le seul intérêt commercial d'une oligarchie marchande et laïque), 40 presses étaient déjà installées en 1500[59]. Faute d'information fiable sur les tirages, on ne peut évaluer sérieusement le nombre d'exemplaires d'ouvrages imprimés qui avaient été mis en circulation à cette date, mais, selon certaines sources, 30 000 titres auraient été publiés avant 1500.

On peut penser que l'impact culturel de cette innovation fut donc considérable. Pourtant, certains auteurs ont fait valoir qu'initialement l'imprimerie pourrait avoir eu un effet plus conservateur que révolutionnaire. En effet, l'examen des titres publiés entre 1450 et 1550 indique que le contenu des ouvrages imprimés ne différait pas beaucoup de celui des manuscrits reproduits au cours des cent années précédentes, soit entre 1350 et 1450. Ainsi, environ 45 % des livres imprimés avant 1500 étaient des ouvrages religieux[60]. L'imprimerie a surtout d'abord multiplié des textes anciens, elle n'a pas diffusé beaucoup de nouveautés; elle « semble donc n'avoir joué à peu près aucun rôle dans le développement des connaissances scientifiques théoriques[61] ». Dans le domaine technique, cependant, avec par exemple la publication du *Traité d'architecture* d'Alberti en 1485 ou du *Théâtre des machines* de Valturio en 1472 — un ouvrage réimprimé au moins quatre autres fois avant la fin du siècle —, l'imprimerie aurait « contribué à attirer l'attention du grand public sur les questions techniques[62] ».

Pourtant, il est certain que l'imprimerie contribua puissamment à la diffusion du mouvement humaniste en multipliant rapidement, sur presque tout l'espace européen, des exemplaires identiques des textes anciens sur lesquels se fondait ce mouvement. Cette situation contrastait avec une tradition qui reposait sur le caractère unique des manuscrits, deux copies du même traité n'étant jamais identiques. Grâce à l'imprimerie, les humanistes purent donc jouir promptement d'une grande réputation à l'échelle européenne.

L'activité de publication des textes anciens fut en effet trépidante. Ainsi, le texte majeur de Lucrèce, *De natura rerum*, qui au début du xve siècle n'était plus connu que par un manuscrit — et qui risquait donc de disparaître de la mémoire de l'humanité —, fut imprimé en 1473 et avait déjà connu à la fin du xvie siècle une trentaine d'éditions[63]. Dans le cas de Galien, 600 impressions de ses œuvres furent effectuées entre 1490 et 1598. De même, les *Éléments* d'Euclide et la *Géographie* de Ptolémée furent plusieurs fois imprimés et ainsi rendus rapidement plus accessibles. Des savants du xvie siècle contribuèrent d'ailleurs à la publication des textes scientifiques anciens. Ainsi, Tartaglia édita en 1543 les œuvres d'Archimède et Luca Pacioli, insatisfait des éditions antérieures d'Euclide, en publia une nouvelle en 1509. Enfin, l'astronome Regiomontanus disposait de sa propre presse pour imprimer des livres de mathématiques et d'astronomie[64].

En fait, c'est justement cette accessibilité aux textes du passé, maintenant plus soigneusement établis, qui prépara l'explosion de la connaissance dont l'onde de choc se ferait sentir au milieu du xvie siècle[65]. Comme le souligne Élizabeth Eisenstein — l'avocate la plus convaincue du rôle crucial joué par l'imprimerie dans la révolution moderne du savoir —, durant plus de 300 ans après la renaissance du XIIᵉ siècle, « les frontières de la connaissance scientifique atteintes à Alexandrie restaient hors d'atteinte » ; or, au XVIᵉ siècle, on était pour la première fois capable de reproduire les réalisations de l'époque hellénistique parce qu'il était enfin devenu possible de bâtir sur la connaissance d'une portion substantielle de l'ensemble du savoir accumulé par les Anciens. « La préservation de l'ancien, en somme, lança la tradition du nouveau[66]. »

CONCLUSION : LA FIN DE LA CULTURE DU SCRIBE ET L'ÉMERGENCE DU SAVANT

Pour reprendre l'expression d'Elizabeth Eisenstein, avec le XVIᵉ siècle, « l'âge du scribe est terminé[67] ». C'est que, comme en conviennent aussi généralement les autres historiens, « vers 1500-1510 [...] l'imprimerie a gagné la partie. Dans les bibliothèques, les livres imprimés relèguent de plus en plus les manuscrits au second rang ; vers 1550, ceux-ci ne sont plus guère consultés que par les érudits[68]. »

La rapide multiplication des ouvrages imprimés invitait à leur classification. Or, il est intéressant de noter que, vers la fin du XVIᵉ siècle, le terme déjà ancien de « science » prit une acception nouvelle. Ainsi, les 6 000 titres présentés dans le *Catalogue of English Printed Bookes,* imprimé pour un libraire de Londres en 1595, étaient répartis en trois sections : « *Divinitie* », c'est-à-dire théologie ou religion, « *The Sciences* » et « *Humanities* ». Non seulement l'ouvrage à contenu religieux entrait maintenant dans un groupe à part, mais la catégorie « sciences » regroupait les savoirs physique, mathématique et médical alors qu'étaient classés dans celle des humanités la grammaire, la logique, la rhétorique, le droit, l'histoire, la poésie, la politique, etc. En fait, ce qui s'esquissait là, c'était l'assignation, au sein de l'univers culturel, d'une spécificité de l'activité scientifique, distincte des autres formes de savoir[69].

L'imprimerie assura le triomphe et la diffusion de l'humanisme, son prolongement aussi dans des directions qui eussent étonné les humanistes eux-mêmes. Une nouvelle figure historique allait bientôt se profiler, celle du savant, un praticien d'un nouveau type qui cultivera la « philosophie naturelle » et redessinera complètement la carte des savoirs.

CHAPITRE 7

La révolution astronomique :
de l'humaniste au savant

L'un des événements scientifiques les plus importants de la Renaissance, par ses conséquences à long terme, fut sans contredit la « révolution astronomique », dite aussi « révolution copernicienne » du nom de celui qui en fut l'artisan, le chanoine polonais Nicolas Copernic (1473-1543). Cette révolution conceptuelle se fit toutefois à une époque où le statut social du porteur du savoir n'était pas différent de ce qu'il avait été au Moyen Âge et l'on peut dire que Copernic et les grands astronomes de la génération suivante, comme Tycho Brahé et Johannes Kepler, furent des figures de transition. Prenant racine dans le cadre universitaire médiéval mais influencés par le néoplatonisme de la Renaissance, leurs travaux firent craquer le cosmos ptoléméen sans toutefois pouvoir lui substituer un nouvel ordre aussi cohérent que celui fourni par Aristote. Comme on le verra au chapitre suivant, cette nouvelle image cohérente de l'univers allait provenir de physiciens plutôt que d'astronomes. Mais voyons d'abord comment les astronomes furent amenés à remettre en cause une doctrine cosmologique presque deux fois millénaire.

À l'époque de Copernic, les bases de l'astronomie s'enseignaient encore à la faculté des arts. Mais il n'y avait pas, comme c'était le cas en théologie, en droit et en médecine, de doctorat en mathématiques ou en astronomie et, pour acquérir des connaissances avancées dans ces domaines, il fallait prendre des leçons privées. Il n'était pas étonnant par conséquent que ceux qui s'intéressaient à l'astronomie aient la plupart du temps une formation en médecine, en droit ou en théologie, seules professions légitimes de l'époque. Copernic n'était donc ni professeur ni astrologue, et on peut dire qu'il fit de l'astronomie durant ses périodes de loisir, bien que ce fût là sa passion. Entré à l'université de Cracovie en 1491, il obtint d'abord son baccalauréat. L'enseignement comprenait, entre autres, des cours d'astronomie élémentaire d'après *La Sphère* de Sacrobosco (le manuel le plus utilisé depuis le XIIIe siècle), de géométrie, d'astrologie et de manipulation de tables des éclipses.

Ces connaissances de base étaient utiles aux astrologues pour connaître la position des planètes et préparer les cartes du ciel et les almanachs, de même qu'aux médecins qui, à l'époque, tenaient souvent compte des positions des planètes et de leur influence dans leurs pronostics médicaux et leurs traitements. Selon Tycho Brahé, par exemple, un bon médecin ne peut pratiquer correctement son art sans une connaissance des principes qui unissent le macrocosme astronomique au microcosme humain. D'ailleurs, les cours d'astronomie étaient souvent donnés par les titulaires de chaires de médecine. Les fonctions de l'astronomie n'avaient donc pas changé de façon essentielle depuis les Grecs et même les Babyloniens : astrologie, médecine et préparation du calendrier étaient encore à la base de l'intérêt pour cette science. Cela n'empêchait pas, bien sûr, une minorité de mathématiciens de s'intéresser à l'astronomie pour des raisons purement théoriques, dans le seul but de comprendre la structure de l'univers.

Une fois bachelier, doté d'une formation générale qui, on l'a vu, donnait accès aux facultés spécialisées de théologie, de droit ou de médecine, Copernic, sur les conseils de son oncle qui était évêque catholique de Warmie, région autonome de la Pologne, décida d'aller à Bologne étudier le droit canon afin de pouvoir revenir ensuite l'assister dans la gestion de son diocèse. Il passa 10 ans en Italie, s'imbibant de cette culture humaniste qui donnait son caractère distinct à la Renaissance. Il apprit le latin et surtout le grec pour pouvoir lire Platon et les textes mathématiques et astronomiques alexandrins. Il prit des leçons privées de mathématiques et, après ses cours de droit à Bologne, il étudia la médecine à Padoue. Lorsqu'il revint dans son pays natal à l'automne de 1503, il était donc médecin et docteur en droit civil et canon. Une fois nommé chanoine, son travail consista à assister l'évêque. Il le suivait dans ses missions, faisait des tournées d'inspection des domaines qui étaient sous son autorité et s'occupait de l'administration générale. La guerre qui opposa la Pologne et l'ordre des chevaliers Teutoniques, en 1520, l'amena à s'intéresser aux questions diplomatiques et il rédigea un mémorandum sur les dommages de guerre réclamés par la Warmie. Il s'occupa aussi de questions économiques et écrivit en 1519 un texte important dans lequel il étudiait les causes de la dévaluation de la monnaie et suggérait l'adoption d'une monnaie unique pour tous les États polonais, proposition qui sera acceptée quelques années plus tard. En plus de ces différentes charges administratives, il pratiqua la médecine mais, contrairement à la plupart de ses homologues, il ne montra aucun intérêt pour l'astrologie. Ce fut donc au travers de toutes ces activités quotidiennes que Copernic trouva le temps de se concentrer sur ses préoccupations astronomiques. Et quelles étaient ces préoccupations ?

LES FAIBLESSES DU MODÈLE DE PTOLÉMÉE

L'astronomie de la Renaissance se caractérisa par un retour aux textes grecs. On voulait ainsi éviter les déformations introduites par les nombreuses traductions, arabes d'abord et latines ensuite. À l'époque où Copernic fit ses études, la théorie ptoléméenne était accessible grâce à l'*Epytomia in Almagestum Ptolemai* de Johannes Regiomontanus, qui résumait et commentait l'astronomie de Ptolémée et qui avait été imprimé en 1496. Ce fut d'ailleurs grâce à l'invention de l'imprimerie vers 1450 que les principaux textes utilisés par les scientifiques devinrent plus faciles d'accès. Cette nouvelle technique accéléra la diffusion des connaissances et permit à Copernic d'avoir sur sa table de travail de nombreux textes jusque-là rares et dispersés à travers l'Europe sous forme manuscrite. Ainsi, il possédait l'édition de 1496 du livre de Regiomontanus, de même que la première édition de l'*Almageste* imprimée en 1515 et une des éditions des *Éléments* d'Euclide (la première impression date de 1482). On peut penser que, sans l'accès à tous ces livres rendu possible par l'imprimerie, Copernic aurait eu du mal, isolé dans son pays natal, à concevoir et à écrire son grand livre[1].

Les commentateurs de Ptolémée étaient conscients du fait que son modèle astronomique, plus que millénaire, souffrait d'insuffisances importantes. La variation du diamètre apparent de la Lune prévue par la théorie était beaucoup plus grande que celle qu'on observait. De plus, les planètes ne se déplaçaient pas à vitesse constante autour du centre du déférent. En effet, on a déjà dit au chapitre 2 que, pour que son modèle soit conforme aux observations, Ptolémée avait été conduit à utiliser l'équant, technique qui s'éloigne de l'idée originelle des cercles concentriques tournant à vitesse constante. Enfin, la théorie avait du mal à accorder l'année solaire à l'année lunaire, de sorte que, sur le plan pratique, le calendrier prenait du retard sur les saisons, ce qui préoccupait les autorités religieuses depuis longtemps. En effet, l'année solaire était plus courte de quelques minutes que l'année lunaire du calendrier julien, en vigueur depuis le Ier siècle avant notre ère, ce qui ajoutait environ 3 jours de retard tous les 400 ans. Déjà en 1475, Regiomontanus, l'astronome le plus réputé de son époque, avait été appelé à Rome pour discuter du problème de la réforme du calendrier. Et, au concile de Latran, en 1514, ce problème avait été mis à l'ordre du jour, mais sans qu'aucune solution soit retenue. Consulté, Copernic avait suggéré de ne rien entreprendre avant que la théorie astronomique ne soit réformée. Ce ne fut que beaucoup plus tard, en 1582, que le calendrier julien fut finalement remplacé par le calendrier grégorien, qui tire son nom de celui du pape ayant instauré cette réforme, Grégoire XIII. Fondé sur des calculs effectués à partir des tables publiées en 1551 par l'astronome Erasme Reinhold à partir du système de Copernic, le nouveau calendrier remplaça, au moment de son entrée en vigueur, le 4 octobre par le 14 octobre de façon à rattraper le retard accumulé au cours des siècles et à ramener au 21 mars l'équinoxe du printemps. Cette réforme ne fut toutefois adoptée par les pays protestants que beaucoup plus tard. L'hostilité entre catholiques et protestants était telle qu'un esprit averti comme Kepler alla jusqu'à dire qu'il valait mieux être en désaccord avec les étoiles qu'en accord avec le pape[2] !

Du point de vue de la théorie astronomique, le caractère arbitraire du modèle de Ptolémée était donc devenu évident aux yeux des experts. Depuis le Moyen Âge, plusieurs astronomes arabes avaient suggéré des modifications techniques au modèle de Ptolémée sans toutefois remettre en cause son fondement : l'immobilité de la Terre au centre de l'univers. La raison en était simple : la cosmologie était alors fondée sur la physique d'Aristote et cette conception du monde se serait effondrée si l'on avait déplacé la Terre du centre de l'univers. Ce fut à Copernic que revint l'honneur de construire un modèle astronomique qui remit radicalement en question l'ordre aristotélicien.

LA RECHERCHE DE L'HARMONIE

On sait peu de choses sur l'évolution des idées de Copernic. Le premier texte manuscrit qu'il mit en circulation vers 1513-1514 est connu sous le titre de *Commentariolus,* ou petit commentaire. Il s'agit d'une présentation sommaire des principes de base de sa nouvelle théorie, qu'il fit circuler parmi ses amis des milieux académique, diplomatique et religieux. Les preuves mathématiques détaillées seront contenues dans le *De revolutionibus* qui paraîtra 20 ans plus tard. Dès le début du *Commentariolus,* Copernic note son insatisfaction à l'égard des modèles astronomiques existants :

Les théories qui ont été avancées par Ptolémée et par la plupart des autres astronomes, encore qu'elles fussent en accord avec les données numériques, semblaient comporter une difficulté majeure. Elles n'étaient suffisantes en effet, que si l'on imaginait encore certains cercles équants, à cause desquels la planète n'apparaissait mue avec une vitesse toujours uniforme ni sur son orbe déférent ni autour du centre propre [du monde]. *Aussi une théorie de cette espèce ne semblait-elle ni suffisamment achevée* ni suffisamment accordée à la raison. *Ayant donc, pour ma part, remarqué ces difficultés, je me demandais souvent si d'aventure l'on pouvait trouver* un système plus rationnel de cercles *d'où toute irrégularité apparente découlerait tandis que* tous seraient mus uniformément autour de leurs centres, comme l'exige le principe du mouvement parfait[3].

Même s'il avait fait quelques observations, Copernic était avant tout un théoricien. Comme l'indique bien l'extrait cité, il se réclamait directement de la tradition platonicienne dont s'étaient écartés les astronomes au fil du temps : il tenait à ce que les planètes se déplacent uniformément sur des cercles. Rappelons que, pour avoir des orbites planétaires conformes aux observations, Ptolémée avait en quelque sorte trahi ce principe en utilisant l'équant. Copernic élimina donc cette méthode et n'utilisa que des déférents et des épicycles.

S'en tenant au principe du mouvement circulaire uniforme, il plaça le Soleil au centre de l'univers et fit tourner la Terre sur elle-même et autour du Soleil *(fig. 7.1)*. Il est important de noter que ces modifications n'étaient pas imposées par une amélioration des observations qui l'auraient forcé à abandonner le système de Ptolémée. Au contraire, du point de vue mathématique les deux systèmes sont équivalents, celui de Copernic étant parfois un peu plus précis (il prenait de nouvelles positions initiales et modifiait le rapport entre les périodes de rotation des déférents et des épicycles des diverses planètes). C'étaient donc essentiellement des arguments de nature esthétique qui étaient à la base de la réforme astronomique prônée par Copernic. Il insistait d'ailleurs sur l'harmonie de son système, qui tranchait, selon lui, avec l'arbitraire de celui de Ptolémée. Dans la préface du *De revolutionibus,* adressée au pape Paul III, il notait que, si l'on mettait la Terre en mouvement, « non seulement en découlaient les mouvements apparents [des planètes et des étoiles], mais encore l'ordre et les dimensions de tous les astres et orbes », et qu'il se trouvait « au ciel lui-même une connexion telle que dans aucune de ses parties on ne pouvait changer quoi que ce soit sans qu'il s'ensuive une confusion de toutes les autres et de l'univers tout entier[4] ».

L'ordre des orbes était depuis longtemps un problème non résolu. Déjà Aristote se demandait : « Pour quelle raison les astres ne sont-ils pas mus de

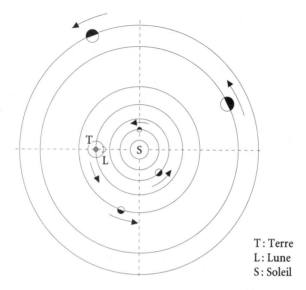

T : Terre
L : Lune
S : Soleil

Figure 7.1. Version simplifiée (sans épicycles ni excentriques) du système de Copernic.

mouvements toujours plus nombreux à mesure qu'ils se trouvent plus loin de la translation première, mais sont-ce les mouvements de la région médiane qui sont les plus nombreux[5] ? » En modifiant l'ordre des planètes, Copernic fit disparaître ce problème, et les périodes de rotation étaient directement liées au diamètre des orbes.

Représentant typique de l'humanisme néoplatonicien, Copernic accordait une grande importance au Soleil, suivant en cela les figures centrales de l'humanisme comme Marsile Ficin, traducteur de Platon, de Proclus et d'Hermès Trismégiste, pour qui rien ne révélait mieux la nature de Dieu que la lumière du Soleil. Présentant l'ordre des planètes dans le *De revolutionibus*, Copernic devient en effet lyrique lorsqu'il arrive au Soleil :

> *Et au milieu de tout repose le soleil. En effet, dans ce temple splendide qui donc poserait ce luminaire en un lieu autre, ou meilleur, que celui d'où il peut éclairer tout à la fois ? Or, en vérité, ce n'est pas improprement que certains l'ont appelé la prunelle du monde, d'autres Esprit, d'autres enfin son Recteur. Trismégiste l'appelle Dieu visible. L'Electra de Sophocle l'omnivoyant. C'est ainsi en effet, que le soleil, comme reposant sur un trône royal, gouverne la famille des astres qui l'entoure[6].*

L'influence pythagoricienne de la nouvelle astronomie était aussi visible chez le seul astronome à avoir côtoyé Copernic, Georg Joachim Rheticus (1514-1576), collègue de Reinhold à l'université de Wittenberg, ami de Melanchthon et de Pierre de La Ramée, figures importantes du mouvement humaniste. Commentant le fait que, dans le monde de Copernic, il n'y a que six sphères mobiles autour du Soleil, Rheticus écrivait :

> Pourrait-on choisir un nombre plus convenable et plus approprié que le nombre six ? Par quel autre nombre aurait-on pu plus facilement persuader l'humanité que tout l'univers était divisé en sphères par Dieu, auteur et créateur du monde ? Car le nombre six est au-dessus de tous les autres dans les prophéties sacrées de Dieu ainsi que pour les pythagoriciens et les philosophes. Qu'est-ce qui peut être plus convenable pour l'œuvre de Dieu que le fait que le premier et le plus beau de ses ouvrages puisse être résumé dans le premier et le plus parfait des nombres[7] ?

En effet, dans la théorie pythagoricienne, le nombre six est le premier nombre naturel qui est égal à la somme de ses facteurs (soit 1+2+3), ce qui définit un nombre parfait. En un sens, la Renaissance fut donc la revanche de Platon sur Aristote et ce fut Ptolémée qui en fit les frais.

Professeur de mathématiques et d'astronomie à l'université de Wittenberg, Rheticus avait entendu parler des idées du chanoine polonais et en 1539 s'était décidé à aller à sa rencontre. C'est en publiant à Gdansk en 1540 *Narratio prima* (premier exposé), bref résumé de l'œuvre de Copernic, que Rheticus rendra publiques les thèses de celui-ci. Ce texte sera réimprimé dès l'année suivante à Bâle. Rheticus se raconte en 1542 :

> [ayant] entendu parler de la réputation considérable du docteur Nicolas Copernic dans les régions septentrionales, et bien qu'à ce moment-là l'université de Wittenberg m'eût nommé professeur public [de mathématiques], je pensai pourtant que je ne devais avoir de cesse que je n'eusse appris quelque chose de son enseignement. Et certainement je ne regrette ni les dépenses ni les voyages ni les autres désagréments. Il me semble, en effet, que je n'ai pas accompli une mince tâche en décidant, avec mon audace de jeune homme, un homme maintenant âgé, à livrer plus tôt au monde tout entier ses contributions en ces matières [l'astronomie][8].

Ce ne fut qu'à la suite des pressions du cardinal Nicolas Schonberg (dès 1536), de son ami Tiedemann Giese — qui avait été comme lui chanoine à Frombork avant de devenir évêque de Chelmno — et de Rheticus, que Copernic se décida à rendre public son grand livre, le *De revolutionibus*. Car bien que d'un point de vue mathématique les méthodes de Copernic fussent acceptables, il en allait autrement des points de vue physique et religieux, et l'auteur en était parfaitement conscient. Il écrit d'ailleurs dès les premières lignes de sa lettre au pape, qui sert d'introduction au livre : « [Je] puis fort bien m'imaginer, Très Saint Père, que, dès que certaines gens sauront que, dans ces livres que j'ai écrits sur la révolution des sphères du monde, j'attribue à la Terre certains mouvements, ils clameront qu'il faut tout de suite nous condamner, moi et cette mienne opinion. » Mais il ajoute plus loin : « De ceux-là je ne me soucie aucunement, et ceci jusqu'à mépriser leur jugement comme téméraire. » Avant même la publication, les rumeurs circulaient sur les idées de Copernic, et les ténors du protestantisme, Luther et Melanchthon, avaient publiquement déclaré qu'il était absurde de prétendre que la Terre puisse se mouvoir, le second ajoutant même que de telles idées ne devraient même pas être tolérées par un gouvernement sage[9]. Dans sa présentation de la *Narratio prima*, Rheticus prend soin de noter que les philosophes qui veulent débattre des idées de Copernic doivent avoir au moins « une teinture de mathématiques car lorsqu'il s'agit de juger et de trancher des controverses de ce genre, ce n'est pas en vertu d'opinions plausibles, mais de lois mathématiques (tribunal devant lequel la cause est ici plaidée) que la sentence doit être prononcée[10] ». Il reprend là ce que Copernic affirme déjà dans sa préface : « Les choses mathématiques sont écrites pour les mathématiciens. »

Copernic et Rheticus étaient donc tout à fait conscients de la nouveauté de la théorie héliocentrique. On peut lire dans la préface à la deuxième édition de la *Narratio prima* : « [...] inconnus des Anciens et étonnants pour les esprits de notre temps sont les enseignements de ce petit traité. Car [...] désormais la terre court, elle qu'auparavant l'on croyait immobile[11]. » En fidèle humaniste, l'auteur se doit tout de même de donner un coup de chapeau aux « Anciens » : « Célébrons l'Antiquité savante pour ses connaissances et ses découvertes, mais ne refusons pas pour autant gloire et honneur aux études nouvelles. » Il ajoute plus loin : « Bien qu'il ne corresponde pas aux manières d'enseigner en usage jusqu'à maintenant et qu'il puisse être jugé contraire, par plus d'une thèse, aux théories habituelles des écoles, et hérétique (comme diraient les moines), ce livre paraît pourtant véritablement offrir le rétablissement et même la renaissance d'une astronomie nouvelle. »

LA PHYSIQUE CONTRE L'ASTRONOMIE

Ces précautions n'étaient pas qu'oratoires car le système de Copernic remettait effectivement en cause la division du travail entre les disciplines.

Selon la conception aristotélicienne, seul le monde sublunaire est objet de la physique avec ses mouvements naturels et violents. À partir de l'orbe de la Lune, le ciel est parfait et ne relève pas de la physique mais de l'astronomie mathématique qui décrit les mouvements parfaits des cercles. Le traité de Ptolémée s'intitule d'ailleurs en grec *Mathematikos Syntaxis* (composition mathématique) et l'« astronome » y est toujours désigné sous le nom de « mathématicien ». Le traité de Copernic suit fidèlement le plan de cet ouvrage, de même que ses méthodes mathématiques. Mais, en plaçant la Terre pour ainsi dire « dans le ciel », Copernic l'astronome ne pouvait éviter de soulever des questions de physique auxquelles il n'était cependant pas vraiment en mesure de répondre. En fait, il discute peu les objections classiques au mouvement de la Terre, sinon pour en inverser le sens. À l'idée de Ptolémée que la rotation de la Terre la ferait éclater, il répond que faire tourner la sphère des étoiles, beaucoup plus massive, serait encore plus dangereux. Cet argument est pourtant irrecevable du point de vue aristotélicien, puisque la sphère des étoiles, qui est faite d'éther, n'est pas lourde et que son mouvement est naturel et ne requiert donc aucune force. Seule la Terre, composée des quatre éléments, est lourde et soumise au mouvement violent. Il faudrait donc un mouvement extraordinairement violent pour faire tourner la Terre et l'éloigner ainsi du centre du monde — son « lieu » naturel.

Pour éviter l'argument selon lequel les objets sur Terre se déplaceraient spontanément en direction contraire à celle de la rotation, Copernic avance l'idée que c'est en fait le mouvement circulaire qui est naturel et le mouvement linéaire qui est violent — modifiant ainsi arbitrairement la physique d'Aristote — et que les objets terrestres comme les oiseaux, les nuages et tout ce qui se trouve en deçà de l'orbe de la Lune, sont naturellement entraînés par ce même mouvement circulaire. Sur la question de la gravitation, il s'éloigne là aussi d'Aristote et affirme que c'est l'attirance mutuelle des parties qui explique la forme circulaire et non un quelconque mouvement naturel vers le centre de l'univers. Ainsi, les morceaux de Lune sont attirés vers d'autres morceaux de Lune, les morceaux de Terre par d'autres morceaux de Terre et ainsi de suite. De cette façon, la Terre peut être sphérique sans être au centre de l'univers. Copernic abandonne ainsi la dichotomie Ciel-Terre, centrale dans la doctrine péripatéticienne.

Il ne convainquit toutefois personne avec ses raisonnements. Ses lecteurs potentiels étaient surtout des médecins-astrologues et des astronomes. Pour les premiers, ce nouveau système était incompatible avec leurs croyances fondamentales, et les seconds, peu nombreux, s'intéressaient surtout à ses méthodes de calcul et y voyaient un outil purement mathématique. Ces lecteurs laissaient donc de côté le premier livre qui explique la rotation de la Terre, et s'en tenaient aux livres 2 à 6 qui sont strictement astronomiques et mathématiques et qui suivent de près l'*Almageste* de Ptolémée, dont ils peuvent sembler un commentaire. Le modèle de Copernic leur apparaissait intéressant, mais l'hypothèse du mouvement de la Terre leur semblait une fiction, au mieux utile pour faciliter les calculs[12].

Conscient de la faiblesse des arguments physiques en faveur de la rotation de la Terre, Rheticus lui-même insiste dans son livre sur le fait que, finalement, « ce sont principalement les mouvements des planètes qui exigent de telles hypothèses ». Il fallait donc admettre le mouvement de la Terre parce que les explications astronomiques devenaient alors plus simples et plus harmonieuses. Et cette harmonie des cieux était plus importante aux yeux des contemporains que les objections physiques, auxquelles ils ne pouvaient pas vraiment apporter de réponses cohérentes. D'ailleurs, si Copernic n'avait pu fournir dans le *De revolutionibus* les preuves strictement mathématiques que ses hypothèses permettaient de « sauver les phénomènes », comme on disait depuis les Grecs, c'est-à-dire de reproduire les mouvements des planètes comme l'avait fait Ptolémée, il ne fait aucun doute que sa théorie n'aurait eu aucun impact. Après tout, Aristarque de Samos, au IIIe siècle avant notre ère, avait déjà émis l'idée que la Terre tourne autour du Soleil et sur son axe, mais il n'en avait tiré aucun système mathématique complet comme Ptolémée le ferait pour son système géocentrique.

Si l'on compare le monde de Ptolémée à celui de Copernic *(fig. 7.2)*, on s'aperçoit que, malgré toutes les affirmations sur la plus grande simplicité de ce dernier, un œil averti ne peut manquer de voir que le nombre total d'orbes n'y est pas tellement différent. On compte en effet seulement six cercles de moins chez Copernic que chez Ptolémée. Certains historiens considèrent même que la théorie copernicienne des mouvements de Vénus et de Mercure est tout aussi compliquée sinon davantage que celle proposée par Ptolémée[13]. De plus, son cosmos est incompatible avec la physique d'Aristote, et ses implications physiques ne furent reprises sérieusement que par Kepler et Galilée. Entre-temps, les astronomes discutèrent entre eux et l'Église les laissa à leurs calculs. Ainsi, les premières tables astronomiques fondées sur les méthodes de Copernic furent préparées par le mathématicien Erasmus Reinhold (1511-1553), qui les publia dès 1551, soit seulement huit ans après la parution du livre de Copernic. Professeur à l'université de Wittenberg, un bastion protestant, Reinhold prit soin de ne faire aucune observation sur la réalité physique des hypothèses coperniciennes, se contentant de les traiter d'un point de vue mathématique. Chose certaine, ces tables facilitèrent la diffusion des idées de

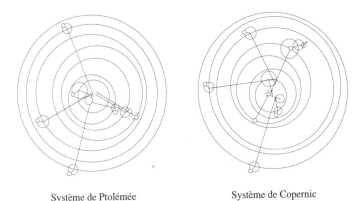

Système de Ptolémée   Système de Copernic

Figure 7.2. Globalement, le système de Copernic n'est pas plus simple que celui de Ptolémée.

Copernic. Bien qu'elles ne fussent pas toujours plus précises, elles remplacèrent utilement les vieilles tables alphonsines, datant du XIVᵉ siècle et rendues caduques par le passage du temps. Ces nouvelles tables furent utilisées en 1582 pour la réforme du calendrier julien. Comme on va le voir plus loin, Tycho Brahé suggéra d'ailleurs un compromis entre les deux grands systèmes du monde en faisant tourner le Soleil autour de la Terre et en plaçant les autres planètes autour du Soleil. Équivalent à celui de Copernic sur le plan cinématique, son système avait le grand avantage de sauver la physique d'Aristote.

Si la publication du livre de Copernic généra en fait peu d'opposition, ce fut aussi grâce à la préface non signée qu'Andreas Osiander (1498-1552), théologien luthérien responsable de la publication du livre, y ajouta subrepticement et qui suggérait une lecture nominaliste de l'œuvre, dont l'unique souci serait de « sauver les phénomènes » sans égard à la réalité du modèle proposé. En effet, Osiander écrit :

Je ne doute pas que certains savants [eruditi] *— puisque déjà s'est répandu le bruit concernant la nouveauté des hypothèses de cette œuvre, qui pose la terre comme mobile et le soleil, par contre, comme immobile au centre de l'univers, — ne soient fortement indignés et ne pensent que l'on ne doit pas bouleverser les disciplines libérales, bien établies depuis déjà très longtemps. Si cependant ils voulaient bien examiner cette chose de près, ils trouveraient que l'auteur de cet ouvrage n'a rien entrepris qui mérite le blâme. En effet, c'est le propre de l'astronome de colliger, par une observation diligente et habile, l'histoire des mouvements célestes. Puis d'en rechercher les causes, ou bien — puisque*

d'aucune manière, il ne peut en assigner de vraies — d'imaginer et d'inventer des hypo-
thèses quelconques, à l'aide desquelles ces mouvements (aussi bien dans l'avenir que
dans le passé) puissent être exactement calculés conformément aux principes de la géo-
métrie. Or, ces deux tâches, l'auteur les a remplies de façon excellente. Car, en effet, il
n'est pas nécessaire que ces hypothèses soient vraies ni même vraisemblables; une seule
chose suffit : qu'elles offrent des calculs conformes à l'observation[14].

Selon cette lecture, il était donc légitime de voir dans le travail de Copernic une hypothèse utile au lieu d'une thèse aux conséquences physiques et
philosophiques désastreuses et aux répercussions théologiques dangereuses.

DU NOUVEAU DANS LE CIEL

Lorsque Aristote affirmait que le ciel est parfait et immuable, il prenait
soin de rappeler que, de mémoire d'homme, personne depuis au moins les
Babyloniens n'avaient observé de changements dans le mouvement des planètes et des étoiles. Il y avait bien des comètes mais Aristote affirmait qu'elles
étaient des phénomènes de la haute atmosphère terrestre, sublunaires donc,
qui relevaient par conséquent de la physique et non de l'astronomie. Comme
aucun instrument ne permettait de mesurer précisément leur distance réelle,
cette interprétation prévaudra jusqu'au milieu du XVIIᵉ siècle. Même Galilée
la soutiendra.

À compter du début des années 1570, on aurait dit que le ciel s'acharnait
à donner des signes de changement. Le plus spectaculaire fut sans doute l'observation de la nova de 1572, nouvelle étoile apparue subitement dans la
constellation de Cassiopée. La surprise fut de taille et le jeune Tycho Brahé
(1546-1601) — il était alors âgé de 26 ans — en fut réduit, à l'instar de plusieurs de ses confrères, « à conclure que c'[était] là un prodige de Dieu ». Il y
consacra tout de même un livre dans lequel, après avoir indiqué la position
de la nova, prouvé qu'elle était bien placée sur la sphère des étoiles fixes,
observé l'évolution de son intensité et de sa couleur, il conclut sur « des conjec-
tures tirées de l'astrologie sur les effets de cette étoile[15] ». L'arrivée dans le ciel
européen d'une comète le 13 novembre 1577 allait ébranler davantage le
dogme de l'immutabilité du ciel, qui ne pourrait cette fois être sauvé en invoquant un miracle.

En publiant en 1573 ses observations sur la nouvelle étoile, Tycho se fit
une réputation. Fils d'une famille noble, qui avait ses entrées à la cour, il obtint
en 1576 que le roi du Danemark, Frederic II, lui offre l'île de Hveen « aussi

Figure 7.3. L'astronome danois Tycho Brahé pose fièrement au milieu des instruments de son observatoire d'Uraniborg. Tiré de son livre *Astronomiae instrumentae astronomica*, paru en 1598.

longtemps qu'il vivra[it] et lui plaira[it] de poursuivre ses études mathématiques ». Il y fit construire, aux frais du roi, un immense château, Uraniborg
(villa du ciel), qui abritait un atelier pour la fabrication des instruments, une
imprimerie, une papeterie et même un laboratoire d'alchimie. Il y effectua ses
observations mais fit aussi ériger, en 1584, à 100 m du château un véritable
observatoire astronomique, Stjerneborg (villa des étoiles). Il disposait de quadrants de près de 2 m de rayon, et pouvait donc observer avec beaucoup de
précision la position des astres. Car Tycho était avant tout un fin observateur.
Pour les mathématiques, il engagea des assistants. À ses yeux, le progrès de
l'astronomie dépendait avant tout « de la connaissance des faits obtenus par
l'observation » et non des spéculations mathématiques *a priori*[16]. Avec lui, l'astronomie atteignit une précision inconnue jusque-là, ce qui permettra à
Kepler d'utiliser son génie mathématique pour découvrir la véritable trajectoire des planètes. Tycho, entouré d'assistants et d'artisans, demeura 20 ans
dans son luxueux observatoire. Pendant toutes ces années, il observa et nota
minutieusement les mouvements des planètes et des comètes.

Le mécénat était tributaire des relations harmonieuses avec les monarques.
Or, celles de Tycho avec le successeur de Frédéric II, Christian IV, se détériorèrent rapidement, de sorte que l'astronome quitta son royaume en 1597. Deux
ans plus tard, dans les bonnes grâces de l'empereur du Saint Empire germanique, Rodolphe II, Tycho fut nommé *mathematicus* impérial. Il s'installa alors
dans le château de Benatek, près de Prague, pour y poursuivre son œuvre.
Il y avait apporté sa bibliothèque, ses instruments et même son imprimerie. Il
y accueillit son plus illustre assistant, Johannes Kepler, qui lui succédera après
son décès en 1601 et tirera profit des observations de son maître.

Ce fut au cours de sa période danoise que Tycho fit ses découvertes
importantes. En 1577, soit trois ans avant que son observatoire ne soit achevé,
une comète fit une première apparition dans le ciel. Tycho se mit aussitôt au
travail avec un sextant, et ses mesures prouvèrent que la comète était située
au-delà de l'orbe de la Lune. En fait, celles-ci la plaçaient, selon le système de
Ptolémée, dans la sphère de Vénus. Tycho aura l'occasion de répéter ces observations lors du passage de nouvelles comètes en 1580, 1582, 1585, 1590, 1593
et 1596, observations qui démontreront non seulement que les comètes ne
sont pas des phénomènes atmosphériques, comme on le croyait depuis Aristote, mais que leur trajectoire est incompatible avec l'existence de sphères
cristallines. Ainsi, il écrivait en 1588 :

La machine du ciel n'est pas un corps dur et impénétrable rempli de sphères réelles
comme cela a été cru jusqu'à présent par la plupart des gens. [Le] ciel s'étend dans toutes

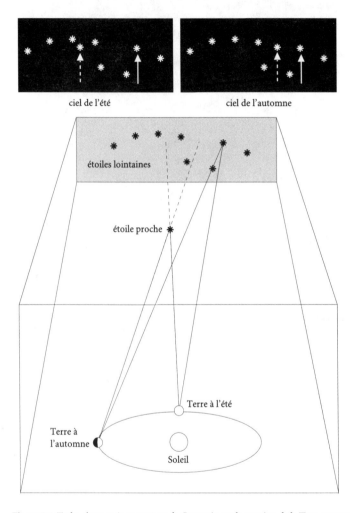

ciel de l'été   ciel de l'automne

étoiles lointaines

étoile proche

Terre à l'été

Terre à
l'automne

Soleil

Figure 7.4. Tycho s'opposait au système de Copernic, car la rotation de la Terre autour du Soleil aurait dû entraîner un déplacement apparent des étoiles proches par rapport au fond des étoiles éloignées, ce qui n'était pas le cas d'après ses mesures. En fait, une telle parallaxe ne sera mesurée qu'au XIXe siècle.

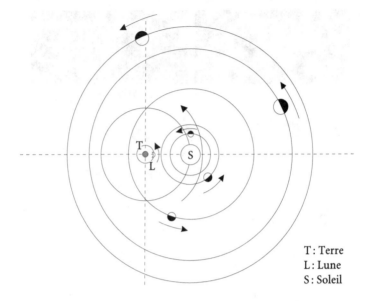

T : Terre
L : Lune
S : Soleil

Figure 7.5. Le système de Tycho Brahé : le Soleil et la Lune tournent autour de la Terre, qui est immobile au centre de l'univers ; les autres planètes tournent autour du Soleil.

les directions, parfaitement fluide et simple, sans présenter nulle part le moindre obs-
tacle, les planètes circulant librement dans ce milieu, gouvernées par une loi divine en
ignorant la peine et l'entraînement des sphères porteuses[17].

Tout en remettant en cause l'existence des sphères, Tycho ne doutait pas de l'immobilité de la Terre et il conçut un système astronomique *(fig. 7.5)* — que l'on dit aujourd'hui plagié sur celui de Paul Wittich, un mathématicien qui lui aurait rendu visite en 1580. Quoi qu'il en soit de la paternité exacte du modèle, il est certain que l'on cherchait une solution de compromis de ce genre. Tycho le publia donc en 1588 dans son ouvrage sur les comètes cité plus haut. Remarquons que, après avoir détruit les sphères cristallines, Tycho ne se soucia guère de savoir comment les planètes sont guidées sur leur trajectoire circulaire. En bon astronome, il se contenta de fournir un modèle *géométrique* du mouvement sans se poser de questions qui relevaient de la physique. Comme nous allons le voir maintenant, ce fut son assistant Johannes Kepler (1571-1630) qui aborda cette question, créant ainsi ce qui, dans l'esprit aristotélicien, est une contradiction dans les termes : une physique du ciel.

MYSTIQUE DES NOMBRES ET PHYSIQUE DU CIEL

Au début de ses études, Kepler se destinait à la théologie ; il voulait devenir pasteur (il était luthérien) mais, en raison de son manque d'orthodoxie, on lui conseilla d'abandonner cette voie. Il gardera toujours une très grande foi, voyant dans tout ce qui lui arrivait l'œuvre de la Providence. À l'université de Tübingen, il eut pour professeur Michael Maestlin (1550-1631), l'un des meilleurs astronomes de l'époque et l'un des premiers à enseigner ouvertement Copernic. Kepler devint rapidement un excellent mathématicien et astronome, et ses talents remarqués firent qu'on lui offrit en 1594 — il n'avait que 25 ans — le poste de mathématicien des États de Styrie (en Autriche) et celui de professeur dans une école protestante. À part l'enseignement, qui l'occupait peu et l'ennuyait, il devait aussi préparer les calendriers et fabriquer des « pronostics » pour l'année à venir. Il se fit d'ailleurs rapidement une excellente réputation d'astrologue lorsqu'il prédit avec succès un hiver très froid, des révoltes paysannes et la guerre contre les Turcs[18]. Tout cela lui laissait tout de même beaucoup de temps pour se consacrer à ses réflexions astronomiques. Kepler fournit probablement le meilleur exemple du pythagorisme qui imprégna la Renaissance. Il était convaincu que l'harmonie du monde se révélait dans les nombres. Dans la préface de son premier livre, le *Mysterium Cosmographicum*, paru en 1596, il écrit :

> *Cher lecteur, je me suis proposé de démontrer, dans ce petit livre, que Dieu, tout-puissant et infiniment bon, lors de la création de notre monde mobile et de la détermination des orbes célestes, a pris comme base de sa construction les cinq corps réguliers, qui ont joui d'une si grande célébrité, depuis Pythagore et Platon jusqu'à nos jours ; et qu'il a coordonné à leur nature le nombre et la proportion des orbes, ainsi que les rapports des mouvements célestes. [...] Déjà à l'époque où, il y a six ans, j'ai bénéficié de la fréquentation du très célèbre Michael Maestlin, j'ai senti combien la conception de la structure du monde, admise jusqu'ici, était peu satisfaisante. Aussi ai-je conçu un tel enthousiasme pour Copernic, que mon maître avait souvent mentionné dans ses cours[19].*

Chez Kepler, astronomie, astrologie et religion font bon ménage : le Soleil correspond au Père ; la sphère des fixes, au Fils ; et l'entre-deux, espace éthéré rempli de l'aura céleste, au Saint-Esprit. La Trinité retrouve son image dans la création. Comme l'indique le titre de son ouvrage, Kepler croit déjà, à l'âge de 25 ans, avoir découvert le mystère de l'univers : il n'y a que six planètes car la structure de l'univers est un emboîtement des cinq polyèdres réguliers de Platon entre lesquels circulent les planètes *(voir fig. 7.6)*. Suivons Kepler :

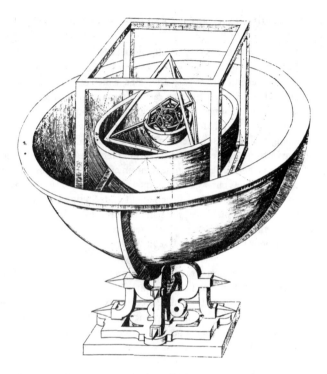

Figure 7.6. Modèle géométrique du système solaire proposé par Kepler.

La Terre [l'orbe de la Terre] *est la mesure de tous les autres orbes. Circonscris-lui un Dodécaèdre, la sphère qui l'entoure est celle de Mars ; circonscris à l'orbe de Mars un Tétraèdre : la sphère qui l'entoure est Jupiter. À l'orbe de Jupiter circonscris un cube : la sphère qui l'entoure est Saturne. Place maintenant dans l'orbe de la terre un Icosaèdre : la sphère qui lui est inscrite est Vénus ; place dans l'orbe de Vénus un Octaèdre : la sphère qui lui est inscrite est Mercure. Tu as là la raison du nombre de planètes*[20].

Bien que Kepler soit conscient que les distances calculées avec le modèle de Copernic ne se conforment pas exactement à celles obtenues à partir des rapports entre ces solides inscrits les uns dans les autres, il dit avoir confiance que le progrès de l'astronomie ne pourrait que confirmer son schéma, trop beau pour n'être qu'une simple coïncidence. S'intéressant également aux causes du mouvement des planètes, il suggère qu'on ne peut en rendre compte qu'en admettant l'une des deux hypothèses suivantes :

Ou bien les âmes mouvantes sont d'autant plus faibles qu'elles sont plus éloignées du soleil, ou bien il n'y a qu'une seule âme mouvante au centre de tous les orbes, c'est-à-dire dans le soleil, âme qui meut plus fortement les planètes qui sont près de lui et moins fortement celles qui sont plus loin en raison de la grande distance et de l'affaiblissement de la force qui y est liée[21].

Kepler penche pour la seconde hypothèse et fait du Soleil non seulement la source de la lumière, mais également celle de l'âme motrice des planètes. Il lui reste à trouver la loi mathématique qui régit cette « vigueur motrice » — qui n'est pas encore une force physique mais une force animiste (une âme animale) — en fonction de la distance aux planètes. Considérant le mouvement dans un plan, et à la suite d'une série complexe de raisonnements souvent douteux, il en conclut, essentiellement, que les périodes de rotation sont proportionnelles aux distances au Soleil. C'est la vertu motrice du Soleil qui fait tourner les orbes, vertu qui diminue avec la distance.

KEPLER, SUCCESSEUR DE TYCHO

Malgré son caractère très spéculatif, l'ouvrage de Kepler, imprimé grâce à l'appui de son maître Maestlin, attira l'attention de Tycho qui fut impressionné par le génie mathématique de son auteur. Kepler lui avait fait parvenir un exemplaire de son ouvrage et Tycho, qui le reçut en 1598 — après avoir quitté son île de Hveen —, prit soin de lui répondre qu'il appréciait son travail, sans aimer ce genre de spéculations auxquelles il préférait les mesures précises. Il lui reprochait également de croire à l'existence d'orbes célestes. Tycho invitait Kepler à lui rendre visite pour interpréter les données qu'il avait patiemment accumulées au fil des ans et qui, disait-il, ne confirmaient d'ailleurs pas Copernic. Ce ne fut toutefois qu'en 1600, alors qu'il était installé à Prague, que Tycho reçut finalement la visite de Kepler. Celui-ci accepta de devenir son adjoint et se vit confier la tâche de déterminer le mouvement de Mars à partir des nombreuses observations notées pendant 20 ans par Tycho et ses assistants. Un an plus tard, ce dernier mourut et Kepler, âgé de 30 ans, lui succéda à titre de mathématicien impérial.

C'est en se concentrant sur l'orbite de Mars que Kepler fit ses plus grandes découvertes. Il abandonna les orbes et chercha une cause physique au mouvement des planètes. Les données récalcitrantes ne s'accordant pas au mouvement circulaire, sa foi pythagoricienne l'amena à chercher d'autres figures géométriques, l'ovale d'abord et l'ellipse ensuite, dont il était un des

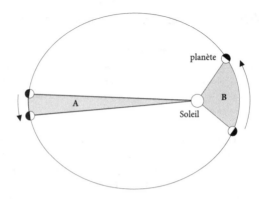

Figure 7.7. La deuxième loi de Kepler : les aires (A et B) balayées par le rayon de la planète pendant une même durée sont égales ; la planète se déplace plus vite lorsqu'elle est proche du Soleil.

rares à connaître les propriétés démontrées dans les traités très difficiles d'Apollonios (vers 220 av. J.-C.). Ce fut sa solution définitive et il plaça le Soleil à l'un des foyers (première loi de Kepler). Il expliqua que la vitesse non uniforme de déplacement de Mars obéit à une loi précise (deuxième loi de Kepler) : la planète balaie des aires égales en des temps égaux *(voir fig. 7.7)*.

Dans l'*Astronomia Nova* (1609), Kepler revient sur la question des causes du mouvement. Ayant abandonné les orbes et considérant que les planètes sont de même nature que la Terre, il introduit la notion d'inertie pour rendre compte des vitesses différentes des planètes. Proportionnelle à la grosseur des planètes, cette inertie est une tendance *au repos*. Suivant en cela Aristote, il croit en effet que seule une force peut faire mouvoir les objets et que lorsque la force s'estompe, l'objet s'immobilise aussitôt. La différence majeure avec Aristote est que Kepler applique ce raisonnement aux planètes qui sont dans le ciel, alors que, pour Aristote, seuls les objets sublunaires sont soumis à cette loi. Ayant lu le livre du médecin britannique William Gilbert (1544-1603), *De magnete*, paru en 1600, Kepler croit avoir découvert la nature de la vertu motrice du Soleil, qui devient maintenant une force réelle : c'est la force magnétique. Le Soleil, en tournant sur lui-même, fait tourner les planètes comme si les « fibres » magnétiques s'agrippaient à elles. Pour expliquer qu'elles ne tournent pas toutes au même rythme comme les rayons d'une roue, il invoque leur différence d'inertie, qui fait qu'elles retardent plus ou moins sur la vitesse de rotation du Soleil. Notons que c'est parce qu'il accepte la dynamique d'Aristote selon laquelle la force est proportionnelle à la vitesse que Kepler doit supposer que la force émanant du Soleil est inversement proportionnelle à la distance. Il sait en effet — cela est accepté depuis Copernic — que la vitesse des planètes est inversement proportionnelle à la distance au Soleil. Or, la seule façon de le prouver mathématiquement est de postuler que la force est inversement proportionnelle à la distance. En effet, si $F \approx v$ et $F \approx 1/r$ alors $v \approx 1/r$. Bien que la force magnétique qui fait tourner les planètes sur leur orbite ait perdu son caractère « animal », Kepler doit continuer d'invoquer cette âme animale pour expliquer la rotation des planètes sur elles-mêmes. On le voit, sa physique n'est pas encore la nôtre et il faudra attendre Descartes et Galilée pour que l'énoncé du principe d'inertie, comme tendance à *persister* dans un mouvement uniforme — et non plus comme tendance au *repos* — simplifie l'explication du mouvement.

Après l'*Astronomia Nova,* Kepler publia, en 1618 et en 1619, deux ouvrages astronomiques importants : l'*Epitome* de l'astronomie copernicienne dans lequel il donne une formulation plus précise de la deuxième loi, et l'*Harmonice Mundi,* qui reprend le projet du *Mysterium Cosmographicum* et y ajoute un autre thème hautement pythagoricien : l'harmonie musicale des planètes. Cet ouvrage contient la fameuse loi tant recherchée entre les périodes de révolution et les distances au Soleil, cette loi qui avait longtemps échappé à Kepler et qu'il avait finalement trouvée : le carré des périodes de rotation est proportionnel au cube des distances moyennes au Soleil (troisième loi de Kepler). Enfin, en 1627, il fit imprimer les *Tabulae Rudolphinae,* fruit de plusieurs années de calculs fondés sur son modèle des ellipses. Contrairement aux Tables Pruténiques basées sur Copernic, qui n'étaient pas vraiment plus précises que les vieilles Tables Alphonsines calculées selon Ptolémée, les Tables Rudolphines de Kepler sont d'une grande précision grâce à l'emploi des trajectoires elliptiques. Elles contribueront donc à donner encore plus de crédit à la vision copernicienne du monde, modifiée par Kepler.

Ainsi, Kepler fait définitivement disparaître les éléments ptoléméens qui encombraient encore le système astronomique de Copernic : orbes, excentriques, épicycles. Même le Soleil, qui finalement ne jouait qu'un rôle secondaire dans la machinerie céleste de Copernic, acquiert un rôle plus actif et devient le véritable centre de l'univers et la source de la force qui fait tourner les planètes et fixe les lois de leur mouvement. Plus important encore, Kepler est le premier à traiter l'astronomie du point de vue de la physique. Même s'il emprunte encore sa dynamique à Aristote, il a abandonné les notions de lieux naturels et la gravité n'est plus une tendance vers le centre du monde, mais une attraction mutuelle entre parties de corps de même nature, attraction proportionnelle à la grosseur du corps.

Malgré la place centrale que l'on accorde aujourd'hui à Kepler dans l'histoire de l'astronomie, il est important de noter que ses contributions ne furent pas reconnues par ses contemporains. Galilée, avec qui il avait correspondu et était en bons termes, n'y prêta aucune attention et s'en tint, dans son *Dialogue* de 1632 — soit deux ans après la mort de Kepler — au mouvement circulaire. Il faut dire qu'il n'avait aucun penchant pour le mysticisme extrême de son ami copernicien. Même la « physique céleste » de Kepler n'aura pas de suite immédiate. Son maître Maestlin, qui l'avait toujours encouragé, lui avoua que cette notion lui paraissait contraire au bon sens et à la philosophie[22]. René Descartes n'en fit pas davantage mention dans ses *Principes de la philosophie* publiés en latin en 1644 et qui serviront longtemps de manuel de base pour l'enseignement de la physique. En fait, il fallut attendre le milieu du siècle et surtout la publication par Isaac Newton en 1687 de ses *Principes mathématiques de philosophie naturelle* pour que les contributions du mathématicien allemand aux lois astronomiques prennent tout leur sens et acquièrent ainsi la place centrale qu'on leur reconnaît depuis dans tous les manuels d'astronomie.

UN NOUVEL INSTRUMENT ASTRONOMIQUE : LE TÉLESCOPE

En l'absence d'une nouvelle physique acceptée par tous, les arguments de Kepler en faveur du système de Copernic ne valaient pas plus que ceux avancés par Copernic lui-même. Il était donc parfaitement légitime de s'en tenir à l'immobilité de la Terre et de considérer le système de Tycho Brahé comme le plus approprié à l'astronomie.

En mars 1610, soit quelques mois seulement après la parution de l'*Astronomia Nova* de Kepler, c'est le mathématicien italien Galileo Galilei, connu sous le nom de Galilée (1564-1642), qui allait éblouir le monde savant en annonçant dans son livre *Sidereus nuncius* que sa nouvelle lunette (un télescope) montrait clairement que la Lune est un objet comme les autres, avec des montagnes et des vallées, et que Jupiter, comme la Terre, possède des lunes. Ces observations contredisent une fois de plus la cosmologie d'Aristote, selon laquelle la Lune et les planètes sont de parfaites sphères de cristal.

Après avoir étudié à l'université de Pise, Galilée y enseigna brièvement (de 1589 à 1592) et obtint ensuite un poste à Padoue, une université plus libérale, administrée par la République de Venise. Bon mathématicien mais également habile de ses mains, il fabriqua lui-même son télescope à partir d'informations obtenues sur l'existence de « lunettes d'espionnage » qu'on disait en circulation aux Pays-Bas et qui permettaient de voir des bateaux en mer alors qu'ils étaient invisibles à l'œil nu. Il s'agissait d'une combinaison de deux verres optiques, l'un concave, l'autre convexe, l'objectif étant formé d'une lentille pour presbytes et l'oculaire, d'une lentille pour myopes. Le tout grossissait au plus trois fois et donnait des images de qualité douteuse. Cette lunette était sur le marché depuis quelques années et elle était tout au plus perçue comme une curiosité. Une description de telles lunettes se trouvait d'ailleurs dans le livre *Magia naturalis* publié en 1589 par le Napolitain Giambattista della Porta. Kepler rappellera d'ailleurs ces faits dans son rapport sur les observations de Galilée.

Le génie et l'habileté de Galilée furent de transformer cet objet en véritable instrument scientifique. Après seulement quelques mois de travail, il avait déjà mis au point une lunette trois fois plus puissante — elle grossissait donc neuf fois. Le 21 août 1609, il invita les membres du Sénat de Venise à regarder à l'aide de son « tube optique » des bateaux qui ne seraient visibles à l'œil nu que deux heures plus tard. Galilée voulait impressionner ses patrons pour améliorer son salaire et sa position. Il offrit l'exclusivité de son nouvel instrument — qu'il dit le fruit de ses 17 années d'enseignement et de recherche à Padoue ! — à la République qui, assura-t-il, pourrait l'utiliser à des fins militaires et de navigation. Le pari était gagné et Galilée vit son salaire passer de 480 à 1 000 guilders et son poste renouvelé à vie. Il faut dire que Galilée avait un besoin urgent de cette augmentation. À titre d'aîné de la famille, il était responsable de la dot de sa sœur et, bien que toujours célibataire, avait déjà trois enfants à nourrir. Il chercherait d'ailleurs toujours à « monnayer » ses découvertes pour améliorer son statut.

Dans les mois qui suivirent la démonstration publique avec les sénateurs, Galilée continua à parfaire son instrument et, le 30 novembre, il pointa vers la Lune une lunette de puissance 20. Observant également d'autres parties du ciel, il découvrit des centaines d'étoiles invisibles à l'œil nu. La voie lactée jusque-là tenue pour une exhalaison de l'atmosphère se résolvait, écrivit Galilée, en « une masse d'étoiles innombrables assemblées par grappes[23] ». En janvier 1610, il observa Jupiter et découvrit qu'elle était entourée de quatre étoiles qui suivaient la planète dans son mouvement. La conclusion s'imposait : c'étaient des satellites. Conscient de la portée de ces découvertes, Galilée commença aussitôt la rédaction du *Sidereus nuncius*.

DE L'UNIVERSITÉ À LA COUR

À peine quelques mois après avoir offert son instrument à ses patrons vénitiens, Galilée les laissa tomber et, pour s'attirer les faveurs de la cour de

Florence, dédia les satellites de Jupiter aux Médicis. Il désirait depuis long-temps passer au service de la cour. Il considérait en effet qu'il valait mieux ser-vir un seul grand mécène que plusieurs petits patrons. De plus, dans sa lutte contre les philosophes, il devait améliorer son statut. Un poste de professeur de mathématiques n'était pas très prestigieux dans la hiérarchie des disciplines universitaires, et seuls les philosophes pouvaient légitimement discuter des questions relatives à la physique, les mathématiciens devant se limiter à « sau-ver les phénomènes », c'est-à-dire à les reproduire par le calcul sans égard à la réalité ultime des hypothèses utilisées, comme le rappelait d'ailleurs Osiander dans sa préface au livre de Copernic. Or, Galilée remettait justement en cause ces distinctions héritées de la pensée scolastique et voyait dans l'obtention du titre de philosophe un gain de légitimité pour son discours. S'il ne pouvait dans le cadre universitaire obtenir ce titre convoité, cela était possible à la cour, le prince étant habilité à attribuer les titres selon son bon plaisir. Conscient d'avoir trouvé un emblème que les Médicis ne pourraient pas refuser tant il permettrait d'assurer une légitimité « naturelle » et même céleste à leur pou-voir temporel, Galilée négocia avec eux l'acceptation de la dédicace et du nom à donner aux nouvelles planètes : étoiles médicéennes. À la suite de ces trac-tations, Galilée obtint finalement le poste convoité et, en juillet 1610, il se ren-dit à Florence où il devint philosophe et premier mathématicien du grand-duc de Toscane. Libéré de l'enseignement, il consacra dès lors tout son temps à ses recherches et utilisa efficacement le réseau diplomatique de la cour pour diffuser ses découvertes[24].

Aussitôt imprimé en 550 exemplaires, son livre fut distribué non pas aux savants d'abord, mais aux princes des grandes cours d'Europe et aux cardinaux. Quand cela était possible, Galilée accompagnait le livre d'un télescope de sa fabrication qu'il offrait en cadeau à son destinataire, refusant d'être payé en retour. Ainsi, lorsque Kepler voulut lire l'ouvrage de Galilée et, plus tard, essayer la lunette, il dut utiliser un des exemplaires que celui-ci avait envoyés, par l'in-termédiaire de l'ambassadeur du grand-duc de Toscane à la cour impériale de Prague, à son patron l'empereur Rodolphe II. Ce fut aussi l'ambassadeur et non Galilée qui demanda à Kepler de commenter les découvertes de ce dernier. L'em-pereur exhorta également son mathématicien à donner son avis sur les décou-vertes qui ébranlaient les cours d'Europe. Kepler s'exécuta et publia au début du mois de mai sa « Discussion avec le messager céleste récemment envoyé aux mortels par Galileo Galilei, mathématicien de Padoue ». Il s'agissait là d'une ver-sion retouchée de la lettre qu'il avait adressée à Galilée dès le 19 avril 1610.

Devant se prononcer rapidement, Kepler n'avait pu observer lui-même le ciel, faute d'instrument. Il n'en prenait pas moins le parti de Galilée :

Peut-être pourrais-je sembler trop téméraire de croire à ce que tu affirmes sans m'appuyer sur aucune expérience personnelle; mais comment ne pas croire un si savant mathématicien dont même le style révèle la sûreté de jugement. [...] Que dire du fait qu'il publie son écrit et que, si une malhonnêteté avait été commise, il ne pourrait absolument pas le cacher? Moi, je refuserais de me fier à un gentilhomme de Florence sur ce qu'il a vu? [...] je ne le croirais pas quand il invite tout le monde à faire les mêmes observations et, ce qui est l'essentiel, quand il offre même son propre instrument pour qu'on fasse confiance au témoignage de ses yeux? Serait-ce par hasard chose négligeable que de se moquer de la famille des grands-ducs de Toscane, en attachant à ses fictions le nom de Médicis alors qu'il a annoncé de vraies planètes[25] ?

Kepler croyait donc sans avoir vu, mais c'était parce que les découvertes de Galilée confirmaient ses vues coperniciennes. Il y voyait même la confirmation des idées pourtant hérétiques de Giordano Bruno sur la pluralité des mondes, les satellites de Jupiter n'ayant pas été « disposés d'abord pour nous qui demeurons sur la Terre, mais pour des créatures joviennes peuplant tout le tour du globe de Jupiter[26] ». Ce ne fut finalement qu'à la fin du mois d'août que Kepler observa de ses propres yeux les satellites de Jupiter grâce à une lunette envoyée par Galilée. Il fit part de ses observations dans un « Rapport sur les observations des quatre satellites de Jupiter » publié en octobre 1610.

Bien que Galilée distribuât ses meilleurs télescopes, il ne faudrait pas croire qu'il était facile d'observer le ciel avec ces appareils. D'abord, la qualité des lentilles était variable et Galilée, de loin le plus habile à polir les lentilles, en ratait beaucoup. Sur quelque 60 paires qu'il avait préparées, seulement quelques-unes étaient d'assez bonne qualité pour permettre d'observer les satellites de Jupiter, sa découverte la plus importante[27]. De plus, le champ de vision de l'instrument était très limité. Il fallait donc beaucoup de patience et ce fut d'ailleurs Galilée lui-même qui montra au grand-duc Cosme II comment utiliser son instrument; il est probable que Kepler ait fait de même pour son patron Rodolphe II. Kepler écrivit même que « l'installation de l'instrument dans une position fixe et la découverte de Jupiter [avaient été] très difficiles[28] ».

De passage à Bologne avec sa lunette à la fin du mois d'avril, Galilée avait organisé une séance d'observation en présence de plusieurs personnages importants dont l'astronome renommé Giovani Antonio Magini (1571-1630). Ce dernier rapporta à Kepler que « plus de vingt personnes, très savantes, étaient là, mais [que] personne n'a[vait] parfaitement vu les nouvelles planètes[29] ». Déçu par cette démonstration ratée, Galilée se soucia peu des sceptiques, car au fond il méprisait les défenseurs acharnés des positions aristotéliciennes traditionnelles. Ainsi, à propos des discussions qu'il avait eues avec les professeurs de Pise, quelques jours avant l'expérience de Bologne, il écrivit à Kepler :

> *Quels éclats de rire aurais-tu poussés si tu avais entendu les arguments qu'a présentés contre moi, à Pise, en présence du grand-duc le premier philosophe de cette université, quand il s'efforçait d'arracher du ciel et d'expulser les nouvelles planètes, avec des arguments logiques en guise d'incantations magiques*[30].

Galilée était donc loin de n'avoir que des appuis et il ne les cherchait surtout pas du côté des philosophes universitaires qui, selon lui, croyaient « que la philosophie [était] un livre, comme l'*Énéide* et l'*Odyssée*, et que la vérité [devait] se chercher non dans le monde ou la nature mais dans la confrontation des textes (pour employer leur langage)[31] ». Que le grand-duc ou l'empereur déclarent avoir vu les satellites était donc plus important pour lui que les arguties des philosophes et c'est la raison pour laquelle il leur avait d'abord envoyé son livre et sa lunette. En effet, à ce stade du développement de la science, la crédibilité d'un témoin pouvait encore tenir pour beaucoup à son statut social[32].

Il faut dire aussi que la façon dont Galilée avait fait ses découvertes inouïes n'était pas banale, car c'était la première fois dans l'histoire que l'observation d'un phénomène scientifique se faisait non pas à l'œil nu, mais à l'aide d'un appareil dont on ignorait tout du principe de fonctionnement. Il était donc légitime de se méfier de l'instrument et de mettre en doute la réalité de ce qu'il donnait à voir. Ainsi, un assistant de Magini écrivit à Kepler qu'il avait testé l'instrument de Galilée de multiples façons en observant le ciel de même que des objets terrestres. Il concluait que sur Terre l'appareil était merveilleux, mais que dans le ciel il était trompeur car il dédoublait les étoiles. Les satellites de Jupiter étaient donc à son avis fictifs.

Malgré la difficulté relative d'observer les satellites de Jupiter, Galilée eut enfin gain de cause lorsque, au mois de mars 1611, les quatre mathématiciens du Collegio Romano, la grande institution intellectuelle des jésuites, dont le fameux père Clavius, responsable de la réforme du calendrier, confirmèrent publiquement les découvertes relatives à la surface rugueuse de la Lune, aux satellites de Jupiter, à la nature de la voie lactée, de même qu'aux phases de Vénus. Ils répondaient ainsi à une requête du puissant cardinal Robert Bellarmin qui leur avait demandé de se prononcer sur la question.

La découverte des phases de Vénus, confirmée par les jésuites, avait été

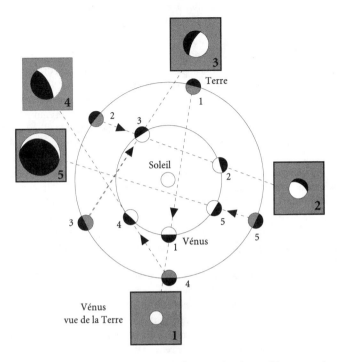

Figure 7.8. Les phases de Vénus et le système de Copernic : cinq positions successives de Vénus et de la Terre (numérotées 1 à 5) ; en médaillon, Vénus observée au télescope.

faite par Galilée en décembre 1610, soit après la publication du *Sidereus nuncius*. Du point de vue astronomique, c'était probablement la plus importante car, pour la première fois, elle permettait de réfuter le système de Ptolémée. En effet, l'existence de phases de Vénus n'est possible que si cette planète tourne autour du Soleil *(voir fig. 7.8)*. Si Galilée et Kepler y voyaient une confirmation des idées de Copernic, les jésuites, comme la plupart des astronomes, considéraient plutôt que cette découverte était en parfait accord avec le système de Tycho Brahé, dans lequel, rappelons-le, toutes les planètes sauf la Terre tournent autour du Soleil.

L'appui des plus importants savants romains permettait de clore le débat sur la fiabilité de l'instrument alors que le principe même de son fonctionnement restait à peine connu. Ce fut Kepler qui, dans sa *Dioptrique* parue au début de 1611, expliqua le fonctionnement optique de la lunette de Galilée, mais les nombreuses déformations des objets vus à travers ces lentilles restaient à étudier et on ne savait encore rien des phénomènes d'aberration sphérique et d'achromatisme des lentilles. Il faudra attendre la fin du XVIIe siècle pour que soit formulée une théorie adéquate du télescope.

Lorsque Galilée visita la Ville éternelle juste après l'annonce des mathématiciens jésuites, il fut reçu en héros dans les nombreux salons qui multiplièrent les réceptions en son honneur. Même le Collegio Romano l'accueillit avec tous les honneurs dus au premier mathématicien et philosophe du grand-duc.

Ces événements montrent à quel point la science du XVIIe siècle se pratiquait dans un environnement social très différent de celui qu'on connaît aujourd'hui. La clientèle la plus importante était celle des cours d'Europe et c'était là, dans les nombreux débats organisés par les princes et les cardinaux pour se divertir après le repas, qu'étaient discutées les questions tant littéraires que scientifiques. C'était donc aussi là que se construisaient et se détruisaient les réputations.

La seule tâche imposée à Galilée, à titre de mathématicien et philosophe du grand-duc, était d'être disponible sur demande pour assister aux réceptions et dîners organisés par le prince et d'entretenir ses invités sur les sujets de leur choix. Contrairement à la plupart des mathématiciens de cour — comme Kepler —, il n'avait pas à compiler des tables astronomiques pour préparer les horoscopes du prince ou de l'empereur. Il était entièrement libre de ses mouvements et de ses actions en dehors des « spectacles » de cour imposés par son patron[33]. Ce n'est pas un hasard si les écrits de Galilée ont un style littéraire très différent des traités de Newton. Ils furent rédigés dans un contexte social et pour une audience très différents.

LES LIMITES DE L'AUTONOMIE DE LA SCIENCE

La fameuse « lettre à la grande-duchesse Christina » qui, en 1615, lança le débat sur les rapports entre science et religion, fut ainsi le résultat d'une discussion qui avait eu lieu à la fin d'un repas à la table des Médicis à Pise en décembre 1613. À cette occasion, un ancien élève de Galilée, le moine bénédictin Benedetto Castelli, avait assisté à une discussion impromptue sur les rapports entre le système de Copernic et les Saintes Écritures qu'avait engagée la duchesse Christina et à laquelle avaient pris part le grand-duc et sa femme, de même que quelques philosophes. Aussitôt après le débat, Castelli écrivit à Galilée pour lui raconter l'événement, et ce dernier lui répondit une semaine plus tard dans une longue lettre datée du 21 décembre 1613.

Fort de sa renommée, Galilée saisit cette occasion pour faire connaître sa position sur la question soulevée par la duchesse. Après avoir pour ainsi dire vaincu les philosophes, il croyait le moment propice pour affronter un autre obstacle à l'autonomie de la science : les théologiens. Dans sa lettre, il confie à Castelli : « Certaines choses que vous avez dites et que m'a rapportées le signor Arrighetti ont été pour moi l'occasion de considérer à nouveau, d'un point de vue général, l'appel à l'Écriture Sainte dans les disputes de philosophie naturelle[34]. » Admettant la position défendue par Castelli que « jamais l'Écriture Sainte ne peut mentir ou errer mais que ces décrets sont d'une vérité absolue et inviolable », il dit qu'il aurait « seulement ajouté que si l'Écriture ne peut errer, certains interprètes et commentateurs le peuvent, et de plusieurs façons, dont une des plus communes et des plus graves serait de s'en tenir toujours au sens littéral[35] ». Galilée défend donc l'idée qu'il ne faut pas prendre la Bible au pied de la lettre, mais l'interpréter en tenant compte de l'auditoire qui est visé, plusieurs expressions utilisées étant adaptées « à la faible intelligence du vulgaire ». Il est donc du « devoir des interprètes sagaces [...] de se donner pour tâche de montrer que les véritables significations des textes sacrés s'accordent aux conclusions naturelles, aussitôt que nous ont rendus sûrs et certains le témoignage manifeste des sens ou d'irréfutables démonstrations[36] ». Non content d'inverser ainsi le rapport de dépendance entre la science et la théologie, en obligeant celle-ci à tenir compte de celle-là dans ses interprétations des textes bibliques, il va jusqu'à montrer qu'une interprétation juste du fameux passage où Josué aurait arrêté le Soleil montre que ce phénomène confirme davantage Copernic que Ptolémée ! Il développera d'ailleurs sa position dans sa lettre à la duchesse Christina en 1615. Comme il n'allait pas tarder à le réaliser, on ne se transforme pas impunément en théologien.

Les potins et les rumeurs étant partie intégrante de la société de cour, le bruit se répandit rapidement que Galilée appuyait Copernic et qu'il interprétait les Écritures de façon « suspecte ou téméraire », comme le dit un dominicain dans sa déposition devant l'Inquisition en février 1615. D'autres plaintes furent également déposées dans les mois suivants, et l'Inquisition, une institution romaine dirigée par les dominicains, ouvrit une enquête.

Ces événements survinrent dans une période troublée. En réaction à la réforme protestante, l'Église catholique durcit ses positions doctrinales. À la suite du concile de Trente, qui se termina en 1563, la congrégation de l'Index fut établie en 1571. Comme les questions scientifiques étaient subordonnées à la doctrine religieuse, le danger d'épouser le système de Copernic devint réel. Ainsi, le philosophe mystique italien Giordano Bruno (1548-1600), qui

Figure 7.9. Bien que Galilée ait écrit son fameux dialogue sur les systèmes du monde en italien, il fut rapidement traduit en latin, la langue savante de l'époque. L'illustration met en scène les auteurs des trois doctrines discutées : Aristote, Ptolémée et Copernic.

proclamait à travers toute l'Europe que non seulement le Soleil était le centre de l'univers mais que ce dernier était infini et qu'il y avait même une infinité d'univers, fut emprisonné pendant huit ans pour hérésie et, en février 1600, brûlé publiquement à Rome.

Au terme de son enquête, le Saint-Office conclut que la proposition « que le Soleil [était] le centre du monde et en tout dépourvu de mouvement local » était « stupide et absurde en philosophie et formellement hérétique, dans la mesure où elle contredi[sai]t formellement aux sentences énoncées par les Écritures Saintes en de nombreux endroits selon le sens littéral et selon l'interprétation commune et les sentiments des Saints Pères et des doctes théologiens ». Les commissaires condamnèrent également la proposition voulant « que la Terre [ne soit] pas le centre du monde et qu'elle [ne soit] pas non plus immobile mais qu'elle se [meuve] de son propre mouvement, également de mouvement diurne ». Aussitôt, Galilée comparut devant le cardinal Bellarmin — celui-là même qui avait instruit le procès de Giordano Bruno — qui le somma « d'abandonner complètement la susdite opinion […] et de ne pas soutenir, n'enseigner ni ne défendre en aucune façon par la parole ou par l'écrit, cette opinion », ajoutant : « […] et s'il en était autrement, que l'on procédât contre lui au sein du Saint-Office[37]. » Le 5 mars 1616, la congrégation de l'Index interdit la publication du livre de Copernic et d'autres volumes contenant les affirmations condamnées jusqu'à ce qu'ils soient expurgés des phrases incriminées. Galilée semblait demeurer optimiste, car il écrivait le lendemain de cette annonce que ses ennemis n'avaient pas vraiment convaincu la Sainte Église « qui s'en [était] tenue à prononcer que la doctrine de Copernic ne concord[ait] pas avec l'Écriture, en sorte que seuls [étaient] interdits les ouvrages dans lesquels on a[vait] voulu nier *ex professo* ce désaccord ». Or, de tels ouvrages étaient rares, dit-il, et de celui de Copernic on retirerait seulement quelques mots ici et là et « dix lignes de la préface à Paul III, où l'auteur dit qu'il ne lui semble pas que sa théorie répugne à l'Écriture[38] ». Il semblait donc que la porte restait ouverte à ceux qui, suivant la suggestion d'Osiander, traiteraient son système à titre d'hypothèse mathématique.

Galilée garda finalement le silence jusqu'à ce que son ami, le cardinal Maffeo Barberini, devienne pape en 1623. Il qualifia même alors cet événement de « conjoncture merveilleuse », qui lui permettrait peut-être enfin de rédiger son grand traité consacré à la défense de Copernic. Barberini était en effet un grand patron, un ami des lettres et de Galilée. Âgé de 60 ans, ce dernier était conscient qu'il s'agissait de sa dernière chance, car en ce qui le concernait, « il n'y [avait] aucune raison d'espérer qu'une telle situation se présenter[ait] à nouveau[39] ».

Galilée se rendit donc à Rome où, dès son arrivée, il fut accueilli à bras ouverts par le pape qui lui accorda six entretiens particuliers au cours d'un séjour de six semaines, et lui fit plusieurs cadeaux. Rassuré par cet accueil, Galilée reprit la rédaction de son ouvrage. Grâce à ses nombreuses relations, il réussirait à le faire imprimer. Non sans de nombreuses discussions et compromis. Ainsi, il voulait d'abord intituler son ouvrage « Dialogue sur les marées », car il était convaincu que le phénomène des marées constituait la preuve physique la plus convaincante de la rotation de la Terre. Cela fut toutefois refusé par le responsable romain de l'imprimatur, qui était pourtant un ami. Galilée dut aussi accepter de préciser dans l'introduction que le système de Copernic était discuté à titre d'hypothèse seulement et la conclusion devait reprendre un argument du pape sur l'omnipotence de Dieu, d'après lequel il était impossible d'aller au-delà des hypothèses, car affirmer une thèse comme prouvée, c'était limiter sa puissance d'invention, laquelle dépasse absolument la raison humaine.

Après deux ans de discussions avec les autorités religieuses, ce fut finalement sous le titre de *Dialogue sur les deux grands systèmes du monde,* que l'ouvrage, rédigé en italien — et non en latin comme c'était toujours le cas pour les ouvrages savants —, parut en février 1632, à Florence, avec l'imprimatur des inquisiteurs de Rome et de Florence.

Le dialogue met en scène trois personnages qui discutent d'astronomie pendant quatre jours : Salviati, le copernicien qui présente le point de vue de Galilée, Sagredo le sceptique, l'esprit subtil converti à Copernic, et Simplicio, l'aristotélicien qui défend le système de Ptolémée, ne comprend jamais rien et ne peut répondre aux objections. Notons que, en limitant sa présentation aux deux principaux systèmes — Ptolémée et Copernic —, Galilée diminuait sciemment l'importance de la contribution de Tycho Brahé dont le système mixte était pourtant le plus apprécié à l'époque, particulièrement par les jésuites. Il est d'ailleurs significatif que le père minime Marin Mersenne, centre parisien d'un vaste réseau d'échanges épistolaires entre savants européens au cours de la première moitié du XVIIe siècle, parla, dans son ouvrage l'*Harmonie universelle* publié en 1636, du « livre des *trois* Systèmes du monde » de Galilée.

Malgré les modifications imposées par le pape, l'ouvrage ne présente pas vraiment une vue équilibrée des positions en présence. En insistant sur le fait que les marées fournissent une preuve *physique* de la rotation de la Terre, Galilée s'éloigne dangereusement d'un traitement hypothétique des thèses de Copernic et l'avantage est clairement donné à ce dernier. Pis encore, la cosmologie d'Aristote, défendue par Simplicio, et qui sous-tend le système de Ptolémée, est ridiculisée et Salviati défend même la thèse de Giordano Bruno sur la pluralité des mondes.

Les ennemis dominicains et jésuites de Galilée saisirent aussitôt l'occasion et convainquirent le pape qu'il avait été trahi, et que Galilée devait être poursuivi pour hérésie. On fit valoir que Galilée n'avait pas tenu la parole donnée en 1616 de ne pas défendre le système de Copernic. En juillet, le livre fut interdit et le pape convoqua une commission spéciale chargée de lui faire rapport sur les allégations formulées contre Galilée. Le rapport soumis en septembre confirma le caractère potentiellement hérétique de certaines parties du livre, et Galilée fut convoqué à Rome. Surpris, ce dernier, âgé de 68 ans et de santé fragile, demanda qu'on lui épargne un long voyage, mais sans succès.

Il arriva finalement à Rome en février 1633. Le procès débuta le 12 avril et Galilée subit quatre interrogatoires. Sans avocat pour le conseiller, il se défendit mal et alla jusqu'à affirmer qu'il « montr[ait] même dans ce livre le contraire de ladite opinion de Copernic, et que les raisons dudit Copernic [étaient] sans fondement et non probantes[40] ». C'était là sous-estimer sérieusement la gravité de la situation. Surpris de cette défense, ses juges — qui ne voulaient surtout pas que ce procès traînât en longueur — lui firent comprendre hors cour qu'il avait intérêt à avouer. À l'interrogatoire suivant, tenu plus de deux semaines plus tard, Galilée admit, après avoir consulté de nouveau son ouvrage, qui était, dit-il, déjà loin de son esprit, que certains arguments avaient pu être formulés dans un langage tel qu'ils avaient pu avoir un effet contraire à celui qui était recherché, c'est-à-dire appuyer plutôt que réfuter les thèses de Copernic. Au dernier interrogatoire, il continua toutefois à dire qu'il n'avait pas soutenu la position de Copernic « après qu'il [lui] eut été intimé par prescription [en 1616] l'ordre de l'abandonner[41] ». Le lendemain, soit le 22 juin 1633, Galilée fut déclaré « véhémentement suspect d'hérésie, autrement dit d'avoir tenu et cru une doctrine fausse et contraire aux Saintes Écritures » et condamné à la prison. Le Saint-Office se réservait « la possibilité de modérer, de changer ou de lever tout ou partie des susdites peines et pénitences[42] ». Acceptant la sentence, Galilée, « dans un aveu sincère et avec une foi non feinte, [...] abjur[a], maudit et détest[a] les susdites erreurs et hérésies ».

Malgré la gravité de l'offense, Galilée n'en demeurait pas moins un des personnages les plus importants d'Italie et la peine de prison à vie fut rapidement commuée en résidence surveillée dans sa maison d'Arcetri près de Florence où il put continuer ses recherches physiques. Celles-ci mèneront à la publication en 1638 de son *Discours sur deux nouvelles sciences,* qui fournira au monde une nouvelle physique, compatible avec la nouvelle astronomie, laquelle venait pourtant d'être condamnée.

CONCLUSION

L'annonce de l'abjuration de Galilée fit rapidement le tour de l'Europe et sema la consternation parmi les savants. René Descartes, lui aussi copernicien, décida de ne pas publier son œuvre scientifique majeure, *Le Monde*. Devant les impératifs supérieurs de l'Église, les appuis de Galilée à la cour n'avaient donc pas suffi à lui assurer la victoire sur les théologiens. Si en se faisant nommer « philosophe » par le grand-duc, il avait pu combattre les représentants de cette discipline sur leur propre terrain, les théologiens avaient eu raison de ses efforts pour étendre encore davantage le champ d'action de la science. Celle-ci demeurait donc limitée par le domaine plus vaste et plus important de la théologie. Comme on le verra au chapitre suivant, les savants des XVIIe et XVIIIe siècles, tirant la leçon de cet événement, tentèrent de se définir un espace d'intervention qui ne recoupait ni la religion ni la politique. Ils limitèrent leur pratique à la production de faits expérimentaux et à leur interprétation à partir d'hypothèses, en évitant les discussions sur la nature réelle du monde. Ils y réussirent assez bien dans la plupart des sciences, mais l'histoire naturelle subira un dernier affrontement majeur avec l'Église lorsque, au milieu du XIXe siècle, Charles Darwin publiera sa théorie de l'évolution. L'autonomie du discours scientifique n'est en effet jamais définitivement acquise ; elle reste en fait le produit de conjonctures historiques spécifiques.

Malgré sa condamnation, Galilée avait porté un coup fatal à la vieille astronomie. Au milieu du XVIIe siècle, nonobstant la position doctrinale de l'Église catholique, peu de savants doutaient de la justesse des idées de Copernic, de Kepler et de Galilée.

CHAPITRE 8

De la philosophie mécaniste
à l'univers mathématique

L'acceptation du système héliocentrique entraînait avec elle la nécessité d'une refonte de la physique d'Aristote et de ses développements médiévaux. Copernic en était conscient comme en fait foi le livre premier du *De revolutionibus* qui, nous l'avons vu au chapitre précédent, tentait de répondre aux objections que ne manquaient pas de soulever les philosophes aristotéliciens. Ce serait donc par une refonte de la physique terrestre que la physique céleste, d'abord proposée par Kepler, deviendrait possible.

La tradition universitaire médiévale du commentaire de texte avait gardé vivant le thème de l'explication du mouvement local, conservé dans les nombreux traités ayant généralement pour titre *De motu locali*, *De motu gravium* — du mouvement local ou du mouvement des graves — ou tout simplement *De motu*. Galilée et plus tard Newton rédigèrent eux aussi de tels essais.

Ainsi qu'on l'a vu au chapitre 4, la théorie du mouvement local la plus répandue au Moyen Âge, et encore au début du xviie siècle, était celle de l'*impetus*, selon laquelle la cause efficiente du mouvement d'un corps est transférée directement à ce corps et se dissipe au cours du mouvement jusqu'à ce que le corps revienne au repos. Cette théorie demeurait toutefois dans le cadre aristotélicien d'une Terre immobile au centre de l'univers. Attribuer un mouvement de rotation à la Terre, comme le faisait Galilée à la suite de Copernic, était donc incompatible avec l'explication alors acceptée du mouvement des projectiles et seule la formulation du principe d'inertie, clé de voûte de la nouvelle physique, permettrait de rendre physiquement compréhensible le mouvement de la Terre.

GALILÉE ET LA NOUVELLE MÉCANIQUE

Pour défendre Copernic dans son *Dialogue sur les deux grands systèmes du monde*, Galilée avance que si la Terre tourne, alors tous les objets participent à cette rotation, de telle sorte qu'un corps en chute libre du haut d'une tour tombera au pied de la tour même si la Terre tourne, car le corps bougera lui aussi de la même manière *(fig. 8.1)*. Pour Galilée, un corps au repos ou en état de mouvement uniforme conserve ce mouvement aussi longtemps qu'il n'est pas perturbé. Bien que cette notion d'inertie, au sens de persistance dans l'état de mouvement, ne semble s'appliquer chez lui qu'au mouvement circulaire à la surface de la Terre[1], elle était déjà suffisante pour répondre aux anciennes objections qui prétendaient que le corps en chute tomberait loin derrière la tour parce qu'il aurait eu le temps d'avancer pendant la chute.

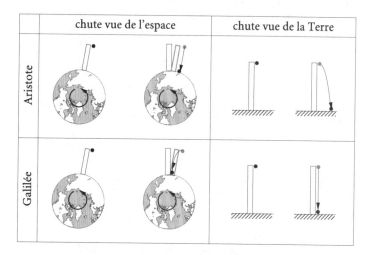

Figure 8.1. Le mouvement d'un corps en chute libre sur la Terre en rotation selon Aristote et selon Galilée.

L'idée qu'un corps en mouvement uniforme conserve ce mouvement tant qu'il n'est pas perturbé par la rencontre avec un autre corps sera ensuite généralisée au mouvement en ligne droite par Isaac Beeckmann et par Pierre Gassendi, mais c'est Descartes qui en fera sa première loi du mouvement dans ses *Principes de la philosophie* publiés en latin en 1644, sur lesquels on reviendra plus loin.

En plus de faire référence dans le *Dialogue* au principe d'inertie, Galilée mentionne pour la première fois la loi de la chute des corps, résultat auquel il était arrivé près de 30 ans plus tôt, mais dont il avait réservé la démonstration pour un autre livre : le *Discours et démonstrations mathématiques sur deux nouvelles sciences*, rédigé en italien et publié en 1638. On y trouve la synthèse de ses travaux de mécanique. Les « nouvelles sciences » auxquelles il fait référence sont la résistance des matériaux et le mouvement des projectiles. Ce dernier problème préoccupait les artilleurs depuis longtemps, et son compatriote Tartaglia avait d'ailleurs écrit un siècle plus tôt, en 1537, un livre sur le sujet intitulé *Nova scientia*, contenant plusieurs règles empiriques sur le tir des canons et une analyse encore fondée sur la physique aristotélicienne.

L'originalité de l'approche de Galilée est de combiner l'étude empirique et l'analyse mathématique, c'est-à-dire géométrique, du mouvement des projectiles. Cette combinaison lui permet de déduire la forme parabolique de leur trajectoire. Pour cela, il introduit un principe nouveau : celui de la composition des mouvements, que d'autres, dont Kepler, avaient entrevu mais qu'il utilise de façon plus systématique. On se souviendra que, dans la conception aristotélicienne du mouvement, les mouvements naturels et violents ne se composent pas ensemble, mais sont au contraire incompatibles et ne s'exercent donc pas simultanément. Cela explique que la trajectoire des projectiles était souvent représentée en sections discontinues. Seule la composition des mouvements permet de concevoir une trajectoire continue. Dans la seconde édition de sa *Nova scientia*, parue en 1546, Tartaglia avait suggéré cette continuité du mouvement, mais il faudra attendre Galilée pour qu'elle reçoive un fondement mathématique.

Un autre aspect important de la méthode galiléenne est le fait qu'elle ne s'intéresse pas aux causes efficientes du mouvement, comme le faisait la théorie de l'*impetus,* mais se limite à décrire mathématiquement la trajectoire. Ainsi, Galilée montre qu'un corps en chute libre subit une accélération constante et il en déduit la relation entre la distance parcourue et le temps de chute. Il ne se demande pas *pourquoi* le corps tombe. En termes modernes, il construit une cinématique et se désintéresse de la dynamique.

Les historiens des sciences se sont beaucoup disputés sur la spécificité de l'approche galiléenne. D'un côté, le philosophe Alexandre Koyré fait du savant florentin un disciple de Platon ne se préoccupant que de mathématique et ne faisant jamais d'expériences sinon en pensée[2]. À l'opposé, l'historien Stillman Drake dépeint un Galilée féru d'expérimentation et quasiment positiviste[3]. Entre ces positions extrêmes, il faut retenir que l'originalité de Galilée a en fait été de combiner les méthodes géométriques d'Archimède et l'expérimentation systématique. Lui-même habile de ses mains — on l'a vu faire du télescope un véritable instrument scientifique —, il était conscient de l'importance de l'observation et du savoir-faire des artisans. Pour ses travaux sur la chute des corps, il avait construit un plan incliné sur lequel il faisait rouler des boules, mesurant leur temps de chute à l'aide d'une horloge à eau ou en prenant son propre pouls. Cet appareil constituait un véritable instrument scientifique, car il était fondé sur l'idée que le plan incliné ne modifie pas vraiment le phénomène de la chute libre mais ne fait en quelque sorte que le ralentir d'une manière uniforme et le rendre ainsi plus facilement mesurable.

Certains, comme le sociologue Edgar Zilsel, ont même vu en Galilée le prototype du nouveau savant du XVIIe siècle qui combine la théorie et la pratique[4]. Jusque-là, les philosophes universitaires connaissaient davantage les livres que la réalité, alors que les artisans et les ingénieurs avaient une formation pratique mais peu de connaissances sur les théories physiques et mathématiques enseignées dans les universités. La distance sociale les séparant les uns des autres ne facilitait pas la rencontre de ces deux traditions, rencontre qui, selon Zilsel, a contribué à l'émergence de la science moderne au XVIIe siècle.

La différence entre les *Discorsi* de Galilée et les ouvrages universitaires de l'époque est en effet frappante et ce n'est pas par hasard que ce traité s'ouvre sur un éloge des artisans de l'arsenal de Venise :

> C'est un vaste champ que me paraît ouvrir aux méditations des esprits spéculatifs la fréquentation assidue de votre fameux arsenal, Seigneurs Vénitiens, et en particulier celle des ateliers dits de mécanique, où toutes sortes d'instruments et de machines sont constamment mis en usage par un grand nombre d'ouvriers dont certains, grâce aux observations de leurs prédécesseurs et à celles que leur suggère une pratique quotidienne, doivent forcément acquérir une expérience remarquable et un jugement des plus subtils[5].

Galilée envoyait donc un message clair : la vérité sur la nature des choses n'est pas dans les livres mais s'acquiert dans un dialogue avec la nature par le biais de l'expérimentation. Cependant, si les artisans avaient une bonne connaissance de cette réalité, il leur manquait les outils théoriques pour rendre

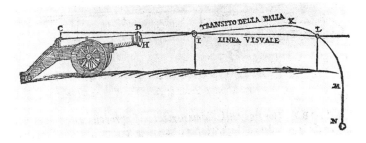

Figure 8.2. Trajectoire d'un boulet selon la théorie de l'*impetus*. Après un parcours oblique, le corps décrit un arc de cercle, épuise son *impetus* et tombe ensuite en ligne droite suivant son mouvement naturel. Tiré du traité de Tartaglia *Quesiti et inventioni diverse* paru en 1546.

compte des effets qu'ils observaient. Comme Galilée avait reçu une formation universitaire et était versé en mathématiques, il chercha à formuler une théorie pour expliquer les multiples phénomènes observés journellement par les artisans.

L'écart entre artisans et philosophes est d'ailleurs saisissant dans les représentations graphiques du mouvement. Non influencés (ou déformés) par la théorie aristotélicienne du mouvement, les artistes n'hésitaient pas à tracer des courbes continues pour représenter les trajectoires. Léonard de Vinci, par exemple, dans ses études du mouvement des fluides, donne à voir une courbe continue. L'ironie extrême est atteinte avec Tartaglia, qui développe en détail la théorie médiévale des trois sections de la courbe du projectile (*fig. 8.2*), alors que le frontispice d'un de ses livres, conçu par un artiste, laisse voir la courbe continue que trace un boulet lancé par un canon (*fig. 8.3*).

RENAISSANCE DE L'ATOMISME ET PHILOSOPHIE MÉCANISTE

On a vu qu'un aspect important de la Renaissance est la recherche active des manuscrits anciens. Ce fut dans le contexte d'un retour aux origines gréco-romaines de la culture européenne que l'atomisme redevint populaire au XVIIe siècle. Rejeté dès l'Antiquité par Aristote et ses disciples, l'atomisme de Démocrite fut de plus condamné par l'Église catholique au Moyen Âge comme une doctrine païenne et resta donc pendant plus de 2 000 ans un courant de pensée marginal. Il refit toutefois surface à la Renaissance grâce à la découverte, en 1414, du poème de Lucrèce, le *De natura rerum,* qui fut

Figure 8.3. Page frontispice du *Nova scientia* de Tartaglia paru en 1537. Ignorant sans doute la théorie de l'*impetus* présentée dans le volume, l'artiste représente la trajectoire du boulet comme étant continue. On y voit aussi, au premier rang du groupe au centre de l'illustration, Tartaglia entre la géométrie et l'arithmétique.

imprimé en 1473 et connut de nombreuses éditions[6]. Ce long poème en sept livres est un exposé détaillé de la doctrine atomiste et de la philosophie épicurienne qui en est dérivée. Dans le mouvement de critique tous azimuts de la doctrine d'Aristote qui dominait le XVIIᵉ siècle, l'atomisme cadrait très bien avec la montée des idées mécanistes. Galilée discutait déjà des atomes dans son *Discours sur les corps flottants* publié en 1612.

Comme on l'a vu au chapitre précédent, Galilée était philosophe et mathématicien du grand-duc de Toscane depuis 1610. C'est à ce titre qu'il avait été appelé à débattre la question des corps flottants avec un professeur de philosophie partisan d'Aristote devant les invités de la cour durant l'été 1611. Il expliqua pourquoi certains corps flottent et d'autres non en invoquant Archimède contre Aristote : c'est la densité spécifique du corps par rapport à celle de l'eau qui détermine la flottaison et non la forme du corps comme le prétendaient les disciples d'Aristote. L'existence de corps de différentes densités laisse supposer, selon lui, qu'ils sont composés d'atomes de différentes formes séparés par du vide. La plus ou moins grande densité s'explique alors par la plus ou moins grande quantité de matière par unité de volume. De ce point de vue, la différence qualitative entre « lourd » et « léger », qui est au cœur de la physique d'Aristote, s'estompe pour faire place à des corps qui sont tous lourds, à des degrés divers.

En 1623, Galilée publia, toujours en italien, *Il Saggiatore,* livre polémique qui serait aussitôt dénoncé auprès du Saint-Office pour avoir promu la doctrine atomiste, toujours considérée comme incompatible avec la doctrine chrétienne. Mais plus qu'une véritable défense de l'atomisme, ce texte est en fait le manifeste de la nouvelle physique que Galilée veut mécaniste et mathématique. S'opposant au monde aristotélicien des qualités, celui-ci y écrit :

> Je dis que je me sens bien attiré par la nécessité, dès que je conçois une matière ou une substance corporelle, à concevoir tout à la fois qu'elle est limitée et douée de telle ou telle figure, que par rapport à d'autres elle est grande ou petite, qu'elle est dans tel ou tel lieu, dans tel ou tel temps, qu'elle se meut ou reste immobile, qu'elle touche ou ne touche pas un autre corps, qu'elle est une, quelques-unes ou beaucoup, et qu'aucune imagination ne peut me la faire séparer de ces conditions-là[7].

C'est bien là le programme mécaniste d'une analyse de la matière fondée sur les figures et le mouvement, programme qui se généralisa à toutes les sciences au cours du XVIIᵉ siècle. Quant aux qualités (couleur, odeur, chaleur), qui chez Aristote font partie de l'essence même de la matière, elles deviennent, dans le programme mécaniste de Galilée, de simples effets de l'interaction entre la matière en mouvement et les corps sensibles : « Elles tiennent seulement leur

résidence dans les corps sensibles : si donc on retire l'animal, toutes ces qualités sont effacées et anéanties », affirme-t-il. En d'autres termes, la figure et le
mouvement sont objectifs, les sensations sont subjectives. Galilée disait cela en
tant que savant mais, plus tard, les philosophes en feront une doctrine. John
Locke (1632-1704), fortement influencé par Newton, sera ainsi le premier, dans
son *Essai sur l'entendement humain* de 1690, à tirer toutes les conséquences
philosophiques de la physique corpusculaire.

Ces explications mécanistes offertes par Galilée, et plus tard par Descartes,
ne pouvaient manquer de rappeler aux lecteurs le poème de Lucrèce[8] :

> *Et ne crois pas d'ailleurs qu'aux éléments natifs*
> *La couleur seule manque : en eux rien de sonore ;*
> *L'atome est dénué de tout suc ; il ignore*
> *La chaleur ou la glace et la molle tiédeur,*
> *Et de son propre corps n'émane aucune odeur (II, 856-860)*
> [...]
> *Je dis que ni le son, ni le goût ni l'odeur*
> *Ne sont, plus que le chaud, le froid ou la tiédeur*
> *Des vertus par l'atome aux choses départies (II, 867-869)*
> [...]
> *Suppose la main seule du corps séparée*
> *Toute sensation lui sera retirée (II, 925-926)*

Un des plus importants artisans de la diffusion de la doctrine atomiste est
le Français Pierre Gassendi (1592-1655) qui, après avoir enseigné à Digne et
à Aix, fut professeur au Collège royal, l'actuel Collège de France, fondé par
François Iᵉʳ en 1530. Bien que, contrairement à Galilée, il n'apportât lui-même
rien de nouveau sur le plan scientifique, il chercha à réconcilier l'atomisme
(et même l'épicurisme, une autre doctrine païenne) et le christianisme. Son
appartenance ecclésiastique permit de contrer en partie l'idée courante que la
doctrine atomiste était impie. Chose certaine, Gassendi évita habilement
la condamnation officielle de l'Église. Comme il diffusa ses idées dans des
œuvres latines plutôt confuses et éclectiques, il n'atteignit pas un large public
— contrairement à Galilée qui écrivait en italien — et ne réussit pas vraiment
à imposer sa conception du monde. Bien au contraire, ce fut son compatriote,
René Descartes, qui proposa un système philosophique mécaniste et corpusculaire cohérent qui fera école, mais dans lequel, curieusement, les atomes et
le vide sont proscrits. Malgré les objections de Gassendi et autres disciples de
Galilée, la physique de Descartes s'imposa en Europe au milieu du siècle bien
qu'elle fût officiellement condamnée par l'Église, parce qu'elle s'éloignait trop

de la doctrine aristotélicienne. Du point de vue de la physique, cependant, la doctrine de Descartes reste tributaire de la scolastique par son antiatomisme et son rejet de l'existence du vide et s'oppose ainsi radicalement à la physique atomiste, expérimentale et mathématique préconisée par Galilée.

La doctrine mécaniste ne se construit pas seulement en opposition à la philosophie scolastique qui domine les facultés de philosophie et de théologie des universités européennes. Elle s'oppose également au naturalisme et à l'hermétisme de la Renaissance et à sa vision organique et même magique de l'univers. On a déjà dit que Galilée n'appréciait guère le mysticisme de Kepler ; Mersenne non plus et son ami Descartes n'avait que mépris pour les doctrines animistes de contemporains comme le médecin anglais Robert Fludd (1574-1637) ou d'autres qui puisaient à la doctrine du médecin allemand Paracelse (1493-1541), laquelle combine médecine et alchimie.

Le chancelier anglais Francis Bacon (1561-1626), un des premiers théoriciens de la nouvelle approche expérimentale, et le plus influent, nomma d'ailleurs clairement ses deux cibles : « J'ai fait de la science entière mon domaine. Je voudrais la purger des deux espèces de brigands : les uns la gâtent avec leurs frivoles disputes, leurs réfutations, leur verbosité ; les autres avec leurs expériences aveugles, leurs traditions auriculaires et leurs impostures » ; les premiers étaient les philosophes scholastiques et les seconds, les partisans des doctrines animistes[9]. La philosophie dualiste de Descartes, qui sépare le corps et l'âme, le premier n'étant que pur mécanisme, constitue d'ailleurs une forme radicale de désenchantement du monde, qui ferme la porte à toute vision animiste de l'univers.

Bien qu'il ne fût pas lui-même un savant qui pratiquait les sciences, Francis Bacon fut le premier à formuler un discours global sur l'importance de la science pour la maîtrise du monde environnant et le progrès humain. Avocat, élu membre du Parlement en 1584, conseiller de la reine Elizabeth Ire et du roi James Ier, il fut annobli en 1603. En 1605, il publia *For the Advancement of Learning,* ouvrage critiquant la philosophie aristotélicienne alors dominante qui, selon lui, bloquait le progrès de l'humanité. Bacon séparait radicalement la science et la religion, et sa doctrine est essentiellement laïque et matérialiste. Il voyait dans le travail des artisans la source de tous les progrès. En réaction à l'enseignement universitaire traditionnel, il critiquait même l'usage des mathématiques et répétait que la seule connaissance véritable est obtenue par le travail manuel et empirique. Il se distinguait cependant de la tradition artisanale qu'il considérait comme trop peu systématique. Abandonnant la logique déductive traditionnelle, il préconisait une forme d'induction à partir de l'expérience. Son livre *Novum Organum,* publié en 1620, se veut une méthode visant à remplacer celle codifiée par Aristote dans ses traités logiques réunis sous le titre d'*Organon*. Kepler en reçut un exemplaire. La méthode de Bacon est essentiellement fondée sur l'accumulation de données empiriques, accumulation qui devait permettre par induction la formulation de lois. Cette approche s'oppose aux méthodes déductives d'Aristote et de Descartes. Les idées de Bacon furent diffusées à travers l'Europe et furent très populaires dans le monde scientifique de l'époque. Les fondateurs de la Société royale de Londres se réclamèrent de lui, et son effigie apparaissait même sur les représentations artistiques de la Société fondée en 1660. Quand Christiaan Huygens (1629-1695) suggéra à Colbert, ministre de Louis XIV, de fonder une société savante — qui deviendrait en 1666 l'Académie royale des sciences —, il fit explicitement référence à Bacon[10].

Le lord anglais présenta sa conception du travail scientifique dans une utopie rédigée en anglais en 1623 et publiée en 1627 (un an après sa mort), *The New Atlantis*. Ce genre de texte était populaire à l'époque et servait à diffuser des idées philosophiques sous une forme plus accessible. C'est dans cet essai que l'on retrouve la fameuse maison de Salomon qui « a pour fin de connaître les causes, et le mouvement secret des choses ; et de reculer les bornes de l'Empire Humain en vue de réaliser toutes les choses possibles » et où, subventionnés par l'État, les scientifiques travaillent collectivement et systématiquement à l'avancement des connaissances. Il y a aussi « des bâtiments vastes et spacieux dans lesquels les savants imitent et reproduisent les effets de la nature ». Continuant sa croisade contre les « brigands », Bacon fait place dans son utopie à une maison « aux erreurs des sens » où ont lieu « de prodigieux tours de passe-passe, de trompeuses apparitions de fantômes, des impostures et des illusions, et nous en montrons le caractère fallacieux[11] ».

La pensée de Bacon synthétise un courant important dont le *De magnete* du médecin anglais William Gilbert, recueil d'expériences effectuées avec des aimants paru en 1600, fournit le paradigme. Cependant, la vision empiriste de la science mise de l'avant par Bacon fait peu de place aux mathématiques. Or, on a vu que ce fut avec Galilée que la science moderne vit le jour en combinant expérimentation systématique et mathématisation dans la tradition d'Archimède.

DU LATIN AU VERNACULAIRE

Un aspect important de la transformation de la scène intellectuelle au XVIIe siècle est l'usage de plus en plus fréquent des langues dites vulgaires, c'est-à-dire autres que le latin, langue du monde savant depuis le Moyen Âge. Galilée avait publié son premier livre, *Le Messager céleste*, en latin *(Sidereus nuncius)*, mais, à compter de 1612, il rédigea ses livres en italien. C'était alors une nouveauté et Galilée expliqua son geste à son ami Paolo Gualdo : « Je l'ai écrit en langue vulgaire parce que je veux que tout le monde puisse le lire. » Il voulait aussi que les jeunes constatent que la nature, « de même qu'elle leur a donné des yeux pour voir ses œuvres […], leur a donné un cerveau pour les discerner et les comprendre[12] ». Cette pratique serait de plus en plus fréquente au fil du siècle. Descartes écrivit en français le *Discours de la méthode* paru en 1637 et se justifia lui aussi, en conclusion, en disant :

> *Si j'écris en français qui est la langue de mon pays, plutôt qu'en latin, qui est celle de mes précepteurs, c'est à cause que j'espère que ceux qui ne se servent que de leur raison naturelle toute pure jugeront mieux de mes opinions que ceux qui ne croient qu'aux livres anciens ; et pour ceux qui joignent le bon sens avec l'étude, lesquels seuls je souhaite pour mes juges, ils ne seront point, je m'assure, si partiaux envers le latin, qu'ils refusent d'entendre mes raisons pour ce que je les explique en langue vulgaire.*

Les réformateurs de la science étant eux-mêmes, le plus souvent, extérieurs au milieu universitaire, ils avaient en effet avantage à chercher appui auprès d'un autre public et cela ne pouvait se faire qu'en utilisant la langue commune de l'aristocratie qui constituait un marché de lecteurs potentiels de plus en plus important. Ces travaux étaient tout de même traduits par la suite en latin qui demeurait la langue d'usage dans les universités et le monde savant — milieu qui, si décrié qu'il fût, ne pouvait être complètement ignoré —, et la langue de communication internationale (comme l'anglais de nos jours).

LE MONDE SELON DESCARTES

Contrairement à plusieurs savants de son époque qui étaient enseignants ou attachés à une cour, ou qui occupaient des postes administratifs, René Descartes (1596-1650) était financièrement indépendant. Formé par les jésuites au collège de La Flèche entre 1607 et 1615, il obtint son baccalauréat à l'université de Poitiers de même qu'une licence en droit. Il devint ensuite soldat et se déplaça à travers l'Europe. Il voyagea beaucoup mais, à partir de 1630, après avoir vendu les propriétés qu'il avait héritées de sa mère dans le Poitou, il résida surtout en Hollande, un pays alors reconnu pour sa tolérance religieuse et son activité marchande. Ce fut là qu'il se consacra entièrement à ses œuvres mathématiques, physiques et philosophiques. Il correspondit beaucoup avec le père minime Marin Mersenne — véritable plaque tournante du monde intellectuel européen au cours de la première moitié du XVIIe siècle — qui reçut et fit connaître les travaux des savants de toute l'Europe. Il faut rappeler en effet que les revues scientifiques n'existaient pas encore et que les savants d'Europe, encore peu nombreux et pas tous entièrement voués à la recherche, correspondaient entre eux pour se tenir au courant des travaux des autres. Jaloux de leur originalité, ils cherchaient surtout à ne pas se faire voler la priorité de leurs découvertes, qu'ils ne publiaient souvent sous forme de livre que plusieurs années et même plusieurs décennies plus tard. Descartes soumit donc ses idées à Mersenne qui en retour le tint au courant des activités d'autres savants dont Galilée.

En mathématiques, Descartes fit œuvre de pionnier en montrant que l'algèbre et la géométrie peuvent être mises en relation grâce à la géométrie analytique qui fait usage d'un système de coordonnées maintenant dites « cartésiennes ». Marqué par la rigueur déductive des mathématiques, Descartes soutenait ne rien admettre en sa philosophie qui ne soit également reçu en mathématiques. Malgré cette affirmation, il reste que toute sa physique s'oppose à celle de Galilée. Ce dernier propose une étude mathématique de la nature dans la lignée d'Archimède, alors que le premier formule une physique qualitative dans la tradition aristotélicienne. Contrairement à Galilée qui n'offrait aucune philosophie systématique, Descartes était aussi philosophe, et sa doctrine avait l'avantage, tant par son contenu et son étendue que par sa forme, d'être une solution de remplacement à celle d'Aristote. Bien que condamnée par l'Église, sa philosophie devint en effet vite populaire dans plusieurs universités, particulièrement aux Pays-Bas, et dans les cours d'Europe.

La distance entre Galilée et Descartes se mesure bien dans l'opinion de ce dernier à propos des *Discorsi* du premier. Peu de temps après leur parution en 1638, il écrivit à Mersenne que le savant italien n'avait pas considéré les premières causes de la nature et que, en conséquence, il avait bâti sans fondement. Descartes avait depuis cinq ans fini de rédiger un ouvrage copernicien, *Le Monde ou Traité de la lumière*, mais après avoir appris la condamnation de Galilée en 1633, il avait décidé de ne pas le publier. Il avait fait paraître en 1637 son *Discours de la méthode* qui contenait en appendice sa géométrie analytique et les parties les moins litigieuses du *Monde*, comme son optique et ses météores — section qui traite des phénomènes atmosphériques et météorologiques comme l'arc-en-ciel, la pluie et les vents. Sa métaphysique fut imprimée en latin en 1641 sous le titre de *Méditations métaphysiques*. Comme il le dit à Mersenne peu avant sa parution, ce livre contient en fait les fondements de sa physique. Celle-ci paraîtra finalement en latin en 1644 sous le titre *Principia philosophiae,* ouvrage qui servira de véritable manuel de physique mécaniste pendant près d'un siècle et dont la doctrine sera commentée dans d'autres manuels dont le populaire *Traité de physique* de Jacques Rohault paru en 1672 et qui connaîtra plusieurs éditions en français et en anglais.

Encore fortement imprégné de l'approche philosophique scolastique qu'il critiquait pourtant férocement, Descartes conçut son système de façon essentiellement déductive et sa physique découle de sa métaphysique. Cette relation de dépendance lui tenait beaucoup à cœur, car il rompit ses relations avec un de ses disciples, le père Régis, qui avait eu l'audace d'inverser l'ordre cartésien en présentant sa physique avant sa métaphysique dans un volume paru en 1646 sous le titre de *Fundamenta physicae*. Dans la préface à l'édition française de ses *Principes,* Descartes écrit en effet être « obligé de le désavouer entièrement », car il « a changé l'ordre, et nié quelques vérités métaphysiques sur qui toute la physique doit être appuyée ».

Sans refaire ici tout le cheminement de la démonstration cartésienne, rappelons simplement que, du postulat fondamental « je pense donc je suis » *(cogito ergo sum),* et de l'existence d'idées innées, Descartes déduit l'existence de Dieu et du monde. Il en tire également la loi de conservation du mouvement — que Isaac Beeckmann (1588-1637), qui avait exercé une influence certaine sur le jeune Descartes, avait énoncée dès 1613 —, en s'appuyant sur le principe que rien ne peut détruire ce que Dieu a créé. Or, celui-ci a mis dans le monde une quantité fixe de mouvement répartie dans l'ensemble de la matière. Descartes identifiant l'espace à la matière, celle-ci est donc unique et remplit tout l'univers et il ne peut y avoir d'espace vide. Sa physique demeure tout de même mécaniste et *corpusculaire.* Cette distinction entre atome et corpuscule (divisible à l'infini comme l'espace) ne fut pas sans générer certaines confusions, car en pratique les explications mécanistes des atomistes et celles des cartésiens sont semblables. Descartes était conscient de cette confusion possible. Après avoir expliqué que les diverses sensations (chaleur, couleur, odeur, etc.) sont dues aux mouvements des corpuscules et ne font pas partie de l'essence des corps comme le prétendent les aristotéliciens, il insiste, à la fin des *Principes,* sur le fait que sa philosophie ne s'accorde pas mieux avec celle de Démocrite qu'avec celle d'Aristote et « toutes les autres sectes particulières[13] ». Comme on l'a vu plus haut, cette explication des sensations se retrouvait déjà chez Lucrèce et chez Galilée.

Les corpuscules cartésiens auraient été formés au cours de l'évolution de

Les trois principaux éléments du monde visible

Ainsi nous pouvons faire état d'avoir trouvé deux diverses formes en la matière, qui peuvent être prises pour les formes des deux premiers éléments du monde visible. La première est celle de cette raclure qui a dû être séparée des autres parties de la matière lorsqu'elles se sont arrondies, et qui est mue avec tant de vitesse que la seule force de son agitation est suffisante pour faire que, rencontrant d'autres corps, elle soit froissée et divisée par eux en une infinité de petites parties qui se font de telle figure qu'elles remplissent toujours exactement tous les recoins ou petits intervalles qu'elles trouvent autour de ces corps. L'autre est celle de tout le reste de la matière, dont les parties sont rondes et fort petites à comparaison des corps que nous voyons sur terre ; mais néanmoins elles ont quelque quantité déterminée, en sorte qu'elles peuvent être divisées en d'autres beaucoup plus petites. Et nous trouvons encore ci-après une troisième forme en quelques parties de la matière, à savoir en celles qui, à cause de leur grosseur et de leurs figures, ne pourront pas être mues si aisément que les précédentes ; et je tâcherai de faire voir que tous les corps de ce monde visible sont composés de ces trois formes qui se trouvent en la matière, ainsi que de trois divers éléments, à savoir : que le soleil et les étoiles fixes ont la forme du premier de ces éléments, les cieux celle du second, et la terre avec les planètes et les comètes celle du troisième. Car, voyant que le soleil et les étoiles fixes envoient vers nous de la lumière, que les cieux lui donnent passage, et que la terre, les planètes et les comètes la rejettent et la font réfléchir, il me semble que j'ai quelque raison de me servir de ces trois différences, être lumineux, être transparent et être opaque ou obscur, qui sont les principales qu'on puisse rapporter au sens de la vue, pour distinguer les trois éléments de ce monde visible.

Descartes, *Principes de la philosophie* (III, 52), édition de C. Adam et P. Tannery, Paris, Vrin, 1996, vol. IX, p. 128.

l'univers. Descartes imagine en effet un scénario d'évolution de l'univers dans lequel la matière première existe d'abord sous forme de cubes en mouvement. Leurs mouvements entraînent un effritement des angles à cause des collisions, ce qui donne naissance à des billes sphériques ; les morceaux les plus fins, effrités lors des collisions, constituent une matière plus fluide, l'éther, qui remplit tout l'espace séparant les billes, ne laissant ainsi aucun espace vide. Enfin, en s'agglutinant les uns aux autres, les morceaux de matière forment des agrégats qui constituent les planètes et, de façon plus générale, les corps macroscopiques. Son système fait ainsi place à trois différentes formes de matière qui dérivent cependant d'une seule substance fondamentale, le cube primordial.

La mécanique de Descartes repose sur deux lois fondamentales : la loi d'inertie et la conservation de la quantité de mouvement, que l'on représente de nos jours par le produit *(mv)* de la masse *(m)*, qui, pour Descartes, n'est autre que le volume, et de la vitesse *(v)* du corps. À cela, le philosophe ajoute les lois du choc des corps pour rendre compte du transfert de mouvement de corps au repos à des corps en mouvement. Toutes furent rapidement montrées empiriquement fausses, mais cela ne dérangeait pas Descartes qui affirmait qu'elles ne peuvent pas s'appliquer directement puisque les corps ne sont jamais en contact deux à deux (comme il le supposait pour établir ces lois), mais entourés de nombreux autres corpuscules et que le tout est trop complexe pour être calculé.

LES TOURBILLONS CARTÉSIENS ET L'EXPLICATION DE LA PESANTEUR

Pour expliquer le mouvement circulaire des planètes autour du Soleil, Descartes imagine que le mouvement de la matière est essentiellement tourbillonnaire et que les planètes sont ainsi entraînées dans un mouvement de rotation ayant le Soleil pour centre, comme un bouchon flottant dans un tourbillon d'eau à l'intérieur d'un évier est entraîné par la rotation de l'eau. Ce mouvement tourbillonnaire de la matière subtile explique aussi, selon Descartes, pourquoi les corps tombent sur la Terre. Selon lui, ils y sont poussés par le mouvement très rapide des particules de matière subtile (l'éther) qui tendent à s'éloigner de la surface de la Terre (par l'effet de la force centrifuge) et poussent ainsi vers le sol les corps plus gros qui ont moins de quantité de mouvement. Cette explication de la pesanteur sera reprise (avec des variantes) par la plupart des savants européens par la suite, et elle demeurera essentiellement inchangée jusqu'à la fin du XVIIe siècle. La pression d'un fluide ou le choc de particules sont en effet les seules explications mécaniques possibles de la gravitation en termes d'action par contact. Comme on va le voir plus loin, l'explication mathématique qu'allait proposer Newton sera fort mal accueillie par les partisans de la philosophie mécaniste.

En astronomie, Descartes ne dépasse pas ce stade d'explication qualitative du mouvement et ne tient aucun compte des travaux de Kepler qui contenaient les énoncés des lois mathématiques précises du mouvement des corps célestes. De même, sa physique ne laissant pas de place au mouvement dans le vide, Descartes rejette comme fausse la loi de la chute des corps de Galilée. Contrairement à ce dernier qui ne proposait qu'une cinématique quantitative, Descartes négligea cette mathématique du mouvement pour s'attarder à ses causes, mais il demeura ainsi enfermé dans le cadre d'une physique qualitative. En effet, comme tout mouvement doit s'expliquer par la multitude des chocs entre corps de différentes grandeurs, il est impossible de calculer quoi que ce soit et l'explication demeure qualitative et intuitive. Descartes s'en rendit rapidement compte lorsqu'il songea à formuler mathématiquement sa propre loi sur la chute des corps et finit par avouer à Mersenne que la tâche était impossible étant donné la complexité de la situation. En somme, on peut dire que là où Galilée avait abandonné la recherche des causes mécaniques pour faciliter la mathématisation du mouvement, Descartes, à l'opposé, abandonna la mathématisation pour s'assurer d'une explication mécanique causale.

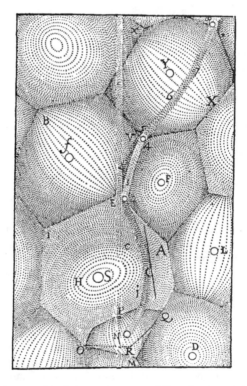

Figure 8.4. L'univers plein de Descartes et ses tourbillons d'après ses *Principes de la philosophie* parus en 1644. Il y a une multiplicité de systèmes solaires, et les comètes passent d'un monde à l'autre.

L'explication de la pesanteur par Descartes

La seconde action [la première est le mouvement des petites parties de la matière du ciel considérée en général (15)] dont j'ai entrepris ici de parler est celle qui rend les corps pesants, laquelle a beaucoup de rapport avec celle qui fait que les gouttes d'eau deviennent rondes ; car c'est la même matière subtile qui, par cela même qu'elle se meut indifféremment de tous côtés autour d'une goutte d'eau, pousse également toutes les parties de sa superficie vers son centre, et qui, par cela seul qu'elle se meut autour de la terre, pousse aussi vers elle tous les corps qu'on nomme pesants, lesquels en sont les parties.

21. Que chaque partie de la terre, étant considérée toute seule, est plutôt légère que pesante.

Mais afin d'entendre plus parfaitement en quoi consiste la nature de cette pesanteur, il faut remarquer que si tout l'espace qui est autour de la terre, et qui n'est rempli par aucune de ses parties, était vide, c'est-à-dire s'il n'était rempli que d'un corps qui ne pût aider ni empêcher les mouvements des autres corps (car c'est ce qu'on doit proprement entendre par le nom de vide), et que cependant elle ne laissât pas de tourner en vingt-quatre heures sur son essieu, ainsi qu'elle le fait à présent, toutes celles de ses parties qui ne seraient point fort étroitement jointes à elle s'en écarteraient de tous côtés vers le ciel, en même façon que la poussière qu'on jette sur une pirouette [toupie] pendant qu'elle tourne n'y peut demeurer, mais est rejetée par elle vers l'air de tous côtés ; et si cela était, tous les corps terrestres pourraient être appelés légers plutôt que pesants.

Descartes, *Principes de la philosophie* (IV, 20), édition de C. Adam et P. Tannery,
Paris, Vrin, 1996, vol. IX, p. 210.

La philosophie mécaniste, esquissée par Galilée et généralisée par Descartes, devait permettre une compréhension intuitive — « claire et distincte », dirait plutôt Descartes — des phénomènes. Elle visait à débarrasser la philosophie des explications aristotéliciennes en matière de qualités et de « formes substantielles », explications qui étaient considérées comme occultes, c'est-à-dire non manifestes et souvent verbales et tautologiques, telle la « vertu dormitive » invoquée pour expliquer l'effet somnifère de l'opium. Ainsi qu'on le verra au prochain chapitre, la vision mécaniste du monde sera largement appliquée également en sciences de la vie, tant par Descartes que par les disciples de Galilée. Elle culminera en 1748 avec la publication du livre de Julien de La Mettrie, *L'Homme-machine*. L'essentiel de l'explication mécaniste est bien résumé par Descartes lui-même quand il affirme vers la fin de ses *Principes de la philosophie* avoir « décrit cette Terre, et généralement tout le monde visible, comme si c'était seulement une machine en laquelle il n'y avait rien du tout à considérer que les figures et les mouvements de ses parties[14] ».

La chimie fut également réinterprétée dans le cadre corpusculaire. Dans *The Sceptical Chymist*, publié en 1661, Robert Boyle avance une interprétation mécaniste des opérations chimiques et critique la doctrine des quatre éléments et des trois principes de l'alchimie (soufre, sel, mercure). Comme le titre de son ouvrage l'indique, son approche est plus sceptique que positive. Dans ses ouvrages ultérieurs, cependant, sa position corpusculaire est plus affirmée et il explique toutes les propriétés chimiques en fonction des propriétés mécaniques des corpuscules. L'élément est ainsi défini comme inaltérable, ne pouvant être décomposé davantage par aucune réaction chimique, et seule la combinaison de corpuscules différents peut expliquer les réactions chimiques et les différentes propriétés de la matière. En 1675, le chimiste français Nicolas Lémery (1645-1715), publie un *Cours de chimie* qui offre lui aussi une interprétation atomiste des réactions chimiques et popularise auprès d'un large public la chimie corpusculaire. On y retrouve la vieille idée de Démocrite selon laquelle c'est la forme géométrique des atomes qui explique leurs propriétés. Ainsi, les acides sont d'autant plus forts que la pointe de leurs atomes est acérée.

Dans le domaine de la physique, toutefois, la philosophie mécaniste se heurta à la tradition archimédienne ravivée par Galilée et qui vise à une formulation mathématique des lois de la nature. Il faut en effet rappeler que dans son essai polémique de 1623, *Il Saggiatore,* où il défend ses vues sur les comètes, Galilée affirme que la nature est écrite en langage mathématique :

> *La philosophie est écrite dans ce livre immense perpétuellement ouvert devant nos yeux (je veux dire : l'univers), mais on ne peut le comprendre si l'on n'apprend pas d'abord à connaître la langue et les caractères dans lesquels il est écrit. Il est écrit en langue mathématique et ses caractères sont des triangles, des cercles, et d'autres figures géométriques, sans l'intermédiaire desquels il est humainement impossible d'en comprendre un seul mot. Si on ne les comprend pas, on tourne vainement en rond dans un labyrinthe obscur*[15].

Non seulement il s'opposait ainsi à la physique qualitative d'Aristote en préconisant un retour à la physique mathématique d'Archimède, mais il refusait aussi la manie des philosophes de recourir constamment à « l'opinion d'un auteur célèbre », comme si « toute pensée doit rester inféconde si elle n'épouse pas le discours d'un autre[16] ».

Chez Galilée, l'opposition entre physique mécaniste et physique mathématique ne se manifeste pas clairement, car il se contenta de construire les lois cinématiques. Or, c'est dans la dynamique, c'est-à-dire l'étude des causes du mouvement, que la philosophie mécaniste s'exprime vraiment. Le conflit est toutefois perceptible dans les différences notées entre le projet de Descartes et celui de Galilée et, comme on le verra plus loin, il allait éclater au grand jour avec la publication par Newton de ses *Philosophiae naturalis principia mathematica,* réponse directe aux *Principia philosophiae* de Descartes parus près d'un demi-siècle plus tôt.

LA PHILOSOPHIE EXPÉRIMENTALE

Avant d'aborder l'œuvre de Newton, qui est l'aboutissement conceptuel de la révolution scientifique enclenchée au début du siècle, il convient toutefois de rappeler que, à côté de la tendance très rationaliste et déductiviste de Descartes et de ses partisans, existait une approche plus expérimentale remontant au début du XVIIᵉ siècle et incarnée par le médecin britannique William Gilbert qui avait fourni un modèle exemplaire de travail expérimental en publiant en 1600 son *De magnete.* Bien que remarquable par son caractère résolument expérimental, le travail de Gilbert, qui attribuait une âme aux aimants, baigne encore dans l'atmosphère de la Renaissance imprégnée d'une vision animiste du monde. Mais les lecteurs y prirent ce qui les intéressait sans toujours adhérer à ses interprétations des phénomènes. Ainsi, on a vu que Kepler y puisa sa force d'attraction (encore animiste) pour expliquer le mouvement des planètes autour du Soleil, alors que Galilée, dès 1602, ne s'attarda qu'à ses expériences sur les aimants[17]. Dans son *Dialogue,* paru en 1632, il rend hommage au médecin anglais mais trouve dommage qu'il n'ait pas été davantage mathématicien[18]. Il y critique aussi Kepler pour avoir « prêté l'oreille et donné son assentiment à un empire de la Lune sur l'eau, des propriétés occultes et autres enfantillages du même genre[19] ». Galilée ne croyait donc pas que l'attraction de la Lune soit la cause des marées. Pour lui et ses contemporains, la notion d'attraction conservait un caractère occulte et, comme on le verra plus loin, ce ne sera qu'à la suite des travaux de Newton que l'idée d'attraction gravitationnelle commencera à être admise, après avoir acquis un sens mathématique précis.

L'expérimentation, mode d'appréhension de la nature que les savants anglais nommèrent « philosophie expérimentale », s'oppose au rationalisme cartésien par son insistance sur l'observation minutieuse et répétée des phénomènes dans des conditions contrôlées et par son scepticisme face aux théories explicatives. S'il est vrai que les savants britanniques développèrent de façon systématique cette philosophie expérimentale, il ne faudrait pas croire qu'ils en furent les créateurs. Au Moyen Âge, quelques savants isolés avaient pratiqué des expériences ou fait appel à l'observation empirique pour appuyer leur théorie. Ainsi, dans le *De magnete,* Gilbert vante les talents d'expérimentateur de Pierre de Maricourt qui, au XIII⁰ siècle, avait écrit un texte important sur l'aimant et présenté plusieurs des expériences reprises par le médecin anglais. Dans la majorité des cas, cependant, les « expériences » invoquées par les commentateurs d'Aristote étaient des observations de sens commun et non des expériences construites et contrôlées, c'est-à-dire de véritables *expérimentations.*

L'INSTITUTIONNALISATION DE LA NOUVELLE SCIENCE : LES ACADÉMIES SCIENTIFIQUES

Dès le début du XVII⁰ siècle, donc, la pratique de l'expérimentation devint plus courante. Sur le plan institutionnel, il est assez frappant de constater que la plupart des partisans de la « science nouvelle », c'est-à-dire de l'approche expérimentale et géométrique préconisée par Galilée et quelques autres, œuvraient hors du milieu universitaire. Comme on le verra au chapitre suivant, seule l'anatomie semblait réussir à se renouveler en partie dans le cadre universitaire. La critique de la sclérose du milieu universitaire fut exprimée clairement par Bacon dès 1592. Critiquant les universités britanniques, il écrivait : « Hélas, ils n'y apprennent qu'à croire ; d'abord à croire que d'autres savent ce qu'eux-mêmes ne savent pas, puis à croire qu'ils savent ce qu'ils ne savent pas[20]. » On retrouvait donc la majorité des partisans de la philosophie mécanique au sein, ou dans l'entourage, d'académies, nouvelles formes de regroupements d'individus partageant les mêmes intérêts, apparues au cours de la Renaissance.

Un aspect important de la pensée de Bacon en matière de recherche scientifique est l'importance accordée au travail collectif. Cet idéal, présenté dans *La Nouvelle Atlantide,* fut repris par les premières académies mais n'eut pas vraiment de succès, la tendance des scientifiques à travailler de façon individuelle reprenant le dessus. Bacon pensait aussi que certaines découvertes devaient rester secrètes, pour éviter qu'elles ne tombent entre les mains de personnes qui en feraient un mauvais usage. C'était là un résidu des anciennes traditions alchimiques et hermétiques selon lesquelles certaines parties du savoir ne devaient être accessibles qu'à une élite. Newton, par exemple, admettait ce principe dans ses recherches alchimiques. Cependant, l'idéal communautaire cédera vite le pas à l'individualisme des savants. Soucieux de leur réputation, ces derniers adopteront plutôt un point de vue contraire consistant à défendre l'idée que toute connaissance, pour être reconnue valide, doit être rendue publique.

Comme on l'a vu au chapitre 6, c'est sous le patronage du jeune prince Federico Cesi, que l'une des toutes premières académies à s'intéresser de près à des questions de science expérimentale, l'Accademia dei Lincei, fut fondée à Rome en 1603. Typique des académies de cour de cette époque, elle ne réunissait au début que quelques amis du prince.

La création des académies marqua le début d'un long processus d'autonomisation de la pratique scientifique par rapport aux autres sphères d'activité sociale, en particulier dans ses aspects religieux et politiques. Ainsi, le règlement de l'Accademia dei Lincei interdisait en son sein toute discussion de politique ou de religion : « Les membres passeront sous silence les controverses politiques et les querelles et disputes verbales [...] qui ne sont l'occasion que de déceptions, d'inimitiés et de haine. [...] Elles sont contraires aux sciences physiques et mathématiques et donc aux objets de cette Académie[21]. » La Société royale de Londres, créée en 1660, adoptera aussi une telle règle, de même que les autres académies royales.

L'Accademia dei Lincei prit rapidement de l'expansion lorsque Galilée en devint membre en 1611. Il ne s'agissait pas là d'une coïncidence et tout porte à croire que Galilée, qui venait d'être acclamé pour ses découvertes astronomiques, vit dans cette petite société un outil de propagande utile pour augmenter le nombre de ses disciples. Surtout, ses membres le tiendraient au courant de ce qui se disait sur lui, et contre lui, dans la capitale pendant qu'il était à Florence.

Bien qu'il fût lui-même beaucoup plus connu que son académie, Galilée porta fièrement le titre de « Lincei » et fit publier deux de ses livres (*Lettres sur les taches solaires* en 1613 et *Il Saggiatore* en 1623) sous son patronage. Il devait même y faire paraître son *Dialogue,* mais Cesi mourut prématurément en 1630 et le projet tomba à l'eau. Créature du prince qui supervisait et finançait toutes ses opérations, l'académie disparut en effet avec la mort de ce dernier. Durant toute son existence, elle avait fortement appuyé les projets de Galilée, ce qui constituait pour lui un atout important en dehors des cercles universitaires plutôt de tendance aristotélicienne. Comme le note avec justesse Stillman Drake, « la fin de l'académie des Lincei, coïncid[a] avec le déclin de la bonne fortune de Galilée » qui aurait de plus en plus de difficultés avec les autorités romaines jusqu'à sa condamnation finale en 1633[22].

Le prince Cesi n'était pas le seul de son rang à aimer les sciences. Cosme II de Médicis (1590-1621) s'y intéressait suffisamment pour inviter à la cour de nombreux savants italiens et étrangers. Il avait d'ailleurs suivi des cours privés avec Galilée qui, en 1610, devint mathématicien et philosophe de la cour quelques mois seulement après que Cosme eut accédé au trône à titre de grand-duc de Toscane. Son fils, le futur grand-duc Ferdinand II (1610-1670), était lui aussi passionné par les instruments scientifiques, l'astronomie et la biologie et, sans toutefois créer formellement une académie, il s'entoura de savants comme Torricelli, successeur de Galilée au titre de mathématicien du grand-duc, Viviani, qui occupa le même poste après la mort de Torricelli, et Borelli qui menait alors des expériences de physique et de météorologie (mesures de température et d'humidité). Son frère, le prince Léopold, avait sensiblement les mêmes intérêts et on lui doit la création, en 1657, de l'Accademia del Cimento (Académie de l'expérience). Toujours sous la tutelle du prince, les quelques membres de l'Académie effectuèrent de nombreuses expériences avec des thermomètres, des baromètres et d'autres appareils. Le prince publia même en 1667 un volume intitulé *Saggi di naturali esperienze* exposant 268 expériences sur le vide, la pression de l'air, la congélation de l'eau et d'autres liquides, la mécanique, l'expansion des gaz, la vitesse du son, le magnétisme et l'électricité, réalisées collectivement au cours des réunions tenues à la cour de Florence. Le volume inclut un grand nombre de figures décrivant les nombreux instruments utilisés, notamment des thermomètres et des baromètres *(fig. 8.5)*. Comme c'était souvent le cas avec ces académies de cour, celle-ci cessa toute activité lorsque Léopold fut nommé cardinal en 1667.

Même si la condamnation de Galilée en 1633 n'a pas marqué de façon abrupte la fin des contributions italiennes à la science, il demeure que, globalement, le milieu du siècle correspond au déplacement vers le nord du « centre de gravité » de l'activité scientifique, la France et l'Angleterre devenant les foyers les plus importants du monde savant. Ce furent d'ailleurs ces deux pays qui inventèrent la forme moderne des académies des sciences. Les savants anglais se regroupèrent en effet librement au sein de la Société royale de Londres et obtinrent une charte royale en 1660, alors qu'en France c'est le roi qui créa l'Académie royale des sciences en 1666, y nommant des membres qui touchaient un traitement.

Le noyau des membres fondateurs de la Société royale de Londres se réunissait déjà depuis plusieurs années pour discuter de sciences expérimentales. Ils se désignaient souvent par le nom italien *virtuosi,* qui est pratiquement un synonyme de savants, terme qu'on employait alors en France. Leur but était de créer une corporation officielle pour assurer la survie à long terme de leur entreprise. Bien que disposant d'une charte royale, les membres de la *Royal Society of London,* ne purent convaincre le roi de contribuer

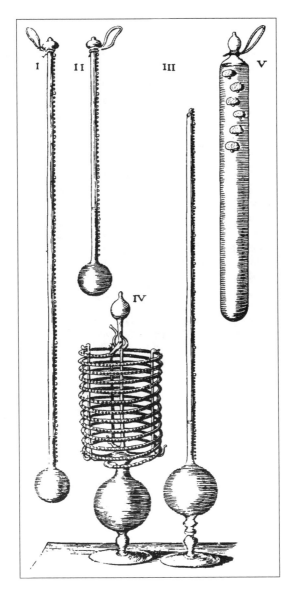

Figure 8.5. Différents thermomètres utilisés par les membres de l'Accademia del Cimento.

financièrement à son fonctionnement. Les seuls fonds dont ils disposaient pour assurer leurs activités provenaient donc de la cotisation annuelle des membres. Ce fait les portait à accueillir dans leurs rangs plusieurs *gentlemen* qui s'intéressaient aux sciences en dilettantes, mais qui avaient les moyens financiers et un rang social assez élevé pour être utiles à la nouvelle société, laquelle avait besoin d'argent pour faire ses expériences au cours des réunions hebdomadaires. En France, au contraire, l'Académie royale des sciences fut créée par Louis XIV. Seule une élite, nommée par le roi, y avait accès, le nombre de membres demeurant à 20 pendant plus d'un siècle. Ces membres recevaient une pension de l'État qui fournissait aussi le lieu de rencontre et les instruments nécessaires aux expériences discutées durant les réunions qui avaient lieu deux fois par semaine. Sur demande, ils devaient également donner leur avis sur des questions soumises par la cour concernant, par exemple, l'opportunité de publier un livre savant ou d'émettre un privilège royal (ancêtre du brevet) pour une invention.

Libre association de savants, la Société royale de Londres put compter sur les services de Henry Oldenburg (1615-1677) qui, à titre de secrétaire pendant plus de 20 ans, s'activa à garder le contact avec les savants de toute l'Europe. Comme ce fut le cas pour le père Marin Mersenne au cours de la première moitié du siècle, Oldenburg fut la plaque tournante des échanges scientifiques jusqu'à sa mort en 1677. En moyenne, il échangeait et faisait circuler 300 lettres par année[23]. Ce fut en partie pour faciliter ces échanges et même leur donner un plus grand rayonnement qu'il fonda en 1665 les *Philosophical Transactions*. Cette revue savante, propriété d'Oldenburg mais étroitement associée à la Société royale, fut vite perçue comme un « registre » utile pour préserver et disséminer les résultats d'expériences scientifiques. Jusquelà, le livre était, avec l'échange de lettres, la formule la plus utilisée pour faire connaître au monde savant ce genre de résultats, mais il avait le défaut de paraître plusieurs années, parfois même plusieurs décennies, après l'exécution des expériences et générait ainsi plus facilement des conflits de priorité. La nouvelle revue savante permit d'imprimer des articles plus courts qui assuraient cette priorité et qui faisaient aussi connaître plus rapidement et plus officiellement les résultats obtenus par les savants. Par ailleurs, la Société royale de Londres lui conférait une légitimité scientifique additionnelle. La France vit elle aussi paraître une revue savante la même année, *Le Journal des sçavans,* qui ne se limitait pas aux sciences de la nature mais s'intéressait aussi à la littérature. Elle n'était cependant pas du tout associée à l'Académie des sciences, et son rôle dans le monde scientifique fut moins important que celui de son analogue britannique. En Europe, ce furent davantage les *Acta Eruditorum,* imprimés en latin à Leipzig à compter de 1682, qui furent le lieu privilégié des articles savants. Dès leur création, ces revues prirent l'habitude de faire évaluer les travaux avant de les imprimer, ce qui donnait encore plus de poids aux résultats ainsi sanctionnés par une « communauté scientifique » qui elle-même prenait forme à travers ces nouvelles institutions qu'étaient les sociétés et les revues savantes. Lors de la réforme de l'Académie des sciences de Paris survenue en 1699 — réforme qui abandonna l'idée baconienne première du travail communautaire des académiciens —, on créa les *Mémoires* de l'Académie, de façon à permettre aux académiciens de publier sous leur propre nom les résultats de leurs recherches.

Ainsi, à compter du XVIIIe siècle, les savants d'Europe s'accoutumèrent lentement à publier des articles scientifiques pour faire connaître les résultats de leurs recherches, les livres servant surtout à présenter des synthèses.

NOUVEAUX INSTRUMENTS, NOUVEAUX CONCEPTS

En plus de la critique systématique de la conception aristotélicienne du monde, le XVIIe siècle est caractérisé par l'apparition d'instruments scientifiques qui vinrent modifier le rapport savant à la nature. On a vu que la mise au point du télescope par Galilée joua un rôle important dans la critique de la cosmologie aristotélicienne. Mais le savant italien s'intéressa aussi à d'autres instruments comme le thermoscope, ancêtre du thermomètre qu'il prétendait même avoir inventé. Cet appareil, utilisé dès 1602 par Santorio, professeur de médecine à Padoue, et par Sagredo, un ancien élève et ami de Galilée devenu diplomate à la cour de Venise, grand amateur de science qui deviendrait un personnage central de ses dialogues, permettait de mesurer les degrés de chaleur. Il constituait une première étape vers la mesure quantitative de cette « qualité » beaucoup discutée depuis l'Antiquité. Tout au long du XVIIᵉ siècle, le thermomètre devint plus précis. L'air et divers liquides furent utilisés (alcool, mercure) et un travail de normalisation des échelles de mesure fut entrepris. La mise au point de cet appareil conduisit les chercheurs à se poser de nouvelles questions sur la nature de la chaleur. Intuitivement, en effet, il est difficile de faire la distinction entre chaleur et température et ce n'est qu'en faisant des expériences avec le thermomètre que les savants furent amenés à concevoir ces distinctions qui culminèrent au milieu du XVIIIᵉ siècle dans les travaux du savant écossais Joseph Black. En somme, il fallut plus d'un siècle d'expérimentation pour en arriver à la conclusion paradoxale que le thermomètre ne mesure pas la quantité de chaleur contenue dans un corps mais seulement la température de ce corps, température qui fut alors assimilée, dans le cadre mécaniste, à l'énergie cinétique *(vis viva)* des molécules en mouvement.

Un autre appareil vint, toujours au XVIIᵉ siècle, transformer les conceptions intuitives des savants : le baromètre de Torricelli. Successeur de Galilée à la cour de Florence, et secrétaire du grand savant au cours des derniers mois de sa vie, Evangelista Torricelli (1608-1647) renouvela ainsi l'approche de la vieille question de l'existence du vide.

L'invention de cet appareil survint dans le contexte des réflexions sur les causes de l'inefficacité des pompes à eau au-delà d'une certaine hauteur (environ 10 m). En 1630, l'ingénieur Baliani avait demandé à Galilée d'expliquer ce phénomène. Ce dernier aborda donc cette question dans ses *Discours sur deux nouvelles sciences* en faisant une analogie avec la rupture des poutres soumises à une trop forte traction et explique cette rupture en invoquant l'idée d'une force d'attraction du vide. Cette force étant de grandeur finie, la rupture de la poutre (ou de la colonne d'eau) survient lorsque le poids qu'elle doit soutenir est trop élevé. Il s'agissait en fait d'une version modifiée de la vieille idée de l'horreur du vide. Ce fut Torricelli qui suggéra que ce phénomène n'avait rien à voir avec cette doctrine que Galilée n'avait pas complètement abandonnée.

Selon Torricelli, c'est plutôt le poids de l'air atmosphérique qui explique la hauteur atteinte par les colonnes d'eau et si la limite est de 10 mètres environ, c'est que l'équilibre entre la pression produite par une telle colonne d'eau et la pression atmosphérique est atteint à ce niveau. Ainsi, il écrivait à son ami Michaelangelo Ricci en 1644 : « Nous vivons submergés dans un océan d'air, et nous savons par des expériences indubitables que l'air est pesant[24]. » Pour tester cette hypothèse, il suggéra de remplacer l'eau par le mercure. Ce dernier étant environ 13 fois plus dense que l'eau, l'équilibre devait être atteint à une hauteur 13 fois moins haute. Il remplit donc une colonne de mercure qu'il renversa ensuite dans un bain de mercure et constata que la hauteur atteinte par le mercure était en effet celle qu'il avait prévue *(fig. 8.6)*.

La façon dont les expériences de Torricelli furent connues des savants européens est un bon exemple du mode de communication privilégié à l'époque. En effet, avant la création des revues et sociétés savantes, les échanges oraux et surtout épistolaires constituaient les moyens usuels de diffusion des connaissances nouvelles. Ainsi, le père Mersenne fut mis au courant des travaux de Torricelli par un Français de passage à Rome, Du Verdus, qui lui fit parvenir une transcription partielle des lettres de Torricelli à Ricci. Quelques mois plus tard, en octobre 1644, Mersenne fit un voyage à Rome et, en décembre, il se rendit à Florence où il rencontra Torricelli lui-même. De retour à Paris, il tenta de refaire les expériences mais se plaignit de ne pas posséder de tubes de verre adéquats. Il entra donc en contact avec Pierre Petit, un ingénieur des fortifications de passage à Rouen, ville connue pour son expertise en matière de soufflage du verre. Celui-ci apprit au mathématicien Étienne Pascal, fonctionnaire en poste à Rouen, l'existence des travaux de Torricelli et s'associa à son jeune fils, Blaise Pascal (1623-1662), alors âgé de 23 ans, pour refaire les expériences du savant italien. Pascal fils publia en 1647 le compte rendu de ses *Expériences nouvelles touchant le vide,* essai dans lequel il prend parti pour l'existence du vide. Au cours de l'année suivante, il fut amené à demander à son beau-frère, Florin Perier de Clermont, d'effectuer la désormais célèbre expérience du Puy-de-Dôme qui consista à

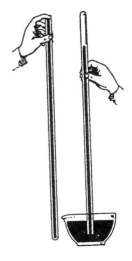

Figure 8.6. Le principe du baromètre de Torricelli.

comparer la lecture de deux baromètres, l'un au pied du mont et l'autre au sommet. Si le poids de l'air était vraiment la cause de la montée du liquide dans le baromètre, la colonne de liquide devrait être moins haute au sommet de la montagne qu'à sa base. L'idée était brillante mais sa paternité fut contestée par Descartes qui affirma à Mersenne, dans une lettre du 13 décembre 1647, l'avoir suggérée au jeune Pascal[25]. Réussie, l'expérience rendit la vie plus difficile à ceux qui prétendaient que l'air ne pesait rien et elle contribua à faire accepter la thèse de Torricelli. Pascal en publia aussitôt les résultats sous le titre *Récit de la grande expérience de l'équilibre des liqueurs*. Il écrira également les *Traités de l'équilibre des liqueurs et de la pesanteur de la masse de l'air*, qui seront publiés en 1663, soit un an après sa mort.

LA NATURE DU VIDE : DU BAROMÈTRE À LA POMPE À AIR

L'appareil de Torricelli ne permit pas seulement de poser — et de résoudre — la question du poids de l'air, il rendit aussi possibles les premières expérimentations dans l'espace vide au-dessus du mercure. Une nouvelle question se posait en effet : que contient cet espace apparemment vide ? Pour les partisans de Démocrite et de Héron d'Alexandrie, dont le traité de pneumatique était de nouveau en circulation depuis son impression en 1575, il s'agissait du vide, alors que pour les disciples d'Aristote et même de Descartes, c'était un fluide subtil (l'éther), le vide n'existant pas dans la nature. La question de l'existence du vide était bien sûr ancienne et les traités médiévaux commentant Aristote l'avaient beaucoup traitée[26]. Ce qui était nouveau au XVIIe siècle, c'était la mise au point d'instruments qui allaient transformer la façon d'aborder cette question.

Pour connaître la nature de cet espace, Torricelli y avait introduit des mouches pour voir si elles pouvaient survivre. Du point de vue pratique, cependant, l'accès à cet espace n'était pas facile car il fallait que les objets traversent la colonne de mercure. Les mouches arrivaient donc au sommet déjà moribondes et il était difficile d'inférer quoi que ce soit de façon précise. Il fallut attendre la mise au point de la pompe à air, dite alors « pompe pneumatique », pour faciliter ce genre d'expériences et en arriver à un consensus au sein du monde savant sur la nature du vide.

En Angleterre, la nouvelle des expériences de Torricelli arriva également par la voie de Mersenne qui écrivit à Theodore Haak, homme de lettres et traducteur faisant partie du groupe de savants qui donnerait naissance à la Société royale de Londres. Parmi ce groupe, Robert Boyle (1627-1691) fit

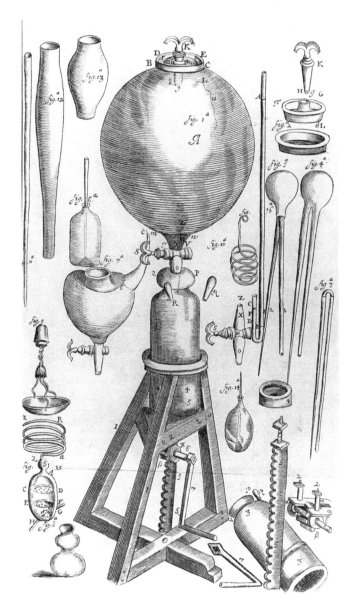

Figure 8.7. La pompe à air de Robert Boyle.

Figure 8.8. La pompe à air d'Otto von Guericke.

construire en 1659, par son assistant Robert Hooke (1635-1703), une pompe à air *(fig. 8.7)*. Contrairement à l'appareil d'Otto von Guericke (1602-1686), construit au milieu des années 1650[27] *(fig.8.8)*, celle-ci ne requérait aucune immersion dans l'eau, ce qui permit à Boyle d'incorporer des objets dans la machine avant de commencer le pompage de l'air.

En tentant de cerner de plus près le caractère du vide, Boyle fit plusieurs observations, qu'il rapporta méticuleusement dans son livre paru en 1660 sous le titre *New Experiments Physico-Mechanical, Touching the Spring of Air*. Tout d'abord, il était évident que la lumière traversait cet espace, puisqu'il était transparent. Un aimant placé dans cet espace ne perdait pas ses pouvoirs d'attraction. Enfin, le son semblait ne pas se transmettre, puisqu'il était plus difficilement audible après que l'air eut été pompé qu'avant, la transmission pouvant être expliquée par l'imperfection du vide et par la transmission du son par les parties solides de l'appareil.

Des expériences avaient également été effectuées sur des êtres vivants pour constater qu'ils mouraient assez rapidement, ce qui confirmait l'absence d'air dans l'espace qualifié ainsi de « vide ». Pour plusieurs de ces expériences, on avait également utilisé des baromètres *(fig. 8.9)*, mais la pompe de Boyle était plus pratique.

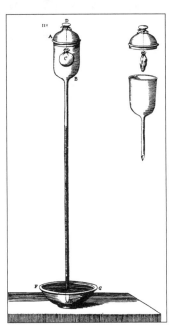

Pour l'époque, cet appareil était très coûteux et demandait l'expertise de techniciens habiles. Au moment où Boyle publia ses résultats, il n'existait pas plus de quatre pompes à air dans toute l'Europe. Aussi, leur rareté et leur complexité technique soulevaient les problèmes de reproduction qui sont si souvent évoqués dans la sociologie de la science contemporaine[28]. Par exemple, l'un des tout premiers chercheurs à vouloir suivre Boyle dans ce genre de recherche fut Christiaan Huygens qui fit construire sa propre pompe à air

Figure 8.9. Baromètre utilisé à l'Accademia del Cimento pour faire des expériences dans le vide.

à Paris. Cependant, au début, il ne réussit pas à la faire fonctionner sans Boyle. Celui-ci fut donc obligé de venir à Paris pour surveiller la mise en marche de l'instrument, qui n'était pas tout à fait identique au sien. La chambre de verre était détachable et le cylindre était en cuivre plutôt qu'en bois. Ainsi, Huygens pouvait prétendre que les différences entre les résultats obtenus par les deux chercheurs étaient dues au fait que son appareil à lui était plus perfectionné. En somme, à l'époque comme aujourd'hui, il n'était pas facile d'en arriver à un accord sur la nature des effets observés — et dans certains cas sur l'existence même de ces effets. Ce n'est le plus souvent qu'à moyen terme qu'une conception finit par s'imposer. Boyle comprit que les disputes sur la question de la nature du vide étaient surtout verbales et il prit bien soin de rappeler que sa machine produisait un « vide expérimental » et qu'il s'abstenait d'émettre une opinion sur l'essence même de cet espace « vide ». Le fait qu'il ne transmettait pas de son montrait que l'air y était absent, mais la propagation de la lumière à travers cet espace suggérait la présence d'une matière subtile, l'éther. Boyle voulait par conséquent éviter de spéculer sur la nature ultime de cette matière, donnant au terme « vide » un sens opérationnel : l'espace dans lequel l'air est absent. Le tube de Torricelli et la pompe pneumatique de Boyle transformèrent donc la façon de concevoir le problème du vide. Pour employer le langage de Boyle, l'utilisation de ces appareils permit à la nouvelle science de se limiter aux questions de fait *(« matters of fact »)*. Bien sûr, tous n'en restèrent pas à l'approche empiriste de Boyle, Torricelli et Pascal n'hésitant pas à affirmer que le vide est bien un espace dénué de toute matière.

LE MONDE SELON ISAAC NEWTON

Lorsque Isaac Newton (1642-1727) vit le jour, Descartes s'apprêtait à publier ses *Principes*. Après des études primaires dans son village natal de Woolsthorpe, il entra à l'université de Cambridge en 1661, à l'âge de 18 ans, et en ressortit en 1665 avec un diplôme de baccalauréat ès arts. Cette année-là, l'université dut fermer à cause d'une épidémie de peste bubonique et le jeune Newton retourna à la maison familiale. Sa formation universitaire l'avait initié à la pensée aristotélicienne, mais ce fut en autodidacte qu'il assimila les penseurs du XVIIe siècle : Descartes, Gassendi, Boyle, Galilée. Rapidement, il lut tout ce qui comptait en matière de mathématiques, de physique et d'astronomie. Isolé chez lui, il effectua des recherches mathématiques, optiques et physiques.

En mathématiques, la lecture de John Wallis (1616-1703) l'amena sur la piste de ce qui sera connu sous le nom de « binôme de Newton », alors que la *Géométrie* de Descartes l'entraîna sur la voie du calcul des tangentes des courbes, travail qui aboutira au calcul des fluxions, que nous connaissons aujourd'hui dans la formulation du calcul différentiel et intégral proposée par Leibniz (1646-1716). Les deux savants avaient mené leurs travaux de façon indépendante, et une importante querelle de priorité les opposa pendant longtemps. L'habitude de publier rapidement les résultats de recherches n'étant pas établie, ces situations étaient alors fréquentes, et ce d'autant plus que le mécénat dont dépendaient plusieurs savants les poussait souvent à surévaluer leur originalité propre.

C'est aussi vers 1666 que Newton entreprit ses recherches sur la nature de la lumière. Ses expériences avec le prisme mirent en évidence la composition de la lumière blanche et l'amenèrent à bâtir une théorie corpusculaire de la lumière qui, malgré l'opposition de plusieurs savants, et surtout de Robert Hooke qui avait publié sa propre théorie dans son livre *Micrographia* en 1665, finira par s'imposer pour n'être remise en cause, par la théorie ondulatoire, qu'au début du XIXe siècle.

Après la réouverture de l'université en 1667, Newton retourna à Trinity College pour poursuivre sa formation. Il obtint le titre de maître ès arts et fut élu *Fellow* de Trinity College. Ce poste lui assura un revenu et lui donna la possibilité de se consacrer entièrement à ses lectures et recherches. En acceptant cette nomination, cependant, il s'engageait à devenir ministre anglican. Or, ses opinions religieuses en vinrent à diverger de celles de l'Église officielle sur la question de la Trinité. En fin de compte, le roi dispensa Newton de cette obligation de devenir pasteur, pour lui permettre de continuer d'occuper son poste de professeur de mathématiques.

Même s'il n'avait encore rien publié, Newton montra les résultats de ses recherches mathématiques à Isaac Barrow (1630-1677), qui avait été son professeur à l'université et qui les fit circuler parmi les mathématiciens. Leur valeur était telle que, bien qu'âgé de seulement 27 ans, il succéda à Barrow en 1669 au poste de *Lucasian Professor of Mathematics* à l'université de Cambridge. En 1672, pressé par Oldenburg, responsable de la publication des *Philosophical Transactions* de la Société royale de Londres, il accepta de publier un premier article pour exposer ses expériences avec le prisme et décrire le nouveau télescope à miroir réflecteur qu'il avait construit. Vexé par le débat que sa théorie de la lumière suscita, il refusa de publier quoi que ce soit d'autre sur le sujet et ce ne fut qu'en 1704, alors que son pouvoir au sein de la communauté scientifique anglaise était plus assuré, qu'il publia l'ensemble de ses travaux sur la lumière dans son traité *Opticks*. Personnalité très secrète donc,

Newton était un solitaire plutôt autoritaire. Comme l'écrit un de ses bio-graphes, Franck Manuel, « le jeune Newton vécut parmi les hommes comme un étranger[29] ». Quant à la publication des *Philosophiae naturalis principia mathematica* en 1687, ouvrage qui contient sa théorie de la gravitation uni-verselle, elle fut elle aussi le résultat des pressions de certains amis et collègues de la Société royale de Londres.

Newton demeura professeur à Cambridge jusqu'en 1695, année où il fut nommé responsable de la monnaie royale. C'était l'époque où l'Angleterre redéfinissait sa monnaie et Newton était particulièrement intraitable avec les fraudeurs qu'il n'hésitait pas à envoyer à l'échafaud. En 1703, au faîte de sa gloire, il devint président de la Société royale de Londres, poste qu'il occupa jusqu'à sa mort en 1727. En 1705, la reine Anne l'anoblit.

LA THÉORIE DE LA GRAVITATION UNIVERSELLE

À la suite d'une discussion sur la forme de la trajectoire des planètes, sur-venue au début de 1684, entre Christopher Wren (1632-1723), architecte et mathématicien, Robert Hooke, responsable de la préparation des expériences à la Société royale de Londres, et Edmund Halley (1656-1742), astronome, ce dernier rendit visite à Newton pour lui demander quelle serait la trajectoire d'une planète soumise à une force émanant du Soleil et diminuant en inten-sité en raison inverse du carré de la distance. Newton répondit sans hésiter : une ellipse. Surpris et ravi, Halley lui demanda de lui montrer sa démonstra-tion. Ne la retrouvant pas dans ses papiers, Newton lui promit de la refaire et de la lui envoyer sans tarder. En novembre 1684, il lui fit donc parvenir un court traité intitulé *De motu corporum in gyrum* qui était la première esquisse de ce qui deviendrait deux ans plus tard les *Philosophiae naturalis principia mathematica,* soit les *Principes mathématiques de philosophie naturelle.* La Société royale accepta de se charger de la publication qu'elle confia à Halley qui paya même les frais d'impression de l'ouvrage. Le livre parut en juillet 1687 et fut aussitôt accueilli dans le monde savant comme le travail d'un génie. La réputation de Newton en tant que mathématicien exceptionnel était faite depuis longtemps et ce livre fut un couronnement. Il fournit en effet une solution mathématique à un problème physique lancé, on l'a vu, tout au début du siècle par Kepler. Si plusieurs se doutaient que la force d'attraction du Soleil variait en raison inverse du carré de la distance, personne avant New-ton n'avait réussi à en faire une démonstration mathématique. Surtout, il généralisait le phénomène de l'attraction gravitationnelle à toutes les planètes, plus précisément à toute la matière : toute portion de matière est donc attirée par toutes les autres portions de matière en proportion directe du produit des masses en présence. Ainsi, le Soleil lui-même perdit le statut privilégié qu'il avait jusque-là, car toutes les planètes exercent une attraction gravitationnelle, et seule sa grande masse explique qu'il est presque immobile et que ce sont les planètes qui tournent autour de lui.

Tout en applaudissant l'exploit de Newton, la plupart des savants demeuraient critiques face à la théorie de l'attraction gravitationnelle, car Newton ne proposait aucune explication mécanique pour rendre compte du phénomène

---

Voltaire sur Descartes et Newton (1734)

Un Français qui arrive à Londres trouve les choses bien changées en Philosophie comme dans tout le reste. Il a laissé le monde plein ; il le trouve vide. À Paris, on voit l'univers composé de tourbillons de matière subtile ; à Londres, on ne voit rien de cela. Chez nous, c'est la pression de la Lune qui cause le flux de la mer ; chez les Anglais, c'est la mer qui gravite vers la Lune, de façon que, quand vous croyez que la Lune devrait nous donner marée haute, ces Messieurs croient qu'on doit avoir marée basse ; ce qui malheureusement ne peut se vérifier, car il aurait fallu, pour s'en éclaircir, examiner la Lune et les marées au premier instant de la création.

Vous remarquerez encore que le Soleil, qui en France n'entre pour rien dans cette affaire, y contribue ici environ pour son quart. Chez vos Cartésiens, tout se fait par une impulsion qu'on ne comprend guère ; chez M. Newton, c'est par une attraction dont on ne connaît pas mieux la cause. À Paris, vous vous figurez la Terre faite comme un melon ; à Londres, elle est aplatie des deux côtés. La lumière, pour un Cartésien, existe dans l'air ; pour un Newtonien, elle vient du Soleil en six minutes et demie. Votre Chimie fait toutes ses opérations avec des Acides, des Alcalis et de la matière subtile ; l'Attraction domine jusque dans la Chimie Anglaise.

L'essence même des choses a totalement changé. Vous ne vous accordez ni sur la définition de l'âme ni sur celle de la matière. Descartes assure que l'âme est la même chose que la pensée, et Locke lui prouve assez bien le contraire.

[…]

Descartes assure encore que l'étendue seule est matière ; Newton y ajoute la solidité. Voilà de furieuses contrariétés.

Ce fameux Newton, ce destructeur du système Cartésien, mourut au mois de Mars de l'an passé 1727. Il a vécu honoré de ses compatriotes, et a été enterré comme un Roi qui aurait fait du bien à ses Sujets.

Voltaire, *Lettres anglaises*, Paris, J. J. Pauvert, 1964, p. 83-84.

---

et se contentait de fournir les moyens de calculer les effets de cette attraction entre les planètes. Avec Halley, par exemple, il calcula la trajectoire d'une comète, apparue en 1682, et prédit son retour pour « la fin de 1758 ou le début de 1759 ». C'était la fameuse comète de Halley qui fera son apparition dans le ciel étoilé d'Europe en mars 1759.

S'il reconnaissait la fécondité de tels calculs, le monde savant de l'époque n'en faisait pas moins une distinction nette entre mathématiques et physique, cette dernière discipline devant fournir des explications mécaniques en termes de forces de contact. Or, c'était ce recours aux modèles d'explication mécanique que Newton refusait dans ses *Principia*. Sa fameuse expression « Je ne fais pas d'hypothèse » *(hypothesis non fingo)* faisait justement référence à cette habitude qu'avaient les savants de l'époque de construire des modèles explicatifs faisant intervenir des fluides subtils qui devaient transmettre par contact mécanique la force, gravitationnelle ou magnétique, d'un point à un autre dans l'espace. Or, dans le monde de Newton, l'espace est vide et il n'y existe donc aucune matière subtile ayant les propriétés requises pour expliquer la loi particulière de la gravitation, c'est-à-dire le fait qu'elle décroisse comme le carré de la distance. Sachant l'importance que ses contemporains accordaient à ce genre d'explication, il prit soin, dans le livre II des *Principia,* de démontrer l'incompatibilité mathématique des modèles tourbillonnaires avec les lois du mouvement des planètes de Kepler. Il n'en fallut pas plus pour que des savants comme Leibniz et Huygens dénoncent l'attraction gravitationnelle comme un retour inacceptable aux propriétés occultes des Anciens.

Newton se défendit d'attribuer directement à la matière la propriété d'attraction et répéta qu'il ignorait la cause de cette attraction, le terme ne servant qu'à désigner le fait que les planètes sont soumises à une force les dirigeant vers le Soleil comme la Lune est soumise à cette même force la dirigeant vers la Terre. Il revient sur cette question dans la conclusion générale de son traité :

> Je n'ai pu encore parvenir à déduire des phénomènes la raison de ces propriétés de la gravitation, et je n'imagine point d'hypothèses. Car tout ce qui ne se déduit point des phénomènes est une hypothèse, et les hypothèses, soit métaphysiques, soit physiques, soit mécaniques, soit celles des qualités occultes, ne doivent pas être reçues dans la philosophie expérimentale[30].

Cependant, les pressions pour qu'il offre une explication mécanique de la gravitation furent telles qu'il finit par aborder cette question dans sa correspondance et dans des « Questions », texte ajouté à la seconde édition latine

Règles qu'il faut suivre dans l'étude de la physique (selon Newton)

Au début du troisième livre des Principia, *intitulé « Du système du monde », consacré à l'explication du mouvement des corps célestes, Newton résume sa méthode de travail sous la forme de quatre règles à suivre pour atteindre la vérité en physique. Il formule ainsi de façon concise un nouveau « discours de la méthode », pour reprendre le titre du traité de Descartes paru en 1637. Au déductivisme de ce dernier, il oppose en quelque sorte un inductivisme.*

Règle I

Il ne faut admettre de causes, que celles qui sont nécessaires pour expliquer les phénomènes.

Règle II

Les effets du même genre doivent toujours être attribués, autant qu'il est possible, à la même cause.

Règle III

Les qualités des corps qui ne sont susceptibles ni d'augmentation ni de diminution, et qui appartiennent à tous les corps sur lesquels on peut faire des expériences, doivent être regardées comme appartenant à tous les corps en général.

Règle IV

Dans la philosophie expérimentale, les propositions tirées par induction des phénomènes doivent être regardées malgré les hypothèses contraires, comme exactement ou à peu près vraies, jusqu'à ce que quelques autres phénomènes les confirment entièrement ou fassent voir qu'elles sont sujettes à exception.

Isaac Newton, *Principes mathématiques de philosophie naturelle*, traduit par la marquise du Châtelet, Paris, Librairie Blanchard, 1966, t. II, p. 2-5.

de son *Traité d'optique* en 1719. Ne réussissant pas à dépasser le stade des hypothèses générales à ce sujet, il conclut finalement : « La tâche principale de la philosophie naturelle est de raisonner à partir des phénomènes sans feindre d'hypothèses, et de déduire les causes des effets, jusqu'à ce que nous arrivions à la Cause première elle-même qui certainement n'est pas mécanique[31]. »

L'attraction gravitationnelle ne pouvant, selon Newton, s'expliquer par des modèles mécaniques, il la rapprochait plutôt des forces actives des alchimistes. Newton pratiqua en effet beaucoup l'alchimie bien qu'il n'ait rien publié de son vivant dans ce domaine. Dès le début des années 1670, il se procura les éléments essentiels pour faire des expériences : fourneaux, produits chimiques et équipements de verre, de même que la principale collection de traités alchimiques de l'époque, le *Theatrum chemicum*, en six épais volumes in-quarto. Les idées de « sympathies » et de « principes actifs », discréditées par les partisans de la philosophie mécaniste, étaient en effet importantes chez les alchimistes, et Newton invoquera de tels principes actifs pour expliquer les attractions gravitationnelle, électrique et magnétique, de même que la cohésion chimique. À cela s'ajoutait sa grande ferveur religieuse qui l'éloignait également du mécanisme cartésien dans lequel il voyait poindre l'athéisme. Dès 1670, dans un manuscrit intitulé *De la gravitation*, il fait d'ailleurs une critique détaillée de Descartes sur le plan tant physique que métaphysique. Il rejette l'identification de la matière à l'étendue et sépare radicalement la matière, qu'il juge impénétrable, de l'espace qui est absolu et qui est le lieu dans lequel les corps sont placés. Le vide reprend ici sa place et s'identifie à l'espace alors que la matière est constituée de corpuscules qui se déplacent dans l'espace. Il note d'ailleurs que, dans le monde plein de Descartes, le mouvement serait impossible :

> *Car si l'éther était un fluide totalement corporel, sans aucun pore vide, il serait aussi dense que n'importe lequel autre fluide, si subtil soit-il par la division de ses parties ; et il ne céderait pas aux mouvements des corps qui le traverseraient par une inertie moindre que celle de ce fluide, mais son inertie serait bien plus grande au contraire, pour peu que le projectile soit poreux : parce que l'éther pénétrerait en ses pores intimes et qu'il montrerait non seulement toute la surface externe mais aussi les surfaces de toutes les parties internes et leur ferait obstacle. Mais puisque au contraire la résistance de l'éther est si faible qu'en la comparant à celle du vif argent [le mercure], elle semble être plus de dix ou cent mille fois plus petite : on doit raisonnablement considérer que la plus grande partie de l'espace éthéré est comme un vide disséminé entre les corpuscules d'éther[32].*

Bien qu'il ait beaucoup fréquenté les écrits de Descartes, de Boyle et de Gassendi, Newton n'en demeura pas moins très imprégné des idées de la Renaissance. Il croyait fermement que le savoir de son temps, en matière tant de religion que de sciences, s'était dégradé depuis les temps anciens et que ce serait par un retour aux sources que l'on atteindrait la vérité et que l'on se rapprocherait de Dieu.

Ce n'est donc pas le moindre des paradoxes de l'histoire que la physique moderne, au sens de mathématisation des lois de la nature, ait atteint son point culminant non pas chez un Descartes ou un Galilée, esprits plutôt rationalistes, mais chez Newton, qui passa autant de temps sinon plus à mener des expériences alchimiques et à étudier la théologie et la chronologie des religions anciennes qu'à pratiquer des sciences naturelles. Et surtout, en abandonnant la tradition, encore jeune, des explications mécanistes des phénomènes, il provoqua une véritable révolution scientifique : dans le monde de la physique newtonienne, les « explications » doivent d'abord être de nature

À l'égard du Système de notre monde, on disputait depuis longtemps sur la cause qui fait tourner et qui retient dans leurs orbites toutes les Planètes, et sur celle qui fait descendre ici-bas tous les corps vers la surface de la terre.

Le Système de Descartes, expliqué et fort changé depuis lui, semblait rendre une raison plausible de ces phénomènes, et cette raison paraissait d'autant plus vraie qu'elle est simple et intelligible à tout le monde. Mais, en philosophie, il faut se défier de ce qu'on croit entendre trop aisément, aussi bien que des choses qu'on n'entend pas.

La pesanteur, la chute accélérée des corps tombant sur la terre, la révolution des Planètes dans leurs orbites, leurs rotations autour de leur axe, tout cela n'est que du mouvement; or, le mouvement ne peut être conçu que par impulsion; donc tous ces corps sont poussés. Mais par quoi le sont-ils? Tout l'espace est plein; donc il est rempli d'une matière très subtile, puisque nous ne l'apercevons pas; donc cette matière va d'Occident en Orient, puisque c'est d'Occident en Orient que toutes les Planètes sont entraînées. Aussi, de supposition en supposition et de vraisemblance en vraisemblance, on a imaginé un vaste tourbillon de matière subtile, dans lequel les Planètes sont entraînées autour du soleil; on crée encore un autre tourbillon particulier, qui nage dans le grand, et qui tourne journellement autour de la planète. Quand tout cela est fait, on prétend que la pesanteur dépend de ce mouvement journalier; car, dit-on, la matière subtile qui tourne autour de notre petit tourbillon doit aller dix-sept fois plus vite que la terre; or, si elle va dix-sept fois plus vite que la terre, elle doit avoir incomparablement plus de force centrifuge, et repousser par conséquent tous les corps vers la terre. Voilà la cause de la pesanteur, dans le Système Cartésien.

Mais avant que de calculer la force centrifuge et la vitesse de cette matière subtile, il fallait s'assurer qu'elle existât, et supposé qu'elle existe, il est encore démontré faux qu'elle puisse être la cause de la pesanteur.

M. Newton semble anéantir sans ressource tous ces tourbillons, grands et petits, et celui qui emporte les planètes autour du soleil, et celui qui fait tourner chaque planète sur elle-même.

Premièrement, à l'égard du prétendu petit tourbillon de la terre, il est prouvé qu'il doit perdre petit à petit son mouvement; il est prouvé que si la terre nage dans un fluide, ce fluide doit être de la même densité que la terre, et si ce fluide est de la même densité, tous les corps que nous remuons doivent éprouver une résistance extrême, c'est-à-dire qu'il faudrait un levier de la longueur de la terre pour soulever le poids d'une livre.

2° À l'égard des grands tourbillons, ils sont encore plus chimériques. Il est impossible de les accorder avec les règles de Kepler, dont la vérité est démontrée. M. Newton fait voir que la révolution du fluide dans lequel Jupiter est supposé entraîné, n'est pas avec la révolution du fluide de la terre comme la révolution de Jupiter est avec celle de la terre.

Il prouve que, toutes les planètes faisant leurs révolutions dans des ellipses, et par conséquent étant bien plus éloignées les unes des autres dans leurs *aphélies* et bien plus proches dans leurs *périhélies*, la terre, par exemple, devrait aller plus vite quand elle est plus près de Vénus et de Mars, puisque le fluide qui l'emporte, étant encore plus pressé, doit avoir plus de mouvement ; et cependant c'est alors même que le mouvement de la terre est plus ralenti.

Il prouve qu'il n'y a point de matière céleste qui aille d'Occident en Orient, puisque les Comètes traversent ces espaces tantôt de l'Orient à l'Occident, tantôt du Septentrion au Midi.

Enfin pour mieux trancher encore, s'il est possible, toute difficulté, il prouve ou du moins rend fort probable, et même par des expériences, que le Plein est impossible, et il nous ramène le Vide, qu'Aristote et Descartes avaient banni du Monde.

Voltaire, Lettres anglaises, Paris, J. J. Pauvert, 1964, p. 90-92.

---

mathématique, les modèles mécaniques de compréhension intuitive n'étant plus jugés nécessaires. En fait, ce fut une transformation du terme même d'explication qui s'opéra avec Newton. En se mathématisant, la physique abandonnait l'espoir mécaniste de l'explication et de la compréhension intuitive des modèles mécaniques pour se limiter à la formulation de lois dans un langage mathématique. Alors que le paradigme cartésien correspondait à une *mécanisation* du monde, celui des *Principia* de Newton proposait plutôt sa *mathématisation*. Ce dernier en était d'ailleurs conscient et le titre de son grand traité répondait aux *Principes de la philosophie* de Descartes par l'association du terme « mathématiques » à celui de principes. À partir de ce moment, la physique se fit de plus en plus abstraite et s'éloigna d'autant du sens commun. L'habitude aidant, les savants du XVIIIe siècle oublièrent les débats qui avaient entouré l'idée d'attraction et se mirent à la tâche de calculer divers phénomènes en utilisant les grandes lois de Newton, sans se soucier de savoir comme leurs devanciers si, ce faisant, ils expliquaient vraiment ou non le monde.

Entrepris par Galilée, le processus de mathématisation de la nature atteignit donc son point culminant avec Newton qui transforma radicalement la façon de faire de la physique. Son monde mélange en effet allègrement le vide, honni par Descartes, les corpuscules, chers aux partisans de la philosophie mécaniste, et les forces, inexplicables, d'attraction à distance, le tout produisant un édifice mathématique considéré depuis comme l'un des plus grands de l'histoire des sciences.

Il faut bien noter que très peu de savants pouvaient lire et comprendre le traité très mathématique de Newton. Ce fut plutôt par le biais de manuels et d'ouvrages de vulgarisation que ses principales idées furent diffusées parmi les savants et le public éclairé du XVIIIᵉ siècle. Nous devons aux physiciens hollandais les premiers manuels de physique newtonienne. Dès 1720, Willem Jacob 'S Gravesande (1688-1742) publia à Leyde une introduction à la physique de Newton. Paru d'abord en latin, l'ouvrage fut rapidement traduit en anglais. Tout en admettant l'importance des mathématiques, l'approche adoptée est toutefois beaucoup plus expérimentale et moins axiomatique, les principes de base étant expliqués à l'aide d'appareils mécaniques. C'était là l'approche de collaborateurs de Newton comme Francis Hawksbee (1666-1713),

---

Voltaire à la défense de Newton (1734)

On entend dire partout : « Pourquoi Newton ne s'est-il pas servi du mot d'impulsion, que l'on comprend si bien, plutôt que du terme d'Attraction, que l'on ne comprend pas ? »

Newton aurait pu répondre à ces critiques : « Premièrement, vous n'entendez pas plus le mot d'impulsion que celui d'Attraction, et, si vous ne concevez pas pourquoi un corps tend vers le centre d'un autre corps, vous n'imaginez pas plus par quelle vertu un corps en peut pousser un autre.

« Secondement, je n'ai pas pu admettre l'impulsion ; car il faudrait, pour cela, que j'eusse connu qu'une matière céleste pousse en effet les planètes ; or, non seulement je ne connais point cette matière, mais j'ai prouvé qu'elle n'existe pas.

« Troisièmement, je ne me sers du mot d'Attraction que pour exprimer un effet que j'ai découvert dans la nature, effet certain et indiscutable d'un principe inconnu, qualité inhérente dans la matière, dont de plus habiles que moi trouveront, s'ils peuvent, la cause.

— Que nous avez-vous donc appris, insiste-t-on encore, et pourquoi tant de calculs pour nous dire ce que vous-même ne comprenez pas ?

— Je vous ai appris, pourrait continuer Newton, que la mécanique des forces centrales fait peser tous les corps à proportion de leur matière, que ces forces centrales font seules mouvoir les Planètes et les Comètes dans des proportions marquées. Je vous démontre qu'il est impossible qu'il y ait une autre cause que la pesanteur et du mouvement de tous les corps célestes ; car, les corps graves tombant sur la terre selon la proportion démontrée des forces centrales, et les planètes achevant leurs cours suivant ces mêmes proportions, s'il y avait encore un autre pouvoir qui agît sur tous ces corps, il augmenterait leurs vitesses ou changerait leurs directions. Or jamais aucun de ces corps n'a un seul degré de mouvement, de vitesse, de détermination qui ne soit démontré être l'effet des forces centrales ; donc il est impossible qu'il y ait un autre principe. »

Voltaire, *Lettres anglaises*, Paris, J. J. Pauvert, 1964, p. 99-101.

---

constructeur d'instruments scientifiques qui avait assisté Newton dans certaines expériences, et J. T. Désaguliers (1683-1744), nommé curateur des expériences à la Société royale de Londres en 1714, sous la présidence de Newton. Désaguliers donnait de nombreuses conférences publiques sur la nouvelle physique qui seraient imprimées pour former un cours de philosophie expérimentale largement illustré. Toujours en Angleterre, Samuel Clarke (1675-1729), un disciple de Newton, traduisit en anglais et transforma en quelque sorte de l'intérieur le traité de physique cartésienne de Rohault, en ajoutant de nombreuses notes exposant les principes de la physique de Newton. Beaucoup plus facile d'accès que les *Principia*, ce manuel permit de diffuser la pensée de Newton. En France, Voltaire (1694-1770), fit paraître ses *Éléments de la physique de Newton* en 1738 et la marquise du Châtelet (1706-1749), prépara une traduction en français des *Principia*, qui sera publiée en 1756.

CONCLUSION

À compter des années 1730, les plus grands savants européens abandonnèrent définitivement la physique de Descartes et s'appliquèrent à développer la physique mathématique de Newton. Le processus d'assimilation débuta dès 1700 avec les travaux de Pierre Varignon (1654-1722), qui utilisa le formalisme mathématique du calcul différentiel et intégral, proposé par Leibniz, pour étendre le domaine d'application de la physique newtonienne. L'algorithme leibnizien s'avère en effet beaucoup plus pratique que la méthode des fluxions, équivalente en principe mais très difficile à manier. La traduction en langage leibnizien des démonstrations géométriques de Newton marqua aussi le passage d'une conception géométrique du monde à une conception analytique qui culmina avec les travaux de Joseph-Louis Lagrange (1736-1813), lequel publia sa *Mécanique analytique* en 1778. Le tournant du XVIIIe siècle correspond donc non seulement à une simple acceptation de la vision newtonienne, mais aussi à la mise en place d'une conception mathématique abandonnant le langage géométrique en vigueur depuis Euclide. C'est d'ailleurs le fait que nous vivions encore dans cette conception analytique des mathématiques qui fait des *Principia* de Newton un ouvrage très difficile d'accès, le langage géométrique utilisé étant devenu une langue étrangère au monde savant.

C'est dans ce cadre analytique que le paradigme newtonien fut étendu, au cours des XVIIIe et XIXe siècles, à tout un ensemble de sciences demeurées jusque-là plutôt empiriques et qualitatives comme la chaleur, l'électricité et le magnétisme. La vision newtonienne du monde ramène au calcul le mouvement de tous les corps et permet ainsi de prévoir leur mouvement futur. Cette caractéristique donna lieu au tournant du XIXe siècle à l'expression de la thèse du déterminisme par le mathématicien français Pierre Simon de Laplace (1749-1827) qui écrit dans son *Essai philosophique sur les probabilités* paru en 1814 :

> *Nous devons envisager l'état présent de l'univers comme l'effet de son état antérieur, et comme la cause de celui qui va suivre. Une intelligence qui pour un instant donné connaîtrait toutes les forces dont la nature est animée, et la situation respective des êtres qui la composent, si d'ailleurs elle était assez vaste pour soumettre ces données à l'analyse, embrasserait dans la même formule les mouvements des plus grands corps de l'univers comme ceux du plus léger atome : rien ne serait incertain pour elle, et l'avenir comme le passé serait présent à ses yeux. L'esprit humain offre, dans la perfection qu'il a su donner à l'astronomie, une faible esquisse de cette intelligence. Ses découvertes en mécanique et en géométrie, jointes à celle de la pesanteur universelle, l'ont mis à portée de comprendre dans les mêmes expressions analytiques les états présents et futurs du système du monde[33].*

Il faudra attendre jusqu'au XXe siècle pour que cette conception déterministe du monde soit sérieusement remise en cause — à une autre échelle — par la mécanique quantique au cours des années 1920.

Pour l'essentiel du monde physique et technologique macroscopique, cependant, nous vivons encore aujourd'hui dans ce cadre newtonien. Si l'on peut bien sûr nier l'existence d'une « révolution scientifique » en invoquant le fait que les révolutions sont de courte durée et que les changements décrits ici s'échelonnent sur près d'un siècle, il reste que ces transformations sont assez radicales sur le plan tant conceptuel qu'institutionnel : création de sociétés et de revues savantes, publication de nombreux traités scientifiques fondés sur une expérimentation systématique, construction de nouveaux instruments d'observation et application des mathématiques à certains phénomènes physiques. En moins d'un siècle, on est ainsi passé d'un monde qualitatif et géométrique plus que millénaire à un univers mathématique et analytique, fruit de la combinaison de la synthèse des travaux de Galilée et de Kepler, effectuée par Newton, et du formalisme mathématique de Leibniz.

Cependant, comme on va le voir au chapitre suivant, la vision newtonienne du monde ne réussira pas à englober l'ensemble des phénomènes ; la nature vivante résistera aux efforts de ceux qui tenteront de lui appliquer un paradigme qui a porté ses fruits dans le monde inanimé.

CHAPITRE 9

Naturalistes et médecins :
la connaissance des vivants
de la Renaissance aux Lumières

L'émergence d'une pratique expérimentale, qui fut au cœur de la transformation radicale des sciences physiques, on vient de le voir, s'observe aussi dans les études sur le monde des vivants. Mais on aurait tort de voir dans l'importation de méthodes de la physique la source principale du dynamisme de ces études du XVIᵉ au XVIIIᵉ siècle. Comme on va le constater, il fallut d'abord assumer — un peu à la manière de Copernic — l'héritage surtout livresque de l'humanisme et donc imiter les grands auteurs de l'Antiquité et s'en faire les émules pour que s'engage le renouvellement des perspectives.

D'ailleurs, quand elle s'imposa, la pratique expérimentale se traduisit certes par des avancées spectaculaires dans certains domaines de la physiologie, mais sans toutefois amener dans les sciences du vivant une réorganisation aussi générale et fondamentale qu'en physique.

Ce ne fut qu'au tournant du XIXᵉ siècle que prit forme le projet d'une science radicalement nouvelle, la « biologie », un savoir essentiellement fondé sur l'expérimentation et visant directement les phénomènes de la vie en tant que processus communs aux animaux et aux végétaux. De la Renaissance au XVIIIᵉ siècle, le terrain qui deviendra celui du « biologiste » (une appellation qui, de façon significative, n'apparaîtra en français que vers 1830) demeurait occupé surtout par la figure traditionnelle du médecin, accompagné bientôt d'un nouveau venu, le « naturaliste », selon un terme introduit au XVIᵉ siècle.

Aux XVIIe et XVIIIe siècles, les recherches sur les vivants furent généralement classées soit sous la rubrique « histoire naturelle », soit sous celle de la « physique » ou de la « philosophie naturelle ».

Dans le premier cas, celui de l'histoire naturelle, il s'agissait de travaux *descriptifs* sur les vivants, plantes et animaux, ceux-ci étant décrits en tant que composants de l'organisation d'ensemble de la nature, au même titre que les minéraux. Vivants et non-vivants appartenaient donc à un même domaine d'analyse naturaliste.

Dans le second cas, les recherches consistaient à expliquer les phénomènes naturels, à en déceler les causes ; elles portaient plus spécifiquement sur ce que nous appellerions aujourd'hui une physiologie appuyée sur l'expérience. Cette inclusion de la physiologie dans la physique était d'ailleurs encouragée par la philosophie mécaniste selon laquelle il n'y a pas de différence de nature entre vivants et non-vivants, tous les corps naturels ou artificiels étant de purs mécanismes, des machines.

Quant à la médecine, elle continuait d'être caractérisée, selon la tradition, à la fois comme un art et comme une science. Certains domaines relevaient de l'analyse descriptive et constituaient donc une branche de l'histoire naturelle ; d'autres relevaient de la physique, puisqu'ils concernaient le fonctionnement des vivants et recouraient de plus en plus fréquemment à l'approche expérimentale. C'est d'ailleurs surtout en tant que profession que la médecine se définissait.

Comme dans le passé, pour ce qui est de la connaissance des espèces animales, végétales et minérales, la majorité des experts continuaient d'être des médecins : l'identification correcte des corps naturels constituait encore le fondement de la pharmacopée. Mais les grands expérimentateurs sur les vivants ne furent pas toujours des médecins. Ceux-ci, particulièrement quand ils œuvraient dans le cadre universitaire, restaient le plus souvent fortement dépendants d'une tradition de caractère scolastique et essentiellement descriptive. De fait, et surtout à compter du XVIIIe siècle, plusieurs des naturalistes et des expérimentateurs les plus importants n'étaient pas médecins et menaient leurs recherches en dehors de l'université. Mais il faut se garder de généraliser indûment : ainsi William Harvey (1578-1657) était médecin et enseignait au Collège royal des médecins, et Lazzaro Spallanzani (1729-1799) y était professeur de philosophie ; l'un et l'autre comptèrent, chacun dans son siècle, parmi les plus éminents expérimentateurs.

ENCYCLOPÉDISME HUMANISTE ET HISTOIRE NATURELLE

L'histoire naturelle s'inscrivait dans une tradition déjà ancienne, d'origine grecque, qui remontait à l'*Histoire des animaux* d'Aristote, à l'*Histoire des plantes* de son disciple Théophraste et à *La Matière médicale* du médecin Dioscoride. Comme on l'a vu au chapitre 3, Pline avait donné à cette tradition d'enquêtes descriptives une forme encyclopédique qui allait connaître une immense popularité au Moyen Âge. Dans les 37 livres de l'*Histoire naturelle* de l'encyclopédiste romain, les « histoires » présentées à la façon grecque (sur les cours d'eau, les plantes, les oiseaux, les animaux aquatiques, les pierres, etc.) constituaient les parties d'une enquête globale sur tout ce qui a trait à la nature, c'est-à-dire tous les objets naturels, mais aussi tous les arts qui imitent ou tirent parti de la nature et l'ensemble des connaissances sur les hommes dans leurs rapports à la nature. Ainsi, pour ce qui est des plantes et des animaux, l'ouvrage de Pline incluait non seulement des observations provenant de très nombreux auteurs sur leur distribution, leur alimentation, leur mode de reproduction et leur comportement, mais aussi des considérations sur leur utilisation dans diverses activités techniques, notamment en cuisine et en médecine.

Le même projet d'une exhaustivité encyclopédique marqua les enquêtes sur les vivants durant la Renaissance. L'*Historia naturalis* de Pline fut d'ailleurs imprimée pour la première fois à Venise en 1469. Ainsi, c'était à lui qu'entendait explicitement se mesurer l'érudit italien Ulisse Aldrovandi (1522-1605) qui voulait amasser et décrire au-delà des « 20 000 faits dignes d'intérêt » que l'auteur ancien s'était targué d'avoir rassemblés dans son grand ouvrage[1]. Aldrovandi avait en effet formé le projet de rédiger une somme totale des connaissances sur la nature, qu'il intitulait le *Pandechion epistemonicon,* c'est-à-dire selon ses termes, « une somme universelle de la connaissance au moyen de laquelle on pourra trouver tout ce dont on a besoin pour savoir ou pour écrire sur tout ce que les poètes, les théologiens, les juristes, les philosophes et les historiens [...] ont écrit sur toutes les choses naturelles et artificielles[2] ». L'ambition d'Aldrovandi, dans son excès même, montre la grandeur des visées encyclopédiques de son époque.

Ainsi l'*Historia serpentum et draconum* de ce lettré visait-elle à rassembler tout ce qu'il avait pu apprendre sur les serpents et les dragons : leur anatomie, leurs mœurs, leur distribution géographique, leur alimentation, mais aussi la façon de les capturer, les effets de leurs morsures, leur représentation sur des pièces de monnaie, des emblèmes ou des symboles, et dans l'écriture hiéroglyphique, leur utilisation en cuisine et en médecine, etc. En somme, l'« histoire », l'enquête, ainsi comprise dans la tradition de Pline, malgré le titre qu'avait donné celui-ci à son maître ouvrage, était loin d'être exclusivement « naturelle ». On y accumulait aussi bien les données fournies par l'observation et les expériences personnelles que celles qu'on trouvait dans les livres, comme s'il n'y avait pas de différence entre le « livre de la nature » (une métaphore médiévale déjà) et les livres des Anciens, entre ce que le témoignage des sens permet de vérifier directement et le merveilleux que perpétue la tradition[3].

Cette réappropriation du projet de Pline par Aldrovandi et plusieurs de ses contemporains n'était pas un phénomène isolé. Elle suivait la mouvance humaniste, comme les travaux déjà mentionnés du médecin Agricola sur les minéraux et les mines. Et elle s'accompagnait aussi de l'émergence d'une nouvelle institution, le musée, que les humanistes n'allaient d'ailleurs pas manquer, à leur habitude, d'inscrire dans le sillage des Anciens.

C'est en effet à la Renaissance qu'apparut le musée à usage scientifique, comme lieu de constitution et d'étude de collections d'objets. Aux yeux des humanistes, le musée était en fait comme une imitation ou une réinvention (ou une invention au sens initial du terme : *inventio* signifiant d'abord « découverte », au sens de trouver quelque chose qui existe déjà), celle de la « Maison des muses », du fameux *Museion* d'Alexandrie.

Le musée tel que l'instituèrent les humanistes était à la fois un lieu de mémoire et de curiosité, d'érudition et de collection. On y retrouvait les objets dont parlaient les textes anciens et que ceux-ci permettaient de reconnaître et de nommer, et aussi d'autres objets, ceux surtout recueillis dans les nouveaux mondes que l'Europe renaissante explorait avec audace, objets qui suscitaient d'autant plus de curiosité que les auteurs grecs et latins tant vénérés paraissaient les avoir totalement ignorés.

L'innovation connut rapidement un grand succès : on a estimé qu'au moins 250 musées d'histoire naturelle apparurent aux XVᵉ et XVIᵉ siècles en Italie. Ces établissements étaient aussi des lieux importants de sociabilité humaniste puisque médecins lettrés, universitaires et élites citadines s'y rencontraient[4]. Davantage que les boutiques d'apothicaires (personnages d'un statut social inférieur et qui, contrairement aux naturalistes, ignoraient les langues anciennes et n'étaient donc pas des humanistes), les musées devinrent des lieux d'échanges intellectuels très fréquentés.

Avec le XVIᵉ siècle, les collaborations entre ceux qu'intéressait l'étude de la nature devinrent plus fréquentes et les échanges d'informations et de spécimens se multiplièrent. Ainsi, Conrad Gesner (1516-1565) bénéficia de l'aide de nombreux lettrés dans la préparation de son *Histoire des animaux*, des Italiens comme Fracastor et Cardan, le Français Pierre Belon, des médecins et des pharmaciens de Cracovie, d'Ulm et de Strasbourg, etc.[5]. L'activité du naturaliste dès cette époque s'inscrivit dans des réseaux internationaux.

Les musées étaient ainsi des foyers de correspondance intense. Avant même qu'au siècle suivant un Mersenne et un Oldenburg tissent leurs toiles épistolaires à travers l'Europe, des médecins naturalistes comme Aldrovandi ou Conrad Gesner étaient de grands épistoliers qui allaient laisser des lettres par milliers. Là aussi, il s'agissait d'une pratique d'essence humaniste : c'est en effet Pétrarque, l'un des grands fondateurs de l'humanisme précoce, qui, après avoir découvert en 1345 dans la bibliothèque de la cathédrale de Vérone la correspondance perdue de Cicéron, avait restauré l'échange épistolaire comme un genre littéraire, en faisant le « medium le plus populaire de la littérature humaniste[6] ». Ainsi, tout en s'engageant dans des échanges utiles, les naturalistes humanistes et épistoliers, ici encore, savaient qu'ils réactualisaient un modèle culturel ancien.

Lieux de sociabilité, centres d'échanges savants, les musées qui appartenaient d'abord à des particuliers, devront de plus en plus souvent, en raison des coûts de leur constitution et de leur entretien, être pris en charge par des gouvernements de cités ou des aristocrates fortunés. Les musées abritaient des collections qui prenaient de l'ampleur et qui formaient ce que l'on nommait à l'époque des « théâtres de la nature », rendant sensible, visible, la richesse de la nature.

Du fait de ce foisonnement, la croissance des collections allait entraîner l'établissement d'abord d'inventaires, puis bientôt de véritables catalogues, une invention de cette époque[7]. Plus que de simples listes d'objets, ces catalogues devaient nommer la pièce offerte à la curiosité, en livrer le sens, l'interpréter. Constituant de véritables œuvres littéraires, ils permettaient souvent à leurs auteurs de montrer leur érudition humaniste et ils servaient aussi, bien sûr, à rehausser la réputation du collectionneur. Le premier catalogue publié paraît avoir été celui de Johann Kentmann (1518-1574), l'*Arca rerum fossilium*, publié en 1565 en appendice d'un livre de Conrad Gesner. Il présentait une collection de fossiles (à cette époque, le mot « fossile » avait un sens beaucoup plus large qu'aujourd'hui et désignait tout ce que l'on trouve dans la terre : pierres, minéraux, etc.), et était appelé *Arca*, « arche », en mémoire de l'arche de Noé, censée contenir dans ses flancs tous les vivants ainsi préservés du Déluge[8]. Autre rappel de l'association alors étroite entre l'exploration de la nature et la culture des grands textes anciens.

En effet, parce que l'histoire naturelle était durant le XVIe siècle une entreprise profondément humaniste, elle prenait sa source non pas tant dans la nature que dans les grands textes, avant tout ceux d'Aristote, de Pline et de

Dioscoride. Cela ne signifie pas que l'on était toujours esclave inconditionnel de ces écrits, comme le montraient à l'occasion des critiques qui soulignaient des zones d'ignorance des Anciens, voire des erreurs dans le cas de Dioscoride ; cela ne signifie pas non plus que l'on se contentait toujours de pratiques livresques et philologiques. On a vu déjà dans un chapitre précédent l'humaniste Agricola, très soucieux de terminologie classique, faire montre aussi d'une connaissance approfondie de l'univers des mines et de la minéralogie. De même, le milieu du XVIᵉ siècle vit naître et devenir en vogue la pratique des excursions botaniques[9], en même temps que celle de la publication de flores locales.

Signe de ce même déplacement de la curiosité, apparurent au XVIIᵉ siècle les jardins qui n'étaient plus seulement l'apanage des apothicaires cultivant par nécessité des plantes médicinales. D'abord en Italie, à Padoue en 1545, à Pise en 1547 et à Bologne en 1567, et ensuite dans le nord de l'Europe où le premier jardin fut créé à Leyde en 1577. Souvent, ces jardins n'étaient plus réservés à un usage strictement médical ou pharmaceutique mais avaient plutôt l'éducation pour but ; les plantes offertes à l'observation et à la contemplation se multiplièrent rapidement, même celles qui n'avaient aucun usage connu. De tels jardins, souvent associés à des universités, furent plus qu'une mode éphémère : au siècle suivant, leur diffusion se poursuivit (par exemple à Giessen en 1617, à Paris en 1620, à Jena en 1629, à Oxford en 1632, à Amsterdam en 1646 et à Utrecht en 1650). Il ne s'agissait pas seulement d'un intérêt esthétique : ces jardins devinrent à la fois des lieux de démonstration et des outils pédagogiques pour faire comprendre les relations entre les plantes, l'ordre dans la nature.

Collections, musées et jardins botaniques, qui étaient d'abord des lieux où l'humanisme rattachait les pratiques naturalistes à l'univers intellectuel des Anciens, devinrent à mesure que l'on avançait dans le XVIIᵉ siècle les lieux d'une rupture qui ne serait évidente et consacrée qu'au tournant du XVIIIᵉ siècle. La curiosité humaniste célébrant une nature luxuriante aux inépuisables usages et significations, que voulait refléter l'immensité des projets encyclopédiques à l'imitation de Pline, céda progressivement le terrain à un tout autre type de travail, au contraire aussi épuré que possible et qui visait une idéale simplicité : le travail du naturaliste classificateur, dont l'objectif était la restitution de l'ordre qui aurait été institué dans la nature au moment de sa création.

Le foisonnement des « objets curieux » amoncelés dans les collections humanistes apparut désormais comme un désordre et fit place à l'ordonnancement strict des cabinets des naturalistes taxonomistes qui substituaient à l'objet curieux le « spécimen » (un terme qui, justement, fit son apparition vers 1700). Le spécimen est dès lors vu comme le représentant d'un groupe d'êtres naturels et non plus comme un objet curieux donné à contempler pour son étrangeté, pour la fascination qu'il suscite ou sa puissance d'évocation; il s'impose plutôt à l'attention pour qu'on l'étudie, qu'on l'analyse comme représentant d'un type naturel, pour qu'on le rattache par la pensée aux autres êtres naturels auxquels il s'apparente par ses attributs physiques visibles.

LE NATURALISTE CLASSIFICATEUR ET SON PROJET : DÉCELER ET MONTRER L'ORDRE DE LA NATURE

Le travail de classification des naturalistes ne fut pas effectué, du XVIe au XVIIe siècle, avec une égale facilité selon qu'il s'agissait de plantes, d'animaux ou de minéraux. Avant la révolution chimique de la fin du XVIIIe siècle, l'analyse des minéraux ne réussit pas d'avancées très remarquables et leur classification, par méconnaissance de leur composition, piétina. Ce fut la classification des plantes qui connut les progrès les plus spectaculaires et qui prit le pas sur celle des animaux. Plus faciles à recueillir et souvent aussi à transporter intacts sur de grandes distances que la plupart des animaux, les végétaux sont également plus simples dans leur structure, plus commodes à observer, plus durables aussi, et leurs éléments visibles externes se préservent souvent plus aisément.

La connaissance des plantes pour leurs qualités médicinales n'avait cessé durant le Moyen Âge, dans la tradition populaire aussi bien que chez les lettrés, d'être hautement valorisée. La redécouverte humaniste du savoir grec avait suscité la comparaison des descriptions des quelque 600 espèces connues des auteurs anciens avec les espèces de l'ouest européen. La découverte du Nouveau Monde, on l'a vu au chapitre 5, suscita assez rapidement la prise de conscience des limites du savoir ancien sur plusieurs points : ainsi, Gaspard Bauhin (1560-1624), professeur de médecine à Bâle, avait déjà en 1623 recensé plus de 6 000 espèces[10].

Néanmoins, et malgré l'afflux récent de plantes jusque-là inconnues en Europe, les grands textes anciens continuèrent à jouer durant tout le XVIe siècle un rôle central dans l'éducation et la recherche naturalistes. Ainsi, au cours de ce siècle, on imprima plus de 100 éditions différentes de Dioscoride. Le traité de celui-ci avait été popularisé par la traduction qu'avait publiée en italien, en 1544, un médecin de Sienne diplômé de l'université de Padoue, Pietra Andrea Mattioli (1500-1577), qui devint attaché à la cour de Prague (un bon exemple de la circulation des élites intellectuelles européennes de la Renaissance). Cette traduction italienne, souvent rééditée, aurait eu un tirage total de quelque 30 000 exemplaires, sans compter une seconde traduction que fit Mattioli du même ouvrage, en latin, en 1554[11].

L'intérêt pour les plantes s'affirmait donc. La connaissance des *simplicia*, des « simples », ainsi que l'on nommait les plantes qui formaient les composants de base des médicaments, s'imposait en effet à tous les médecins qui devaient les prescrire et aux apothicaires qui en assuraient la préparation.

Les ouvrages transmettant la connaissance sur les plantes connues et leurs « vertus », à savoir leurs propriétés nutritives, toxiques, aphrodisiaques et curatives, circulaient alors généralement sous le nom d'« herbiers ». Ils comprenaient de nombreuses illustrations qui avaient une fonction pratique : aider à reconnaître et à identifier les plantes d'intérêt médical, tout particulièrement celles mentionnées dans le traité sur la matière médicale de Dioscoride, le recueil de l'Antiquité qui contenait la plus importante liste de plantes médicinales, soit environ 550 espèces[12]. Toutefois, les traités des Anciens comme celui du Grec Dioscoride ne mentionnaient guère que des plantes de l'est de la Méditerranée. De plus en plus, les herbiers (plus de 65 herbiers différents furent publiés entre 1470 et 1600[13]), généralement préparés par des médecins d'Europe de l'Ouest, devaient inclure des plantes nouvelles issues de leur propre région ou rapportées des voyages d'exploration. Le souci humaniste de faire un travail d'étymologiste pour retracer les plantes des Anciens céda progressivement la place à la description de plantes ignorées dans les écrits de ces derniers.

Néanmoins, et malgré la fidélité de reproduction d'un exemplaire à l'autre grâce à l'imprimerie, la plupart de ces illustrations restaient de qualité grossière et leur exactitude laissait à désirer ; toujours elles donnaient une représentation partielle de la réalité, laissant de côté certaines caractéristiques physiques des plantes reproduites ou, au contraire, en accentuant certains traits.

Une nouvelle invention technique vint pallier ces lacunes en permettant l'examen de la chose même dont l'herbier imprimé devait tenir lieu : il s'agissait de l'herbier *réalisé* en quelque sorte, de l'herbier tel que nous le connaissons aujourd'hui et qui n'est rien d'autre qu'une collection de plantes séchées, pressées et conservées aplaties entre des feuilles de papier. Cette technique fut inventée par Luca Ghini (1490-1556), professeur de botanique médicale à Bologne, et elle se propagea rapidement. Toutefois, la connaissance du procédé de constitution d'un *hortus siccus*, un « jardin sec » comme on disait à l'époque, doit avoir d'abord circulé de bouche à oreille, car les premières instructions précises semblent avoir été publiées seulement en 1609 dans le traité de botanique d'Adrien Spieghel, l'*Isagoges*[14].

Sedum minus, Ioubarbe, *Sempreuiuo.*

Scabiosa, Scabieuse, *Scabiosa.*

Figure 9.1. Pages du *Thesaurus evonymi* de Conrad Gesner, 1555. De tels livres de petit format, souvent des in-16, permettaient d'identifier les plantes au cours des herborisations.

Les herbiers permirent l'échange efficace et rapide de spécimens : le médecin herboriste n'avait plus besoin d'engager un peintre ou un graveur pour consigner ses observations botaniques et pour les transmettre. En effet, l'utilité de l'herbier comme moyen d'enregistrement de l'information botanique était telle que Joseph Pitton de Tournefort (1656-1708), l'un des plus importants botanistes français, professeur au Jardin royal des plantes médicinales de Paris, remarqua vers la fin du XVII⁰ siècle que, avec les « Voiages favorisés », « la protection des Souverains et des Grands » et « l'établissement des Jardins de Botanike », « les Erbiers » (« Jardins vivans même pendant l'hyver ») constituaient l'une des quatre causes des progrès de la botanique[15].

Les ouvrages sur les plantes n'étaient au départ que des répertoires plus ou moins commodes à consulter. Les auteurs d'herbiers imprimés du XVI⁰ siècle, les herboristes, continuaient à s'intéresser surtout aux propriétés médicinales des plantes. L'ordre de présentation adopté dans les herbiers ne visait qu'à rendre plus accessibles les connaissances sur les caractéristiques de chaque plante identifiée. Il s'agissait donc de décrire chaque plante, ou d'en fournir une illustration, de façon à faciliter son identification, pour ensuite énumérer ses propriétés. Aussi bon nombre d'auteurs se contentaient-ils de présenter les noms des plantes par ordre alphabétique pour permettre au lecteur de s'y retrouver. Cette pratique n'était d'ailleurs pas réservée aux herboristes, puisque l'*Historia animalium* de Conrad Gesner, en 1558, était elle aussi organisée de cette façon ; Gesner reconnaissait d'ailleurs qu'il s'agissait d'un ordre non pas « philosophique » mais seulement commode.

Parfois, certains auteurs allaient plus loin et tentaient des regroupements de plantes à partir de leurs similitudes visibles, mais ces tentatives pour introduire un ordre fondé sur la diversité physique des plantes faisaient appel à des critères très variés, choisis surtout pour leur commodité, comme l'allure de la plante, sa morphologie d'ensemble, ou encore ce qu'on nommait l'*habitus*, son mode de vie.

Ce fut au XVII⁰ siècle seulement que s'opéra une transformation cruciale dans la connaissance des vivants. Dans la tradition humaniste d'inspiration plinienne, l'histoire (c'est-à-dire la description) pouvait porter sur tout ce qui avait quelque rapport avec la nature et, quand il s'agissait de plantes ou d'animaux, cette description s'attachait beaucoup aux résonances culturelles associées par la tradition à chaque être. Or, au XVII⁰ siècle, l'histoire des vivants devint une histoire exclusivement naturelle, seulement soucieuse de décrire leur nature physique et leurs relations visibles ; l'histoire des plantes commença à être ce que l'on appellerait plus tard une botanique (le terme apparut vers 1610, mais ne se généralisa qu'au siècle suivant), et l'histoire des animaux, une zoologie (1750) ; on n'y trouvait plus ni rappels mythologiques ni recettes de cuisine.

Le propre de cette nouvelle histoire naturelle, c'était d'être une entreprise essentiellement classificatoire. Il s'agissait de pouvoir identifier exactement les corps naturels, mais aussi, vu leur nombre sans cesse croissant à la faveur des découvertes, comme on l'a vu au chapitre 5, de les regrouper de façon aussi naturelle que possible selon leurs ressemblances importantes, ce que les classificateurs, les taxonomistes, appellent des affinités. De ce point de vue, la classification correcte des espèces, la connaissance des relations exactes entre elles, livre l'ordre de la nature, c'est-à-dire, pour des auteurs dont les références de base restaient essentiellement chrétiennes, le plan même de la création, le devis du divin architecte.

Rétrospectivement, et bien que l'approche de Césalpin n'ait été reprise par une nouvelle génération de botanistes qu'un siècle plus tard, les historiens y voient souvent le premier exemple de l'attitude classificatrice moderne en histoire naturelle. D'abord étudiant de Ghini, Andrea Césalpin (1519-1603) fut professeur de médecine à Pise et médecin du pape. Dans son *De plantis* de 1583, il propose en effet une distribution des plantes dans différents groupes naturels en se fondant exclusivement sur les propriétés et les similitudes physiques des végétaux :

> [L']ordre désigné suivant la conformité des natures est le plus facile de tous à retracer, le plus sûr et aussi le plus utile, que l'on considère la mémorisation ou la connaissance des propriétés ; le plus facile, certes, puisque les différences provenant de la nature même sont les plus sensibles, elles sont manifestes pour quiconque et elles ne trompent pas comme les conditions accidentelles, qui ne sont pas durables. Cet ordre est aussi d'un puissant secours pour la mémoire, car sous les genres bien ordonnés est compris en résumé un nombre presque infini de plantes, de telle sorte que chacun pourra ramener à leur classe les plantes qu'il n'aura jamais vues auparavant et les appeler par leur nom générique, si elles ne sont pas nommées. Enfin, les propriétés que les médecins recherchent avant tout, de même que les qualités, viennent à être connues par la connaissance des natures ; les plantes, en effet, qui sont unies par la communauté de genre, possèdent aussi la plupart du temps des propriétés semblables[16].

Ici encore, comme presque toujours à cette époque humaniste, la nouveauté n'était pas présentée comme une rupture radicale, mais plutôt comme un retour à l'Antiquité. Toutefois, Césalpin, qui avait publié 12 ans plus tôt un ouvrage intitulé *Questions péripatéticiennes*, se distinguait nettement de la plupart de ses contemporains humanistes : ce n'était pas un retour au foisonnement des signes, des significations, des symbolismes et des usages contenus dans l'ensemble de la littérature du passé qu'il proposait, mais au contraire une épuration en quelque sorte par un retour au seul Aristote et à un programme essentialiste en histoire naturelle. Selon Césalpin, il fallait dans la considération des plantes écarter tout ce qui était accidentel, surajouté, et retrouver l'essence, la « nature » de la plante.

Des caractères comme ceux que présentent les feuilles, les tiges ou les couleurs peuvent permettre d'identifier chaque plante individuellement, mais, d'après Césalpin, de tels caractères ne permettent pas de les distribuer et de les regrouper selon l'ordre véritable de la nature. Au lieu de retenir des critères de classification pour des raisons de facilité et de commodité, il fallait refonder l'entreprise en acceptant la thèse aristotélicienne selon laquelle chaque chose a une essence. Toutefois, la compréhension qu'avait Césalpin des exigences de la classification différait de celle d'Aristote sur des points cruciaux.

Sans doute, tous deux étaient bien des réalistes : contrairement à Platon, ils pensaient que la forme ne peut exister sans être réalisée matériellement. Mais, pour Césalpin, les espèces de plantes résultent néanmoins de formes qui correspondent à des idées éternelles dans l'esprit du dieu créateur[17], ceci étant tout à fait étranger à la doctrine d'Aristote pour qui la nature est éternelle et qui fait ainsi l'économie de l'hypothèse d'une création.

Césalpin épousait ici la théologie chrétienne, comme à peu près tous ses contemporains lettrés en Europe, ce qui n'était pas surprenant chez le médecin du pape. En somme, son Aristote avait été revu et corrigé par Thomas d'Aquin. Pour Aristote, en effet, les plantes appartiennent au monde sublunaire, un monde sujet au changement et à l'instabilité contrairement à celui des orbes célestes où les essences sont réalisées de manière immuable et parfaite. Sur Terre, selon la doctrine aristotélicienne originelle, la nature environnante, les conditions physiques du développement de la plante vont influer sur la façon dont l'essence va se trouver effectivement réalisée, la façon dont la semence et le fruit, qui sont la plante en potentialité, se reflètent effectivement dans la morphologie de chaque plante singulière et donc dans son espèce. Pour Aristote, le type d'espèce de l'organisme adulte n'est pas déjà entièrement déterminé dans la semence comme c'est le cas pour Césalpin. Tout en l'ignorant sans doute, Césalpin se montrait thomiste plus qu'aristotélicien, car pour lui les espèces relevaient en définitive des essences instituées dès l'origine du monde par la création divine[18].

Par ailleurs, Aristote croyait qu'il faut d'abord connaître toutes les espèces ; Césalpin soutenait quant à lui qu'il faut d'abord connaître les genres si l'on veut pouvoir connaître et classer toutes les espèces. C'est qu'entre Aristote et celui qui se proclamait son disciple, il y avait déjà l'impact de la découverte des nouveaux mondes et l'afflux d'une multitude de sortes nouvelles de vivants suscitant la prise de conscience que l'univers de la connaissance était un monde ouvert et non plus restreint aux objets de l'expérience traditionnelle commune. Pour Césalpin, il faut d'abord déterminer quels sont les genres que Dieu a créés — à partir des caractères des plantes qui nous sont déjà connues — pour ensuite y ranger les espèces à mesure qu'on les découvrira :

> *Il faut tout réunir au sein de genres très unis.* [C'est] *très efficace pour la mémoire puis-qu'un nombre gigantesque de plantes, rangées par genre, est compris dans un résumé; de cette façon, si des plantes n'ont jamais été vues auparavant, chacun peut les replacer dans leur catégorie et, si une plante n'a pas de nom, chacun peut l'appeler par son nom de genre*[19].

Notons que ce travail de classification impliquait plus qu'une simple apposition d'étiquettes. Assigner une place à une plante dans un tel système supposait la connaissance, au moins rudimentaire, de son anatomie, de sa morphologie et de son mécanisme de reproduction ; il s'agissait, par ailleurs, de situer une plante par rapport aux autres plantes et non pas par rapport aux usages que les humains peuvent en faire.

On allait retenir cette leçon, sans cependant que l'approche néoaristoté-licienne de Césalpin fasse immédiatement des disciples. Ainsi, l'un des plus grands naturalistes de la génération suivante, Gaspard Bauhin, à compter de son *Prodrôme au Théâtre de la botanique* de 1620, allait, lui aussi, rompre com-plètement avec l'histoire naturelle encyclopédique antérieure en excluant de la description les usages et les vertus des plantes, pour s'en tenir à la forme physique visible de chaque espèce. Il s'agissait en quelque sorte, par rapport à la démarche humaniste antérieure, d'une « décontextualisation » de l'objet de la botanique[20].

Ainsi, les naturalistes comme Césalpin et Bauhin effectuèrent bien une rupture : la culture telle que des siècles de textes l'avaient accumulée perdait sa pertinence pour saisir la nature dans sa vérité. L'être naturel se comprenait désormais en référence à l'ordre propre à la nature seulement et à sa place dans celui-ci.

Pour retrouver le projet de Césalpin d'une classification fondée sur les parties qui exprimeraient l'essence de la plante, il faudra attendre le der-nier quart du XVIIᵉ siècle. Le révérend John Ray (1627-1705), qui était non pas un médecin contrairement à tous les grands naturalistes depuis le Moyen Âge, mais un ecclésiastique, et qui inaugura une longue tradition de pasteurs naturalistes, revint dans sa *Nouvelle Méthode des plantes,* en 1682, à un point de vue proche de celui de Césalpin. Il y soutient en effet que la classification doit reposer sur la « similitude et la ressemblance des parties principales » de la plante, avant tout les éléments de la fructification et tout particulièrement les semences et leurs réceptacles[21].

La compréhension que l'Anglais John Ray avait des fondements de la classification ne tenait pas seulement à une reprise de Césalpin ; elle reposait aussi sur la découverte de la sexualité des plantes faite dans les années 1690 par Rudolf Jakob Camerarius (1665-1721), médecin et directeur du jardin botanique de Tübingen. Ce fut une découverte très étonnante pour les contemporains. Jusque-là, en effet, parce que la plupart des plantes sont hermaphrodites, c'est-à-dire qu'elles portent les organes des deux sexes, on avait cru qu'elles se reproduisaient de manière asexuelle. C'est pourquoi Césalpin avait pu soutenir que le fruit est l'organe de la reproduction, alors que Camerarius, par une suite d'expériences inédites consistant à supprimer les étamines chez les plantes hermaphrodites, ou à isoler individuellement des plantes sexuées, avait pu montrer que les étamines et les pistils sont respectivement les organes mâles et femelles des plantes. Ce fut sur cette base que Ray tenta de redéfinir l'espèce végétale.

En reprenant les travaux de Camerarius, dans sa *Méthode des plantes* de 1703, Ray fut amené à définir l'espèce à partir de sa capacité de se reproduire sexuellement. En d'autres termes, l'identité d'une plante dérivait du fait qu'elle était le produit de membres d'une même espèce. Cette conception impliquait une nette discontinuité entre les espèces, fondée sur l'absence de capacité de fécondation entre espèces différentes.

Le médecin suédois Carl von Linné (1707-1778), professeur de botanique à l'université d'Uppsala, probablement le naturaliste le plus célèbre du XVIIIe siècle, reprit cette idée de l'espèce comme ensemble d'individus ayant seuls la capacité de se reproduire entre eux, et il proposa un système de classification reposant sur les caractères des organes sexuels des plantes, les plantes à fleurs se trouvant distribuées selon le nombre, la forme, la disposition et la grandeur relative de leurs organes sexuels. L'application de la connaissance de la sexualité des plantes à leur classification frappa l'imagination des contemporains, mais l'entreprise classificatrice de Linné se porta bien au-delà des plantes à fleurs, puisque dès sa première édition, en 1735, son *Systema naturae* comportait déjà aussi une classification des plantes cryptogames (celles, comme les algues et les mousses, dont les organes de la fructification sont peu apparents), et aussi des animaux et des minéraux. Le système de Linné devint rapidement la référence principale en matière de classification et ce jusqu'au

XIXe siècle. La nomenclature binomiale toujours en usage aujourd'hui, qui identifie chaque organisme par son genre et son espèce (ex. : *Homo sapiens*), est une innovation introduite par Linné dans son *Species plantarum* de 1751.

Le projet classificatoire devait prendre une extension considérable et s'étendre à tous les aspects de la nature. C'est ainsi qu'il trouva même à s'appliquer en médecine où s'imposa le projet d'une classification des maladies, ce qui supposait que l'état pathologique ne résulte pas d'une simple variation quantitative dans l'un ou l'autre des processus physiologiques, mais corresponde à une entité morbide qualitativement distincte.

En fait, c'est explicitement aux botanistes que le médecin anglais Thomas Sydenham (1624-1689) se référa lorsqu'il entreprit d'appliquer l'approche de l'histoire naturelle à l'étude des maladies, ainsi que l'avait prôné Francis Bacon[22]. Empruntant aux botanistes la notion d'espèce pour décrire les maladies, Sydenham écrivait :

> La Nature, lorsqu'elle produit la maladie, agit avec uniformité et constance, à tel point que, pour la même maladie chez des personnes différentes, les symptômes sont pour la plupart les mêmes, et que vous pouvez observer des phénomènes identiques dans le mal qui frappe un Socrate et dans celui qui frappe un sot. [...] De la même manière précisément, les caractères universels d'une plante sont attribués par extension à tout individu de l'espèce concernée[23].

En somme, le projet taxinomique transposé en médecine consistait, selon Sydenham, à « réduire toutes les maladies à des espèces précises avec le même soin et la même exactitude que les botanistes ont fait dans leur traité sur les plantes[24] ».

La prise de position de Sydenham et la médecine d'observation dont elle favorisa la naissance eurent plusieurs conséquences. D'abord, alors que selon la doctrine chrétienne du Moyen Âge la maladie était avant tout un mal ou une punition de Dieu, les maladies étaient ici traitées comme des phénomènes naturels, susceptibles d'être observés, étudiés et classifiés de la même manière que les plantes. C'était, à cet égard, un retour à la médecine antique. Cependant, l'objectif de l'observation et de la description d'une maladie n'était plus la détection d'une « journée critique » chez un malade pour faciliter le diagnostic comme c'était le cas dans la médecine hippocratique, mais la recherche de ce qui était constant à travers tous les malades, à savoir la maladie elle-même.

La description exacte des maladies et l'établissement d'un tableau clinique remplissaient ici une double fonction. D'une part, le tableau de toutes les maladies — elles-mêmes parties de la nature — constituait une représentation de l'ordre naturel tel qu'établi par Dieu. D'autre part, le fait que les maladies ne se définissaient plus selon les individus, ainsi que c'était le cas dans toutes les doctrines humorales depuis Hippocrate et Galien, mais selon leur espèce propre, constituant ainsi des entités distinctes, éliminait la possibilité d'une panacée. La thérapeutique devait donc cibler des êtres précis ; pour chaque maladie spécifique, il devait exister un traitement spécifique. Sydenham en était assuré :

> Je ne doute pas que dans la plénitude et l'abondance des dispositions pour la conservation de toutes choses que l'on trouve dans la nature (et cela sous la volonté du Très Grand et Excellent Créateur), il n'y ait provision pour le traitement des maladies graves qui affligent l'humanité, à portée de main et dans tous les pays[25].

La médecine fondée sur le projet d'une taxonomie nosographique (une description clinique des maladies) avait une portée pratique ; elle demandait une nouvelle forme d'organisation du travail médical. En effet, si la description des maladies en tant qu'entités morbides constituait un préalable à une démarche thérapeutique, alors la meilleure façon de conduire des recherches en médecine, et aussi d'enseigner celle-ci correctement, devait reposer sur l'observation directe des différentes classes de maladies telles qu'elles se manifestent chez les malades. La pratique d'un seul médecin n'offrant pas la possibilité d'observer un large éventail d'espèces morbides, ce fut précisément en invoquant Sydenham que les premières cliniques apparurent en Europe au début du XVIIIe siècle.

Le médecin hollandais Hermann Boerhaave (1668-1738) aménagea un petit édifice à côté de l'hôpital général de Leyde. Il y admit pour des fins d'enseignement et de recherche une douzaine de malades, chacun manifestant une espèce de maladie particulière, créant ainsi la première clinique médicale moderne. La médecine fondée sur la classification des maladies, sur la nosographie clinique, amenait ainsi à concevoir l'hôpital comme une sorte de jardin botanique où se donnaient à observer et à traiter les espèces morbides.

HISTOIRE NATURELLE ET ORDRE DE LA CRÉATION : À LA RENCONTRE DE LA THÉOLOGIE NATURELLE

Malgré la domination du point de vue classificatoire en histoire naturelle (et comme on vient de le voir, à l'imitation de celle-ci, même en médecine), la réalisation de classifications qui fussent vraiment le miroir de l'ordre véritable de la nature, et ce même quand les entités à classer étaient des entités immédiatement visibles comme des plantes ou des animaux, restait un idéal.

De fait, si l'on considérait généralement que l'espèce correspondait bien à une entité naturelle, immuable depuis la création, et si la plupart des classificateurs pensaient aussi que de très nombreux genres correspondaient effectivement à des groupements naturels d'espèces, les autres catégories de la classification, outre l'espèce et le genre (comme l'ordre et la famille), étaient reconnues artificielles.

Au-delà des raisons d'utilité, la justification ultime de l'entreprise classificatoire continuait d'être la recherche de l'ordre de la nature, du plan de la création, et plusieurs déclaraient que cet idéal allait indéfiniment demeurer hors d'atteinte. Dans le langage de l'époque, on admettait qu'il soit possible de mettre au point des *systèmes* plus ou moins commodes, se rapprochant plus ou moins du véritable ordre de la nature, mais qui demeuraient artificiels. La découverte de la vraie *méthode* naturelle, qui permettrait enfin de tracer correctement d'authentiques frontières pour placer chacun des êtres de la création dans sa catégorie propre, apparaissait au contraire comme un objectif inatteignable. Cette position ne tenait pas seulement au constat de l'imperfection des outils intellectuels mis au point pour la classification ; elle reposait surtout sur une notion ancienne, celle d'une échelle des êtres, d'une continuité entre tous les êtres dans une nature si pleine d'essences réalisées que l'on ne pouvait imaginer un être séparé complètement des autres, un être que ne relieraient pas à d'autres des formes de transition.

En conformité avec le principe de plénitude, déjà présent chez Platon, et selon lequel tout ce qui est possible doit exister, Aristote et la plupart de ses successeurs croyaient que ce n'était pas parce qu'on ne l'avait pas encore observée qu'une espèce manquante ne pouvait pas exister. En d'autres termes, là où l'on aurait pu admettre une discontinuité entre espèces, on soutenait plutôt que l'absence d'intermédiaire devait tenir soit au caractère incomplet des observations effectuées, soit aux conditions locales interdisant la présence des espèces manquantes dans les lieux jusque-là étudiés.

On tenait cependant cette notion d'une échelle ou d'une série continue des êtres pour déjà suffisamment fondée empiriquement. Ainsi, les coraux faisaient le pont entre l'ordre minéral et l'ordre végétal, les chauve-souris représentaient la jonction entre oiseaux et mammifères, la baleine était la transition entre poissons et mammifères, et le singe se voyait assigner un semblable statut d'intermédiaire entre les humains et les autres animaux. Les grands voyages des débuts de l'âge moderne avaient renforcé cette conviction d'une nature pleine : la découverte de milliers d'espèces animales et végétales nouvelles était venue combler des hiatus entre les espèces déjà connues en Europe et semblait promettre la reconstitution complète de cette série continue, sans faille, des êtres naturels.

Le XVIIIᵉ siècle n'arrivera pas à dépasser ce débat entre les tenants des systèmes et ceux des méthodes et il faudra attendre la théorie de l'évolution au siècle suivant pour y voir clair. La constitution de classifications capables de rendre compte de l'ordre de la nature, en prenant en considération l'infinie richesse de la création, semblait fait pour montrer les limites de l'esprit humain tout en attirant l'attention sur la magnifique complexité de l'architecture de cette création. Ainsi que l'avait écrit John Ray, « la Nature répugne à se laisser enfermer dans les limites d'une méthode quelconque[26] ».

Une telle attitude était d'autant plus marquée que, avant l'essor de la philosophie des Lumières au cours de la seconde moitié du XVIIIᵉ siècle, la pratique de l'histoire naturelle restait souvent indissociable de la tradition théologique chrétienne et passait même pour une activité pieuse dans la mesure où elle mettait en évidence les merveilles de la création.

Il est d'ailleurs notable que, de plus en plus fréquemment à compter de la seconde moitié du XVIIᵉ siècle, les naturalistes aient été des ecclésiastiques. Sans doute, il n'y a pas lieu de s'en étonner, puisque depuis le Moyen Âge ceux-ci, notamment dans les universités, continuaient de former une part très importante du monde des lettrés. Mais l'objet même de l'histoire naturelle et son contenu favorisaient l'intérêt des ecclésiastiques : parce qu'elle visait à retrouver les principes de l'ordre dans la nature et que cet ordre devait alors être tenu pour une trace des intentions du créateur et une manifestation de sa providence, l'histoire naturelle pouvait avoir une portée proprement théologique.

De fait, on vit resurgir, à la fin du XVIIᵉ siècle, un mouvement très intense d'activité en théologie naturelle, mouvement qui persistera, surtout dans les pays de confession protestante, jusque dans les années 1840, avec une brève éclipse au cours de la seconde moitié du XVIIIᵉ siècle. Des savants devaient jouer un rôle éminent dans ce mouvement qui pouvait d'ailleurs se réclamer de hautes autorités scientifiques, notamment au sein de la Société royale de Londres, comme Newton et Boyle. Ces épisodes de regain d'activité en théologie naturelle eurent une influence importante sur l'évolution de la pensée scientifique de l'époque en permettant notamment la présentation et la diffusion de nouvelles informations scientifiques.

Ainsi, Newton lui-même, dans ses célèbres *Principia*, avait écrit, appelant l'association entre la nouvelle physique et les préoccupations de la théologie naturelle :

Cet admirable arrangement du soleil, des planètes et des comètes ne peut être que l'ou-vrage d'un être tout-puissant et intelligent. Et si chaque étoile fixe est le centre d'un sys-tème semblable au nôtre, il est certain que tout portant l'empreinte d'un même dessein, tout doit être soumis à un seul et même être : car la lumière que le soleil et les étoiles fixes se renvoient mutuellement est de même nature. De plus, on voit que celui qui a arrangé cet univers, a mis les étoiles fixes à une distance immense les unes des autres, de peur que ces globes ne tombent les uns sur les autres par la force de leur gravité[27].

De façon encore plus directe, dans la question 28 de son *Optique,* Newton avait fait état d'une préoccupation qui demeurera au cœur même des travaux de théologie naturelle, celle de démontrer l'intervention divine sur la base de la structure et de l'ajustement des parties de l'organisme vivant, ce que l'on nommera plus tard l'adaptation :

D'où vient que les Corps des Animaux ont été composés avec tant d'art ; et pour quelles fins ont été formées leurs différentes parties ? L'œil a-t-il été fabriqué sans aucune connaissance d'Optique ; et l'Oreille sans aucune connaissance des Sons ? […] Ne paraît-il pas par les Phénomènes qu'il existe un Être incorporel, vivant, intelligent, tout-présent […][28] *?*

Mais l'impulsion principale vint sans aucun doute de Robert Boyle (1627-1691), qui consacra par testament une partie de ses biens au soutien financier de conférences et de publications établissant que l'avancement de la connaissance de la nature était une activité pieuse par laquelle se retracent la grandeur et la bonté du Créateur. Pour lui, la science démontrait l'ordre, l'harmonie dans la nature et donc une préméditation renvoyant à un créateur. Lui-même auteur d'un essai célèbre, *The Christian Virtuoso,* qui défendait la science de l'accusation de faire le jeu des libertins, Boyle avait voulu dans un autre ouvrage *(Seraphick Love)* prouver qu'elle fournit une voie privilégiée pour l'apologétique :

[…] quand au moyen d'excellents Microscopes je discerne des Objets autrement Invi-sibles, et la Subtilité de la curieuse Fabrique de la Nature, et quand, en un mot, avec l'aide des Couteaux de l'Anatomiste, et la Lumière des Fourneaux du Chimiste j'étudie le Livre de la Nature […] *je me trouve souvent réduit à m'exclamer avec le Psalmiste Combien diverse sont tes œuvres, Ô Seigneur, avec quelle sagesse tu les as faites*[29].

Les fameuses *Boyle Lectures* furent confiées à certains des commentateurs alors les plus célèbres de Newton, comme Richard Bentley (1662-1742), John

et Samuel Clarke et William Derham[30]. Leur succès fut fulgurant et ces conférences entraînèrent la publication de plusieurs dizaines d'ouvrages. Ainsi,
William Derham (1657-1735), fit paraître, en 1713, une *Physico-Theology* (qui
en serait à sa treizième édition en 1768) reprenant le texte des *Boyle Lectures*
qu'il avait prêchées à titre de pasteur protestant et de membre de la Société
royale de Londres; fort de ce succès, il devait publier aussi, en 1715, une *Astro-Theology : Or a Demonstration of the Being and Attributes of God, from a Survey of the Heavens* qui fut aussi un grand succès de librairie.

Mais c'est dans le domaine de l'histoire naturelle que la formule devait
connaître le plus de succès. Le naturaliste anglais John Ray (1627-1705), écrivit *The Wisdom of God Manifested in the Works of Creation,* un titre bien classique comparé à des dizaines d'autres comme l'*Insecto-Theologia* (théologie
des insectes) et la *Testaceotheologie* (théologie des mollusques) de Friedrich
Christian Lesser, ou encore la *Locusta-Theologie* (théologie des sauterelles) de
Carl Heinrich Rappolds, sans oublier la *Rana-Theologie* (théologie des grenouilles) de Friedrich Menz.

En fait, malgré leurs titres et leur approche quelque peu déroutants à nos
yeux de cette fin de XXe siècle, la plupart de ces ouvrages firent véritablement
évoluer l'histoire naturelle et la connaissance des organismes. En insistant sur
le caractère significatif d'une connaissance plus poussée des mœurs des
vivants, des structures et des ajustements de leurs organes internes, une
pareille entreprise venait en fait recouper, et parfois aussi mettre à contribution, d'autres préoccupations qui elles aussi avaient connu un développement
remarquable depuis le XVIe siècle, celles des anatomistes et des physiologistes.

ANATOMISTES ET EXPÉRIMENTATEURS AFFRONTENT GALIEN

L'anatomie et la physiologie de Galien continuèrent d'être au XVIe siècle
la référence de base. Certaines innovations avaient toutefois été apportées au
système galénique. La redécouverte de la nomenclature grecque originale,
au début du XVIe siècle, contribua à standardiser le vocabulaire de l'anatomie,
alors surchargé de nombreux emprunts à l'arabe à la suite de la vague de traductions faites au Moyen Âge. Quoique l'épuration de la nomenclature eût
été une entreprise humaniste, l'œuvre d'universitaires avant tout préoccupés
par la restitution des textes antiques authentiques, certains professeurs pratiquaient une dissection d'exploration. C'était notamment le cas de Jacques
Dubois (1478-1555), professeur d'anatomie à Paris, davantage connu, comme
cela était fréquent à l'époque, sous son nom latinisé de Sylvius. Utilisant des

techniques peu connues dans le milieu universitaire, telle l'injection de fluides colorés ou de cire dans les systèmes vasculaires, Sylvius était parvenu à décrire des structures anatomiques jusqu'alors inconnues et ce en dépit de son attachement aux principes de Galien. Cependant, c'est surtout comme professeur d'André Vésale (1514-1564) que Sylvius nous reste aujourd'hui connu. Cet anatomiste belge allait en effet révolutionner l'approche de l'anatomie avec la publication en 1543 — l'année de parution du traité de Copernic — du *De humani corporis fabrica* (c'est-à-dire la fabrique ou structure du corps humain).

Formé à Louvain et à Paris, Vésale avait, comme tous les médecins de l'époque, commencé sa carrière en disciple de Galien. Ses premiers travaux, dont *Les Institutions anatomiques selon Galien* (1538), reprenaient encore les descriptions galéniques des organes. On retrouve encore chez le jeune Vésale, par exemple, un sternum en sept segments, pourtant typique des ongulés et non pas des êtres humains, ainsi que le *rete mirabile* (une structure inexistante dans le cerveau humain où, selon Galien, l'esprit animal aurait été élaboré). Ces erreurs provenaient de ce que Galien devait utiliser des animaux dans ses dissections et en projeter les observations sur l'anatomie humaine, sans plus de vérifications.

Nous avons remarqué au chapitre 4 que la dissection anatomique avait été très peu pratiquée au Moyen Âge. Les autopsies *post-mortem*, pour des raisons légales, quand on soupçonnait un meurtre, étaient fréquentes, mais avant Mondino, professeur à Bologne vers 1315[31], il ne semble pas y avoir eu de dissection de cadavres humains à seules fins de faire avancer la connaissance anatomique. Quand elles furent ensuite pratiquées, les dissections semblent avoir eu d'abord peu d'effets. La dissection anatomique avait le statut d'un rite annuel au sein des écoles médicales. Une fois par an, en effet, en automne ou en hiver (saisons où la putréfaction des corps est ralentie), le cadavre d'un criminel ou d'un pauvre était disséqué devant les étudiants en médecine.

La dissection donnait lieu à une véritable mise en scène d'un trio. Le *magister,* c'est-à-dire le professeur de médecine, de sa chaire posée sur une tribune, prononçait la leçon en latin, c'est-à-dire qu'il lisait à haute voix des passages relatifs à la structure interne du corps humain, à partir d'une traduction de Galien (on se rappelle que celui-ci, originaire de Pergame, avait écrit en grec). Le *demonstrator,* soit le préposé à la dissection, généralement un chirurgien-barbier, muni uniquement d'un couteau, procédait à l'ouverture du cadavre et à l'extraction des organes internes. Parfois illettré, ignorant à peu près toujours le latin, le *demonstrator* se laissait guider par l'*ostentor,* un assistant connaissant le latin qui pointait pour lui et pour les étudiants les organes

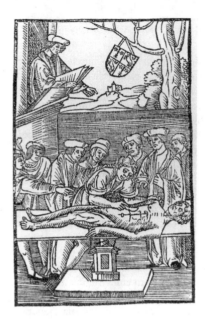

Figure 9.2. Cette figure tirée de *L'Anatomie* de Mondino, imprimé en 1478, montre le médecin commentant Galien de sa chaire pendant que le chirurgien-barbier effectue la dissection.

Figure 9.3. Détail de la page frontispice de l'édition de 1568 de *La Fabrique du corps humain*. On y voit Vésale effectuant lui-même une dissection, récusant ainsi la pratique traditionnelle qui voulait que seul le chirurgien-barbier touche au cadavre et que le médecin demeure dans sa chaire.

sur lesquels le *magister* faisait lecture *(fig.9.2)*. Dans ces conditions, la dissec-tion était un acte de confirmation plutôt qu'une expérience ou une quête de savoir ; toutes les erreurs anatomiques et physiologiques de Galien étaient ainsi répétées bon an mal an.

À Padoue, où il avait accepté en 1536 un poste de professeur d'anatomie, Vésale apporta des modifications importantes à la pratique anatomique. D'abord, descendant de la chaire perchée sur sa tribune, s'acquittant à lui seul des fonctions du trio traditionnel, il se livrait à la dissection du cadavre et, ce faisant, la commentait pour les étudiants *(fig.9.3)*. Il rompait ainsi avec la hié-rarchie instituée depuis le Moyen Âge entre médecins et chirurgiens et il affir-mait la dignité des opérations manuelles en anatomie.

Pour Vésale, l'anatomie avait dépassé le stade du couteau et il mit au point une panoplie d'instruments pour la dissection : scies, canules, scalpels, rasoirs, aiguilles, ciseaux. Par ailleurs, une variété de cires et d'eaux colorées étaient désormais indispensables pour pratiquer l'anatomie. Dans son grand traité, Vésale décrit ces outils et leurs fonctions *(fig.9.4)*. L'anatomiste cessait d'être avant tout un lecteur des autorités anciennes.

À Padoue, sa pratique personnelle de la dissection avait vite fait décou-vrir à Vésale plusieurs erreurs anatomiques de Galien. Ainsi, les pores qui devaient permettre au sang de transiter à travers la paroi centrale du cœur pour passer du côté droit au côté gauche n'existaient tout simplement pas ; quant aux os de la main, qui devaient être de part en part solides, ils conte-naient en fait de la moelle.

Malgré que ses travaux l'aient amené à reprendre Galien sur d'importants points d'anatomie, Vésale resta en physiologie un galéniste. Ce furent ses suc-cesseurs seulement qui transformèrent la physiologie galénique et qui provo-quèrent l'effondrement de la base rationnelle de la médecine des humeurs.

La remise en question de Galien et d'autres Anciens n'alla d'ailleurs pas de soi partout. Ainsi, à l'université de Bologne, jusqu'en 1671, le médecin nou-vellement reçu devait faire le serment de défendre les doctrines d'Aristote, d'Hippocrate et de Galien[31]. Malgré l'exemple de Vésale, l'enseignement continua longtemps à s'organiser sur la base de la lecture des grands auteurs classiques. Même au XVIIIᵉ siècle, le grand médecin Morgagni donnait encore des cours sur Galien. Mais à l'université de Leyde, où Boerhaave était profes-seur, à compter de 1681, on n'enseigna plus des auteurs en particulier ; le pro-gramme se définit désormais à partir des matières à maîtriser et non plus des livres des grands maîtres du passé[33].

Le successeur à la chaire de Vésale à l'université de Padoue, Realdo Colombo (vers 1520-1559), fut l'un des tout premiers à s'attaquer à la doctrine

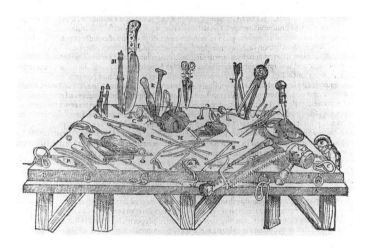

Figure 9.4. La variété des instruments de dissection utilisés par Vésale.

centrale de Galien, sur le mouvement du sang. Tout en conservant l'idée que le sang se formait dans le foie, Colombo proposa que, au lieu de passer du côté droit au côté gauche du cœur, le sang faisait plutôt un détour par les poumons où, d'après lui, il se mélangeait avec l'air. Il soutenait sa thèse par quatre arguments anatomiques. D'abord, tout comme Vésale, il avait constaté que le septum séparant les deux parties du cœur n'était pas poreux et ne pouvait donc laisser passer le sang. Ensuite, il avait noté la présence de sang dans la veine pulmonaire et non pas d'air comme le croyait Galien. En outre, notant que l'artère pulmonaire et la veine pulmonaire ont un même diamètre, Colombo avait rejeté l'idée que l'une transportait de l'air et l'autre du sang; il concluait en effet qu'il était plus simple de croire que les deux transportaient une même quantité d'une même substance, à savoir du sang. Enfin, il avait remarqué que la valvule mitrale qui relie le ventricule à l'oreillette du côté gauche du cœur opérait une fermeture complète; il était donc impossible, lors de la contraction du cœur, que le sang monte du ventricule gauche à l'oreillette gauche pour être mélangé avec l'air ainsi que l'avait prétendu Galien[34]. Cet exemple illustre bien comment déjà le raisonnement anatomique, sans expérimentation, mais appuyé sur une dissection attentive, permettait des inférences physiologiques.

Quoique appuyée par Césalpin, un ancien étudiant de Colombo, l'idée ne fit pas école. Il fallut attendre le *De motu cordis* (1628) du médecin anglais William Harvey (1578-1657), qui lui aussi avait étudié à Padoue, pour que s'établisse la doctrine moderne de la circulation du sang, en dépit de l'ascendant que continuait d'exercer le modèle galéniste.

Tout en s'appuyant sur les travaux de ses prédécesseurs italiens, Harvey donna à l'idée de la circulation son sens littéral en y incluant le mouvement du sang à travers toutes les veines et les artères du corps. Pour ce faire, il s'écarta des Italiens en fondant sa description du fonctionnement du cœur sur des expériences, sur la vivisection et sur l'anatomie comparative.

Récusant l'idée que le cœur exerce uniquement un pouvoir d'attraction

---

Vésale dédicace son traité à l'empereur Charles Quint

Hélas ! après les ravages des invasions barbares, toutes les sciences, auparavant merveilleusement florissantes et exercées selon les règles, allèrent à leur perte. Ce fut en Italie d'abord que les médecins les plus réputés, pleins de répugnance pour le travail manuel — ils suivaient en cela l'exemple des anciens Romains — commencèrent à se décharger sur des serviteurs des interventions chirurgicales qu'ils jugeaient nécessaires d'opérer sur leur malade ; ils se contentaient d'y assister, comme des architectes aux travaux. [...] Le temps aidant, le système thérapeutique fut misérablement écartelé : les médecins se parant du nom de physicien, se bornèrent à s'attribuer la prescription des médicamens et du régime pour les affections internes, abandonnant à ceux qu'ils appellent chirurgiens, et qui tiennent lieu de domestiques, la branche la plus importante et la plus ancienne de la médecine, celle qui (et je doute qu'il y en ait d'autre), au premier chef, s'appuie sur l'observation de la nature. [...]

[...] l'abandon aux barbiers de toute la pratique fit non seulement perdre aux médecins toute connaissance réelle des viscères, mais aussi toute habileté dans la dissection, à tel point qu'ils ne s'y livrèrent plus. Cependant, les barbiers à qui ils avaient abandonné la technique étaient tellement ignorants qu'ils étaient incapables de comprendre les écrits sur les dissections [...] [Les professeurs], à la façon des geais, parlant de choses qu'ils n'ont jamais abordées de près, sans jamais regarder les objets décrits, plastronnent, juchés sur leur chaire, et y vont de leur couplet. [...]

Tous accordent un si complet crédit à Galien qu'il serait impossible de trouver un médecin qui admette que la plus légère erreur ait jamais été relevée dans ses livres d'anatomie [...]. Je n'ignore pas combien les médecins [...] sont troublés lorsqu'au cours d'une seule démonstration anatomique, comme j'en fais dans les écoles, ils constatent que Galien s'est écarté bien plus de deux cents fois de la description correcte de l'agencement des parties du corps, de leur rôle et fonction [...].

Préface d'André Vésale à ses livres sur l'anatomie, suivie d'une lettre à Jean Oporinus,
son imprimeur, traduit par Louis Bakelants, Bruxelles, Arscia, 1961, p. 19-37.

---

sur le sang, Harvey affirma que des observations attentives de l'action du cœur (de son propre aveu, une action difficile à discerner) permettaient de vérifier la contraction des oreillettes avant celle des ventricules. Le battement du cœur contre la poitrine, un mouvement universellement connu, s'expliquait alors par un mouvement de contraction et non pas par un mouvement de gonflement (d'attraction), comme on l'avait cru jusqu'alors.

Cette action, analogue à celle d'une pompe, combinée avec ce que Harvey savait déjà du mouvement du sang dans les poumons, lui permit d'assigner de nouvelles fonctions à des structures anatomiques jusque-là interprétées conformément à la physiologie galénique. Ce fut notamment le cas des valvules dans les veines et les artères, connues depuis 1579. L'un de leurs découvreurs, Fabricius d'Acquapendente (1533-1619), professeur de Harvey à Padoue, avait cru qu'elles fonctionnaient comme des écluses pour régler un va-et-vient du sang dans les veines et les artères. À partir du moment où Harvey affirma que le sang circule, c'est-à-dire qu'il traverse le système vasculaire en suivant toujours une seule et même direction, l'orientation des valvules — vers le cœur dans les veines et en sens inverse dans les artères — prit une nouvelle signification : elles empêchaient le reflux du sang.

Dans un tel système, le rôle des poumons présentait un intérêt nouveau. Si l'air ne passe pas directement de la bouche au cœur, quelle fonction exercent alors les poumons pendant que le sang les traverse ? Encore une fois, Harvey eut recours à l'anatomie comparative pour résoudre ce problème. Selon lui, il suffisait de prendre en considération le fait que les animaux inférieurs sont plus froids que les animaux supérieurs du fait de leur manque de chaleur animale. Si les animaux supérieurs avaient besoin de poumons, ce devait être pour refroidir le sang[35]. Il faudra encore un siècle et demi et les travaux de Lavoisier pour que s'éclaircisse progressivement le rôle d'oxygénation du transit du sang par les poumons.

Le rejet de Galien par Harvey n'impliquait pas le rejet de tous les Anciens. En effet, si Harvey critiqua Galien, ce fut pour restaurer la suprématie du Maître, Aristote. En dépit du fait qu'il ne fût jamais venu à l'idée d'Aristote que le sang pût circuler, Harvey soutenait trouver chez lui la justification de sa propre thèse.

Si le sang circule, les veines et artères doivent communiquer pour permettre le passage du sang. Or, sans microscope, Harvey ne pouvait observer les capillaires. Ceux-ci ne seraient découverts qu'en 1661 par Marcello Malpighi (1628-1694), professeur de logique puis de médecine à Bologne, après un passage à l'université de Pise. Harvey se trouvait ainsi dans une position analogue à celle de Galien : pour expliquer le passage du sang, non pas à

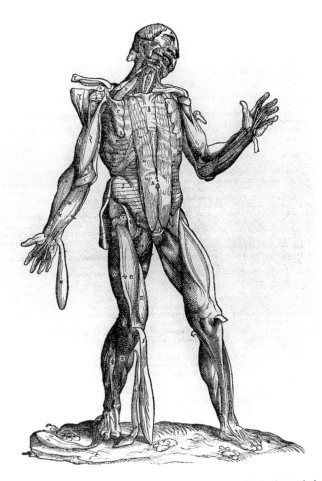

Figure 9.5. Comme le montre cette figure d'écorché, tirée du *De fabrica* de Vésale, la précision de la gravure sur cuivre au milieu du XVIe siècle faisait désormais de l'illustration imprimée un outil pédagogique d'une grande efficacité.

Des raisons qui ont poussé Harvey à écrire son livre

Ayant eu l'occasion de faire de nombreuses vivisections, j'ai été amené d'abord à étudier les fonctions du cœur et son rôle chez les animaux en observant les faits, et non en étudiant les ouvrages des divers auteurs, et j'ai vu tout de suite que la question était ardue et hérissée de difficultés, en sorte que je pensais presque comme Fracastor, que le mouvement du cœur n'était connu que de Dieu seul. En effet la rapidité des mouvements cardiaques ne permet pas de distinguer comment se fait la systole, comment la diastole ; à quel moment, en quelle partie, il y a dilatation ou constriction. Chez beaucoup d'animaux, en un clin d'œil, comme un éclair, le cœur apparaît, puis se dérobe aussitôt à la vue, en sorte que je croyais voir ici la systole, là la diastole, puis des mouvements tout opposés, partout la diversité et la confusion. Mon esprit flottait incertain : je ne savais ce que je devais penser, ce que je devais accepter de l'opinion des divers auteurs, et je ne m'étonnais pas de la comparaison d'Andreas Laurentius, qui dit que le mouvement du cœur nous est aussi inconnu que le flux et le reflux de l'Euripe à Aristote.

Enfin, en examinant chaque jour avec plus d'attention et de patience les mouvements du cœur chez les divers animaux vivants, j'ai réuni beaucoup d'observations, et j'ai pensé enfin avoir réussi à me dégager de ce labyrinthe inextricable et à connaître ce que je désirais savoir, les mouvements et les fonctions du cœur et des artères. Aussi je n'ai pas craint d'exposer mon opinion sur ce sujet, non seulement en particulier à mes amis, mais encore en public, dans mes leçons d'anatomie.

Naturellement ma théorie a plu aux uns, a déplu aux autres ; ceux-ci m'attaquant vivement et me reprochant de m'écarter des préceptes et des doctrines de tous les anatomistes ; ceux-là affirmant que la doctrine nouvelle était digne de recherches plus approfondies, et demandant à ce qu'une explication plus détaillée leur en soit donnée. Mes amis me suppliaient de faire profiter tout le monde de mes recherches, et d'un autre côté mes ennemis, poursuivant mes écrits de leur injuste haine et ne comprenant pas mes paroles, s'efforçaient de provoquer des discussions publiques pour faire juger ma doctrine et moi-même. Voilà comment j'ai été presque contraint à faire imprimer ce livre. Je l'ai fait d'autant plus volontiers que Jérôme Fabricius d'Acquapendente, ayant décrit avec soin dans un savant traité les parties du corps des animaux, a parlé de tout, excepté du cœur. Enfin, j'ai espéré que, si je suis dans le vrai, mon œuvre sera de quelque profit pour la science et que ma vie n'aura pas été tout à fait inutile. Je rappellerai cette phrase du vieillard dans la comédie : « Jamais personne ne peut vivre avec une raison si parfaite que les choses, les années, les événements ne lui apprennent du nouveau. On finit par voir qu'on ignorait ce qu'on croyait connaître, et l'expérience fait rejeter les opinions d'autrefois. »

Peut-être pareille chose arrivera-t-elle pour le mouvement du cœur, peut-être au moins d'autres, profitant de la voie ouverte, et plus heureusement doués, saisiront l'occasion d'étudier mieux la question et de faire de meilleures recherches.

William Harvey, *De motu cordis*, traduit par Charles Richet,
Paris, Christian Bourgois, 1990, p. 63-65.

travers le septum du cœur, mais cette fois-ci des artères aux veines, il fallait postuler l'existence de structures anatomiques et de processus physiologiques invisibles à l'œil nu. L'appel à l'autorité d'Aristote vint à la rescousse de Harvey. Aristote avait avancé que le sang se distribue par des vaisseaux issus du cœur comme dans l'irrigation d'un champ par des canaux. Reprenant l'analogie, Harvey expliqua que le sang retournait vers le cœur de la même façon que l'eau revenait aux rivières par la formation de nuages à partir des champs irrigués. Après avoir pompé le sang, le cœur l'attirait tout comme le Soleil attire l'eau ; le passage des artères aux veines se produisait comme par une sorte d'évaporation. En outre, faisait valoir Harvey pour étayer théoriquement une argumentation dont les assises empiriques laissaient encore à désirer, le processus de la circulation répondait en quelque sorte chez les vivants au mouvement circulaire des planètes, notion centrale de la cosmologie des Anciens, comme on l'a vu.

LE PROJET MÉCANISTE DANS L'ÉTUDE DES VIVANTS

On a souvent affirmé que, en montrant que le cœur agissait comme une pompe, Harvey avait voulu avancer une conception mécaniste de la vie. À vrai dire, une telle conception se trouvait plutôt chez Descartes qui, par ailleurs, n'accepta pas la doctrine du médecin anglais. Pour un cartésien, il n'y a pas de différence fondamentale entre une horloge et un animal : l'une et l'autre agissent selon les lois de la physique, et tous leurs processus et activités doivent s'expliquer seulement en fonction de mouvements mécaniques.

Cette inclusion de la physiologie dans la physique fut illustrée par Descartes dans *La Description du corps humain,* un ouvrage rédigé vers la fin de sa vie. Pour lui, la compréhension du fonctionnement du corps humain était soumise aux mêmes exigences que celles de l'univers astronomique. Il niait par exemple que les animaux aient une âme, même animale, les corps vivants devant être décrits exclusivement en tant que matière en mouvement. En invoquant le mouvement de corpuscules invisibles, Descartes prétendait rendre compte de tout ce qui chez Galien était du domaine des esprits ; ce qui dans la physiologie galénique constituait une différence de qualité entre l'esprit animal et l'esprit vital devenait, dans le système cartésien, une différence de grandeur et de vitesse entre corpuscules. Ainsi, les esprits animaux étaient tout simplement des corpuscules plus petits et plus rapides, plus « subtils », que les esprits vitaux.

Même chez ceux qui acceptaient la théorie cartésienne des animaux-machines, on hésitait souvent à rompre avec la tradition et, partant, à exclure l'intervention divine dans l'animation des vivants. C'est ainsi que Claude Perrault (1613-1688), un médecin qui fut aussi le traducteur de Vitruve et l'architecte de la colonnade du Louvre à Paris, proposa dans son traité *De la méchanique des animaux* (1680) une sorte de compromis : pour lui en effet, un animal est « un être qui a du sentiment et qui est capable d'exercer les fonctions de la vie par un principe que l'on appelle une âme ; [...] l'âme se sert des organes du corps, qui sont de véritables machines, comme étant la principale cause de l'action de chacune des pièces de la machine[36] ».

Quoique Descartes ait pratiqué des dissections, ses informations provenaient essentiellement des écrits de l'époque qui restaient, malgré tout, d'inspiration galénique. Descartes ne s'attachait pas à produire des expériences nouvelles ; il entendait plutôt rendre compte en termes mécanistes de phénomènes déjà connus. L'approche mécaniste, qu'elle fût inspirée par Descartes ou par Galilée — ce qui était plus fréquent en Italie —, allait néanmoins donner lieu sur le terrain expérimental à des tentatives restées célèbres et à l'acquisition de résultats nouveaux.

L'un des programmes de recherche d'inspiration mécaniste et quantitative le plus célèbre reste celui d'un ami de Galilée, Santorio dit Sanctorius (1561-1636). Utilisant une chaise-balance *(fig. 9.6)* et mesurant scrupuleusement l'alimentation et l'excrétion de l'individu y prenant place (en l'occurrence lui-même), Santorio décela un écart significatif entre le poids de l'excrétion et celui de l'alimentation, le premier s'avérant moindre que le second. Il attribua cette différence à une transpiration insensible qu'il nomma « perspiration ». Dans le cadre d'une physiopathologie des humeurs, cette nouvelle variable ouvrait la voie à une possible quantification des maladies elles-mêmes. En effet, Santorio en tira la conclusion que les maladies n'étaient autre chose qu'un problème de perspiration : une perspiration équilibrée se traduisant en un état de santé ; une perspiration trop forte ou trop faible donnant lieu à la maladie. Mais constater le phénomène de la perspiration était une chose ; mesurer ses variations en était une autre et il fallait mettre au point des instruments de mesure tel l'hygromètre pour contrôler les changements de perspiration dus aux variations de l'humidité. La tentative de décrire la maladie de manière quantitative ne donna pas les résultats escomptés ; au mieux, en liant ainsi une pathologie d'inspiration galénique à une démarche méthodologique d'inspiration galiléenne, Santorio avait isolé un symptôme.

En Angleterre, parmi les nombreuses expériences faites par Robert Boyle (1627-1691) avec sa célèbre pompe à vide, plusieurs portèrent sur les vivants. Boyle avait notamment vérifié pendant combien de temps différentes espèces

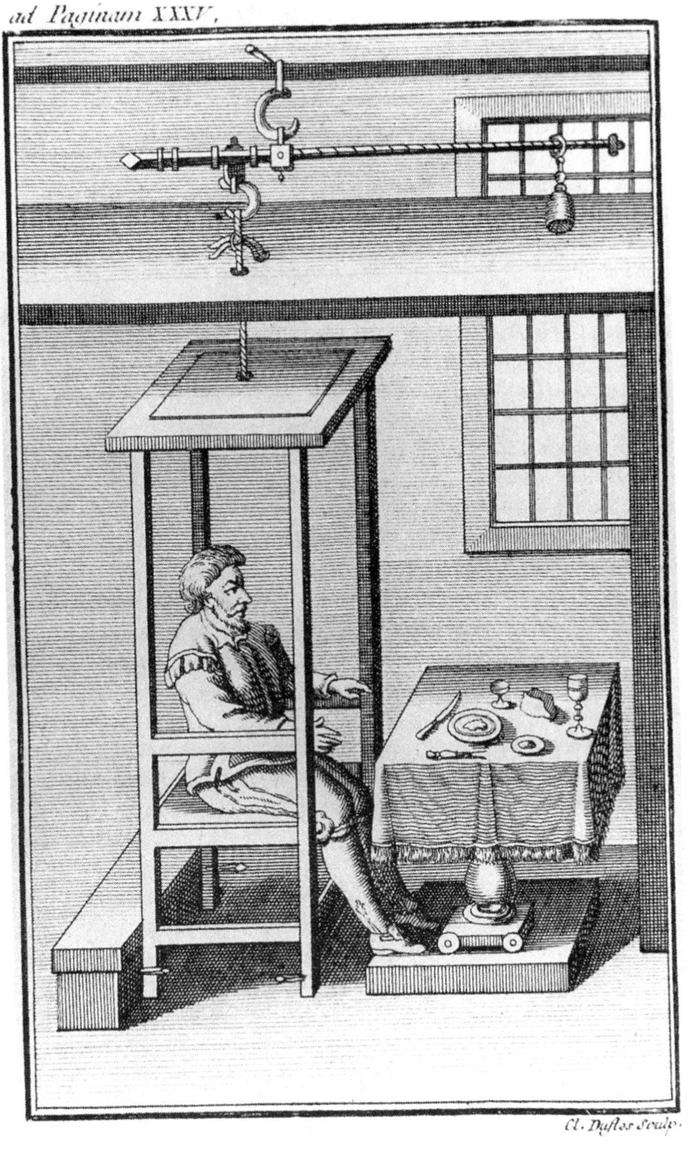

Figure 9.6. Santorio installé sur sa balance.

d'animaux pouvaient survivre dans le vide. Après avoir observé la mort d'oiseaux, de vers, de vipères, de chatons, etc., sous l'effet du vide, Boyle ne put conclure autrement qu'en affirmant qu'il devait y avoir dans l'air une matière essentielle à la vie.

À la même époque, Giovanni Alfonso Borelli (1608-1679), membre de l'Accademia del Cimento, proposa que l'air était composé de particules minuscules, « des petites machines spirales qui peuvent être comprimées par une force externe[37] ». Pour lui, cette matière en mouvement, censée interagir avec les particules du sang, était la cause de sa circulation. Cependant, ce recours à une imagerie mécaniste de la respiration ne suffisait pas à en élucider de manière démonstrative le mécanisme. C'est ainsi que l'ami de Boyle, Robert Hooke (1635-1703), responsable des expériences à la Société royale de Londres, tenta de mieux cerner le processus de la respiration en ayant recours à la vivisection. Dans des expériences exécutées devant les membres de la Société, Hooke ouvrit un chien maintenu en vie par un soufflet introduit dans la trachée. On put constater que le mouvement des poumons était indépendant du battement du cœur qui se poursuivait même après la ligature des vaisseaux majeurs. Ce faisant, Hooke avait involontairement réfuté l'explication de Borelli; la fonction de la respiration ne pouvait plus consister à faire circuler ou à mettre en mouvement le sang, comme Hooke lui-même l'avait soupçonné, mais plutôt à le ventiler. Le mécanisme du battement du cœur demeurait ainsi obscur. Ce ne serait d'ailleurs qu'au XXe siècle que cette énigme trouverait une solution.

La circulation du sang ne fut évidemment pas la seule fonction physiologique à se prêter à l'imagination théorique et expérimentale mécaniste. Ce fut aussi le cas de la digestion. Depuis l'Antiquité, on l'avait décrite comme une transformation de l'aliment en « humeur » par une sorte de cuisson (Aristote) effectuée par les pouvoirs ou « facultés » propres à l'estomac et au foie (Galien). Voulant se dispenser des facultés de Galien, les mécanistes du XVIIe siècle comme Borelli et Claude Perrault avançaient que la digestion stomacale n'est autre chose qu'un processus de trituration et de broiement des aliments.

Ainsi, Borelli avait fait avaler des boules de verre à des canards et à des dindons et les avait retrouvées le lendemain pulvérisées. On crut y voir la démonstration que la digestion est une activité purement mécanique. Au milieu du XVIIIe siècle, René Antoine Ferchault de Réaumur (1683-1757), un membre éminent de l'Académie royale des sciences de Paris, avait confirmé ces résultats, mais avait rapidement pressenti qu'il s'agissait de cas particuliers : ces oiseaux de basse-cour sont en effet munis d'un gésier musculeux qui, par friction, détache de la graine ingurgitée l'enveloppe non digestible la

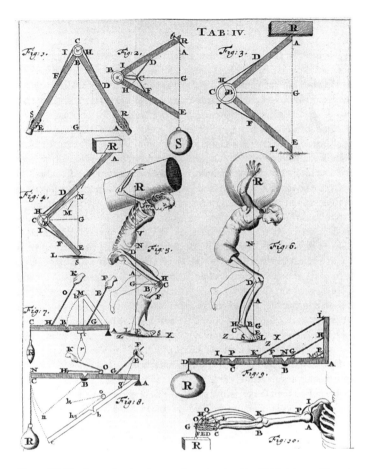

Figure 9.7. L'analyse mécaniste du corps humain selon Borelli. Tiré de son *De motu animalium*, de 1680.

recouvrant. En faisant notamment avaler à divers animaux des aliments placés dans des tubes de fer blanc troués à l'une de leurs extrémités, Réaumur observa que la déformation de ces tubes par trituration ne se produit pas dans le cas d'organismes à estomac membraneux et que des substances comme des viandes et des légumes sont effectivement digérées dans des tubes intacts après quelques heures de séjour dans l'estomac. Quelques années plus tard, Lazzaro Spallanzani (1729-1799), professeur de philosophie à Pavie, recueillit, en sacrifiant des animaux à jeun, du suc gastrique et réussit des digestions artificielles dans un four à la température du corps, ou encore en portant des tubes fermés sous ses aisselles pendant trois jours. Il démontra ainsi que la digestion est bien un phénomène chimique et non mécanique, et, en outre, qu'elle se produit sans l'intervention d'aucune action vitale[38]. Cependant, les travaux ne dépassèrent guère, jusqu'au XIXe siècle, ce constat d'une activité chimique dans la digestion. À une époque où les techniques de purification et la connaissance des éléments ne permettaient que des analyses rudimentaires, la compréhension de la nature et de l'action du suc gastrique restait bloquée.

L'application de la philosophie et de l'imagination mécanistes à l'étude du vivant présentait des limites assez étroites. Très souvent, cette application n'était qu'un point de départ pour des travaux qui ne pouvaient ni la confirmer ni la préciser. La valorisation de l'étude de toutes les productions de la nature par l'histoire naturelle généra une foule de données qui surgissaient indépendamment des doctrines dont les chercheurs se réclamaient mais qui, inévitablement, faisaient l'objet d'interprétation à la lumière de ces doctrines. Ce fut notamment le cas pour le problème de la génération, une notion qui englobe à la fois les phénomènes de conception, d'hérédité, de croissance et de développement du vivant.

LES SURPRISES DE LA PHYSIOLOGIE DE LA GÉNÉRATION

Aristote admettait plusieurs modes de génération : sexuelle, asexuelle et même la génération spontanée qui, par exemple dans le processus de putréfaction, donnerait lieu à l'apparition de nouveaux vivants sans pour autant produire de nouvelles espèces. La génération sexuelle demandait la participation de deux semences, un phénomène conçu par Aristote comme une rencontre entre une forme et une matière. Le mâle fournissait la forme et le principe du mouvement de croissance avec le sperme, qui, dérivé du sang, était un sous-produit de la nutrition ; la femelle fournissait la matière à travers le sang menstruel (et non pas l'œuf ; l'œuf des mammifères ne serait observé qu'en 1826).

Dans son livre *Sur la génération des animaux* (1651), William Harvey affirma que le principe de l'épigénèse, c'est-à-dire l'idée selon laquelle l'embryon se construit graduellement par l'addition de parties qui ne préexistent pas, constituait la forme spécifique de génération des animaux. Utilisant des embryons (qu'il croyait être des œufs) prélevés sur des biches gravides, Harvey déclara que la génération animale était produite uniquement par un œuf, stimulé par la semence mâle. Pour lui, les transformations subséquentes de l'œuf fécondé suivaient une logique strictement aristotélicienne ; il ne s'agissait pas de l'agrandissement, du déploiement d'un être miniature déjà complètement formé — la thèse dite « préformationniste » —, mais d'un changement d'ordre qualitatif, d'un passage de la puissance à la réalisation progressive et effective. Le développement d'un individu était donc la réalisation d'un potentiel et non pas une simple croissance. Cependant, face aux mécanistes qui préféraient l'imagerie d'un dépliement de l'être préformé, Harvey n'offrait aucune explication des changements survenant régulièrement d'un individu à l'autre dans le développement de l'embryon, selon ce qui semblait être un plan propre à chaque espèce.

À une époque de large diffusion de la philosophie mécaniste, le préformationnisme devait avoir l'avantage sur la thèse de l'épigénèse, car celle-ci semblait devoir faire appel à des qualités occultes. En effet, la théorie du développement comme une sorte de dépliement d'un être miniature mais déjà complet s'accorde très bien avec une imagination mécaniste : l'intelligible, c'est ce qui peut être visualisé à tous les stades, même si la visualisation effective n'a pu encore s'effectuer[39]. Les grands philosophes Malebranche et Leibniz, tous deux préformationnistes, firent beaucoup pour la diffusion de l'idée et pour l'accréditer. Mais quand on est préformationniste, une question se pose : si le développement de l'embryon n'est que l'amplification d'un être déjà complètement formé au départ, d'où, de quel parent cet être provient-il ?

À compter de 1670 environ et pendant 35 ans au moins, on était, semble-t-il, majoritairement préformationniste et oviste : l'être préformé avait son origine dans un œuf de la mère. Ce fut Régnier de Graaf (1641-1673) qui donna à cette théorie en 1672 une « base solide[40] ». En 1667, l'anatomiste danois Nicolas Sténon (1638-1686) avait examiné des poissons vivipares femelles et repéré des ovaires qui devaient être producteurs d'œufs. De Graaf, qui appelait « œufs » ces ovaires, en retrouva chez le lapin, la vache, le chien et le porc. En 1672, dans son ouvrage *De mulieribus organis,* ce qu'il rapporte avoir vu, ce sont en fait non pas les œufs, mais les follicules de l'ovaire dont sont issus les œufs chez la femme ; il avance l'hypothèse que les corps qu'il a observés (les follicules) produisent des entités 10 fois plus petites qui doivent être les vrais œufs.

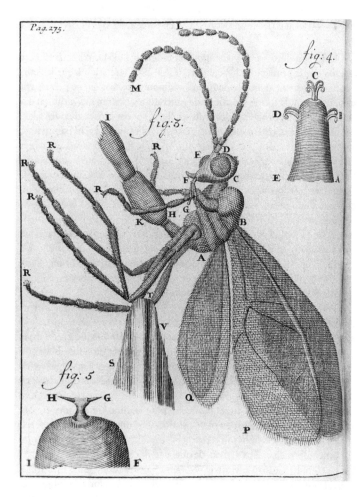

Figure 9.8. Insecte sous le microscope de Leeuwenhoek. Cet instrument donnait à voir un monde aux détails jusque-là inaccessibles.

Le pouvoir de séduction de la doctrine de la préexistence et de la préformation n'avait pas que des ressorts philosophiques ; il s'appuyait aussi largement sur la connaissance nouvelle de la métamorphose des insectes[41]. Le naturaliste hollandais Jan Swammerdam (1637-1680) avait mis au point une technique de trempage permettant de décortiquer le cocon d'un insecte et de montrer que ses différents stades d'existence (larve, nymphe et imago) sont simultanément présents et emboîtés les uns dans les autres. Comme Swammerdam le dit avec insistance dans son *Miraculum naturae*, en 1672, non seulement il y a préformation, mais les êtres préexistants sont emboîtés les uns dans les autres. C'est dans cet ouvrage que se trouve le passage fameux énonçant que l'humanité cessera d'exister quand on arrivera à la fin de la série de tous les œufs qui ont été emboîtés les uns dans les autres, toute l'humanité étant déjà comprise chez Ève : « Puisque toute l'humanité doit avoir été dissimulée dans les entrailles d'Adam et Ève, il faut ajouter comme une conséquence nécessaire que lorsque ces œufs auront été tous dépensés, la fin de l'humanité sera arrivée[42]. »

La découverte du spermatozoïde communiquée à la Société royale de Londres par le marchand et microscopiste hollandais Antonie Van Leeuwenhoek (1632-1723), allait conduire dans les années 1670 à opposer à l'ovisme la doctrine rivale du spermaticisme, le spermatozoïde plutôt que l'œuf étant censé contenir tout l'être préformé. Mais cette doctrine allait demeurer minoritaire : les mâles produisent en effet des myriades de spermatozoïdes dont l'immense majorité est toujours perdue. Il semblait alors improbable que la nature eût fait résider l'emboîtement des germes des vivants dans le spermatozoïde ; cela aurait impliqué le gaspillage d'êtres complètement formés dans une nature qui devait être harmonieusement organisée parce que créée par un Dieu rationnel.

L'épigénèse devait connaître un regain de popularité chez les naturalistes dans la seconde moitié du XVIIIᵉ siècle, mais il faudra encore plusieurs décennies avant que ne soit élucidé le mécanisme de la génération. Il faut se rappeler en effet que l'on n'observa sous le microscope la pénétration d'un spermatozoïde dans un ovule que dans les années 1880. Que les mécanismes de la génération aient été encore mal compris et qu'ils fussent d'une complexité et d'une variété stupéfiantes, les médecins et les naturalistes du XVIIIᵉ siècle en étaient fort conscients. Deux découvertes effectuées en 1740 et en 1741, et presque immédiatement connues, allaient d'ailleurs le leur rappeler de façon retentissante.

Il y eut d'abord la démonstration, par Charles Bonnet (1720-1793), alors étudiant en droit à Genève et déjà naturaliste fort actif, de la parthénogénèse du puceron, c'est-à-dire de la capacité de reproduction des femelles sans intervention d'aucun mâle, et ce pendant plusieurs générations. Dans une série d'expériences, Bonnet réussit à isoler un puceron femelle qui venait de naître et qui, parvenue au stade adulte et sans aucun contact avec des pucerons mâles, enfanta d'autres pucerons femelles. Il parvint à élever une dizaine de générations de pucerons en l'absence de mâles, ce qui renforçait l'idée que les générations futures devaient déjà être présentes dans les générations antérieures.

L'autre découverte, effectuée par un cousin de Charles Bonnet, Abraham Trembley (1710-1784), qui, pour gagner sa vie, était alors le tuteur des enfants d'une famille noble de Hollande, fut celle des étonnantes propriétés de l'hydre d'eau douce. Celle-ci est en effet capable de se reproduire par bouture (ce qui amenait Trembley à se demander s'il n'avait pas affaire à un authentique animal-plante, ce mode de reproduction étant, croyait-on jusqu'alors, réservé aux plantes) et, chose encore plus étonnante, elle est aussi capable de régénéra-

---

Une étonnante découverte ébranle des idées reçues

Extrait de la lettre d'Abraham Trembley à son cousin Charles Bonnet (La Haye, le 27 janvier 1741)

Je ne sai presque si je dois apeller plante ou animal l'objet qui m'occupe le plus à présent. Je l'étudie depuis le mois de Juin. Il m'a fourni des characteres assés marqués de plante et d'animal. C'est un petit Etre aquatique. Dès qu'on le voit pour la première fois on s'écrie que c'est une petite plante. Mais si c'est une plante, elle est sensitive et ambulante, et si c'est un animal il peut venir de bouture comme plusieurs plantes. J'en ai coupé en trois parties. Il est revenu à chacune ce qui lui manquoit pour etre telle que cet Etre avant que d'etre partagé, et chacune a marché, et fait jusqu'ici tous les mouvements que j'ai vu faire à l'animal complet.

Extrait de la lettre de Charles Bonnet à Abraham Trembley (Genève, 1er juillet 1741)

L'industrie que vous avés remarqué dans vôtre Polype ne fera pas sans doute grand plaisir aux Metaphysiciens; si d'un côté elle semble prouver qu'il a une ame, de l'autre sa reproduction extraordinaire fait naitre de terribles difficultés. Y auroit-il dans cet Insecte comme chés ceux qui lui ressemblent dans cette reproduction, autant d'ames qu'il y a de portions de ces mêmes Insectes qui peuvent elles-mêmes devenir Insectes parfaits ?

Virginia P. Dawson, *Nature's Enigma. The Problem of the Polyp in the Letters of Bonnet, Trembley and Réaumur*, Philadelphie, American Philosophical Society, 1987, p. 198 et 206.

tion : quand l'hydre est sectionnée en plusieurs tronçons, chacun de ceux-ci donne bientôt naissance à un animal complet.

La portée et les répercussions intellectuelles de ces deux découvertes quasi simultanées sont difficiles à imaginer aujourd'hui. On a pu dire qu'il s'est agi du grand événement philosophique du XVIIIᵉ siècle. La parthénogénèse semblait donner raison aux partisans de la préexistence des genres, de leur emboîtement et de l'ovisme. Mais, surtout, ces deux découvertes mettaient en question ce que l'on croyait déjà savoir sur la nécessaire complémentarité des sexes dans la reproduction des animaux et aussi, dans le cas de l'hydre, la notion même d'individualité.

Si la régénération de l'hydre soulevait des questions pour les tenants de l'âme animale, elle ne convainquait pas davantage les partisans de l'animal-machine : on voyait mal comment une partie de machine continuerait de bien fonctionner (une horloge privée d'un rouage cesse de fonctionner) et encore moins comment elle pourrait à elle seule produire une nouvelle machine complète. Les expériences sur l'hydre en amenaient certains à concevoir que la vie est une propriété intrinsèque de toute matière, que la matière contient des propriétés actives, ce qui allait bien sûr à l'encontre du cartésianisme et pouvait aussi apparaître dangereusement susceptible de nourrir des positions matérialistes. En outre, si la parthénogénèse pouvait sembler conforter la position oviste, la régénération de l'hydre et sa reproduction par bouture semblaient pour leur part suggérer que la matière peut s'organiser elle-même, et ce sans la médiation d'un œuf[43].

MÉCANISME OU VITALISME ?

Si certains, comme le médecin français Julien Offray de La Mettrie (1709-1751), auteur du célèbre tract philosophique *L'Homme-machine* (1748), firent dans ce contexte le choix d'un matérialisme mécaniste, la majorité en revanche opta plutôt pour le vitalisme, c'est-à-dire pour la doctrine qui attribue à la matière vivante des propriétés intrinsèques différentes de celles de la matière inerte.

Sans doute, sous l'influence notamment de la pensée cartésienne, l'idée que les processus à l'œuvre dans les vivants pouvaient être réduits en dernière instance à des principes chimiques ou physiques continua à donner lieu à de nombreuses expériences. Mais, tandis que le squelette et l'action musculaire pouvaient être facilement conçus mécaniquement comme un ensemble de leviers et de poulies, des processus comme la croissance, la génération ou la nutrition se prêtaient moins évidemment à de telles représentations. Dès la première moitié du XVIIIᵉ siècle, les thèses mécanistes se firent de plus en plus rares. On abandonna alors la physique en tant que modèle pour s'aligner soit sur la chimie, soit sur un agnosticisme, un empirisme sans prétention explicative, soit enfin sur le vitalisme.

Nées en opposition directe à la philosophie mécaniste, les théories vitalistes devaient prendre plusieurs formes, mais chacune relevait d'un même présupposé : si la vie est irréductible aux processus chimiques ou physiques, il faut alors l'aborder avec des concepts et des techniques propres aux processus vitaux. Deux approches furent élaborées dans cette direction. La première, présentée par Georg Stahl (1660-1734), professeur de médecine à l'université de Halle, dans sa *Theorica medica vera* (1708)[44], avançait l'idée d'une *anima sensitiva* impliquant une substance spécifique à la vie. Cette substance serait spécifique à la fois parce que sans elle la vie n'aurait pas existé et parce qu'elle échapperait aux analyses chimiques ou physiques. Le cas du sang paraissait exemplaire : en dehors du vivant, il subit une putréfaction presque immédiate. La seconde approche consistait à postuler l'existence d'une propriété ou d'un principe d'organisation qui s'ajouterait aux forces et aux substances chimiques et physiques déjà présentes. Les notions d'irritabilité et de sensibilité d'Albrecht von Haller (1708-1777), professeur de médecine à l'université de Göttingen, semblaient valider cette approche. Von Haller les utilisa pour déterminer les propriétés vitales des muscles, qui se contractent au toucher, et des nerfs, qui ne se contractent pas mais qui transmettent un message au cerveau.

Tout en délivrant les spécialistes du vivant des limites du mécanisme, le vitalisme engendra ses propres difficultés et, partant, ses propres controverses. On eut vite fait de remarquer, par exemple, que l'irritabilité, quoique spécifique à la fibre musculaire du vivant (le fer n'est pas irritable) n'était pas nécessairement restreinte à la vie : les muscles sont encore pour un temps irritables après la mort.

Mais, surtout, le vitalisme restait suspect aux yeux de nombreux auteurs du fait de ses connotations matérialistes. Pour beaucoup de naturalistes, et pas seulement pour ceux, très nombreux, qui étaient des ecclésiastiques, le monde et les activités des vivants demeuraient, tout comme la grande mécanique de l'ordre astronomique, à comprendre en tant que manifestations d'un ordre naturel résultant d'une création providentielle. C'était en quelque sorte continuer à suivre l'exemple et les injonctions du grand Newton, celui des *Principia* et de l'*Optique*. Ce ne sera guère qu'au XIXᵉ siècle que, progressivement, les présupposés culturels de l'activité des savants se séculariseront définitivement.

CONCLUSION

À la différence de la physique, la biologie ne vit pas paraître entre le XVIᵉ et le XVIIIᵉ siècle de Galilée ou de Newton pour remplacer Aristote et Galien. Les travaux de Vésale, de Ray ou de Harvey ouvrirent certes plusieurs nouveaux champs de recherche, mais sans qu'on assiste à la mise en place d'un cadre conceptuel aussi complet que celui que l'on était amené à abandonner.

Deux grandes traditions se partageaient les savoirs sur les vivants. La première, l'histoire naturelle, issue de la matrice culturelle humaniste, vit apparaître la figure du naturaliste, un « homme sçavant[45] », souvent encore un médecin, voué d'abord à la reprise élargie de l'encyclopédisme à la façon de Pline, puis, à compter du XVIIᵉ siècle, à la description disciplinée des seules relations de similitudes physiques entre les êtres, à la classification et à la reconstitution de l'ordre de la création.

La deuxième tradition, celle de la « physique des vivants », en partie expérimentale et à cet égard inspirée notamment de Galilée, mais aussi rendue possible par la remise en question par des anatomistes comme Vésale de l'exactitude des fondements de la physiologie de Galien, s'attachait à l'investigation des causes des processus à l'œuvre dans les plantes, les animaux et les humains. La pratique de cette physique restait surtout l'apanage des médecins, en dépit de quelques éclatantes exceptions, comme Charles Bonnet ou Lazzaro Spallanzani. D'abord dominée par l'imagerie mécaniste, la recherche physiologique en rencontra progressivement les limites, de sorte que les explications vitalistes occupèrent une place croissante — surtout chez les médecins — malgré le soupçon de matérialisme qui pesait sur une hypothèse faisant appel à des propriétés actives de la matière.

Conclusion

Plus de trois millénaires séparent les premiers scribes des premiers savants. Cette durée n'est pas celle d'une longue gestation au terme de laquelle la figure du savant devait nécessairement apparaître. L'histoire des porteurs du savoir n'est pas une métamorphose, un développement programmé, mais un itinéraire imprévisible, contingent et mouvementé.

Personne n'aurait pu prédire que le scribe permettrait l'émergence du philosophe, que la connaissance rationnelle deviendrait un modèle pour la figure nouvelle de l'ingénieur, que le clerc et la philosophie scolastique prendraient le relai de l'encyclopédisme et de la philosophie antiques, que l'humaniste viendrait, se donnant pour mission de restituer dans son intégrité le savoir gréco-romain, ou que le projet d'une nouvelle philosophie naturelle affirmerait la supériorité d'une modernité dont le savant serait le porteur éminent. Comme toute histoire, l'histoire des sciences et de leurs ambassadeurs est faite d'aléas, de percées, de reniements et de recommencements. Même quand il s'agit de figures historiques dont la vocation affirmée est de faire valoir les mérites de la connaissance rationnelle, de la propager et de la pousser plus avant, ces figures restent associées à des conditions culturelles, techniques et sociales qui imposent des limites à la pensée comme à l'action.

Ainsi, l'écriture créa le scribe, et l'établissement de listes permit à la pensée de dépasser le stade de la mémorisation pour passer à celui de la codification des informations sur un support matériel. L'accumulation de données diverses et leur comparaison donnèrent alors au cerveau humain la possibilité de s'exercer à la généralisation, de se livrer aux premières tentatives systématiques pour mettre en évidence des régularités dans le monde environnant. Ce premier mode d'appréhension de la nature, caractéristique des sociétés mésopotamienne et égyptienne, avait toutefois ses limites, en partie liées à la nature même des premières écritures cunéiforme et hiéroglyphique.

Ce fut d'ailleurs dans un tout autre cadre social, celui des petites cités-États grecques, qu'émergea un nouveau mode d'appréhension de la nature fondé sur l'idée de preuve et sur une conception géométrique du monde. L'utilisation d'une écriture alphabétique beaucoup plus simple, mais aussi plus abstraite, représentant des sons et non des objets, put aussi contribuer à la spécificité de la philosophie grecque, soucieuse de réflexions sur la nature ultime des choses (l'être). Les débats publics, indissociables de la démocratie grecque, stimulèrent également la réflexion sur les règles de l'argumentation et amenèrent les premières codifications de la logique. Quant au caractère constructif et déductif de la géométrie, il rendit possible la manipulation d'abstractions à un niveau extraordinaire, comme celui qu'impliqua le calcul de la circonférence de la Terre et de la distance Terre-Lune, évidemment inaccessibles à la mesure empirique directe.

Malgré l'importance des pratiques mésopotamiennes et égyptiennes, on ne peut surestimer celle de la contribution grecque, car ce fut bien ce mode d'appréhension de la nature qui se diffusa à travers l'Europe, rendant ainsi caduque la méthode empirique des scribes. Négligées par les Romains, plus affairés à construire et à gérer leur empire et à former des ingénieurs qu'à s'interroger sur la nature des choses, les sciences codifiées par les Grecs purent trouver refuge dans le monde arabe, qui les assimila rapidement et les fit abondamment fructifier. Le monde chrétien médiéval y trouva une substantielle nourriture intellectuelle et en fit le truchement de sa récupération de l'héritage scientifique des Anciens.

Toujours essentiellement fondé sur les grands savants de l'Antiquité, Aristote, Galien et Ptolémée, mais filtré par les grands commentateurs arabes Avicenne et Averroès, le savoir pris en charge par les clercs s'incarna au Moyen Âge dans une forme institutionnelle radicalement nouvelle avec la création des universités. Mais la mise au point des techniques scolastiques d'interrogation des textes canoniques eut tôt fait de figer ce savoir dans un ensemble de commentaires qui prenaient moins pour objet la nature que le livre lui-même. Les humanistes de la Renaissance s'intéressaient aussi au livre, mais ils voulaient retourner à la pureté antique et délivrer les œuvres des couches de sédiments scolastiques qui en déformaient le sens. L'imprimeur facilitera l'accès à des œuvres scientifiques méconnues ou difficilement accessibles et diffusera dans toute l'Europe des théories, comme l'atomisme, longtemps marginalisées par la scolastique.

Dans un monde transformé par la multiplication des échanges économiques et la découverte de continents nouveaux, le savant entra progressivement en scène à compter de la seconde moitié du XVIe siècle pour donner un sens nouveau à une injonction déjà ancienne, celle du retour à la lecture du livre de la nature. Une époque de transformations radicales, que l'on a justement pu caractériser comme une révolution, vit se multiplier des instruments nouveaux, télescopes, thermomètres, baromètres, pompes à vide, etc. Les nouveaux modes d'appréhension de la nature, désormais soumise à la « torture » de ces instruments, lui arrachaient les réponses aux questions posées par les savants. Cette instrumentation croissante s'accompagna d'une mathématisation des lois de la nature qui atteignit un sommet avec Newton. Ce dernier fournit aux savants du début du XVIIIe siècle un modèle à appliquer et un idéal à généraliser à l'ensemble des phénomènes naturels.

Ces transformations conceptuelles et sociales s'accompagnèrent également de déplacements géographiques importants. Alors que l'invention de l'écriture avait été tributaire des grandes civilisations hydrauliques du Tigre, de l'Euphrate et du Nil, la Raison grecque émergea sur les côtes de l'Asie mineure et atteignit son point culminant à Athènes. À l'époque hellénistique, le centre de gravité du savoir se déplaça vers Alexandrie. Celle-ci renoua ainsi avec les traditions centralisatrices qui donnèrent naissance aux institutions d'État que furent le musée et la bibliothèque, lesquels contrastaient avec l'Académie, le Lycée et autres lieux de rencontres des philosophes grecs. La tradition grecque se perpétua dans le monde arabe après que les musulmans eurent conquis Alexandrie au milieu du VIIe siècle. Bagdad, Cordoue et Tolède devinrent ainsi pour près d'un demi-millénaire les grands centres de l'avancement des sciences avant que les clercs des universités françaises, anglaises et italiennes ne reprennent le flambeau à compter du XIIIe siècle, grâce au travail des traducteurs qui, au cours du siècle précédent, avaient rendu à nouveau accessible le savoir ancien en traduisant de l'arabe vers le latin les grands textes scientifiques d'Aristote, de Ptolémée, d'Archimède et de bien d'autres. La multiplication des universités, des académies et la diffusion de l'imprimerie accompagnèrent un déplacement vers le centre de l'Europe des lieux privilégiés de réflexion, ce qui débouchera sur un renouvellement important du savoir, la révolution scientifique, période marquée par les figures de Copernic, Vésale, Galilée, Descartes, Harvey et Newton, qui renversèrent l'ordre millénaire érigé par Aristote, Ptolémée et Galien.

1750 : L'ÉTAT DES LIEUX

À la veille de la révolution industrielle, le savant européen croyait enfin disposer d'une physique universelle, et d'une méthode assurant le progrès des sciences. L'*Encyclopédie* ou *Dictionnaire raisonné des arts, des sciences et des métiers*, dont le premier volume parut en 1751, incarnait bien l'optimisme newtonien.

Elle avait en effet des visées autrement ambitieuses que les compilations de Pline, d'Isidore de Séville ou d'Aldrovandi. L'encyclopédie de Denis Diderot (un homme de lettres qui laissa des écrits substantiels sur des questions d'histoire naturelle et de physiologie) et de Jean Le Rond d'Alembert (un mathématicien et physicien qui fut aussi un homme de lettres) se proposait d'offrir un condensé de toutes les connaissances humaines, et de faire ressortir, dans les 17 volumes de texte de l'édition originale (auxquels s'ajoutaient 11 volumes de planches) l'ordre rationnel auquel le monde moral et politique, comme le monde physique, doit ou devrait obéir. Pour les encyclopédistes du XVIIIᵉ siècle, la philosophie naturelle, et singulièrement celle de Newton, non seulement élucidait les lois de la nature, mais devait aussi servir de guide pour libérer l'esprit humain de la superstition et du malheur. Sur les succès de la révolution scientifique devrait se bâtir la cité de la liberté et du bonheur. Comme l'écrivait d'Alembert dans le *Discours préliminaire* de l'Encyclopédie, « Newton [...] parut enfin, et donna à la philosophie une forme qu'elle semble devoir conserver[1]. »

Sans doute l'évolution de la science n'était-elle pas achevée et les bons esprits de 1750 le reconnaissaient volontiers. Selon le paradigme newtonien, le cosmos était désormais régi par la loi de la gravitation ; le mouvement des objets terrestres, tout comme celui des planètes et des comètes, n'avait plus rien de mystérieux, la découverte de planètes nouvelles venant au contraire confirmer la puissance explicative de la physique newtonienne. Par contre, toute une série de phénomènes physiques — électricité, magnétisme, lumière, chaleur — échappaient encore à la mathématisation et occuperaient les savants au cours du siècle suivant.

Malgré de nombreux efforts pour la ramener dans le giron du paradigme newtonien, la chimie restait encore en 1750 fondée sur la théorie des quatre éléments même si elle avait été techniquement renouvelée par de nombreux procédés empiriques hérités notamment des activités des alchimistes.

En mathématiques, la géométrie, codifiée depuis Euclide, avait été enrichie, depuis la Renaissance, par l'algèbre, et la mise en relation de ces deux branches par Descartes donna naissance à la géométrie analytique. Les développements de la physique et des réflexions sur les quantités infinitésimales amenèrent aussi Newton et Leibniz à inventer le calcul différentiel. Il existait donc des équations différentielles dont la théorie allait se développer tout au long du XVIIIe siècle, mais pas encore d'équations aux dérivées partielles qui seraient plutôt étudiées au XIXe siècle.

L'histoire naturelle, dominée par la préoccupation classificatoire, prit une allure passablement moderne et un taxonomiste d'aujourd'hui reconnaît toujours en Linné un maître de sa science. Mais la compréhension que l'on avait de l'ordre de la nature tenait toujours au paradigme chrétien de la création. À bien des égards, la Bible restait l'ouvrage le plus fondamental pour la conception que l'on se faisait du monde vivant. Quant aux travaux sur le fonctionnement même des vivants, sur leur physiologie, ils continuaient à relever pour l'essentiel de l'observation, parfois accompagnée d'une pratique expérimentale ingénieuse mais qui trouvait rapidement ses limites dans les insuffisances de la chimie de l'époque. Pour les sciences du vivant, il faudrait encore plusieurs décennies avant que ne survienne une grande rupture par rapport à la tradition, comme celle de la physique au XVIIe siècle ; ce serait l'une des grandes contributions du XIXe siècle.

Au total, beaucoup d'ouvrages en témoignent, à commencer par l'*Encyclopédie* de Diderot et de d'Alembert, les savants du milieu du XVIIIe siècle étaient davantage étonnés et satisfaits des progrès accomplis, confiants dans la puissance de la raison pour aménager l'avenir, qu'en attente de nouvelles révolutions scientifiques. Or, les révolutions en physique, en biologie, en mathématiques, dans toutes les sphères de la connaissance, les deux siècles suivants allaient les multiplier et faire apparaître une nouvelle figure de porteur du savoir : le scientifique.

Notes

INTRODUCTION

1. C. Ronan, *The Shorter Science and Civilisation in China*, 5 vol., Cambridge, Cambridge University Press, 1978-1995; R. Rashed (dir.), *Histoire des sciences arabes*, 3 vol., Paris, Seuil, 1997; pour les autres civilisations, on peut encore consulter R. Taton (dir.), *Histoire générale des sciences*, 4 vol., Paris, Presses Universitaires de France, 1966.

CHAPITRE 1 • LES SCRIBES : PORTEURS DU SAVOIR EN MÉSOPOTAMIE ET EN ÉGYPTE ANCIENNE

1. H. McCall, *Mythes de la Mésopotamie*, Paris, Seuil, coll. « Points », 1994, p. 15-25.
2. J. Bottéro et M.-J. Stève, *Il était une fois la Mésopotamie*, Paris, Gallimard, 1993, p. 56; McCall, *op. cit.*
3. J.-C. Margueron, *Les Mésopotamiens*, t. II : *Le Cadre de la vie et la Pensée*, Paris, Armand Colin, 1991, p. 177.
4. C. G. Starr, *A History of the Ancient World*, New York, Oxford University Press, 1991, p. 31.
5. W. McNeill, *The Pursuit of Power*, Chicago, University of Chicago Press, 1982, p. 1-23.
6. Margueron, *op. cit.*, p. 170.
7. *Ibid.*, p. 142.
8. *Ibid.*, p. 155-163.
9. *Ibid.*, p. 167.
10. *Ibid.*, p. 170.
11. A. L. Oppenheim, *La Mésopotamie. Portrait d'une civilisation*, Paris, Gallimard, 1970, p. 95.
12. N. Kramer, *L'histoire commence à Sumer*, Paris, Flammarion, 1994, p. 25.
13. Oppenheim, *op. cit.*, p. 88.
14. Margueron, *op. cit.*, p. 179.
15. Oppenheim, *op. cit.*, p. 119-120; Margueron, *op. cit.*, p. 184.
16. Margueron, *op. cit.*, p. 186.
17. Kramer, *op. cit.*, p. 27-28.
18. N. S. Kramer, *The Sumerians*, Chicago, University of Chicago Press, 1967, p. 235.
19. Sur la situation physique des villes, voir P. Lampl, *Cities and Planning in the Ancient Near East*, New York, Braziller, 1968.
20. A. Falkenstein, « Die babylonische Schule », *Saeculum*, vol. 4, 1953, p. 125-137, p. 132.

21. A. L. Oppenheim, « The Position of the Intellectual in Mesopotamian Society », *Daedalus*, vol. 104, n° 2, 1975, p. 39.

22. A. L. Oppenheim, « Man and Nature in Mesopotamian Civilization », *Dictionnary of Scientific Biography*, Supplement, New York, Scribners, 1973, p. 644.

23. N. S. Kramer, « Schooldays, a Sumerian Composition Relating to the Education of a Scribe », *Journal of the American Oriental Society*, vol. 69, 1949, p. 199-215 ; A. W. Sjoberg, « In Praise of the Scribal Art », *Journal of Cuneiform Studies*, vol. 24, 1976, p. 126-131 ; N. Schneider, « Der *dub.sar* als Verwaltungsbeamter im Reiche von Sumer und Akkad zur Zeit der 3. Dynastie von Ur », *Orientalia*, N. S., vol. 15, 1946, p. 64-88 ; B. Landsberger, « Babylonian Scribal Craft and Its Terminology », *Proceedings of the 23rd International Congress of Orientalists*, p. 123-126 ; A. L. Oppenheim, « A Note on Scribes in Mesopotamia », *Studies in Honor of Benno Landberger, Assyriological Studies*, vol. 16, 1965, p. 253-256.

24. J. Bottéro, *Mésopotamie*, Paris, Gallimard, 1980.

25. Oppenheim, *La Mésopotamie*, p. 256-257.

26. J. Goody, *The Domestication of the Savage Mind*, Cambridge, Cambrige University Press, 1978, p. 81-111.

27. J. Høyrup, *In Measure, Number and Weight*, Albany, State University of New York Press, 1994, p. 59.

28. A. Pichot, *La Naissance de la science*, vol. 1 : *Mésopotamie, Égypte*, Paris, Gallimard, 1991, p. 76.

29. J. Høyrup, *op. cit.*, p. 77-78.

30. K. R. Nemet-Nejat, *Cuneiform Mathematical Texts as a Reflection of Everyday Life in Mesopotamia*, New Haven, CT, American Oriental Society, 1993, p. 12.

31. J. Ritter, « Babylone - 1800 », M. Serres (dir.), *Éléments d'histoire des sciences*, Paris, Bordas, 1989, p. 36.

32. Nemet-Nejat, *op. cit.*, p. 24.

33. *Ibid.*, p. 40.

34. C. Boyer, *A History of Mathematics*, Princeton, NJ, Princeton University Press, 1985, p. 36.

35. R. Olson, *Science Deified, Science Defied*, Berkeley, University of California Press, 1982, p. 32.

36. F. Rochberg-Halton, « Mesopotamian Cosmology », *Encyclopedia of Cosmology*, New York, Garland, 1993, p. 401.

37. *Ibid.*, p. 399.

38. M. Claggett, *Ancient Egyptian Science*, Philadelphie, American Philosophical Society, vol. 1, 1992, p. 265-266.

39. Pichot, *op. cit.*, p. 167.

40. Cité par Pichot, *op. cit.*, p. 164.

41. Pichot, *op. cit.*, p. 151.

42. Ritter, *loc. cit.*, p. 19.

43. Sur la Mésopotamie, voir, par exemple, R. D. Biggs, « Medicine in Ancient Mesopotamia », *History of Science*, 8, 1969, p. 94-105.

44. R. Labat, « Médecine » et « Pharmacie », *Dictionnaire archéologique des techniques*, t. 2, Paris, Éditions de l'Accueil, 1964, p. 614-617, p. 839-841.

45. A. L. Oppenheim, « Man and nature in Mesopotamian Civilization », p. 646.

46. G. Majno, *The Healing Hand : Man and Wound in the Ancient World*, Cambridge, Harvard University Press, 1975.

47. Oppenheim, *La Mésopotamie*, p. 297.

48. R. Labat, dans R. Taton (dir.), *Histoire générale des sciences*, Paris, Presses Universitaires de France, 1966, vol. 1, p. 89-103 ; R. Finet, « Les médecins au royaume de Mari », *Annuaire de l'Institut de philologie et d'histoire orientales et slaves*, vol. 15, 1954-1957, p. 275-280.

49. J. Bottéro, « Divination et esprit scientifique », J. Bottéro (dir.), *Mésopotamie : l'écriture, la raison et les dieux*, Paris, Gallimard, 1987, p. 157-169.

50. Pichot, *op. cit.*, p. 176.

51. A. L. Oppenheim, R. H. Brill, D. Barag et A. Von Saldern, *Glass and Glassmaking in Ancient Mesopotamia*, Corning, NY, Corning Museum of Glass, 1970, p. 5-6.

52. B. Jacomy, *Une histoire des techniques*, Paris, Seuil, 1990, p. 38.
53. Kramer, *The Sumerians*, p. 100-105.
54. Pichot, *op. cit.*, p. 311.

CHAPITRE 2 • SCIENCE ET RATIONALITÉ EN GRÈCE ANCIENNE : LE PROJET DES PHILOSOPHES

1. Lucrèce, *De la nature*, Livre 1, 640, Paris, Garnier, 1954.
2. J. Chadwick, *Le Déchiffrement du linéaire B*, Paris, Gallimard, 1972.
3. Aristote, *Du ciel*, 294a, 28 ff, 295b, 10ff.
4. J. de Romilly, « Introduction » à Thucydide, *Histoire de la guerre du Péloponnèse*, Paris, Robert Laffont, 1990, p. 149.
5. Hérodote, *L'Enquête*, livre III, 131.
6. J. Jouanna, *Hippocrate*, Paris, Fayard, 1992, p. 103.
7. Cité par R. Joly, *Hippocrate médecin grec*, Paris, Gallimard, 1964, p. 49.
8. Aristote, *Métaphysique*, Livre A, 1, 981.
9. Cité par Jouanna, *op. cit.*, p. 433.
10. G. E. R. Lloyd, *Science, Folklore and Ideology*, Cambridge, Cambridge University Press, 1983.
11. Cité par R. Joly, *op. cit.*, p. 88.
12. *Ibid.*, p. 89-90.
13. Cité par Jouanna, *op. cit.*, p. 272.
14. Thucydide, *op. cit.*, p. 270.
15. Platon, *Gorgias*, 456 b-c, traduit par L. Robin, Paris, Gallimard, 1980, p. 160.
16. Cité par Jouanna, *op. cit.*, p. 281-282.
17. C. Natali, « Lieux et écoles du savoir », J. Brunschwig et G. Lloyd (dir.), *Le Savoir grec*, Paris, Flammarion, 1996, p. 238.
18. Diogène Laërce, *Vie, Doctrines et Sentences des philosophes illustres*, vol. I, Paris, Garnier-Flammarion, 1965, p. 247.
19. Aristophane, *Théâtre complet 1*, traduit, commenté et annoté par M.-J. Alfonsi, Paris, Garnier-Flammarion, 1966, p. 32.
20. Platon, *Les Lois*, 886 d-e, traduit par A. Castel-Bouchouchi, Paris, Gallimard, 1997, p. 201-202.
21. *Ibid.*, 891 e, p. 204.
22. *Ibid.*, 966 d, p. 214.
23. *Ibid.*
24. E. R. Dodds, *Les Grecs et l'Irrationnel*, Paris, Flammarion, 1977, p. 193 ; voir aussi E. Derenne, *Les Procès d'impiété intentés aux philosophes aux Ve et IVe siècles avant J.-C.*, réimpression, New York, Arno Press, 1976.
25. Platon, *Protagoras*, 316 c.-317b.
26. Sur l'histoire obscure et mouvementée de la bibliothèque d'Alexandrie, voir L. Canfora, *La Véritable Histoire de la bibliothèque d'Alexandrie*, Paris, Desjonquères, 1988.
27. B. Farrington, *La Science dans l'Antiquité : Grèce, Rome*, Paris, Payot, 1967, p. 12.
28. M. Daumas (dir.), *Histoire de la science*, Paris, Gallimard, 1957, p. 195.
29. R. Horton, « African Traditional Thought and Western Science », B. R. Wilson (dir.), *Rationality*, Oxford, Blackwel, 1970, p. 131-171.
30. J. Ben-David, *The Scientist's Role in Society*, Chicago, University of Chicago Press, 1970.
31. Voir le texte fondateur de cette approche, J. Goody et I. Watt, « The Consequences of Literacy », J. Goody (dir.), *Literacy in Traditional Societies*, Cambridge, Cambridge University Press, 1968, p. 27-68.
32. Voir aussi sur cette question Jouanna, *op. cit.*, p. 109-123.
33. J.-P. Vernant, *Les Origines de la pensée grecque*, Paris, Presses Universitaires de France, 1983, p. 133.
34. J.-P. Vernant, *Mythe et Pensée chez les Grecs*, Paris, Maspero, 1965, p. 156. Voir aussi M. Détienne, « En Grèce archaïque : géométrie, politique et société », *Annales*, vol. 20, mai-juin 1965, p. 425-441.

35. Pour plus de détails, voir G. E. R. Lloyd, « La science grecque et le problème de la mesure », *La Recherche*, n° 200, juin 1988, p. 790-796.

36. Sur cette question, voir M. G. Grmek, *Le Chaudron de Médée. L'Expérimentation sur le vivant dans l'Antiquité*, Le Plessis-Robinson, Institut Synthélabo, 1997.

CHAPITRE 3 • ROME : L'ENCYCLOPÉDISTE, L'INGÉNIEUR ET L'HÉRITAGE GREC

1. Cité dans S. S. Mason, *Main Currents of Scientific Thought. A History of the Sciences*, New York, Henry Schuman, 1953, p. 43.

2. T. W. Africa, *Science and the State in Greece and Rome*, New York, John Wiley, 1968, p. 72.

3. O. Temkin, *Galenism. Rise and Decline of a Medical Philosophy*, Ithaca, Cornell University Press, 1973.

4. Lucrèce, *De la nature*, Paris, Garnier, 1954, p. 205.

5. H. Stierlin, *L'Astrologie et le Pouvoir*, Paris, Payot, 1986, p. 110-112.

6. G. Luck, *Arcana Mundi. Magic and the Occult in the Greek and Roman Worlds*, Baltimore, Johns Hopkins University Press, 1985.

7. Ptolémée, *Manuel d'astrologie. La tétrabible*, Paris, Les Belles lettres, 1993, p. 10, p. 12.

8. R. L. Fox, *Christians and Pagans*, San Francisco, Harper, 1986, p. 64 et suiv.

9. *Ibid.*, p. 64.

10. Cité par Africa, *op. cit.*, p. 86.

11. B. Gille, *Les Mécaniciens grecs*, Paris, Seuil, 1980, p. 150.

12. B. Hill, *A History of Engineering in Classical and Medieval Times*, La Salle, Open Court Publishing Company, 1984, p. 52.

13. Vitruve, *De Architectura*, Livre I, section 1.

14. *Ibid.*, section 3.

15. L. Sprague de Camp, *The Ancient Engineers*, New York, Dorset Press, 1990, p. 165.

16. L. Casson, *The Ancient Mariners*, Princeton, Princeton University Press, 1991, p. 101.

17. Gille, *op. cit.*, p. 54.

18. M. I. Finley, *L'Économie ancienne*, Paris, Minuit, 1975, p. 57.

19. Fox, *op. cit.*, p. 46-47.

20. Vitruve, *op. cit.*, Livre X, section 8.

21. *Ibid.*, section 2.

22. Hill, *op. cit.*, p. 29-30.

23. Finley, *op. cit.*, p. 178-179.

24. *Ibid.*, p. 170.

25. A. T. Hodge, « A Roman Factory », *Scientific American*, novembre 1990, p. 106-111.

26. Vitruve, *op. cit.*, Livre X, section 1.

27. Gille, *op. cit.*, p. 112-113.

28. Cité par E. W. Walbank, *The Hellenistic World*, Cambridge, Harvard University Press, 1981, p. 194-195.

29. Vitruve, *op. cit.*, Livre X, sections 10 et 11.

30. P.-M. Schuhl, *Machinisme et Philosophie*, Paris, Presses Universitaires de France, 1938, p. 4.

31. Hérodote, *Histoire*, II, 167.

32. Gille, *op. cit.*, p. 177, p. 179-181.

33. Cité par R. Chevallier, *Sciences et Techniques à Rome*, Paris, Presses Universitaires de France, 1993, p. 4.

34. Finley, *op. cit.*, p. 75.

35. P. Vidal-Naquet, « Étude d'une ambiguïté : les artisans dans la cité platonicienne », J.-P. Vernant et P. Vidal-Naquet (dir.), *Travail & Esclavage en Grèce ancienne*, Bruxelles, Complexe, 1988, p. 147-175, p. 168.

36. K. D. White, *Greek and Roman Technology*, Ithaca, Cornell University Press, 1984, p. 19.

37. M. I. Finley, *Esclavage antique et Idéologie moderne*, Paris, Minuit, 1979, p. 105.

38. Finley, *L'Économie ancienne*, p. 91-93.

39. A. G. Drachman, *Mechanical Technology of Greek and Roman Antiquity*, Madison, University of Wisconsin Press, 1963, p. 206.

40. Finley, *Esclavage antique et Idéologie moderne*, p. 109-110.

41. *Ibid.*, p. 117 ; aussi, Fox, *op. cit.*, p. 295 et suiv.

42. Finley, *Esclavage antique et Idéologie moderne*, p. 187 et suiv.

43. B. Gille (dir.), *Histoire des techniques*, Paris, Gallimard, 1978, p. 370.

44. *Ibid.*

45. Vitruve, *op. cit.*, Livre X, section 1.

46. White, *op. cit.*, p. 16.

47. Vitruve, *op. cit.*, Livre X, section 7.

48. J. G. Landels, *Engineering in the Ancient World*, Berkeley, University of California Press, 1978, p. 29.

49. Gille, *Les Mécaniciens grecs*, p. 146, p. 171.

50. Aristote, *Métaphysique*, I, 981b, 20.

51 Cité par J. Jouanna, *Hippocrate*, Paris, Fayard, 1992, p. 338.

52. Vitruve, *op. cit.*, Livre X, section 5.

53. Finley, *L'Économie ancienne*, p. 196.

54. Aristote, *Politique*, I, 4.

55. M. I. Finley, *Économie et Société en Grèce ancienne*, Paris, La Découverte, 1984, p. 244.

56. M. Austin et P. Vidal-Naquet, *Économies et Sociétés en Grèce ancienne*, Paris, Armand Colin, 1992, p. 140 et suiv., p. 337 et suiv.

57. J.-P. Vernant, « Travail et nature dans la Grèce ancienne », Vernant et Vidal-Naquet, *op. cit.*, p. 1-23, p. 17.

58. J.-P. Vernant, « Remarques sur les formes et les limites de la pensée technique chez les Grecs », Vernant et Vidal-Naquet, *op. cit.*, p. 35-57, p. 46.

59. Vitruve, *op. cit.*, Livre X, section 1.

60. Cicéron, *De natura deorum*, Livre I, section xxxiii.

61. R. N. Stromberg, *A History of Western Civilization*, Homewood, Ill., The Dorsey Press, 1969, p. 75.

CHAPITRE 4 · LE CLERC, L'UNIVERSITÉ ET LA SCIENCE MÉDIÉVALE

1. Un bilan sommaire se trouve dans G. Wiet, V. Elisséeff et Ph. Wolff, « La pensée scientifique au Moyen Âge », *Cahiers d'histoire mondiale*, vol. 4, 1958, p. 770-786.

2. J. Gimpel, *La Révolution industrielle du Moyen Âge*, Paris, Seuil, 1975 ; J. Le Goff, *Les Intellectuels au Moyen Âge*, Paris, Seuil, 1985, p. 4.

3. L. White, *Medieval Technology and Social Change*, Londres, Oxford University Press, 1962, p. 44.

4. *Ibid.*, p. 67-68.

5. M. Bloch, « Avènement et conquête du moulin à eau », *Annales d'histoire économique et sociale*, n° 36, novembre 1935, p. 538-563.

6. A. Y. Al-Hassan et D. R. Hill, *Islamic Technology. An Illustrated History*, Cambridge, Cambridge University Press, 1986, p. 54 ; F. et J. Gies, *Cathedral, Forge and Waterwheel. Technology and Invention in the Middle Ages*, New York, Harper Collins, 1994, p. 99, p. 117.

7. C. Bec, *Les Marchands écrivains : affaires et humanisme à Florence, 1375-1434*, Paris, Mouton, 1967, p. 318-319.

8. L. White, « What Accelerated Technological Progress in the Western Middle Ages ? », A. C. Crombie (dir.), *Scientific Change*, New York, Basic Book, 1963, p. 272-291.

9. G. Ovitt, *The Restoration of Perfection. Labor and Technology in Medieval Culture*, New Brunswick, Rutgers University Press, 1987.

10. Cité par G. Paré, A. Brunet et P. Tremblay, *La Renaissance du XIIᵉ siècle. Les écoles et l'enseignement*, Ottawa, Institut d'études médiévales, Paris, Vrin, 1933, p. 22.

11. T. Litt, *Les Corps célestes dans l'univers de saint Thomas d'Aquin*, Louvain, Publications universitaires, 1963, p. 240.

12. Cité par P. Duhem, *Le Système du monde*, vol. 3, Paris, Hermann, 1913-1959, p. 278.

13. J. Vernet, *Ce que la culture doit aux Arabes d'Espagne*, Paris, Sinbad, 1985, p. 27-28.
14. W. Rüegg, « Themes », H. de Ridder-Symoens (dir.), *A History of the University in Europe*, vol. 1 : *Universities in the Middle Ages*, Cambridge, Harvard University Press, 1992, p. 6.
15. *Ibid.*, p. 16.
16. *Ibid.*, p. 19.
17. E. Grant, *The Foundations of Modern Science in the Middle Ages*, Cambridge, Cambridge University Press, 1996, p. 36.
18. P. Benoit, « La théologie au XIIIᵉ siècle : une science pas comme les autres », M. Serres (dir.), *Éléments d'histoire des sciences*, Paris, Bordas, 1989, p. 189.
19. E. Grant, *Physical Sciences in the Middle Ages*, Cambridge, Cambridge University Press, 1977, p. 24.
20. P. Duhem, *Études sur Léonard de Vinci, Ceux qu'il a lus et ceux qui l'ont lu*, Paris, Éditions des archives contemporaines, 1984, 2ᵉ série, p. 412 ; 3ᵉ série, p. 248.
21. E. Grant, *The Foundations of Modern Science in the Middle Ages*, Cambridge, Cambridge University Press, 1996, p. 120-121, p. 147-148.
22. E. Grant, « Cosmology », D. C. Linberg (dir.), *Science in the Middle Ages*, Chicago, Chicago University Press, 1978, p. 275-280.
23. J. Jolivet, *Abélard ou la Philosophie dans le langage*, Paris, Cerf, 1994, p. 119.
24. E. J. Dijksterhuis, *The Mechanization of the World Picture*, Princeton, Princeton University Press, 1986, p. 193-200.
25. N. Saraisi, *Medieval and Early Renaissance Medicine*, Chicago, Chicago University Press, 1990, p. 125.
26. *Ibid.*, p. 129.

CHAPITRE 5 · LE SAVOIR EUROPÉEN ET LES NOUVEAUX MONDES : LE NAVIGATEUR, LE MARCHAND ET LE CARTOGRAPHE

1. C. R. Boxer, *The Portuguese Seaborne Empire 1415-1825*, Londres, Carcanet Press, 1991, p. 1. On appelait à l'époque Indes orientales toute l'Asie, par opposition aux Indes occidentales, c'est-à-dire l'Amérique.
2. Cité par G. Aujac, *Claude Ptolémée, astronome, astrologue, géographe. Connaissance et représentation du monde habité*, Paris, CTHS, 1993, p. 305.
3. *Ibid.*, p. 134.
4. *Ibid.*, p. 379.
5. A. W. Pollard (dir.), *The Travels of Sir John Mandeville*, New York, Dover, 1964.
6. J. H. Parry, *The Age of Reconnaissance*, New York, Mentor Book, 1964, p. 24.
7. P. d'Ailly, *Imago mundi*, Paris, Maisonneuve, 1930, vol. 2, p. 425 ; M. Polo, *Le Devisement du monde*, Paris, La Découverte, 1980, vol. 2, p. 284.
8. D'Ailly, *op. cit.*, vol. 1, p. 255.
9. *Ibid.*, p. 241.
10. *Ibid.*, p. 245.
11. *Ibid.*, p. 261.
12. Ces notes sont reproduites dans l'édition citée ici de l'*Imago mundi*.
13. D'Ailly, *op. cit.*, vol. 2, p. 427.
14. Parry, *op. cit.*, p. 126.
15. Cités par L. Boulnois, *La Route de la soie*, Genève, Olizane, 1992, p. 80-81.
16. *The Voyage of Johannes de Plano Carpini* [1246] en annexe à : Pollard (dir.), *op. cit.*, p. 241.
17. *The Journal of Friar William de Rubruquis* [1253] en annexe à : Pollard (dir.), *op. cit.*, p. 261.
18. Parry, *op. cit.*, p. 19 et suiv.
19. *Ibid.*, p. 51.
20. *Ibid.*, p. 111.
21. Le nom Amérique apparaît, pour la première fois, sur la carte du monde de Martin Waldseemüller en 1507.

22. Cité par F. Braudel, *La Méditerranée et le Monde méditerranéen à l'époque de Philippe II*, t. I : *La Part du milieu*, Paris, Armand Colin, 1990, p. 126.
23. C. M. Cipolla, *Guns, Sails and Empires. Technological Innovation and the Early Phases of European Expansion, 1400-1700*, Manhattan, Sunflower University Press, 1985, p. 132.
24. *Ibid.*, p. 136.
25. *The Voyage of Johannes de Plano Carpini* [1246] et *The Journal of Friar William de Rubruquis*, en annexe à Pollard (dir.), *op. cit.*, p. 224, p. 299-300, p. 322 et suiv.
26. Boxer, *op. cit.*, p. 24.
27. Parry, *op. cit.*, p. 65.
28. V. Barbour, « Marine Risk and Insurance in the Seventeenth Century », *Journal of Economics and Business History*, 1928, vol. 1, p. 561-596.
29. B. Gille, « Le problème des transports », M. Daumas (dir.), *Histoire générale des techniques*, Paris, Presses Universitaires de France, 1965, vol. 2, p. 21-24.
30. O. Gingerich, « L'astronomie au temps de Christophe Colomb », *Pour la science*, janvier 1993, n° 183, p. 70-75, p. 72.
31. E. Buron, *Introduction*, vol. 1, p. 6, dans d'Ailly, *op. cit.*
32. Parry, *op. cit.*, p. 99.
33. Gille, *op. cit.*, vol. 1, p. 436.
34. Gille, *op. cit.*, vol. 2, p. 25.
35. Cipolla, *op. cit.*, p. 76.
36. D. F. Lach, *Asia in the Making of Europe*, Chicago, Chicago University Press, 1977, vol. 1, livre 1, p. 223.
37. Gille, *op. cit.*, vol. 1, p. 455.
38. L. A. Brown, *The Story of Maps*, Boston, Little, Brown and Co., 1949, p. 134 et suiv.
39. Lach, *op. cit.*, vol. 1, livre 1, p. 152 et suiv.
40. *Ibid.*, p. 226-227.
41. S. de Champlain, *Traité de la marine et du devoir d'un bon marinier* dans *Œuvres de Champlain*, Montréal, Le Jour, 1973, p. 1333-1383.
42. L. Casson, *The Ancient Mariners*, Princeton, Princeton University Press, 1991, p. 207-208.
43. J. M. Cohen, *The Four Voyages of Christopher Columbus*, Harmondsworth, Penguin, 1969, p. 207.
44. A. W. Crosby, *Ecological Imperialism. The Biological Expansion of Europe, 900-1900*, Cambridge, Cambridge University Press, 1986, p. 104-131.
45. Parry, *op. cit.*, p. 131.
46. Cipolla, *op. cit.*, p. 122.
47. *Ibid.*, p. 104 et suiv.
48. Cité par Cipolla, *op. cit.*, p. 108.
49. Cipolla, *op. cit.*, p. 81, p. 88-89.
50. Parry, *op. cit.*, p. 319.
51. *The Journal of Friar William of Rubruquis*, p. 281.
52. Polo, *op. cit.*, vol. 1, p. 79.
53. *Ibid.*, vol. 2, p. 354.
54. *Ibid.*, vol. 1, p. 195.
55. W. H. McNeill, *The Pursuit of Power*, Chicago, University of Chicago Press, 1982, p. 24-62.
56. Lach, *op. cit.*, vol. 1, livre 1, p. xii.
57. Cipolla, *op. cit.*, p. 142.
58. W. H. McNeill, *Plagues and Peoples*, Garden City, Anchor Books, 1976, p. 176 et suiv. ; A. W. Crosby, *The Columbian Exchange. Biological and Cultural Consequences of 1492*, Westport, Westview Press, 1972, p. 34-63.
59. M. Adas, *Machines as the Measure of Men. Science, Technology, and Ideologies of Western Dominance*, Ithaca, Cornell University Press, 1989, p. 21 et suiv.
60. Lach, *op. cit.*, vol. 2, livre 3, p. 400.
61. *Ibid.*, p. 429.

62. *Ibid.*, p. 430.

63. *Ibid.*, livre 1, p. 123-185.

64. C. Stresser-Péan, « La science chez les peuples de l'Amérique précolombienne », R. Taton (dir.), *Histoire générale des sciences*, Paris, Presses Universitaires de France, 1966, vol. 1, p. 430-431.

65. W. George, *Animals and Maps*, Berkeley, University of California Press, 1969, p. 56-86.

66. Jean Fernel (1497-1558), cité par J. D. Bernal, *Science in History*, Cambridge, MIT Press, 1971, vol. 2, p. 406.

67. Gingerich, *loc. cit.*, p. 70-75.

68. N. Copernic, *Des révolutions des orbes célestes*, traduit par A. Koyré, Paris, Felix Alcan, 1934, p. 64.

69. C'est-à-dire de l'Inde asiatique, où se trouve le Gange.

70. L. Chartrand, R. Duchesne et Y. Gingras, *Histoire des sciences au Québec*, Montréal, Boréal, 1987, p. 24-31.

71. R. Litalien, *Les Explorateurs de l'Amérique du Nord, 1492-1795*, Sillery, Septentrion, 1993, p. 144, p. 161.

72. *Ibid.*, p. 102, p. 105.

73. I. B. Cohen, « L'Amérique vue par Christophe Colomb », *Pour la science*, février 1993, n° 184, p. 64-70 ; F.-M. Gagnon et D. Petel, *Hommes effarables et bestes sauvaiges : images du Nouveau-Monde d'après les voyages de Jacques Cartier*, Montréal, Boréal, 1986.

74. Lach, *op. cit.*, vol. 2, livre 3, p. 396.

CHAPITRE 6 • LA RENAISSANCE : L'HUMANISTE, L'ARTISTE-INGÉNIEUR, L'IMPRIMEUR ET LA FIN DE LA CULTURE DU SCRIBE

1. J. Michelet, *Histoire de France*, Paris, Boutan-Marguin, 1961.

2. Sa *Civilisation de la Renaissance en Italie*, peut-être l'ouvrage le plus influent sur l'histoire de la période, parut en 1860.

3. Cité par A. Chastel, *Art et Humanisme à Florence au temps de Laurent le Magnifique. Études sur la Renaissance et l'humanisme platonicien*, Paris, Presses Universitaires de France, 1982, p. 187.

4. L. B. Alberti, *De la peinture*, Paris, Macula, 1993, p. 69.

5. G. Vasari, *The Lives of the Painters, Sculptors and Architects*, Londres, Dent, 1947, vol. 1, p. 6.

6. *Ibid.*, p. 270.

7. P. Burke, *The Italian Renaissance. Culture and Society in Italy*, Princeton, Princeton University Press, 1986, p. 1, 224.

8. L. Martines, *Power and Imagination. City-States in Renaissance Italy*, Baltimore, Johns Hopkins University Press, 1988, p. 18-19, p. 62, p. 130.

9. *Ibid.*, p. 64-65, p. 74.

10. E. Garin, *Science and Civic Life in the Italian Renaissance*, New York, Anchor Books, 1969, p. 90.

11. *Op. cit.*, p. 191-196.

12. *Ibid.*, p. 115-116.

13. C. Bec, *Les Marchands écrivains : affaires et humanisme à Florence, 1375-1434*, Paris, Mouton, 1967, p. 361-372.

14. *Ibid.*, p. 377-378.

15. Martines, *op. cit.*, p. 196.

16. W. P. D. Wightman, *Science in a Renaissance Society*, Londres, Hutchinson, 1972, p. 152-153.

17. Garin, *op. cit.*, p. 90-92.

18. Wightman, *op. cit.*, p. 22.

19. *Ibid.*, p. 29, p. 67.

20. Burke, *op. cit.*, p. 244.

21. Wightman, *op. cit.*, p. 31-33, p. 37.

22. O. Hannaway, « Georgius Agricola as Humanist », *Journal of the History of Ideas*, 1992, p. 353-560.

23. G. Agricola, *Bermannus. Un dialogue sur les mines*, Paris, Les Belles Lettres, 1990.

24. F. J. Swetz, *Capitalism & Arithmetic*, La Salle, Ill., Open Court, 1987.

25. Bec, *op. cit.*, p. 384-390.

26. Vasari, *op. cit.*, vol. 1, p. 224.

27. *Ibid.*, p. 124.

28. Alberti, *op. cit.*, p. 209-215.

29. Préface de J.-L. Scheffer, dans Alberti, *op. cit.*, p. 7-22.

30. Vasari, *op. cit.*, vol. 1, p. 209.

31. Alberti, *De la peinture*, p. 69.

32. Vasari, *The Lives*, vol. 1, p. 271-272.

33. *Ibid.*, p. 207, p. 275.

34. *Ibid.*, p. 208.

35. G. C. Argan, *Brunelleschi*, Paris, Macula, 1981, p. 45-47.

36. *Ibid.*, p. 49.

37. B. Gille, *Les Ingénieurs de la Renaissance*, Paris, Hermann, 1964, p. 8.

38. Argan, *op. cit.*, p. 131.

39. Traduction d'après la citation de Tartaglia dans W. D. P. Wightman, *Science in a Renaissance Society*, London, Hutchinson, 1972, p. 131.

40. Gille, *op. cit.*, p. 9.

41. A. R. Turner, *Inventing Leonardo*, New York, Alfred A. Knopf, 1993, p. 37.

42. *Ibid.*, p. 211.

43. W. Eamon, « Court, Academy, and Printing House : Patronage and Scientific Careers in Late Renaissance Italy », B. T. Moran (dir.), *Patronage and Institutions. Science, Technology, and Medicine at the European Court, 1500-1750*, Rochester, Boydel Press, 1991, p. 32.

44. N. Machiavel, *Le Prince*, dans *Œuvres complètes*, Paris, Gallimard, Bibliothèque de la Pléiade, 1952, p. 359-360.

45. Chastel, *op. cit.*, p. 94, p. 515.

46. *Ibid.*, p. 150.

47. *Ibid.*, p. 515.

48. S. Y. Edgerton, *The Heritage of Giotto's Geometry. Art and Science on the Eve of the Scientific Revolution*, Ithaca, Cornell University Press, 1991, p. 224.

49. *Ibid.*, p. 224-225.

50. M. Ornstein, *The Role of Scientific Societies in the Seventeenth Century*, Chicago, University of Chicago Press, 1938, p. 73-74.

51. *Ibid.*, p. 75.

52. B. T. Moran, « German Prince-Practitioners : Aspects in the Development of Courtly Science, Technology, and Procedures in the Renaissance », *Technology and Culture*, 1981, vol. 22, p. 253-274.

53. G. Sarton, *Six Wings. Men of Science in the Renaissance*, Londres, The Bodley Head, 1958, p. 19.

54. F. Bacon, *The New Organon*, Indianapolis, The Bobbs-Merrill Company, 1960, p. 118 (Aphorisme 129).

55. L. Febvre et H.-J. Martin, *L'Apparition du livre*, Paris, Albin Michel, 1971, p. 40-41.

56. Burke, *op. cit.*, p. 69.

57. G. Bechtel, *Gutenberg*, Paris, Fayard, 1992, p. 48 et suiv.

58. E. L. Eisenstein, *The Printing Press as an Agent of Change*, Cambridge, Cambridge University Press, 1979, p. 23, p. 75-76.

59. *Ibid.*, p. 398.

60. Febvre et Martin, *op. cit.*, p. 351.

61. *Ibid.*, p. 365.

62. *Ibid.*

63. Eisenstein, *op. cit.*, p. 209.

64. G. Sarton, *Appreciation of Ancient and Medieval Science During the Renaissance (1450-1600)*, New York, A. S. Barnes & Company, 1961, p. 137, p. 147.

65. Eisenstein, *op. cit.*, p. 71-72.

66. *Ibid.*, p. 113, p. 124, p. 464, p. 503.

67. *Ibid.*, p. 167.
68. Febvre et Martin, *op. cit.*, p. 368.
69. Eisenstein, *op. cit.*, p. 106-107.

CHAPITRE 7 · LA RÉVOLUTION ASTRONOMIQUE : DE L'HUMANISTE AU SAVANT

1. O. Gingerich, « Copernicus and the Printing Press », A. Beer et K. A. Strand (dir.), *Copernicus Yesterday and Today, Vistas in Astronomy,* vol. 17, 1975, p. 201-207.
2. F. Maiello, *Histoire du calendrier,* Paris, Seuil, 1996, p. 128.
3. N. Copernic, « Commentariolus », J.-P. Verdet (dir.), *Astronomie et Astrophysique,* Paris, Larousse, 1993, p. 191.
4. N. Copernic, *Des révolutions des orbes célestes,* traduit par A. Koyré, Paris, Félix Alcan, 1934, p. 45-46.
5. Aristote, *De caelo,* traduit par P. Moreux, Paris, Les Belles Lettres, 1965, p. 80.
6. Copernic, *op. cit.,* p. 115-116.
7. Cité par A. Koyré, *La Révolution astronomique : Copernic, Kepler, Borelli,* Paris, Hermann, 1961, p. 56.
8. G. J. Rheticus, *Narratio prima,* dirigé et traduit par H. Hugonnard-Roche et J.-P. Verdet, Wroclaw, Maison de l'Académie polonaise des sciences, 1982, p. 214.
9. Koyré, *op. cit.,* p. 77.
10. Rhéticus, *op. cit.,* p. 108.
11. *Ibid.,* p. 197.
12. R. S. Wesman, « The Astronomers' Role in the Sixteenth Century : A Preliminary study », *History of Science,* vol. 18, 1980, p. 105-147.
13. A. Koyré, *op. cit.,* p. 48 ; T. S. Kuhn, *La Révolution copernicienne,* Paris, A. Fayard, 1992 ; D. de Solla Price, « Contra-Copernicus : a Critical Re-Estimation of the Mathematical Planetary Theory of Ptolemy, Copernicus and Kepler », M. Clagett (dir.), *Critical Problems in the History of Science,* Madison, University of Wisconsin Press, 1959, p. 197-218.
14. Cité par Koyré, *op. cit.,* p. 38.
15. T. Brahé, « Sur une étoile nouvelle », J.-P. Verdet (dir.), *Astronomie et Astrophysique,* p. 259.
16. Voir la lettre à Maestlin, mai 1598, citée par Koyré, *op. cit.,* p. 161.
17. Cité par Verdet, *op. cit.,* p. 244-245.
18. Koyré, *op. cit.,* p. 279.
19. Cité par Koyré, *op. cit.,* p. 128.
20. *Ibid.,* p. 146.
21. *Ibid.,* p. 152.
22. Koyré, *op. cit.,* p. 364.
23. Cité par Verdet, *op. cit.,* p. 343.
24. M. Biagioli, *Galileo Courtier. The Practice of Science in the Culture of Absolutism,* Chicago, University of Chicago Press, 1993.
25. Kepler, *Discussion avec le messager céleste. Rapport sur l'observation des satellites de Jupiter,* traduit par I. Pantin, Paris, Les Belles Lettres, 1993, p. 8-9.
26. *Ibid.,* p. 28.
27. G. Galilei, *Sidereus nuncius or The Sideral Messenger,* traduit par A. Van Helden, Chicago, University of Chicago Press, 1989, p. 92 (lettre de Galilée au secrétaire de la cour de Toscane, 19 mars 1610).
28. Kepler, *op. cit.,* p. 37.
29. Cité par Kepler, *op. cit.,* p. xxvi.
30. *Ibid.,* p. xxiv.
31. *Ibid.,* p. xxiv.
32. S. Shapin et S. Schaffer, *Léviathan et la Pompe à air,* Paris, La Découverte, 1993.
33. Biagioli, *op. cit.,* p.162.
34. Galilée, *Dialogues et Lettres choisies,* traduit par P.-H. Michel, Paris, Hermann, 1966, p. 385.

35. *Ibid.*

36. *Ibid.*, p. 386.

37. Cité par F. Lo Chiatto et S. Marconi, *Galilée entre le pouvoir et la science,* Aix-en-Provence, Alinéa, 1988, p. 91.

38. Cité par Galilée, *op. cit.,* p. 392.

39. Cité par Biagioli, *op. cit.,* p. 317.

40. Cité par Chiatto et Marconi, *op. cit.,* p. 113.

41. *Ibid.*, p. 146.

42. *Ibid.*, p. 151.

CHAPITRE 8 · DE LA PHILOSOPHIE MÉCANISTE À L'UNIVERS MATHÉMATIQUE

1. Ce n'est pas le lieu ici d'entrer dans cette controverse qui oppose S. Drake et A. Koyré. Pour approfondir cette question, voir : S. Drake, *Galileo Studies,* Ann Arbor, University of Michigan Press, 1970 ; A. Koyré, *Études galiléennes,* Paris, Gallimard, 1939 ; P. Thuillier, *D'Archimède à Einstein,* Paris, Fayard, 1988, chap. VII.

2. A. Koyré, *Études galiléennes,* Paris, Gallimard, 1939.

3. S. Drake, *Galileo at Work. His Scientific Biography,* Chicago, Chicago University Press, 1978.

4. E. Zilzel, « The Sociological Roots of Science », *American Journal of Sociology,* vol. 47, n° 4, 1942, p. 544-462.

5. Galilée, *Dialogues et Lettres choisies,* traduit par P.-H. Michel, Paris, Hermann, 1966, p. 225.

6. E. L. Eisenstein, *The Printing Press as an Agent of Change,* Cambridge, Cambridge University Press, 1979, p. 209-211.

7. Cité par P. Redondi, *Galilée hérétique,* Paris, Gallimard, 1985, p. 65.

8. Lucrèce, *De la nature,* livre II, traduit par A. Lefèvre, Belisle, 1965.

9. Cité par R. Lenoble, *Mersenne ou la Naissance du mécanisme,* Paris, Vrin, 1971, p. 11.

10. F. Bacon, *La Nouvelle Atlantide,* introduction de M. Le Doeuff, Paris, Gallimard, 1995, p. 19.

11. *Ibid.*, p. 129.

12. Cité par L. Geymonat, *Galilée,* Paris, Laffont, 1968, p. 121.

13. Descartes, *Principes de philosophie,* édition préparée par C. Adam et P. Jannery, Paris, Vrin, 1996, IV, 202.

14. Descartes, *op. cit.,* IV, 188.

15. Cité par Geymonat, *op. cit.,* p. 179.

16. C. Chauviré, *L'Essayeur de Galilée,* Paris, Les Belles Lettres, 1980, p. 141.

17. Drake, *op. cit.,* p. 62, p. 68.

18. G. Galilei, *Dialogue sur les deux grands systèmes du monde,* Paris, Seuil, 1992, p. 394-395.

19. *Ibid.*, p. 442.

20. Bacon, *op. cit.,* p. 13.

21. Cité par Drake, *op. cit.,* p. 81.

22. Drake, *op. cit.,* chap. 4, « The Accademia Dei Lincei », p. 79-94.

23. M. Hunter, « First Steps in Institutionalization : The Role of the Royal Society of London », dans T. Frängsmyr (dir.), *Salomon's House Revisited,* New York, Science History Publications, 1990, p. 24.

24. Cité par L. Brunschvicg, *Blaise Pascal,* Paris, Vrin, 1953, p. 140.

25. W. E. Knowles Middleton, *The Invention of Meteorological Instruments,* Baltimore, Johns Hopkins University Press, 1969, p. 21.

26. C. B. Schmitt, « Experimental Evidence for and against a Void : The Sixteenth-Century Arguments », *Isis,* vol. 58, 1967, p. 352-366.

27. S. Shapin et S. Schaffer, *Leviathan et la Pompe à air,* Paris, La Découverte, 1993.

28. Sur ces questions, voir *ibid.*

29. F. Manuel, *A Portrait of Isaac Newton,* Cambridge, Belknap Press of Harvard University Press, 1968, p. 161.

30. I. Newton, *Principes mathématiques de philosophie naturelle*, traduit par la marquise du Châtelet, Paris, Lambert, 1756, t. second, p. 179, réimpression Librairie Blanchard, Paris, 1966.

31. Cité par François de Gandt dans I. Newton, *De la gravitation*, p. 30.

32. I. Newton, *De la gravitation* suivi de *Du mouvement des corps*, traduits par M.-F. Biarnais et F. de Gandt, Paris, Gallimard, 1995, p. 141.

33. P. S. Laplace, *Essai philosophique sur les probabilités*, Paris, Gauthier-Villard, 1921, p. 3.

CHAPITRE 9 · NATURALISTES ET MÉDECINS : LA CONNAISSANCE DES VIVANTS DE LA RENAISSANCE AUX LUMIÈRES

1. Pline l'Ancien, *Histoire naturelle*, Paris, Les Belles Lettres, 1950, vol. 1, p. 53, Livre I, 17.

2. Cité par P. Findlen, *Possessing Nature. Museums, Collecting, and Scientific Culture in Early Modern Italy*, Berkeley, University of California Press, 1994, p. 64.

3. M. Foucault, *Les Mots et les Choses. Une archéologie des sciences humaines*, Paris, Gallimard, 1966, p. 55-56.

4. Findlen, *op. cit.*

5. L. Thorndike, *A History of Magic and Experimental Science*, New York, Columbia University Press, 1941, vol. VI, p. 267 et suiv.

6. L. Deuel, *Testament of Time. The Search for Lost Manuscripts and Records*, Baltimore, Penguin, 1965, p. 7-13.

7. Findlen, *op. cit.*, p. 36.

8. M. J. S. Rudwick, *The Meaning of Fossils*, Londres, Macdonald, 1972, p. 11-13.

9. Findlen, *op. cit.*, p. 153-154.

10. J. Sachs, *History of Botany (1530-1860)*, traduit par H. E. F. Garnsey, New York, Russell and Russell, 1890, p. 18.

11. J. Stannard, « P. A. Mattioli : Sixteenth-Century Commentator on Dioscorides », University of Kansas Libraries, *Bibliographical Contributions*, Laurence, University of Kansas Libraries, vol. I, 1969, p. 59-81.

12. J. Stannard, « The Herbal As a Medical Document », *Bulletin of the History of Medicine*, vol. 43, 1969, p. 212-220.

13. A. Arber, *Herbals, Their Origin and Evolution : A Chapter in the History of Botany, 1470-1670*, Darien, Hafner Publishing, 1938, p. 271-282.

14. *Ibid.*, p. 142.

15. *Ibid.*, p. 139-143.

16. Cité par Réjane Bernier, *Aux sources de la biologie*, Montréal, PUQ, 1975, tome 1, p. 103.

17. S. Atran, *Fondements de l'histoire naturelle*, Paris, Complexe, 1986, p. 72-74.

18. *Ibid.*, p. 79.

19. Cité par Atran, *op. cit.*, p. 77.

20. Atran, *op. cit.*, p. 135-137.

21. *Ibid.*, p. 90.

22. H. J. Cook, « The New Philosophy and Medicine in Seventeenth-Century England », D. C. Lindberg et R. S. Westman (dir.), *Reappraisals of the Scientific Revolution*, Cambridge, Cambridge University Press, 1990, p. 397-436.

23. Cité par F. Duchesneau, *L'Empirisme de Locke*, La Haye, Nijhoff, 1973, p. 12 ; R. M. Yost, « Sydenham's Philosophy of Science », *Osiris*, vol. 9, 1950, p. 84-105 ; K. Dewhurst, *Dr. Thomas Sydenham (1624-1704). His Life and Writings*, Berkeley, University of California Press, 1968 ; F. Duchesneau, « La philosophie médicale de Sydenham », *Dialogue*, vol. 9, 1970, p. 54-68.

24. T. Sydenham, *Médecine pratique*, traduit par Jault, Paris, 1784, p. 121, cité par M. Foucault, *Histoire de la folie*, Paris, Gallimard, p. 206 ; R. M. Yost, *op. cit.*

25. Duchesneau, « La philosophie médicale de Sydenham », p. 5.

26. Cité par H. Daudin, *De Linné à Jussieu. Méthodes de la classification et idée de série en botanique et en zoologie*, Paris, Felix Alcan, 1926, p. 29.

27. Citée par H. Metzger, *Attraction universelle et Religion naturelle chez quelques commentateurs anglais de Newton*, Paris, Hermann, 1938, p. 62-63.
28. I. Newton, *Traité d'optique*, fac-similé de l'édition de 1722, Paris, Gauthiers-Villars, 1955, p. 445.
29. Traduit d'après une citation dans C. C. Gillispie, *Genesis and Geology*, New York, Harper, 1959, p. 3.
30. Metzger, *op. cit.*, p. 7.
31. O. Temkin, *Galenism. Rise and Decline of a Medical Philosophy*, Ithaca, Cornell University Press, 1973, p. 115, n. 55.
32. *Ibid.*, p. 168.
33. *Ibid.*, p. 175.
34. M. Grmek, *La Première Révolution biologique*, Paris, Payot, 1990, p. 99.
35. R. G. Frank, *Harvey and the Oxford Physiologists. A Study of Scientific Ideas*, Berkeley, University of California Press, 1980, p. 14.
36. Cité par J. Roger, *Les Sciences de la vie dans la pensée française du XVIIIe siècle*, Paris, Armand Colin, 1963, p. 342.
37. T. S. Hall, *Ideas of Life and Matter. Studies in the History of General Physiology*, Chicago, University of Chicago Press, 1969, t. I, p. 347.
38. J. Rostand, *Les Origines de la biologie expérimentale et l'abbé Spallanzani*, Paris, Fasquelle, 1951, chap. X.
39. C. Wilson, *The Invisible World. Early Modern Philosophy and the Invention of the Microscope*, Princeton, Princeton University Press, 1995, p. 113.
40. Roger, *op. cit.*, p. 263.
41. Wilson, *op. cit.*, p. 124.
42. Cité par H. B. Adelmann, *Marcello Malpighi and the Evolution of Embryology*, Ithaca, Cornell University Press, 1966, vol. II, p. 908.
43. V. P. Dawson, *Nature's Enigma. The Problem of the Polyp in the Letters of Bonnet, Trembley and Réaumur*, Philadelphie, American Philosophical Society, 1987, p. 117.
44. T. Hankins, *Science and the Enlightenment*, New York, Cambridge University Press, 1985, p. 124.
45. P. Belon, *L'Histoire de la nature des oyseaux*, fac-similé de l'édition de 1555, Genève, Librairie Droz, 1997, p. 2.

CONCLUSION

1. J. Le Rond d'Alembert, *Discours préliminaire de l'Encyclopédie*, Paris, Gonthier, 1965, p. 96.

Index

Table des matières

MISE EN PAGES ET TYPOGRAPHIE :
LES ÉDITIONS DU BORÉAL

CE QUATRIÈME TIRAGE A ÉTÉ ACHEVÉ D'IMPRIMER EN FÉVRIER 2007
SUR LES PRESSES DE MARQUIS IMPRIMEUR
À CAP-SAINT-IGNACE (QUÉBEC).